박정희이력서 Ⅱ

세상은 내가 바꾼다
- 우리 민족의 나갈 길 -

■ 저자 : **정이(精而) 이 대 희 (李大熙, Daehee Lee)**

- 아호(雅號): 늘보. 정이(精而). 이재(頤齋)
- (학력) 청주고. 서울대 행정학 박사(정책학 전공)
- (경력) 광운대 교수. 한국행정학회,동양고전학회,서울행정학회 회장 역임
  행정사연구회 회장. 서울북부경실련 공동 대표. '정부기관' 자문위원
  (재)한국산림복지문화재단 이사장. (사)한국산악문화협회 이사장(현)
  「포럼 감성과 문화」 대표(현)
- (저서) 「감성정부」「정책가치론」「문화산업론」「인성」「한국적인식론」
  「감성혁명과 정부재창조」「행정(공저)」「행정사(공저)」「새행정학(공저)」
  Emotional Revolution and Government Reinvention
  「한국정부론(공저)」「한국발전모형」
  「문화학Ⅰ:문화학」「문화학Ⅱ:문화와 인류」「문화학Ⅲ:문화와 자연」
  「문화학Ⅳ:문화와 예술」「문화학Ⅴ:문화와 국가」 (교보문고 판매)
  National Development Model: KOREA
  「박정희이력서Ⅰ:세상은 내가 바꾼다. 5·16 군사혁명」 (교보문고판매)
  「박정희이력서Ⅱ:세상은 내가 바꾼다. 우리 민족의 나갈 길」
  「박정희이력서Ⅲ~Ⅳ: 인간 박정희」 (내외뉴스통신 연재 중)
  「박정희이력서Ⅴ~Ⅵ: 천 달러, 100억불」 (구상 중)
- (연락처) nulbo2000@gmail.com

발 간 사

5 · 16 군사 혁명을 왜 했나? 혁명 정부는 도대체 뭔 일을 했는가?

궁금해 하는 사람들이 많다. 이번 편은 혁명정부, 국가재건최고회의와 인간 박 정희가 1962년과 1963년 기간 동안에 무슨 일을 했는가에 초점을 두고 쓴 글이다. 5 · 16 군사 혁명 이후에 전개되는 국가 행정, 통치에 관련되는 내용을 주로 다루었다.

혁명 정부는 모든 영역에서 전 방위적으로 혁신을 추구하였다. 법적, 제도적 정비와 함께 국가 재건을 시도하고 동시에 국민 재건 운동을 전개하였다. 국민재건운동은 온 국민의 의식주 여건 개선, 관습과 사고 및 행태의 선진화를 추구한 것이다. 수백 년 동안 어느 누구도 시도해보지 못했던 국민 의식 개혁, 생활 태도 개선 작업을 혁명 정부에서는 과감하게 시도하였다. 이런 작업은 박 정희 대통령이 오랜 기간 동안 벼르고 벼르던 '국민 개조' 작업에 속하는 일이다.

국가발전을 위해 경제개발 5개년계획을 수립하고 곧바로 1962년부터 추진에 들어간 것은 '실천 행정'을 보여주는 대표적 사례다. 이전 정부에서 겨우겨우 체면치레 정도의 계획 수립에 머무르던 것을 치밀하게 계획서를 만든 뒤 행정 관료와 전문가, 관계 국민들을 총동원하여 추진해 갔다. 추진 과정에서 시행착오가 발생하면 즉시 수정 계획을 수립하여 재추진에 나섰다.

혁명 정부를 괴롭게 한 것은 정치 자유화와 함께 민정 이양이었다. 국가발전을 위해 가장 절실했던 '정치 규제'가 민정 이양을 논하고 자유 민주정치를 복원하자마자 엄청난 부담과 도전으로 나타났다. 군사 혁명의 원인을 제공했던 정치 혼란이 곧바로 재현되는 상황을 놓고 박 정희 의장과 군부는 엄청난 고민에 빠졌다. 1963년 연초부터 민정 이양의 시기와 방법을 놓고 혁명정부, 박 의장은 우왕좌왕하는 모습을 보이면서 국민들을 실망시켰다.

공화당 창당과 민정 이양 과정에서 발생한 내부 분열은 혁명 정부를 뿌리부터 흔들리게 만들었다. 마침내 가장 측근에 있던 동지조차도 잘라 내야만 했다. 그리고 노련한 기성 정치인들과의 협상 과정에서 박 의장은 고민에 고민을 거듭했다. 이런 그의 모습을 비판적으로 바라다보는 사람들은 그의 권력욕을 비난했고, 그의 민정 이양에 관한 약속을 의심했다.

비록 우여곡절을 겪기는 했지만 박 정희 대통령의 민정 이양 일정은 처음 그가 구상했던 대로 차근차근 진행되어 갔다. 제3공화국 대통령 선거에서 야당의 윤 보선과 대결하여 당선되었고, 국회의원 선거에서 공화당이 압승을 거두었다. 새로운 민간 정부의 대통령으로 당선되고, 여당이 국회에서 안정 의석을 확보함에 따라 박 대통령이 혁명 당시부터 목표로 세웠던 국가 발전, 경제 개발을 순조롭게 추진해 갈 수 있게 되었다.

혁명 정부의 업적은 실로 대단한 것이었다. 제3공화국으로 정권이 이어지면서 짧은 혁명 정부 기간 동안의 업적이 묻혀버린 감이 있지만 2년 7개월간의 혁신 정책은 이후 모든 영역에서 빛을 발하게 되었다.

혁명 정부의 업적을 다음과 같이 8개로 정리하였다. 국가 시스템 재건(체 體), 정치 순화(치 治), 법치 사회 구현(법 法), 치안과 국방 공고화(안 安), 실천 행정 국가 구축(행 行), 경제 중심의 산업 국가로 방향 설정(산 産), 수출과 세계화 추구(세 世), 젊은 한국으로 변신(청 靑)이 그것이다. 보는 시각에 따라 정리 방법이 달라질 수는 있다.

저자는 「박정희 이력서」를 세 부분으로 나누어 정리 중이다. 제1화는 '세상은 내가 바꾼다'라는 주제로 5 · 16 군사 혁명에 관한 내용을 혁명 직전인 1961년부터 1963년 말 민정 이양 때 까지 다루었다. 제2화는 '인간 박정희'라는 주제로 1917년 탄생 시점으로부터 1960년, 혁명 직전까지를 다루려 한다. 현재 대구사범 재학 중의 이야기가 전개되고 있다. 제3화는 '천

달라, 100억불'이라는 주제로 제3공화국 이후를 다룰 예정이다.

박 정희 대통령의 업적을 당사자의 1인칭 관점에서 스토리를 전개하고 있다. 이런 방식이 외부 제3자 관점에서만 바라보는 박 정희 대통령을 좀 더 정확하게 이해하게 될 것으로 생각한다.

순수 인간으로 돌이켜 보면, 나의 온 인생이 박 정희 대통령과 매우 흡사하다는 생각을 지울 수 없다. 비록 인생 경력에는 천지 차이가 있지만 한 인간의 본 모습을 보면 '따라 잡지 못할 것 없다'는 자신감이 든다.

한 가지 밝혀 둘 것이 있다. 나는 박 대통령을 1km 이내로 가까이 가 본 적이 없는 사람이다. 전 국민과 함께 그 분의 은택을 입어 지금 이렇게 행복하게 살고 있지만 박 대통령 생전에는 가까이서 얼굴을 뵌 적이 없었다. 먼발치에서 우러러보면서 '세상에 대통령은 박 정희 밖에 없는 거구나' 하면서 내 일에만 열중했었다.

2024년 8월 30일

광교산방(光敎山房)에서 정이(精而)

목 차

(사진과 표)
글 속의 사진과 표는 한국군사혁명사편찬위원회. (1963). 「한국군사혁명사 제1집 상」에서 대부분 인용하였음. 아울러 안병훈. (2012) 「사진과 함께 읽는 대통령 박정희」 도서출판 기파랑, 국가기록원 자료 사진을 인용함.

(표지)
이 은주 디자이너의 도움을 받아 제작함.

제 1 부

미국과 일본을 품어라 !

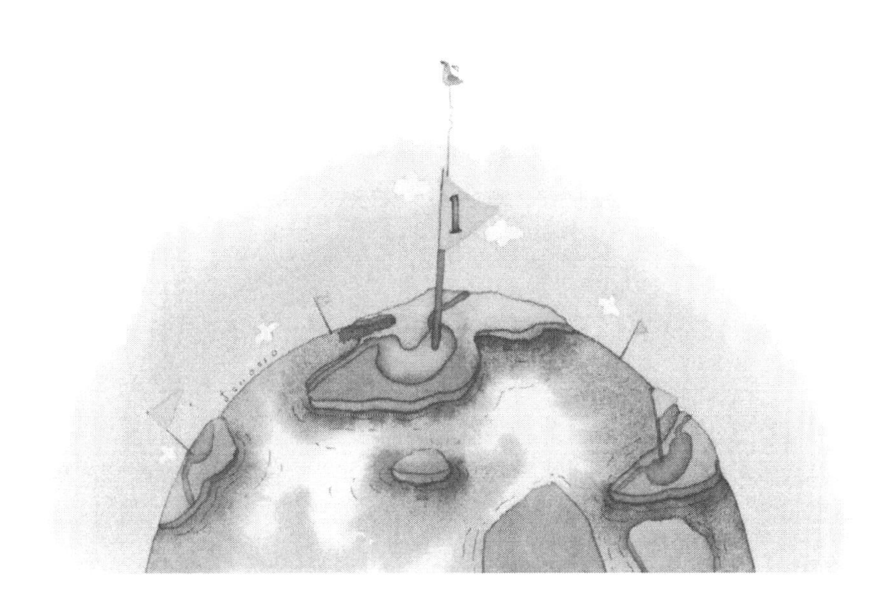

Chicago: 미국 산업화의 중심

잠을 자는 둥 마는 둥 6시에 눈을 떴다. 벌써 창밖이 훤하다. 이틀간 일본 방문 일정을 소화하느라고 긴장을 했고, 쉬지도 못한 채 앵커리지, 시애틀을 거쳐서 시카고 오헤어 공항까지 비행기로 날아왔다. 전용기가 없는 가난한 나라이기에 미국 노스웨스트 항공기를 빌려 타는 수밖에 없었다.

시애틀에서는 전쟁고아들로 구성된 선명회 어린이 합창단이 애국가를 부르면서 나를 반겨주었다. 아이들이 정겹고 더없이 고마웠다. 12일(날자 변경) 오전 11시 40분에 다시 비행기를 타고 시카고로 달려서 오후 5시 50분에 도착했다.

시차 적응이 안돼서 '멍멍'하다. 출국 전에도 쉴 틈이 전혀 없었다.

시카고 거리와 호수를 직접 밟아 보고 싶었다. 간편복으로 갈아입고 호텔 로비로 내려오니 경호원 몇이 인사를 한다. 그들과 함께 밖으로 나와 거대한 호텔을 정면으로 바라다본다. 역사와 전통을 지니고 있는 엄청난 규모의 드레이크 호텔(The Drake Hotel)이다.

미시간 호수를 보고 싶다고 했더니 경호원들이 나를 호텔 뒷 편으로 돌아서 Oak Street Beach로 안내한다.

"야아, 이게 호수야 바다야?"

거대한 물결이 잔잔하게 나를 맞는다. 바다처럼 느껴지는 호수로부터 시원한 아침 바람이 불어온다.

"미시간호는 우리 한국의 1/2 정도 크기입니다. 가장 큰 슈피리어호는 남한 전체보다도 큽니다."

옆에서 알려준다. 호수를 바라보면서 담배 한 대를 피워 문다. 미국에서의 첫 아침이 이렇게 시작되고 있었다.

"다친 사람들은 어떻게 됐죠?"

어제 시카고 오헤어 국제공항(O'Hare International Airport)에서 호텔로 오는 과정에 일어났던 자동차 사고로 다친 사람들의 근황을 물었다. 어제 공항에는 미 제5군 사령관과 정부 관료, 정 일권 주미 대사, 미리 와 있던 김 재춘 위원장 그리고 수많은 한국인 교포와 유학생들이 태극기를 흔들면서 우리를 환영했다. 짧은 도착 성명을 끝내고 곧바로 시내 호텔로 이동을 했다.

방문단 일행을 환영하러 나왔던 한인 교포들이 차로 우리 차량을 뒤따르다가 앞 차가 급정거하는 바람에 5중 추돌사고를 냈다. 비가 내린 고속도로가 미끄러워서 50여대의 긴 차량 행렬 중 후미 5대가 사고를 냈다. 7명이 다쳐서 긴급하게 성 엘리자베스 병원으로 후송되었지만, 다행히 큰 사고는 아니었다. 시카고 경찰에서는 혹시라도 불순 세력에 의한 테러가 아닐까 극도로 경계심을 높였다. 미국 입국 과정에서부터 액땜을 한 셈이다.

호텔 방으로 들어와서 수행 비서에게 미국 방문 일정표와 함께 시카고 지도 한 장을 부탁했다. 방문 일정이 빼곡하다. 국빈 방문이다 보니 공식

◇(1961년 11월) 11일(토) /12시 15분 동경 향발 /16시「하네다」공항 착
/18시「이께다」수상 초청 만찬회 참석
◇12일(일) /10시 이께다 수상과 회담 /15시 30분 내외기자회견 /18시 박 의장 초청
만찬회 /22시 시카고 향발(이하 현지시간) /(12일) 22시 45분 시카고 착
◇13일(월) /8시 시카고 유학생과 아침 /12시 워싱톤 향발 /16시 워싱톤 국제공항 착
◇14일(화) /9시 30분 워싱톤 아링톤 국립묘지 화환중정 /10시 러스크 국무장관과 회담
/13시 케네디 대통령 초청 오찬회 참석 /15시 30분 백악관에서 케 대통령과 회담
/18시 정대사 부처 초연에 참석 /20시 러스크 장관 만찬회 참석
◇15일(수) /10시 농무장관과 회담 /11시 러 장관과 회담 /12시 30분 국방장관 오찬회
/14 시30분 상무 장관과 회담 /19시 30분 러 장관을 위한 박 의장 초청 만찬회
◇16일(목) /12시 15분 기자 구락부 오찬회 연설 /18시 교포와 유학생을 초대
◇17일(금) /10시 35분 워싱톤 출발 /11시 50분 뉴욕 라가디아 공항 착
/13시 밴 장군 초청 오찬회 /17시 15분 외교협회 만찬회서 연설
◇18일(토) /12시 맥아더 장군 방문 /17시 30분 한미재단 초연서 연설
◇19일(일) /11시 싼프란시스코 향발
◇20일(월) /싼프란시스코 한국협회 및 라이안 장군 초연에 참석 /아시아재단과 세계사정
협회의 공동 초연에 참석
◇21일(화) /14시 싼프란시스코 출발 /17시 15분 하와이 착 /펠트 제독 오찬에 참석
/교포 초연에 참석
◇24일(금) /18시 50분 동경 착
◇25일(토) /9시 30분 동경 발 /11시 35분 서울 착 (출처:조선일보 1961.11.12.)

회담은 물론 얼굴을 내밀어야 할 곳도 많고, 연설을 해야 할 곳도 많다. 한 치 숨 돌릴 짬이 없어 보인다.

살인적인 일정이다. 잘 버텨내야만 한다.

미국 지도와 함께 시카고 시내 지도를 탁자 위에 펼쳐 놓았다. 오대호가 금방 눈에 띈다.

시카고(Chicago)의 아침은 내게 특별하다. 내가 꿈꾸고 있는 한국 산업화의 롤 모델이 시카고를 중심으로 한 오대호 연안 광공업 지대이기 때문이다. 시카고는 20세기 초반 미국의 산업화를 이끈 도시다. 미국이 유럽을 넘어서서 세계 최고의 국가로 도약하는 그 중심에 시카고가 있고, 오대호 연안의 산업도시들이 있다.

이곳 시카고는 19세기 초반만 해도 미시간호수가의 뻘밭에 불과했다. 인구도 천명이 되지 않을 정도에 불과했다. 그런데 유럽으로부터 수십만 이민자들이 몰려들고, 미국과 캐나다, 미국 동부와 서부, 남부와 북부, 오대호 연안의 교통 중심지로 발전하면서 19세기 말에는 200만 명 정도 규모의 미국 제2의 도시로 성장했다. 처음에는 오대호 연안의 농산물과 북부의 모피 교류를 위해 몰려들기 시작했던 사람들이 점차 풍부한 매장량의 석탄, 철광석 등을 활용한 광공업을 발전시켜 갔다. US Steel과 같은 기업이 시카고에 자리잡고 디트로이트의 GM, Chrysler, Ford 자동차가 산업화를 선도했다. 피츠버그, 필라델피아, 볼티모어 등 미국의 산업화를 선도한 중북부 지역을 통합하여 제조업 벨트(manufacturing belt), 팩토리 벨트(factory belt)라고 불렀다. 제2차 세계대전 중 시카고 시의 제철소는 미국 전체 철강 생산량의 20%, 전 세계 생산량의 10%를 차지했다. 전쟁 무기 생산에 필요한 철강 대부분을 이곳에서 생산해냈다.

미국 산업화 과정에서 수많은 전문가, 노동력, 금융과 예술 문화 서비스 인구가 시카고 주변 광공업 지대로 몰려들었다. 생산과 소비가 미국내 최고 수준에 도달했다. 미국 남부 지역의 흑인들도 대거 오대호 연안으로 몰려들었다. 자연스럽게 소비문화, 범죄와 폭력 조직, 강성 노동조합이 나타났다.

1871년 대 화재 사건 이후 시카고는 새로운 마천루 도시로 발전해 왔다. 시카고강 주변의 건물들은 똑 같은 것이 없이 모두가 개성 있는 자태를 자랑한다. 시카고에는 전 세계 초일류 기업 본사가 많이 몰려 있다.

아침 식사는 호텔에서 시카고 한인회 이 윤택 목사, 유학생회 김 준엽(회장), 천 성순(총무) 등을 비롯한 한인회원과 유학생 수십 명과 함께 하였다. 교포와 젊은 유학생들을 보면서 할 말이 많았다.

> 친애하는 유학생 여러분.
>
> 고국을 떠나 원대한 뜻을 품고 이곳 시카고에 유학 중인 학도 여러분에게 5·16 혁명 후 참다운 민주주의 조국의 건설을 서두르고 있는 우리 고국의 소식을 전함과 동시에 여러분을 격려할 수 있는 이 기회를 기쁘게 생각합니다... 썩고 곪아가는 상처엔 대담한 수술을 가함으로써 병균을 제거하는 것만이 유일한 치료 방법입니다.
>
> 우리는 4·19를 통하여 1차 수술을 하였습니다만. 불행히도 완전 제거하는데 실패하고 말았으며, 제2차의 수술을 받지 않을 수 없게 되었던 것입니다... 5·16 혁명이야 말로 마지막 혁명이며, 이 혁명이 실패하면 모든 권력이 공산당의 수중에 넘어가고 말 것이므로. 우리는 전력을 기울여 혁명과업을 성공리에 완수시켜야 되는 것입니다.
>
> 우리는 올바른 민주정치, 참다운 경제재건, 청신한 국민 도의를 구현시키기 위하여 일야 분투하고 있습니다...
>
> 여러분은 조국이 필요로 하는 각 분야에 걸쳐 학업을 연마하여 새로운 지식과 기술을 습득한 후 가까운 장래에 금의환향하여 자손만대에 길이 물려줄 국가 재건의 대열에 솔선하여 참가하여 주기를 바라는 바입니다…
>
> (1961.11.13. 드레이크 호텔에서)

식사를 하면서 또 마치고 커피 타임에 편하게 얘기를 주고받았다.

"의장님, 저희 시카고 한인회에서는 참으로 감격하고 있습니다. 이곳에 한국의 최고 지도자가 방문했다는 사실이 도저히 믿기지가 않습니다. 진심으로 감사를 드립니다. 이곳은 19세기부터 전 세계 모든 종족이 모여들어 살고 있는 국제도시입니다."

"우리 한국인이 얼마나 됩니까?"

"얼마 안 됩니다. 유학생까지 다 합쳐서 불과 몇 백 명 수준입니다. 같은 동양권인 중국인이나 일본인에 비해서 너무나 적습니다."

씁쓸하다. 식민지에서 벗어나서, 동족끼리, 공산당하고 싸우느라고, 밖으로 눈을 돌리지 못하고 살아왔다. 할 말이 없다.

"힘드시죠?"

그냥 안쓰럽다. 난처할 때 하는 동작이 그저 커피를 마시거나 담배를 피워 무는 일이다. 교포들이 시카고에서 하는 일, 유학생들의 전공이며 유학생활의 어려움을 물어본다. 대화를 하면서 너무 감정에 빠져들지 않기로 한다. 미국 도착 첫 날부터 힘이 들어서는 안 된다.

"이 호텔 참 좋네요."

드레이크 호텔 (출처:위키백과)

"예, 이 드레이크 호텔은 이 곳에서도 최고로 좋은 호텔입니다. 1920년에 드레이크(Drake) 형제가 세웠습니다. 처칠이나 루즈벨트, 후버 대통령이 시카고를 방문하면 묵는 곳입니다. 이곳보다 더 유명한 호텔이 조금 남쪽 호반에 위치해 있는 블랙스톤 호텔(The Blackstone Hotel)입니다. 이것보다 먼저 1910년에 건축되었는데 지금은 역사적 유산으로 지정되어 있습니다. 철도왕 블랙스톤(Timothy Blackstone)이 드레이크 형제의 아버지인 존 드레이크(John Drake)의 도움을 받아서 건축했습니다."

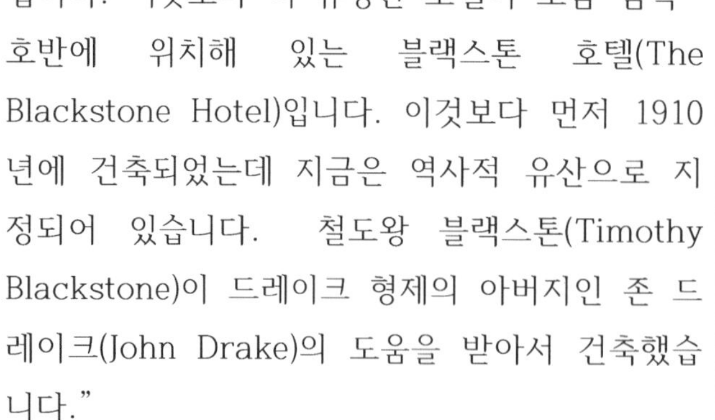

블랙스톤 호텔 (출처:위키백과)

이 목사께서 재미있게 시카고 역사를 이야기해주었다.

"의장님께서는 블랙스톤 호텔의 역사가 더욱 흥미진진하실 겁니다. 1920년대 하딩(Warren G. Harding) 공화당 대통령 후보 지명을 위한 비밀회의를 상징하는 '담배 연기 가득한 회의장(a smoke-filled room, a smoke-filled back room)'이 그 호텔에 있습니다. 또 대통령 당선인들이 정부 출범 직전에 비밀 내각(Shadow cabinet)을 구성하고, 전설적인 조직 폭력배 알 카포네(Al Capone)가 기거하면서 조직회의를 주재했던 곳이 바로 그곳입니다. 여러 대통령과 유명 인사들이 오면 묵는 곳입니다."

"알겠습니다. 다음에 기회가 되면 그 곳에도 한번 묵어 보고 싶네요. 하여튼 한인 여러분, 그리고 유학생 여러분. 비록 지금은 우리 한국이 가난하고 대외적으로도 힘이 없지만 낙담하지 맙시다. 저와 혁명 정부가 반드시 산업화를 이루고 세계 속에 우뚝 서는 대한민국을 만들어 갈 겁니다. 열심히 공부하시고, 이곳의 산업화 현장에 대해서도 많은 경험과 지식을 축적하셔서 저와 함께 경제개발 5개년 계획에 동참해주시길 바랍니다."

유학생들이 내게 의사봉 1개를 선물로 주었다. 국가 발전을 위해, 경제성장과 강성 대국을 위해 열심히 일하라는 의미로 전해주었다. 힘찬 박수와 함께 미팅을 끝내고, 일어나서 일일이 악수를 나눴다. 어깨가 무거워진다.

간단하게 아침 회의를 하고 시카고 시청으로 향했다. 내가 원하기도 했지만 시장이 적극적으로 우리 일행을 초청한 데 대한 답방이다. 달리(Richard J. Daley) 시장은 노동자(the working-class) 출신 민주당원으로 지난 번 선거에서 케네디 대통령을 당선시킨 일등 공신이었다. 아이리쉬 카톨릭(Irish Catholic) 신자로서 소탈한 성품을 지녔다. 시청 앞까지 나와서 우리 일행을 맞아 주었고 격식을 갖춘 의장대 사열까지 받도록 배려해 주었다. 시장실로 안내해 커피와 간단한 스낵을 먹으면 대담. 시장실 안팎으로 시청 직원들과 방문단은 물론 기자들까지 몰려 들어 북새통을 이루고 있었다. 달리 시장이 짧게 시정 브리핑을 하고, 명예 시민증을 내어준다. 다음을 기약하고 서둘러 일어나야 했다.

12시 비행기로 시카고를 출발해서 오후 4시에 워싱턴의 내셔널 에어포트

군용비행장에 도착했다. 훤출한 키의 린든 존슨 부통령이 성큼성큼 트랩까지 다가와 악수를 청했다. 러스크 국무장관, 전 유엔군 사령관이었던 램니치 대장도 환영 대열에 섞여 있다가 인사를 나눴다.

공항 내에서 짧게 존슨 부통령의 환영사와 나의 도착 성명이 있었다.

> … 금번 케네디 대통령의 초청을 받아 미국을 방문하고 한국 국민과 정부의 따뜻한 정의를 미국 국민과 정부에 전하며 동시에 양국 간의 공통 문제를 협의하게 된 것을 기쁘게 생각합니다.
>
> 한미 양국은 오랜 시일을 두고 여러 방면에 유대를 맺어왔고, 많은 고난과 위험을 같이 겪어온 공동 운명체였습니다. 한국 국민은 한국 해방과 부흥과 통일을 위한 미국의 허다한 공헌을 감사히 여기고 있습니다…
>
> 우리는 국가를 재건하고 더욱 살기 좋은 나라를 만들므로써 미국을 비롯한 자유우방의 성원에 보답할 것이고, 또한 자유세계의 일원으로서 우리의 책임을 더욱 효과적으로 완수할 수 있을 것입니다…
>
> (1961. 11. 13.)

숙소는 정 일권 대사의 공관으로 정해져 있었다.

오후 일정이 없어서 평상복으로 갈아입고 쉬었다. 며칠 만에 정 대사 부인께서 손수 장만해 주신 한식을 푸짐하게 먹었다. 식사를 마친 후 마주 앉아 오랜만에 회포를 풀었다.

"이곳으로 오시는 도중에 일본 총리를 만나신 일은 시의 적절하게 잘 하신 것 같습니다. 따로 또 일본을 방문하시기가 쉽지 않은 상황인 만큼 겸사겸사 타이밍이 좋았습니다."

"그래요. 속이 시원합니다. 한일회담을 지난 정부에 이어서 새로 시작했다지만 정상들끼리 만나서 대체적인 가이드라인을 설정하고 밀어부칠 필요가 있었지요. 어제 이케다 수상과의 만남에서 일단 협상에 대한 공감대는 형성했다고 생각합니다."

"하여튼 일본은 빠른 시일 내에 넘어서야만 합니다."

그렇다. 일본에게서 받아내야 할 것은 반드시 받아내야 하겠지만, '푸는 것'도 우리의 책임일 수 있다. 향후 우리의 발전을 위해서 일본과 미국은 우방 국가요, 동맹으로서 품고 가야만 한다.

Arlington에서 미국을 보다

11월 14일. 화요일 아침. 이번 순방길에서 오늘이 가장 중요한 날이다.

드디어 세계 일등국 미국의 최고 지도자 케네디 대통령을 만나는 날이다. 얼마나 기다렸던 순간인가! 일본에 마주 서고, 그 이틀 뒤에 또 다시 미국과 마주선다. 과연 이래도 되는 걸까?

새벽 5시. 일찍 일어나서 샤워를 하고 마음을 다스렸다. 책상 앞에 앉아서 하루 일정표를 본다. 비서가 챙겨준 연설문과 회담 시 유의 사항, 반드시 짚고 넘어가야 할 안건들을 차분하게 점검한다.

'그런데, 공식 회담이나 연설은 통역의 도움을 받으면 된다지만, 대통령이나 장관들을 마주 서서 악수할 경우에는 그래도 내 스스로 영어를 사용해야 하는 게 아닐까?'

갑자기 불안해진다. 영어에 대한 울렁증이 다시 도진다.

'나도 토막 영어는 할 줄 아는데… 그렇다고 국가 원수 입장에서 기지촌 여성들처럼 혀 짧은 소리를 해서는 안 되겠지?'

'뭐, 어때. 한국인으로서 한국말이나 잘 하면 되지. 급하면 통역 도움을 받자.'

'그런데 이 검정 나이방을 써도 괜찮겠지?'

키 차이가 워낙 크게 나다 보니, 미국측 대통령이나 장관들과 마주 서면 고개를 발딱 젖히고 올려다봐야만 한다. 지금까지 살아오면서 수시로 부닥치던 불편한 상황이다.

하지만 이제 대처하는 방법을 잘 알고 있다. 걱정할 필요가 없다.

내가 당당하면 저들이 고개를 숙여야 한다. 내가 영어에 서툴면 저들이 내가 알아듣도록 천천히 또박또박 말을 걸어오게 되어 있다.

일단 알링턴 국립묘지 헌화 일정으로부터 시작이다.

미국의 수도 워싱턴은 국회의사당과 대통령궁, 모든 중앙 행정기관, 대법원, 역사적 박물관과 미술관, 유적지들이 집결되어 있다. 시내를 돌아 묘지로 향하는데 높다란 오벨리스크(obelisk)가 눈에 들어온다.

"로마나 런던, 파리에 있는 오벨리스크는 이집트에서 훔쳐 왔다면서? 저것은 어디서 왔지?"

"각하. 저것은 이집트 오벨리스크와는 다릅니다. 미국 건국의 아버지인 초대 대통령 조지 워싱턴을 기념(Washington Monument)한 오벨리스크입니다. 안에 엘리베이터가 있어서 위의 전망대까지 올라갈 수 있는 건축물입니다. 세계에서 가장 높은 오벨리스크로 소문이 나 있습니다."

수행원이 설명을 해준다. 순간 건국 대통령을 기리는 미국인들의 마음이 전해져 왔다.

금방 알링턴 국립묘지 정문이 나타났다. 우리가 도착하는 것을 기다렸다는 듯이 군악대가 연주를 시작했다. 비가 부슬부슬 내리고 있었다. 좌우의 의전병이 커다란 검정 우산을 펴서 받쳤다.

동작동 국립묘지와 비할 바가 아니다. 엄청나게 너른 공간에 열을 지어 빽빽하게 묻혀 있는 전사자들. 하얀 십자가 묘비가 강렬한 인상을 준다. 안으로 들어가면 갈수록 장군들의 묘역이 나타나고 거대한 묘비석과 석물군이 시야 가득히 들어찬다.

'그래, 이것이 미국이다.'

처음 건국 당시의 미국은 수많은 유럽 국가들로부터의 이민자들이 연합하여 세운 '엉성한' 나라였다. 하지만 영국과의 독립 전쟁을 치르면서 내부 단합을 이루고, 프랑스나 스페인, 멕시코와 영토 전쟁을 벌리면서 강대국으로 성장했다. 이런 과정에서 원주민인 인디언과 노예로 살던 아프리칸 아메리칸(African American)들이 국민의 일원으로 융화되었다. 이 모든 과정을 함께 한 이들이 바로 이곳 알링턴에 묻혀 있다.

오늘의 미국을 거대한 강대국, 하나의 국민 국가(國民國家, nation state)로 만든 건국 영웅들이 바로 이들이다. 동작동 국립묘지에 안장되어 있는 독립운동가와 국군 전사자들이 일제와 싸우고, 공산당이 일으킨 6.25 남침 전쟁을 이겨낸 영웅인 것과 같다. 하지만 미국과 우리는 격이 많이 다르다.

지금 바라다보고 있는 알링턴의 영웅들은 세계 일등국 미국을 위해 헌신을 했다. 이들이 있었기에 현재의 미국이 세계를 리드하고 있다. 그런데 동작동에 잠들어 있는 우리의 영웅들은 과연 어떠한 가? 그들의 숭고한 죽음의 대가가 너무나 가볍게 느껴진다. 우리 국민들은 여전히 가난하고 겨우겨우 '목숨 부지할 정도'에 머물러 있으니…

드디어 무명용사의 묘 앞에 섰다. 묘비 앞에 헌화를 하고 고개숙여 묵념을 한다.

무명용사는 물론 모든 영웅들에게 감사를 표한다. 그들의 숭고한 희생에 대해, 그들이 지켜내고 발전시켜 온 미국을 향해 진심으로 감사를 표한다.

'Here rests in honored glory an American soldier known but to God.'

(여기, 이름 모를 미군의 영웅들이 쉬고 있다.)

묘비에 새겨진 글귀가 눈에 들어온다. 이 묘역과 묘비는 제1차 세계 대전 직후인 1921년에 처음 조성되었다. 전사자들의 신원 확인을 통해 묘지가 만들어졌는데, 훼손이 심해서 신원 확인이 어려운 전사자들이 이곳 무명용사 묘역에 묻혀 있다. 이후 1958년에는 제2차 세계 대전 희생자들이 묻혔고, 6.25 전쟁 희생자들이 추가로 이곳에 자리했다.

무명용사의 묘역은 1937년부터 워싱턴에 주둔하고 있는 육군 제3보병여단 소속의 'Old Guards'가 연중무휴로 보초를 선다.

헌화를 마치고 잠시 묘역을 걸었다. 6.25 전사자 묘역을 들려야 했다. 대한민국을 위해 함께 싸우다 전사한 그들이기에 감회가 새롭다. 미군은 유엔군의 주축이 되어 우리 대한민국을 자신의 나라인양 목숨을 바쳐 싸웠다. 미국 전역에서, 젊은이들이, 백인 흑인 가릴 것 없이, 또 인디언 부족들까지 한국으로 와서 함께 전쟁을 치렀다.

가슴이 뭉클해진다.

가슴이 먹먹해온다.

내가 생각하기에 미국은 대단하다. 전 세계 우방국을 모두 자국(自國)인 것처럼 아끼고 목숨 바쳐 지키고자 한다. 그러다가 전사한 군인들의 시신을 모두 본국으로 호송하여 이곳 국립묘지에 안장을 한다. 이런 나라는 전 세계에 오직 미국뿐이다. 6.25 당시에도 모든 미군 전사자들을 미국으로 송환하였다. 이에 비해 영국은 전사자를 현장에 묻는 것을 원칙으로 한다. 부산 유엔군 묘역에는 영국군 전사자가 가장 많다.

내가 알고 있기로는 미군이 가장 가슴 아파하는 것이 장진호 전투 전사자들이다. 1950년 11월 전투에서 미군 보병 제7사단과 해병대 제1사단이 큰 희생을 치렀다. 수천명의 전사자를 냈는데 아직도 현지에 묻혀 있다. 언젠가 통일이 된다면 미국은 가장 먼저 장진호 전투 희생자들의 유해를 발굴하여 본국으로 송환할 것이다.

미국이 얼마나 국민 하나하나의 생명을 존중하는지 알 것 같다. 모든 국민의 자유와 민주를 최고의 덕목으로 삼고 있다. 국가를 위해 충성을 바치고 전투에 임하다가 전사한 '국민 영웅'들을 사후에 이렇게 존숭 한다.

갑자기 오늘 만나게 될 케네디 대통령과 '공감대(共感帶)'가 만들어진 느낌이다. 그가 미국의 영광, 미국인의 생명 존중을 위해 국정을 펼치듯 나 또한 한국의 영광, 한국인 모두의 생명 존중을 위해 애를 쓰고 있기 때문이다.

5·16 군사 혁명의 근본적인 목적은 다름 아닌 한국인 모두의 생명 존중이요 국가 발전이다. 군사 혁명을 하면서도 피 한 방울 흘리지 않으려고 노심초사했다. 혁명 후 지금까지 한 일은 모두 부정부패 일소, 농촌 문제 해결, 가난 극복, 정치와 행정 그리고 사법의 정상화였다. 반공 정책과 이를 토대로 한 자유 민주주의 복지 국가 건설이 혁명 정부와 나의 진정한 목표다.

'그래, 이거다.'

갑자기 케네디 대통령을 얼른 만나고 싶어진다.

관리소 건물로 들어서니, 제1차, 제2차 세계 대전 때 모병 포스터로 사용되었던 *Uncle Sam*이 눈에 들어왔다.

손가락으로 정확히 나를 향하면서 외치고 있었다.

"I want you for Korea !"

Kenedy 대통령과 환담

알링턴 국립묘지에서 오랜 기간 머무를 수는 없었다. 10시부터 러스크 국무장관을 예방하고 회담을 갖기로 되어 있다.

차가 국무성 건물 앞에 서니, 러스크 장관은 현관 앞까지 나와서 나를 기다리고 있었다. 오늘 케네디 대통령과의 오찬과 회담이 가장 중요하긴 하지만 사실 실무적인 일은 러스크 장관이 책임지고 있다. 러스크 장관의 대 한국 지원 의사가 얼마나 확고한 가가 중요하다.

국무장관은 지난 월 초에 내 공관을 방문하여 만나서 구면이다. 당시에는 케네디 대통령 초청 친서를 받고, 미국 방문 일정에 대해 논의하였다. 오늘은 내가 그를 방문하여 좀 더 구체적인 한국 지원 방안에 대해 논의해야 한다. 물론 세부적인 것은 실무자들에게 맡겨야 하지만 혁명정부와 나의 확고한 의지를 보여주고 신뢰를 구축하는 것이 필요하다. 그래야만 이후 실무적인 협상이 원만히 진행될 수 있다.

"이렇게 환대해 주셔서 감사합니다. 지난 번 방문 때는 바쁜 일정 때문에 얘기도 제대로 나누지 못했었습니다. 오늘은 장관님과 좀 더 깊이 있는 논의를 하고 싶습니다."

"어서 오십시요, 의장님. 제가 영광입니다."

러스크 장관은 우리 한국의 현실과 혁명 정부의 활동 상황, 그리고 나에 대한 정보를 충분히 가지고 있을 것이다. 이리저리 말을 돌릴 것이 아니라 단도직입적으로 내가 원하는 바를 얘기하고 싶다. 장관실로 안내받아 회의실 의자에 앉자마자 곧바로 나의 관심 사항에 대해 말을 꺼냈다.

"내년 1월부터 경제개발5개년계획 1차년도가 시작됩니다. 이는 미국이 한국에 대한 지원을 무상 군사 원조 방식에서 경제 개발에 대한 차관 지원 방식으로 전환하고자 하는 방침에 따른 것입니다. 하지만 문제는 재원입니다. 미국의 대한 원조 자금이 최근에 다소 축소되었는데, 반공 최전선에서 60만 대군을 유지하고 있는 상황에서 문제가 심각합니다."

"혁명 정부의 경제개발계획에 대해 보고를 받았습니다. 아주 의욕적인 목표와 실천 계획을 담고 있더군요. 저도 최대한 돕고 싶습니다. 하지만 최근 미국 내에서도 후진국 원조에 대한 우려가 많아졌습니다. 부정부패로 얼룩져 있는 독재 정권을 지원하는 것처럼 인식되기도 하구요."

"한국의 지난 정부가 미국의 대한(對韓) 원조에 버금가는 대응책을 내놓지 못했다고 생각합니다. 전쟁 이후에 복구 작업하기에 바쁘다 보니 능동적으로 경제 개발 정책을 펼칠 여력이 없었습니다. 하지만 우리 혁명 정부는 이전 정부와 사뭇 다릅니다. 5년 동안에 연평균 7% 이상의 고도 성장을 자신합니다."

"미국 정부에서는 그동안의 무상 단기 원조를 줄여 나가는 대신에 경제개발을 위한 장기 저리(低利) 차관 형태의 지원을 늘리기로 했습니다. 한국도 예외가 될 수는 없습니다."

"한국 사정이 매우 어렵습니다. 지금도 전체 예산 중 50% 이상이 미국 원조 자금으로 충당되고 있는 상황에서 추가로 필요한 예산을 마련할 방법이 없습니다. 장관님의 적극적인 지원이 절실합니다. 물론 영국이나 독일, 프랑스, 일본 등 선진국들에 대해서도 차관 교섭을 진행 중에 있습니다."

짧게 요약해서 1차 경제개발계획 5년 동안 하고자 하는 중점 사업에 대해 설명을 했다. 나의 확고한 신념과 의지를 보여줄 필요가 있었다. 러스크 장관은 대체로 긍정적으로 나의 설명을 경청해 주었다.

러스크 장관은 우리 일행을 같은 건물에 있는 국제개발처(Agency for International Development, AID) 파울러 해밀턴 처장실로 안내해 주었다. 파울러 처장을 만나서는 인사와 함께 실무자들을 소개받고 우리측 인사들을 소개하는 선에서 간단하게 일정을 끝냈다.

백악관. 케네디 대통령이 현관 앞까지 나와 있다가 내가 차에서 내리자 웃으며 다가섰다. 환한 얼굴로 악수를 청했다. 꼿꼿한 자세로 서서 그의 넙적한 손을 마주 잡았다. 영상으로, 사진으로 자주 보았지만 참으로 잘 생긴 미남이었다. 이미 익숙한 친구처럼 느껴진다.

"대통령님을 뵙게 돼서 행복합니다. 저를 초청해 주시고 이렇게 환대해 주셔서 더 없이 감사하게 생각합니다."

"어서 오세요 장군님. 이렇게 저의 초청에 응해 주시고 제 사무실을 방문해 주셔서 감사합니다."

케네디 대통령은 자연스럽게 대화를 나누며 나를 현관으로 인도하였다. 계단을 올라서서는 잠시 몸을 돌려 사진 기자들이 사진을 찍을 수 있도록 배려했다. 대통령 소개로 백악관측 인사들의 인사를 받았고 나도 우리측 방문단 일행을 대통령에게 소개시켰다. 대통령은 나를 이층으로 인도하여 부인 재클린 여사와 인사를 나눌 수 있도록 해주었다. 젊은 대통령 부부의 인상이 편안하다. 순간 '부인과 함께 대동했더라면' 하는 아쉬움이 든다. 한국에서 가져온 선물 족자를 대통령에게, 부인과 자녀에게는 한복을 전달하였다.

1시부터 시작된 오찬에는 대통령과 러스크 국무장관, 맥나마라 국방장관, 램니치 합참의장, 로스토우 특별보좌관, 버거 주한 미국 대사, 리츠 국무차관보, 킬렌 USOM 처장 등과 함께 우리측 방문단 10명이 합석을 하였다. 모두가 좌정하자, 케네디 대통령이 우리를 영접하는 짧은 환영사를 했고 이어서 나의 답사가 이어졌다.

"대통령님, 그리고 귀빈 여러분. 본인은 케네디 대통령의 친절하신 초청에 대하여 한국 정부와 국민을 대표하여 사의(謝意)를 표하는 바입니다... 한국의 새로운 정부는...점증하고 있는 공산 위협으로부터 국민의 생명을 안전하게 지키고, 안으로 붕괴 직전의 조국을 구출하기 위해 많은 노력을 기울이고 있습니다. 새 정부는 병든 기관을 제거해야만 하는 외과 의사 역할을 하면서 환부 치료와 함께 생신(生新)한 국민 정신 함양에도 정성을 다하고 있습니다... 직장 활동의 공정, 국가건설에의 의욕, 국가에 대한 책임감, 이러한 민주주의 사회의 기본적 요소가 우리의 국가 재건에 반드시 필요하다고 생각합니다... 국민 모두가 자유와 인간의 존엄성에 관한 진가(眞價)를 알고, 그것을 지키고자 하는 열의가 있어야 한다고 확신합니다. 이것을 성취함에 있어서 한국은 각하와 미국 국민의 도움을 절실히 필요로 하고 있습니다…"

곧바로 애피타이저와 함께 식사가 시작되었다. 자연스럽게 환담. 스테이크 양식 접시에 내가 좋아하는 전복 요리가 추가된 것이 눈에 띈다. 섬세한 배려가 마음에 들었다.

후식과 함께 커피 타임이 되자, 마주 앉은 대통령을 향해 마음에 담고 있던 말을 꺼냈다.

"*When I visited Arlington National Cemetery in the morning and laid a wreath at the Tower of the Unknown Soldier, I saw the true face of America.* (아침에 알링턴 국립묘지를 방문하여 무명용사의 탑에 헌화하면서 저는 미국의 진면목을 보았습니다.) *The soldiers who sacrificed their lives for the country and showed their loyalty, and the country that took responsibility for those soldiers and took care of them until the end. I was truly moved to tears.* (국가를 위해 목숨 바쳐 충성을 다한 군인들, 그리고 그런 군인들을 끝까지 챙기며 책임져 준 국가. 저는 진심으로 눈물이 핑 돌았습니다.)

I truly envy the United States, a liberal democratic country that respects each and every citizen. I also want to make our Republic of Korea a democratic country where all citizens are free and peaceful. Korean people strongly hate the Communist Party and Kim Il-sung's dictatorship. (국민 하나하나를 존중하는 이 자유 민주주

의 국가인 미국이 참으로 부럽습니다. 저도 우리 대한민국을 모든 국민이 자유롭고 평화로운, 그런 민주주의 국가로 만들고 싶습니다. 한국민들은 공산당과 김 일성 독재를 몹시 싫어하고 있습니다.)”

영어가 제대로 된 것인 지 고민할 새도 없이 뜨듬뜨듬, 그렇지만 진지하게 내 진심을 토해 냈다. 묘지에 누워있는 수십만의 전몰 군인들을 생각하면서, 또 그런 그들을 끝까지 챙기는 국가를 생각하면서 느꼈던 심정을 얘기하였다. 내가 지금 국내에서 추진하고 있는 국민재건운동, 농촌 가난 극복, 공산사회주의자들 척결, 부정부패 일소, 경제개발5개년 계획 수립이 모두 미국의 국민 사랑, 세종대왕의 애민 사상과 같은 것이다.

케네디 대통령은 나를 응시하면서 나의 말에 진지하게 귀를 기울여주었다. 판소리에서 추임새를 넣듯이 나의 말을 적절히 유도해주었다.

“Mr. Chairman, I completely agree with you. I have received reports about you through various channels, but today, after meeting you face to face and hearing your words, I feel like I have a good idea of what kind of person you are. I have faith in you, Mr. Chairman, and in Korea's new government. The United States and I will actively support you. (의장님, 전적으로 공감합니다. 제가 의장님에 대해서 여러 루트로 보고를 받았습니다만 오늘 직접 이렇게 대면하고 말씀을 들어보니 어떤 분이신 줄 잘 알 것 같습니다. 저는 의장님과 한국의 신 정부를 믿습니다. 저와 미국은 적극적으로 의장님을 지원할 겁니다.)

As far as I know, you and I are the same age, born in the same year, 1917. (제가 알기로는 의장님과 제가 1917년, 같은 해에 태어난 동년배라고 알고 있습니다.)”

“*You're right. I am confident that your young leadership will take America to the upper level. Likewise, Korea's new government replaced all of the country's ruling leadership with young people in their 30s and 40s. Korea, too, will develop more vibrantly by demonstrating young national leadership like you.* (맞습니다. 저는 당신의 젊은 리더십이 미국을 한 단계 더 발전시킬 것이라고 확신합니다. 마찬가지로 한국의 신 정부도 국가의 모든 통치 리더십을 30대 40대 젊은이들로 교체하였습니다. 우리 한국도 당신처럼 젊은 국가 리더십을 발휘하여 더욱더 활기차게 발전해 갈 것입니다.)

두 정상의 진지한 대화에 좌중 모두가 눈길을 모은다. 그렇게 1시간 40분 정도의 오찬이 이어졌다.

오찬이 끝나고 일단 한국대사관 숙소로 돌아와서 잠시 휴식. 다시 백악관으로 가서 3시 30분부터 미국과 한국 정상의 정식 회담이 시작되었다.

케네디 대통령과 미국측 참석자들은 이미 한국 사정에 대해 충분한 정보를 가지고 있었다. 그래서 오늘 회담에서는 나와 신 정부의 의지를 확인하고, 그에 맞춰서 어떠한 수준과 방법으로 한국을 지원할 것인가를 조율하는 것이 핵심이라고 생각하고 있을 것이다.

"5 · 16 군사 혁명은 한국과 미국이 함께 지켜온 최전선의 반공 국가를 공산 세력으로부터 구해내기 위해서 단행된 불가피한 조치였습니다. 대통령께서 우리의 신 정부를 십분 이해해주시리라 생각합니다."

"잘 알고 있습니다. 혁명 당시에는 조금 혼선이 있었습니다만 우리 미국은 의장님과 국가재건최고회의의 활동을 보면서 우리 양 국가 간에 형성된 혈맹 관계가 더욱 돈독해지고 있다고 생각합니다."

"감사합니다. 한국의 신정부는 반공 태세의 강화와 체제 안정화, 정부와 사회에 만연한 부패 척결. 그리고 공무원 제도개혁, 조세 징수 합리화, 지방 고리채 정리, 고용 기회 창출, 투자 조장과 국내외 교역 증진을 위해 많은 노력을 기울이고 있습니다."

그동안 나와 혁명 정부가 해 온 모든 일을 다 말하기는 시간이 허락치 않는다. 중요한 몇 가지만을 제시하면서 대통령의 이해를 구하는 정도면 충분하다.

"지난 8월 12일에 표명한 바와 같이 혁명 정부는 빠른 시일 내에 정권을 민간으로 이양할 예정입니다. 다만 정권의 민간 이양에 필요한 사전 조치가 충분히 이루어져야만 합니다."

"의장님의 지도력에 의한 신정부 활동에 경의를 표합니다. 제2차 세계 대전 이후에 독립한 국가들의 면면을 보면 공산당 일당 독재이거나 아니면 군부 독재 정부가 대부분입니다. 진정으로 자유 민주주의 국가를 운영하지 못하고 있습니다."

"대통령의 우려를 잘 알고 있습니다. 우리의 군사 정부는 과도기적 존재일 수밖에 없습니다. 군인은 전쟁을 치르고 국가를 지키는 일을 해야만 하고 정치와 행정은 전문 관료들에게 맡겨야만 하지요. 저도 빠른 시일 내에 이런 작업을 완료할 겁니다."

"한국이 자유로운 민주 국가로 발전해 갈 것을 저는 확신합니다. 저와 미국도 필요한 모든 조처를 다해서 돕도록 하겠습니다."

"한국의 60만 대군을 유지하고 새롭게 시작하는 경제개발 5개년 계획을 성공적으로 추진해 가기 위해서는 식량이나 무기와 같은 직접적인 원조 물자 지원과 함께 충분한 달라($)가 필요합니다. 전기나 철강 생산, 국토 건설에 관련된 과학 기술 지원도 절실합니다."

"1953년 10월 10일에 서명한 한미 간의 상호 방위 조약을 더욱 확고히 하고, 한국 발전을 위한 한미 간 행정 협정을 새롭게 추진하는 방안에 대해서도 검토 중에 있습니다."

케네디 대통령은 한일 관계의 조속한 해결에 대해서도 관심을 표명하였다. 나는 한국과 일본 사이의 역사적 숙원(宿怨) 문제를 간략하게 설명하고,

쉽지만은 않지만 신정부 활동 기간 동안에 반드시 양국 관계를 정상화하겠다고 다짐을 했다.

지금 우리 한국의 운명이 사실 미국과 케네디 대통령 정부에 달려 있다. '애원하고' '구걸하듯이' 원조를 요청하면서 '그저 믿어 달라'는 말 밖에 할 것이 없다. 우리가 반드시 경제 발전을 이루고, 확고한 자유 민주주의 국가를 건설할 것이며, 자유 진영의 최전선에서 공산주의 퇴치를 위한 반공 전선을 구축할 것임을 누누이 강조해야 했다. 테이블에 마주 앉아 있는 미국측 인사들에게 진심으로 선처(善處)를 호소했다.

조심스럽게 속에 담아 두었던 '비장의 무기(?)'를 꺼내야 했다.

"최근에 월남 문제가 어려워지고 있는 것으로 알고 있습니다. 여차 하면 한국이 대통령의 근심을 조금이라도 덜어 드릴 수 있을 것으로 생각합니다."

대통령과 국방장관, 국무장관 등이 솔깃하게 내 말에 귀를 기울인다.

"라오스, 미얀마, 캄보디아 등 인도차이나 반도 국가들이 도미노처럼 무너지면서 모두 공산화된 상태에서 마지막 보루인 월남조차도 위태위태합니다. 미국이 6.25 전쟁 당시에 군대를 동원하여 자유 한국을 지켜내 준 것처럼 공산군과의 실전 경험이 풍부한 한국군이 월남을 도울 방법이 있을 것으로 봅니다."

미국 순방길에 오르기 전에 최고회의 위원들 몇몇과 월남 사태에 대해 의견을 나눈 것이 있다. 우리가 미국의 지원을 받아야만 하는데 무작정 떼를 쓰듯이 하는 데에는 한계가 있다. 협상에는 'give and take'가 중요하다. 그래서 생각해 낸 것이 월남 파병이다.

현재 한국의 발전에 가장 큰 걸림돌이 되고 있는 것 중 하나가 60만 대군이다. 국방예산 비중이 너무나 커서 경제 개발 예산을 편성할 여력이 없다. 그리고 군대는 전쟁을 하기 위한 도구인데 전쟁이 없는 상황에서는 '낭비 요인'일 뿐이다. 전쟁이 끝나고 10년 가까이 되어 가면서 우리 군의 전투 능력도 많이 약화되어 있다.

누군가는 '군대 규모, 군인 숫자를 줄이면 되지 않느냐'고 반문한다. 말은 쉽지만 군대를 줄이면 상대적으로 젊은 실업자가 양산되는 악순환 구조가 나타난다.

도무지 탈출구가 보이지 않는 현 상황에서 월남 참전이 묘수가 될 수 있다. 미국이 가장 어려워하고 있는 부분을 우리가 책임져 주는 것이다. '*Give and take*' 전략을 써 볼만하다.

공동 성명서 초안을 검토해 보고 그대로 발표하도록 합의를 하고 회의를 끝냈다. 케네디 대통령은 내일 다시 한번 더 회담을 갖자고 제안을 해왔다. 나의 전략이 먹혀 들어가는 느낌을 받는다.

저녁 6시에는 한국 대사관저에서 정 일권 대사 초청 만찬이 있고, 8시에는 러스크 국무장관 초청 만찬회에 참석해야만 했다. 긴장하고 바빴던 14일 하루가 빠듯하게 흘러가고 있었다.

15일(수요일)에도 바쁜 일정이 지속되었다. 아침에는 대통령 군사 고문인 맥스웰 테일러 대장이 대사관저로 찾아와 나와 함께 조찬을 했다. 10시에는 농무성을 방문하여 프리먼 농무장관과 회담을 가졌고 이어서 11시에는 맥나마라 국방장관실을 찾았다. 1시간 가까이 대화를 나누고 나서 함께 점심을 먹었다. 오후 2시 30분에는 하지스 상무 장관을 찾았다. 하지스 장관은 서랍에서 작은 검정 고양이 모형을 꺼내 주면서 성가신 기자들을 피하고 싶을 때 사용하라고 권했다. 기분 좋게 웃을 수 있었다.

오후 4시에 다시 케네디 대통령과 마주 앉았다. 경제 개발 재정 지원에 대해 적극 호소하는 와중에 또 다시 월남 파병 문제가 등장했다.

"아직까지는 월남에 군대를 파견하는 것 까지는 검토하고 있지 않습니다. 라오스 사태를 겪으면서 인도차이나 국가들의 경우는 한국과 사정이 많이 다른 것을 알게 되었습니다. 한국 국민들처럼 공산군 침략에 대항하여 국가를 지키기 위한 처절한 노력이 보이질 않습니다. 자유 민주주의와 공산사회주의의 차이를 잘 모르고 있습니다."

우리도 겪었던 현상이다. 1945년 해방 직후에 무엇이 정답인지를 알지 못한 상태에서 사분오열되어 서로 싸운 아픈 역사를 갖고 있는 우리다. 케네디 대통령의 고민을 이해할 수 있다.

월남 파병 문제는 미국의 원조를 받아내는데 좋은 지렛대가 될 수 있다는 확신을 갖는다.

박 정희: 미국을 품다

11월 17일. 워싱턴을 출발해서 뉴욕 라과디아 공항(LaGuardia Airport)에 내렸다. 로버트 와그너 시장과 이 수영 유엔주재 대사가 트랩까지 와서 나를 영접했다. 곧바로 오찬 장소인 세인트 레지스(St Regis) 호텔로 이동했다.

빡빡한 일정에 맞춰 움직이다 보니 엄청 피곤하다. 서울에서 출발해서 장거리 비행을 하고 시차 적응도 안된 상태에서 빈틈없는 일정을 소화 중이다. 국가 원수로서의 위신과 강인한 체력, 군인 정신으로 버티고 있는데 만만치 않다. 뉴욕 시장 앞에서 연설을 하면서 저절로 힘들다는 말이 나오고 말았다.

"… 본인은 이번 미국 방문 여행에 있어 세 가지 괴로움과 또한 세 가지 기쁨을 느껴왔습니다. 세 가지 괴로움은 분망한 여정에다가 지구의 직경을 횡단함으로써 생긴 시차 변경으로 충분한 수면을 취하지 못했다는 것과, 정성 어린 여러 차례의 리셉션에서 2시간 이상 서 있어야 하는 일, 그리고 또 한 가지는 여러 모임에서 카메라맨들의 요구에 따라 이리저리 포즈를 취하는 일이었습니다.

일생을 두고 잊을 수 없는 기쁜 일을 세 가지 들자면 이번 미국 방문에 있어 정부 고위지도자들과 미국 국민들의 열성적인 환영에 깊은 감명을 받았다는 것과, 케네디 대통령을 위시하여 러스크 국무장관, 그 밖의 정부 고위당국자와 회담을 가진 본인은 미국이 전 자유세계의 영도자로서 각 부면(部面)에 걸쳐 그 책임을 십분 인식하고 있음을 알았습니다. 더욱 본인이 흔쾌히 여기는 것은 한국의 군사정부가 부패를 근절시키고 국가 재건의 새로운 분위기를 조성하며 민주주의를 위해 확고한 경제적 기초를 닦는 데 온갖 경력을 경주하고 있는 현 실정을 케네디 대통령을 비롯한 미국 국민들이 훌륭히 이해를 하고 있다는 것에 본인은 무한한 기쁨을 느끼는 것입니다…"

워싱턴에서 케네디 대통령 및 정부 관계자들과 기분 좋게 정상 회담을 가졌고, 그들에게 나와 군사정부의 입장을 충분히 설명하고 납득을 받았다는 점, 그리고 미국 정부가 지속적으로 한국을 적극 지원할 의사가 확고하다는 점 등에 더없이 고무되었다. 나와 방문단 모두가 원하는 수준의 회담 성과를 얻었다고 확신하면서 적당히 기분이 좋아져 있었다.

이런 공식적인 방문 성과와 함께 내 나름대로 챙기고 있는 성과가 있다.

- 한국과 미국의 혈명(血盟) 관계 확인: 미군 군부와의 관계 강화

육군 대장이면서 한국군 통수권자로서 미국 군 통수권자들 및 한국전 참전 용사들과의 만남을 통해 한국군과 미군, 유엔군의 혈맹 관계를 더욱더 공고히 하고자 하는 것도 중요한 방문 목적에 해당한다. 12일, 알래스카 주둔군 사령관인 조지 먼디 공군 중장을 만나 환담을 했고, 시애틀 공항에서는 유학 중인 강 문봉 장군을 만났으며, 시카고 오헤어 공항에서는 미 제5공군사령관의 영접을 받았다.

14일부터는, 무엇보다도 워싱턴에서는 케네디 대통령과 러스크 국무장관, 맥나마라 국방장관 등과 대한 군사 원조는 물론 월남 사태와 관련하여 파병 여부 까지도 의견을 교환하였다. 대통령 군사고문인 맥스웰 테일러 대장이 내가 묵고 있는 대사관저로 찾아와 함께 조찬을 하면서 한국군 현대화와 한미 군사 협조 방안에 대해 심도 있는 얘기를 나눴다.

17일에는 뉴욕 시장 오찬을 끝낸 뒤에 아스토리아(Astoria) 호텔로 가서 한국전 당시 유엔군 사령관이었던 밴플리트 장군을 만나 환담을 했고, 다음날엔 이 호텔로 맥아더 원수를 오시도록 해서 만났다. 두 장군은 진정으로 존경스러운 분들이셨다. 공산군 침략을 받아 멸망 직전까지 갔던 우리 한국을 구해준 명장들이다. 그들에게 한국의 현실과 군사 혁명의 불가피성을 설명하고 흔쾌한 지지를 약속 받았다. 이들의 지지는 케네디 대통령이나 맥나마라 국방장관의 한국군 지원 약속 못지않게 내게 힘을 실어주었다.

19일, 샌프란시스코에서는 또 다시 윌리엄 딘 소장, 제6군 사령관인 존 라이언 중장과 만나게 되어 있다. 딘 소장은 한국전 당시에 적군에 포로로 잡혀 고생한 적이 있고, 라이언 중장은 혁명 당시에 반혁명적 태도를 보였던 인물이다. 지금은 모두 나와 군사 정부를 지원하는 입장이 되어 있다.

현재의 우리 한국군은 보병 숫자만 많을 뿐 모든 면에서 미국 원조가 없으면 존립이 어렵다. 무기체계, 전략과 전술, 정보, 공군력, 해군력, 화생방이나 핵 등 모든 면에서 소련과 중공의 지원을 받고 있는 북한에 비해 열세다. 국방예산 자체가 열악하기 때문에 국군 현대화는 어림도 없이 온갖 국방 비리만 판을 치고 있는 중이다. 신 정부로서는 국방 현상 유지만도 힘이 드는 상태다.

정 일권 주미 대사는 이런 이유로 전략적으로 파견한 인물이다. 한국전에서 함께 싸웠던 전우로서 미국의 군 원로들과의 교류, 더 나아가서 미국과 미군의 한국 지원을 유도하기 위함이다. 정 대사는 지장이면서 덕장으로서 지금 시점에서 일을 원만하게 잘 해내 주고 있다.

- 우수 인재, 과학 기술 확보:

일본과 미국 방문 길에 유학 중이거나 현지에 있는 한국인 전문가, 기술자, 연구자, 기업인을 찾고 싶었다. 그동안 정부는 전쟁을 치르고 전후 복구 작업에 치중하느라고 미래를 향한 의욕적인 국가 발전, 경제 개발 전략을 추진하질 못했다. 그러다 보니 국가 차원에서 적극적으로 인재 육성을 하지를 못했고, 각자도생(各自圖生) 차원에서 유학을 떠난 사람들이 있었을 뿐이다.

시카고, 워싱턴, 뉴욕, 샌프란시스코, 하와이를 거치면서 현지 한국인과 유학생들을 적극적으로 초청하여 만나는 일정을 잡았다. 향후 추진하게 될 경제개발 5개년 계획에서는 모든 분야의 전문가들이 대규모로 필요하다. 인재가 당장 필요한데 언제 계획적으로 인재 육성을 할 시간이 있는가? 유학생 중에 쓸만한 사람이 있으면 적극적으로 국내로 불러들여서 임무를 맡겨야 한다. 필요할 경우에는 군대 문제도 해소시켜 주고, 봉급도 두 배 이상 지급하는 방안도 생각 중이다.

국내에 있는 인재를 총 동원하는 것은 당연하고, 우리가 갖고 있지 못한 선진 과학 기술은 유학생들을 통해 도입하거나 아니면 일본이나 미국, 영국, 독일 등 선진국의 전문가를 초빙해야만 할 것이다.

- 미국을 품어야 한다.

미국 방문을 계기로 확신을 갖고 미국을 나의 일부로 삼고자 한다. 미국의 경제적, 군사적, 과학적 파워를 인정하고, 미국 지도자들과 국민들의 우리 한국에 대한 진정성을 믿고 그들과 함께 가야만 한다. 미국과 미국인을 대한민국 발전의 든든한 지지 세력으로 만들어야 한다. 방문 기간 동안 직접 미국을 보고, 국가지도자들과 교류하면서 '미국을 품어야 한다'는 확신이 섰다.

'부자가 되려면, 부자 곁으로 가야만 한다.'

'일등이 되려면, 일등과 함께 생활하면서 일등처럼 생각하고 일등처럼 행동해야만 한다.'

'최고 선진국 미국을 목표로 삼고, 우리의 현실을 정확히 인식한 뒤, 가장 빠른 방법으로 미국을 따라잡을 전략을 개발해서 실천해 가야만 한다.'

케네디 대통령은 물론 각 성의 장관들, 전문 관료들, 한국전에서 함께 싸웠던 전우들, 오찬이나 만찬에서 만났던 기업인들이나 언론인, 학자, 전문가들을 대하면서 그들이 우리를 보는 시각을 읽을 수 있었다. 그들의 진심을 어느 정도 가늠할 수 있었다. 그들은 진정으로 한국이 잘되기를 바라고 있었다.

한국 역사를 보면 미국의 관심을 받지 못했을 때 우리는 곤욕을 치렀다. 고종이 청, 러시아, 영국, 독일, 일본 틈새에서 기댈 곳을 찾았을 때 미국이 옆에 없었다. 결국 우리는 일본을 믿다가 망하고 말았다. 미국이 애치슨 라인을 선포하면서 한국에서 한 발을 빼는 순간 김일성 공산당이 소련과 중공을 등에 업고 침략을 해 왔다.

6·25의 절대 절명의 순간, 또 독립에 대해 전혀 희망이 없던 일제 시대 말기에 미국은 우리에게 구세주로서 나타났다. 1945년 해방과 1948년 국가 건설은 오로지 미국의 덕택이다. 공산당 격퇴와 전쟁 이후의 복구 작업도 오로지 미국의 힘에 의존해 오고 있다.

1961년 지금은 어떤 가?

현재 우리는 미국의 원조에 의존하여 연명하고 있는 셈이다. 국가 재정, 국방, 국제 연합이나 국제기구와의 관계, 농업과 교육 등 모든 영역에서 미국에 절대적으로 의존하고 있다. 미국이 한국에서 철수하거나 지원을 끊으면 일 년도 버티기가 어렵다.

자유 민주 정치 체제나 국민 기본권이 가장 잘 지켜지고 있는 미국은 우리 한국이 나아가야 할 목표다. 삼권 분립이나 대통령 중심의 행정 기관이 내가 기대하는 민주 정부다. 다만 국회 양원제는 고민스럽다. 지난 민주당 정권에서 문제점이 적나라하게 드러났기 때문에 우리는 단원제 국회를 지향해야 한다.

뉴욕으로부터 귀국하기 위해서는 또 다시 샌프란시스코와 하와이, 도쿄를 거쳐야만 했다. 11월 19일 아침, 뉴욕을 출발해서 샌프란시스코로 향했다. 미국측에서 제공한 수송기 C-121A기다.

정 일권 대사를 통해 샌프란시스코 체류 기간 동안에 미국에 와 있는 이한림 장군을 만나기로 하였다. 절친한 친구였는데 혁명 과정에서 불가피하게 틈새가 벌어졌다. 몇 달 간 감옥 생활을 하면서 고생을 했다. 나에 대해 원망이 많다고 전해 듣고 있다.

11월 20일 월요일. 하루 일정을 마치고 이 장군을 만나기로 했다. 저녁 식사를 내가 묵고 있는 스위트 룸에서 함께 할 수 있도록 준비시켰다. 평상복을 갈아입고 기다렸다. 11월 말은 오후 4시만 돼도 컴컴해진다. 창 밖으로 샌프란시스코 시내의 야경을 바라본다.

의전 비서관 조 상호 중령이 이 한림 장군이 도착했다고 전해왔다. 방문을 열고 나가, 이 장군과 반갑게 악수를 청했다. 엉거주춤 내 손을 잡는 그의 인상이 편치 않아 보였다.

"어떻게 지내시는가? 건강은 좀 어떻고?"

"보다시피, 이렇게 지내고 있수다."

짧은 말로 불편한 심정을 전해온다.

"이 곳에 온 김에 이 장군을 꼭 보고 가고 싶어서 이렇게 모셨네."

내 말이 공치사로 들리는지 호의적 반응이 보이질 않는다. 함께 식사를 하면서 미국 생활에 대해 물어보고, 이런저런 지난 얘기를 곁들였다. 함께 식사하는 정 대사가 둘 사이에 끼어 들어 분위기를 이끌어 가느라고 고생을 했다.

피곤이 엄습해 초죽음이 되어 있는 상황에서 나도 이 장군에게 고분고분 웃음기를 보이기가 어려웠다. 이래저래 불편한 자리가 되었다. 하지만 이렇게라도 그를 보고 가야만 내 마음이 다소 편해질 것 같다.

방문 중 체류하는 시카고, 워싱턴, 뉴욕, 샌프란시스코, 하와이 일정은 짧은 기간 동안에도 숨 쉴 틈 없이 빡빡한 일정을 소화하도록 짜여져 있었다. 내가 적극적으로 요청한 일정이 포함되어 있었기 때문이라서 피곤하다는 말도 하기가 어렵다. 오늘 이 장군 면담도 그 중 하나다.

다음 날, 하와이로 날아갔다. 하와이 체류 중에는 무엇보다도 이 승만 대통령을 찾아 뵐 것인가가 신경이 쓰였다. 인간적으로는 더 없이 존경하는 분이지만 정치적으로는 아직 면죄부를 드리기가 어려운 처지다. 지난 시절, 내게도 타도의 대상이 되었던 인물이다. 미국 방문 일정 조율 당시에는 공식적으로 스케줄에 넣지는 않되 상황을 보아서 결정하기로 하였다.

하와이로 향하는 비행기 기내에서 수행원들에게 의견을 물어 보았다.

"한번 찾아가 뵙는 것이 좋겠습니다. 독립운동과 건국, 6·25 전쟁 승리에 지대한 공헌이 있으신 분 아닙니까? 대만의 장 개석 총통처럼 국부(國父)로 모셔야 할 분입니다."

"저도 공감합니다. 이 대통령은 학생들의 4·19 혁명에 의해 자리에서 내려왔지 우리가 군사 혁명을 통해 끌어내린 것이 아니지 않습니까?"

의외로 접견 방문을 지지하는 이들이 많았다. 생각이 많아진다.

"아직 정국이 불투명한 상황에서 조금 시차를 두는 것도 좋겠습니다. 지금은 군사 정부가 뭔가 확실한 결과물을 내놓지 못하고 있는 상황인데 자칫 자유당 정권을 지지하는 듯한 인상을 주는 것도 위험합니다. 이 문제는 너무 소문 내지 않고 조용히 처리하는 것이 좋을 듯합니다."

유 양수 위원장이 신중론을 편다. 나로서도 너무 공개적인 처신보다는 조용히 나의 의중만을 표하는 정도로 간접 방문하는 것이 좋아 보였다.

토론을 거쳐 조 상호 수행비서관에게 이 일우 호놀롤루 총영사와 재미동포 윌버트 최와 함께 간단한 선물을 들고 찾아뵙도록 조처했다. 조 중령에게는 나의 뜻을 정중하게 전달하도록 지시했다.

이 대통령을 방문하고 돌아온 조 중령의 보고에 의하면 이 대통령 부부는 자그마한 집에서 소박하게 사시고 계셨다. 80 노인 부부로 건강도 안 좋아 보였고 초췌한 모습에 가슴이 뭉클했다고 한다. 영부인 프란체스카 여사도 슬픈 표정으로 '이 대통령께서 한국으로 귀국하고 싶어한다'고 했다.

마음이 착잡했다. 왜 우리가 이렇게 되었는가? 우리 한국을 있게 만든 건국 대통령이, 국민들의 외면을 받고 이역 만리 외국에서 외로움을 느끼며 살아야 하는가? 가고 싶은 고향으로 왜 마음대로 돌아갈 수 없는가?

이게 정치인가? 아니면 잘못된 한국 때문인가?

수천 만 배 더 악독한 북한의 김 일성은 저렇게 호의호식 하면서 권세를 누리고 있는데, 우리의 위대한 건국 대통령은 왜 이렇게 초라해야만 하는가.

결국 국가 발전, 정치 발전, 경제 발전이 이루어져야만 우리 민족 모두가 평안해질 수 있을 것이다. 서로가 서로를 향해서 증오하는 마음을 갖지 않을 정도로 한국인 모두가 너그러워져야만 한다.

마음이 척척해지더니, 어느 순간 울컥해 온다.

'잠시만 기다리십시요.'

제 2 부

핵심은 경제다

핵심은 경제다

미국 방문을 마치고 귀국하여 정신을 차린 뒤, 윤 보선 대통령을 찾아뵈었다. 11월 27일 오전. 케네디 대통령과 미국 정부의 신정부 지지 및 한국에 대한 경제적, 군사적 지원 약속에 대해 상세하게 설명을 드렸다. 그리고 일본 방문에 대해서도 희망적으로 얘기했다. 기분 좋게 커피와 함께 환담을 나누었다.

이제 본격적으로 경제개발 5개년 계획 수립 작업을 점검할 시점이 되었다. 그동안 경제기획원 중심으로 일을 맡겨 두었는데 이제는 마무리를 해야만 한다. 비서실 보고에 의하면 오늘 내각에서는 신년도 예산안 심의가 있고, 최고회의에서도 경제개발 5개년 계획 심의 회의가 잡혀 있다.

이번 미국 방문에 동행했던 송 정범 경제기획원 부원장과 정 소영 박사, 그리고 관계관 몇 명을 방으로 불렀다.

"송 부원장, 정 박사. 순방길에 고생 많았어요. 이제 본격적으로 일을 해 봅시다. 오늘 예산안 심의와 경제개발 5개년 계획에 대한 축조 심의가 있다면서요?"

"예, 그렇습니다. 경제기획원 직원 모두가 정신이 없습니다."

"그것과도 관련이 있겠지만, 우선 이번 방문 길에 만났던 유학생들에 대한 명단 확보 좀 해야겠어요. 각 대학 별로, 전공 별로 상세하게. 그리고 졸업 후에 미국 현지에서 정부 기관이나 기업체에 근무하는 전문가, 기술자들에 대해서도 정리를 부탁합니다. 아, 일본이나 영국, 독일 등에도 진출해 있는 유학생이나 교포들 중에도 우리가 필요로 하는 인재들이 있을 수 있어요."

"알겠습니다. 의장님께서 저희들을 불러 주시고 업무를 맡겨 주신 것처럼 새로운 젊은 인재들을 적극적으로 찾아서 보고 드리겠습니다. 의장님 지시에 따라 지난 번에 진행되었던 국내 기술자 조사는 원만하게 마무리되어 책자로 만들어졌습니다."

"알고 있어요. 그런데 한계가 있어요. 일제 시대에 일본인들 밑에서 눈치

를 보며 시다(した) 노릇만 하던 사람들이 대부분입니다."

경제개발에 필요한 인재 발굴 작업은 사실 혁명 이전부터 암암리에 시작되었다고 보아야 한다. 혁명 전에는 공개적으로 할 수 없었기 때문에 신문이나 방송을 통해 노출된 인재들을 눈여겨보는 정도에 머물렀다. 하지만 혁명 이후에는 좀 더 적극적으로 인재를 찾는 일에 나설 수 있었다.

혁명 주체들이나 국민 대부분이 당장 눈앞에 닥쳐 있는 혁명 정부 업무에 바빴지만 나는 혁명을 통해 하고자 하는 다음 단계의 일에 초점을 맞추고 있었다. 농촌 발전을 위한 식량 증산과 소득 증대, 도로 등 국토 건설과 기반시설 구축, 전력과 에너지 문제 해결, 공업화, 과학 기술 발전, 군 장비 현대화 등 모든 곳에 단순 기술자 수준을 뛰어 넘는 전문가를 찾아야 했다.

내가 지금 머물고 있는 이 중앙청 건물도 우리 손으로 지은 것이 아니다. 일제 시대에 독일 건축가가 설계를 하고 일본의 토목 기술자들이 건축하였다. 일제 시대 그 대단한 도로 건설, 댐 건설, 각종 현대식 건축물들을 보면서 과학 기술 전문가의 능력을 볼 수 있었다. 일본은 전투기나 군함, 거대한 상선을 만들 수 있는 전문가를 길러 소유하고 있고 각종 제철소, 화학공장, 자동차 공장을 운영하고 있다.

그런데 우리 한국은 아무리 생각해도 너무나 빈약하다. 건국 후 지난 10여년 간 전쟁을 치르느라 정신이 없었고, 겨우겨우 문맹률 극복하기에 여념이 없었다. 이번 미국 방문 길에도 경제 및 군사 원조뿐만 아니라 과학 기술 원조, 전문가 양성에 대해서 적극 도움을 요청하여야 했다.

혁명 주체인 김 종필, 유 원식, 이 석제, 박 태준 등에게 시간만 나면 '인재 발굴, 전문가 추천'을 얘기했다. 젊은 군사 혁명 동지를 넘어 새로운 국가 건설을 위한 각 분야 전문가들이 2차적으로 핵심 혁명 동지가 되어야만 한다. 단군 왕검이 새로운 국가 조선(朝鮮)을 창립하신 뒤 무관들보다는 문관들을 앞세워 국가 행정을 담당케 한 것과 비견된다. 근대 조선의 태조 이성계도 군사 혁명을 성공한 다음에는 정 도전 등 신흥 젊은 관료들과 함께 국가를 발전시켜 나갔다. 명 나라 태조 주 원장은 군사 혁명 동지들을 거의 다 제거한 뒤 정권을 후손에게 물려주었다.

지금의 군사 정부는 내가 그리는 위대한 국가 건설을 위한 기초 작업에 필요한 존재다. 조만간 국민 모두가 참여하는 민간 정부로 정권을 이양하고 군인은 본연의 국방 업무로 복귀할 것이다. 민정 이양 후의 정부가 다시 예전처럼 되돌아가지 않게 하기 위해서는 젊은 엘리트 전문가, 지혜로운 관료들이 정부를 이끌어 갈 수 있도록 만들어야 한다.

새로운 민간 정부가 제대로 역할을 하기 위해서는 지금 상태로는 안된다. 정부의 정책 기획, 재정, 천연 자원, 사회간접자본, 교육, 전문 과학 기술 등 모든 영역이 동시에 일정 수준까지 발전해야만 한다. 자유당과 민주당 정부를 탓할 것이 없다.

'핵심은 경제다.'

오늘 심의하는 경제개발 5개년 계획은 단순한 '계획'이 아니라 '목숨을 바쳐서라도 실천해 가야만 할 행동 방안'이다. '경제' 속에는 과학 기술, 농촌 발전, 교육, 국방, 외교 등 모든 것이 포함되어 있다. 혁명 정부가 승부를 걸어야 할 모든 내용이 담겨 있다.

인재 발굴과 관련해서 갓 출범한 경제기획원의 김 유택 원장에게 특별히 당부했던 프로젝트가 있다. 경제기획원에서 2,500만환을 고려대학교 부속 기업경영연구소에 지원해서 2달 동안 전문 기술자 조사를 하도록 했다. 연구소에서는 교수와 학생 300명이 동원되어 정원이 50명 이상인 기업체 등 4,500개 기관과 업체를 선정해서 조사를 하였다.

그 결과 보고서를 받아 보고 걱정이 컸다. 김 원장과 국과장이 모인 자리에서 나의 구상을 밝혔다.

"전문 기술자 양성을 위한 대책이 절실합니다. 이런 수준가지고는 경제개발계획을 추진할 수 없습니다. 우리가 언제까지 외국으로부터 기술자 지원을 받아야만 합니까? 장기적으로는 국내 대학에 과학 기술 전문가 양성 과정을 만들어서 인재를 육성해야 하지만 지금 당장은 큰일입니다."

"장기적으로는 의장님 방침대로 하는 것이 맞다고 생각합니다. 현 상황에서 저희 경제기획원에서는 지금까지 해오던 해외 기술자 초빙을 감축하는 대신에 기술자 해외 파견을 늘리는 방안을 강구 중에 있습니다. 그동안 선진국의 대한 원조가 대부분 자국 기술자를 파견하여 일시적으로 문제를 해결하는 방식으로 전개되어 왔습니다. 그러다 보니 인재 양성도 안 되고 기술 축적도 불가능합니다."

"나도 공감입니다. ICA 기술원조사업에서도 해외 기술자 초빙을 줄이고 반대로 국내 기술자를 선진국으로 파견해서 전문 교육을 받을 수 있도록 해야 합니다. 그래야 자연스럽게 기술 도입이 이루어지지요. 파견 국가도 미국, 영국, 독일 등에서 더욱 확대시켜야 할 겁니다. 해당 국가에 있는 교포 기업체나 유학생들에 대해서도 관심을 가져보세요."

"잘 알겠습니다. 경제기획원에서는 중앙경제개발위원회 내에 기술분과위원회를 설치할 예정입니다. 지난 5년(1956~1961) 동안 ICA에서는 총 3,678만 달러에 달하는 기술 도입 예산을 지출했는데, 이를 좀 더 우리에게 유리한 방식으로 활용토록 하려고 합니다. 현재 협상 중에 있습니다만 1963년부터 유엔 기술 원조 자금 40만 불도 유치하려고 합니다. 당장 내년부터는 독일 정부와 5개년간의 장기기술원조계획을 세워 내년에는 15명의 기술자 초빙과 200명의 수습 기술자 파견을 구상 중에 있습니다."

7월 3일자로 장 도영 의장을 중심으로 한 반혁명 사건을 극적으로 해결하고 난 뒤에는 본격적으로 경제 개발 계획 추진을 위해 움직였다. 최고회의에서는 직접 경제개발 5개년 계획을 작성하고, 이를 책임지고 추진해 갈 정부 조직으로서 경제기획원을 1961년 7월 22일자로 설립하였다. 부흥부에서 이름을 바꾸었던 건설부를 없애고 경제기획원으로 새롭게 출범시키며, 원 소속으로 국토건설청을 두었다. 초대 경제기획원장에는 한은 총재와 재무장관을 역임한 김 유택을 임명했다. 기획원에는 총무과, 종합기획국, 예산국, 물동계획국, 통계국을 두었다. 기획원이 기획과 예산 기능을 동시에 담당함으로써 정부 모든 부처를 종합 통제할 수 있게 만들었다.

7월 24일, 중앙청 내에 경제기획원실을 마련하여 정식 출범시켰다. 곧바로 최고회의가 입안한 경제개발 5개년 계획을 경제기획원으로 넘겨서 전담토록 맡겼다.

국가재건최고회의에서는 건설부에서 만든 제1차 5개년경제계획과 한국은

행에서 만든 장기종합경제개발계획, 자체 기획위원회에서 작성한 장기경제개발계획을 토대로, 경제 부처 실무자와 각 분야의 민간 경제 단체 의견을 취합하여 종합경제재건계획안(綜合經濟再建計劃案)을 만들어 발표하였다.

앞서 최고회의에서는 버거 미국대사와 모이어 주한 미경제원조사절단장에게 경제계획 전문가 추천을 의뢰했었다. 그리고 USOM에서 기획 및 경제정책담당 차장으로 근무하고 있는 알버트 부쇠를 추천받았다. 국가재건최고회의 내 종합경제재건기획위원회 위원으로는 유 원식(육군대령), 박 선범, 김 성범, 백 용찬, 정 소영, 권 혁노(육군중령), 이 경식, 정 일혼 등이 애를 썼다.

지난 정부에서는 정부 각 부처별로 자체적인 발전 계획을 수립하고 부처별로 추진해 보려고 노력했다. 이 승만 정부에서의 3개년계획이나 장 면 정부의 5개년 계획은 각 부처의 발전 계획안을 단순 취합한 정도에 불과했다. 하지만 재원, 정부의 추진 의지와 역량이 부족했고, 무엇보다도 정부 각 부처의 발전 계획을 종합 조정할 기구가 없었다. 과거의 경제정책은 보여주기식, 나열주의에 머물렀을 뿐 누구도 결과에 대한 책임을 지지 않았다. 많지도 않은 가용 자원(可用資源)은 비효율적으로 낭비되어 왔다. 국가 재정의 과반 이상이 원조 물자와 달러에 의존한 것이었기 때문에 이를 어느 곳에 사용할 지를 정하는 정도에 불과했다. 장기 계획이 아니라 1년 단위의 소비성 경제계획이었다. 그럴듯하게 만들었다지만 '실질적인 추진 계획'이 없는 '공수표(空手票)에 불과' 했다. 미국과 유엔의 원조 자금을 적당히 쪼개 쓰는 '지출 계획'에 불과했다.

전쟁 복구와 극도로 악화되어 있던 민생고(民生苦)의 해결이라는 현안에 매달려 사실 중장기 계획을 수립할 여력이 존재하지 않았다. 그날 그날 부딪치는 긴급하고 잡다한 경제 문제 해결에 급급했다. 국가 자주 경제 재건이라는 입장에서 보면 한심하기 그지없는 경제 정책이었다.

경제발전은 생각이나 말로만 되는 것이 아니다. 철저한 계획과 함께 인적, 물적, 상황 여건이 모두 맞아 떨어져야만 가능한 일이다. 무엇보다도 단기-중기-장기 발전 전략이 잘 연계된 경제개발계획이 있어야 한다. 달성

가능한 목표를 세우고 정교하게 실천 계획을 세워야 한다. 경제개발 5개년 계획은 단년도 예산안이 아니라 5년 정도의 중기 발전 전략을 담은 것이다. 정책 목표는 신정부의 원대한 국가 발전의 미래를 보여주어야 한다.

계획이 공염불(空念佛)로 끝나지 않게 하기 위해서는 소요 재원, 물자가 충분해야만 한다. 현재 우리 상황에서는 모든 것이 부족하다.

무엇보다도 돈이 없다. 내가 해야 할 가장 큰 숙제가 바로 돈 문제 해결이다. 내자를 최대한 확보하기 위해 힘써야 하고, 미국이나 독일의 원조 자금 확보, 일본 청구권 문제 해결을 통한 자금 확보를 위해 발벗고 나서야 한다. 혁명재판부에서 진행되고 있는 부정축재자 처리는 그동안 불법 부정하게 축적한 재산을 국고로 환수하여 정책 자금으로 활용키 위한 것이다. 국민재건운동을 통해 전 국민을 대상으로 '저축'을 부르짖고 있지만 기대난망이다. 하루하루 먹을 것도 없는 국민들에게 저축할 여력이 있을 수 없다.

들리는 소문에 의하면 미국과 유엔, 선진국들의 대한 원조는 이제 무상 원조(無償援助)를 줄이고 유상 차관(有償借款) 형태로 전환될 것이라고 한다. 경제개발계획이 시작되는 내년부터 당장 액수가 줄어들 것이라고 한다.

큰일이다. 손 놓고 있을 수는 없다. 무상 원조가 줄어든다면 지금 만들고 있는 5개년 계획은 무의미해진다. 줄어드는 무상 원조에 대처하고 필요 자금을 제대로 확보하기 위해서는 적극적으로 외국인 투자 즉 외자(外資)를 유치해야만 한다.

9월 18일 오후 2시. 회의실로 한국경제인협회 조 성철 부회장을 비롯한 22명의 기업인들을 불러 모았다. 정부측에서는 송 요찬 수반과 함께 관계 부처 장관들을 배석시켰다. 이 병철 회장과 정 주영 회장을 비롯한 몇몇이 빠졌지만 핵심 기업인 대부분이 참석하였다.

"바쁘신 와중에도 이렇게 참석해 주셔서 감사합니다. 신정부에서 추진하고 있는 경제개발 5개년 계획에 대해 설명을 드리고 여러분들의 소중한 의견을 듣고자 이런 자리를 마련하였습니다. 기업 애로 사항이나 외자 도입 등에 대해서도 좋은 의견이 있으시면 기탄없이 말씀해주시기 바랍니다. 경제에 관한 여러분들이 최고 전문가이십니다."

최근 진행되고 있는 부정축재자 처리와 관련해서 모두가 기가 죽어 있는 분위기가 느껴진다.

“명년부터 시행될 경제개발 5개년 계획 완수를 위해 기업인들이 앞장을 서 주셔야 합니다. 혁명 정부는 구 정권과는 달리 기업의 경제 활동 상의 애로 사항이나 각종 불합리한 점을 신속하게 타개할 방침을 세워 놓고 있습니다. 경제인들이 과거와 같이 정치권이나 관료들에 휘둘리거나 개인플레이하는 폐습을 지양하고 합심 단결하여 오직 국민경제의 발전을 위해 노력해 주셔야 합니다.”

“어려운 얘기입니다만 현재 기업인들은 모두 겁먹고 기가 죽어 있습니다. 지금과 같은 분위기에서 무슨 희망을 가지고 기업을 하겠습니까? 모두가 범법자 죄인으로 낙인이 찍혀 있습니다.”

조 성철 부회장이 기업인들을 대변하듯 조심스럽게 말을 꺼냈다.

“죄송합니다. 하지만 떳떳한 기업인들께서는 전혀 위축되실 필요가 없습니다. 부정한 방법으로 원조 자금을 지급받았거나 관료나 정치인과 야합하여 불법을 저지른 경우가 아니라면 걱정하지 않으셔도 됩니다. 저는 여러분들을 앞세워서, 함께 경제 개발을 해 나갈 겁니다. 환수 자금이나 공장 등은 결국 정직하고 역량 있는 기업인들에게 다시 되돌려 드릴 것이고 더 나아가서 정책 자금 융자나 외자 도입, 수출 신용장 발급 등에 대해서도 적극 지원할 겁니다.”

조금 표정들이 밝아진다. 최고회의에서는 혁명 직후부터 진행된 부정축재자 처리 문제를 신속하게 마무리하기로 하고, 8월 23일자로는 그동안 동결시켰던 금융을 전면 해제하였다.

김 유택 경제기획원 장관이 나를 지원하고 나선다.

“지난 정부에서 2월에 외자도입법을 개정한 것에 이어서 지난 8월 7일에도 ‘외교 관계가 없는 외국인에게도 한국 투자를 허용’하는 법 개정을 하였습니다. 경제 개발에는 거액의 외자가 소요됩니다. 정부는 정부대로 외자 획득을 위해 노력 중입니다. 아울러 민간 베이스의 외자 조달에 대해서도 적극 지원할 예정입니다. 기업 차원에서 외자 도입에 관해 구체적 계획을 가지고 계신 실업인(實業人)들께서는 계획서를 제출해 주시기 바랍니다. 정부를 믿고 책임 있게 일을 추진해 가시기 바랍니다."

회의를 희망적으로 끝내고 난 뒤에 곧바로 경제기획원에서는 외자 도입 촉진을 위한 좌담회가 이어졌다. 기획원 담당 관료들과 함께 대한상의와 국책은행 실무자, 경제인협회 대표들이 참석하여 구체적인 논의를 가졌다. 기업인들은 외자 도입에 대한 정부의 외자 지불보증(外資支拂保證)과 소요 내자 공급(內資供給)에 있어서 정부가 최대한의 편의를 봐줘야 한다고 요청했다.

기획원에서는 앞으로 외자도입촉진위원회(外資導入促進委員會)를 설치하고, 이를 중심으로 정책을 시행한다는 방침을 천명하였다.

긴급하게 김 종필 중앙정부부장을 방으로 호출했다.

"김 부장. 한일 청구권 협상을 최대한 빨리 마무리합시다. 외자도입과 함께 청구권 자금도 빨리 끌어다 써야겠어."

"알겠습니다. 월초에 김 기획원장과 함께 일본을 방문해서 정부 담당자와 자민당 부총재를 만나 논의했는데 자민당측 의견이 분분해서 쉽지가 않을 듯싶습니다. 하지만 최선을 다해 봐야죠."

"일본이 선진 원조 국가의 일원으로 들어갔기 때문에 청구권과 차관 문제를 함께 협의해야 할꺼요. 급한 건 우리니 어쩔 수 없다지만, 최대한도로 우리 의견을 반영해야 합니다."

경제 개발 계획이 실천에 들어가기 시작하면 차관 등 외자 도입, 수출입 무역, 국제 수지와 관련해서 환율 문제도 고민해야만 한다. 환율 문제는 또한 화폐 개혁 작업과도 연계된다. 엄청난 파장을 유발할 수 있기에 신중에 신중을 기해야만 한다.

국제 관계를 고려해서 국민들의 연령을 만(滿) 나이로 하도록 국민 계몽을 실시하고, 아울러 그동안 써온 단기(檀紀)를 서기(西紀)로 바꾸는 정책도 실현하기로 했다. 최고회의에서는 1962년 1월 1일부터 서기 연도를 사용하기로 결정하고 공표를 했다.

1962년 1월 1일은 우리의 원대한 경제개발 5개년 계획이 시작되는 날이다.

계획: 경제개발 5개년

27일 오후에, 최고위 종합경제재건기획위원회에서 본격적으로 제1차 경제개발 5개년 계획안에 대한 심의가 있다기에 참석하려고 일어서다가, 문득 탁자 위에 놓인 신문 기사가 눈에 들어왔다.

"북평방송(北平放送)은 26일, 한국 최고회의 박정희 의장의 방미 방일(訪美訪日)을 반대 비난하는 민중대회를 평양에서 개최하였다고 보도하였다. 동 방송은 '박 의장이 미일 반동분자(美日 反動分子)들과 공모하기 위해 여행하였다'고 비난했다. (조선일보 1961.11.27.)"

피식 웃음이 나온다.

'같잖은 녀석들. 조금 잘 산다고 시건방 떨기는… 두고 봐라 이놈들아."

회의실에는 위원들과 경제기획원 관계자들이 어린애 키만큼이나 높은 서류 뭉치들을 앞에 두고 앉아 있었다. 내가 간단하게 인사말을 마치자, 위원장 주재 하에 곧바로 계획안 심의에 들어갔다. 나도 옆에 앉아서 심의에 참여하기로 한다.

"그런데 군사 정부가 내후년 1963년에 민간으로 정권 이양을 하기로 한 마당에 5년 계획 보다는 3년 계획이 더 바람직한 것이 아닙니까?"

위원 중 한 사람이 나를 향해 얼굴을 돌리며 물어 왔다. 이제 와서 좀 생뚱맞다는 생각을 하면서도 그의 의구심이 이해가 간다.

"지금 이 계획은 우리 군사정부에만 해당한 것이 아닙니다. 어떤 정부가 들어선다고 하더라도 반드시 가야만 할 길을 계획하려는 것입니다. 이름을 '경제 개발 계획'이라고 했지만 사실은 온전한 '국가 발전 계획'입니다."

나의 혁명을 제대로 이해하지 못하는 사람들은 지금 이 순간 5개년 경제개발 계획이 얼마나 중요하고 원대한 국가 발전의 출발점이 되는지에 대해 알지를 못한다. 그냥 나나 군인들이 정치나 행정, 사법에 관여하는 것 자체를 싫어할 뿐이다. 그래서 '언제 정권 이양을 할 것인가'에 대해서만 관심이 있다.

경제기획원 실무책임자의 설명과 함께 분야별 심의로 들어간다. 옆에서 지켜보면서 이런저런 생각이 든다. 적당한 순간에 끼어들어 내 의견을 제시하고 내용 수정을 요구하기도 했다.

"친애하는 애국 동포 여러분. ... 질망과 기아선상에서 허덕이는 민생고를 시급히 해결하고 국가 자주 경제 재건에 총력을 경주할 것입니다..."

5월 16일 아침 5시, 전국에 울려 퍼졌던 나의 '대국민 선전 포고'였다. 지독하게 가난한 우리 국민들을 배부르게 먹고 살 수 있는 복지국가로 만들고 남의 도움 없이도 스스로 살아갈 수 있는 국가를 '반드시 만들고야 말겠다'는 처절한 나의 공약이었다. 두툼한 책자의 제1차 5개년 계획안 서두에 이런 나의 공약이 고스란히 담겨 있었다.

첫머리의 개황(槪況)을 보니, 제1차 경제개발 5개년 계획의 정책적 목표로 '자립적 성장과 공업화의 기반 조성'이 표기되어 있다. 7월에 처음 계획 관련 회의를 시작할 때부터 내가 강력하게 주장했던 내용들이다.

자립적 성장 기반이란 기본적으로 국민 대다수가 의식주 문제를 해결하고 본격적으로 경제 발전을 시도할 수 있을 정도로 기반 시설이나 저축 투자, 과학 기술력, 교육 수준이 갖춰진 상태를 말한다. 5년 동안 이런 토대를 만들어내야만 우리 스스로 다음 단계의 경제 발전을 시도해 볼 수 있다. 공업화의 기반은 경제 발전에 필요한 전기나 석탄 등 에너지, 비료, 도로, 철도, 통신, 플랜트 등 기본 요건을 충족하는 것이다.

'기반 조성'이라는 말은 다음 단계의 고도 경제 개발 계획을 염두에 둔 것이다. 국가 발전은 머리 속 생각만으로는 얻어질 수 없다. 원대한 목표와 치밀한 계획, 그리고 총력을 기울인 실천이 동시에 잘 이루어져야만 한다. 그 첫 작업이 지금 눈앞에 놓여 있는 '계획'이다.

'**기본 방침**. 첫째, 자유경제체제를 원칙으로 하면서 강력한 계획성을 가미한 지도받는 자본주의 경제체제를 채택하였다. 그리하여 민간인의 자유와 창의를 존중하는 자유기업의 원칙을 토대로 하여 기간산업과 그 밖의 중요 사업에 대하여는 정부가 적극적으로 관여하거나 간접적으로 유도책을 써서 균형적인 성장을 도모하도록 하였다. 이 계획은 주로 공적부문을 중심으로 하고 있으며, 민간부문에 대하여서는 자발적인 활동을 자극하도록 한다.

둘째, 우리나라 경제의 구조적인 특성을 고려하여 자립적 성장과 공업화의 기반을 구축하도록 다음 각 부문의 개발에 중점을 두었다. 1) 전력, 석탄 등 공업화의 원동력이 되는 에너지 자원의 확보에 최대의 노력을 기울인다. 2) 경제성장을 이끄는 데 주도적 역할을 해야 할 기간산업과 사회간접자본의 확충에 커다란 비중을 둔다. 3) 국토를 보존 개발하기 위하여 국토건설사업을 계속 추진한다. 4) 국제 수지 개선을 위하여 수출을 증대시킨다. 5) 저 생산력을 극복하기 위하여 기술 증진에 주력한다.

셋째, 이런 개발계획을 뒷받침하기 위하여 자연자원과 인적자원의 합리적인 결합으로써 자원을 효율적으로 이용하도록 하였다. 국내 자원을 최대한으로 동원하고 외화 소요의 조달에 있어서는 외자도입에 중점을 두며, 정부 보유 불(佛)은 사업 목적을 위하여 계획적으로 사용하고, 또한 국내 노동력을 최대한으로 활용하여 자본화를 기하도록 하는 한편, 재정 금융 면에서 안정을 유지하면서 성장목표를 달성하도록 했다.'

한치 앞도 예측하기 어려운 현 상황에서 5년 뒤를 기약한다는 것이 얼마나 어려운가? 그냥 미사여구(美辭麗句) 나열일지도 모른다. 기존 정부의 계획안들을 보더라도 온통 좋은 말뿐이었다.

갑자기 '**가난하기 때문에 가난하다**'는 격언이 생각난다. 모든 여건이 좋지 않은 상황에서 '**잘 살아 보자**'고 하지만 답답하고 불가능해 보이기만 한다.

몇 페이지를 넘기니 숫자로 나타난 목표치가 나왔다.

<표 1> 제1차 경제개발 5개년 계획 주요 목표 (1961년 가격)			
구분 / 종별	기준년도(1960) (A)	목표연도(1966) (B)	B/A (%)
국민총생산(억원)	2322.7	3269.1	140.7
민간소비지출(억원)	1995.1	2357.6	118.2
총 자본 형성(억원)	313.9	743.6	236.9
정부 소비지출(억원)	370.6	488.5	131.8
총인구(천명)	24,694.0	29,185.0	118.2
노동력(천명)	10,394.0	11,868.0	114.2
고용(천명)	7,877.0	10,111.0	128.3
1 인당 국민총생산(백원).	94.1	112.0	119.0
(농림 수산업 주요 생산)			
쌀(천석 千石).	15,950.0	2,0567.0	129.0
보리(천석)	7,211.0	8,842.0	117.6
어류(魚類, 천M/T)	241.7	421.0	174.2
(광공업 주요 생산)			
석탄(천M/T)	5,350.0	11,740.0	219.4
시멘트(천M/T)	431.0	1,370.0	317.9
비료(천M/T) 질소질 환산 (유안 및 과석 환산)	一 (一)	109.5 (646.0)	一 (一)
강괴(鋼塊, 천M/T)	50.0	70.0	140.0
정유(천BL).	一	9,300.0	一
발전량(백KW)	1,699.0	4,059.0	265.4
화물 수송(백만톤Km,噸粁)	3710.0	6,881.0	185.5
여객수송(백만인Km,人粁)	8,006.0	11,334.0	141.6
주택(천호)	3,346.0	3,908.0	116.8
해외 경상 잉여(백만$)	-262.3	-246.6	94.0
수입(백만$)	116.9	291.2	249.1
수출(백만$)	32.9	137.5	417.9
무역 외(백만$)	84.0	153.7	183.0
지불(백만$)	379.2	537.8	141.8
수입(백만$)	343.0	492.3	143.5
무역 외(백만$)	36.2	45.5	125.7
(출처: 한국 군사혁명사. 제1집. 상. 926)			

간단한 수치 하나하나가 엄청난 압박으로 다가온다.

‘연평균 경제성장률 목표 7.1%

(1차산업 5.7%/년, 2차산업 14.8%/년, 3차산업 4.4%/년)’

지금 토의하는 이들은 이 숫자 하나가 얼마나 나를 압박하고 있는지 알고 있을까?

이들은 그저 시키는 대로 열심히 통계를 내고 계산을 하여 표를 만들었을 것이다. 이들은 자신이 제시한 수치 하나가 얼마나 많은 땀과 노력을 요구하는 지 알까? 아마 이들도 숫자 하나가 달라지면 그에 따라 얼마나 많은 변수가 요동치는 지 알고는 있을 것이다.

충주비료공장

자립 성장과 공업화 기반을 조성하기 위해서는 초기에 많은 투자가 이루어져야 한다. 가용자원을 소비부문보다는 중장기 투자 쪽으로 많이 배정해야만 한다. 그러다 보면 농촌 가난 극복, 국민 생활수준 향상이 지체될 수 있다. 국민들에게 양해를 구하고 적극 동참을 호소할 필요가 있다.

초기 자본 투자의 효과가 나타나기 위해서는 적당한 시간을 필요로 한다. 1960년 기준 투자 수요 11.7%, 소비 수요 88.3%를 목표 년도인 1966년에는 투자 20.7%, 소비 79.3%로 정하고 있다. 해외 원조는 1960년 13.4% 수준에서 1962년 11.1%, 1966년 6.3%로 비중이 줄어들 것이다. 그래서 1962년 첫 해부터 외자도입 비중을 3.0%로 올리는 것으로 목표를 세웠다.

세계 경제의 전면적인 자유화 영향으로 선진국의 후진국 원조는 무상 원조에서 차관 방식으로 변화하는 중이다. 그래서 계획 기간 중에는 지원 원조(S/A), 개발 증여(AID/DG), 미 공법 480호에 의거한 잉여농산물을 포함하는 미국의 무상원조는 제1차 년도의 2억 2천만 달러에서 목표 년도에는 약 30% 감소한 1억 5130만 달러가 될 것으로 예측된다. 자립 경제 기반이 조성됨에 따라 외국 원조에 과도하게 의존하는 경제를 벗어나기로 하였다.

기준 연도인 1960년 산업 구성 비율이 1차 36.0%, 2차 18.2%, 3차 45.7%인 것을 목표 년도인 1966년에는 1차 34.8%, 2차 26.1%, 3차

39.1%로 하여 2차 산업 비중을 대폭 늘리기로 하였다. 농업의 비중을 줄여 광공업, 제조업, 건설업 비중을 꾸준히 늘려 가기로 하였다. 제조업에서도 기준 년도인 1960년에는 생산재 공업 대 소비재 공업 비율이 26:74(1:3)이던 것을 1966년에는 36:64(1:2) 수준으로 조장하려고 한다.

제조업에서 생산 원료와 기술자의 국내 조달도 중요한 사안이다. 아울러 생산한 공산품의 해외 수출도 야심찬 계획을 세워 두고 있다. 하지만 무역 역조 현상은 좀처럼 해소될 수 없을 것으로 예상하고 있다.

회의 중간에 밖으로 빠져나왔다. 계획안이 거의 확정 단계에 도달했다.

이제는 '다음'이다.

전 국민을 진두지휘하여 수립된 경제개발 5개년 계획을 완성해가는 일이다.

새로운 국가 건설을 위한 체제 구축, 즉 민정 이양을 위한 헌법 개정 작업과 동시에 제1차 경제개발 5개년 계획을 당장 한 달 뒤 1962년 1월부터 실천해 가야만 한다.

'걱정이다.'

계획은 책임 있는 실천이 보장되고, 반드시 수립된 목표를 만들어내야만 의미가 있다.

'아니면 말고!'

'나는 열심히 했는데, 결과가 안 좋은데 어쩌란 말인가?'

이래서는 안 된다. 이전의 자유당, 민

주당 정부가 이런 식이었다. '계획'이 없는 게 아니라 '실천'이 없었다. 아니 실천을 할 '능력이나 열정'이 부족했다.

그래서 고민이 많다.

군사 정부는 이런 실천력을 가지고 있다. 나와 우리 동지들은 절대 열세인 상황에서, 백병전으로 공산당, 중공군 인해 전술에 대항해 승리를 이끌어낸 경험을 가지고 있다.

농담처럼 얘기하는 군대 문화. 되새겨볼 만한 것들이다.

'**안되면 되게 하라.**' 사람들은 미리 '안 된다'는 생각을 가지고 일에 임하는 수가 많다. 이런 경우에는 반드시 실패한다. 하지만 '**한번 해 보자. 하면 될 것이다**'는 의욕을 가지고 일에 임하면 열정이 생기고, 창의적 아이디어도 나오며, 좋은 결과를 만들어 내곤 한다. 군대 병영 생활을 해본 젊은이들은 모두 이런 생각을 가지고 있다.

'**군화에 발을 맞추고, 침대에 몸을 맞춰라!**' 모든 여건이 부족한 상태에서 이런 저런 불평불만을 늘어놓으면 안 된다. 부족한 조건을 인정하고, 적극적으로 개선하려 노력하며, '미래의 원대한 목표'에 집중한다. 군인들은 불평이 없어야 한다. 영하 10도에, 웃통 벗어부치고 얼음장 속으로 뛰어드는 정신 자세가 군인이다.

지금 군사 정부는 이런 군인 정신, 열정적인 성취 욕구에 충만해 있다. 이런 정신력을 젊은 관료들에게 본받게 하여 경제개발 5개년 계획을 실천해 가도록 해야만 한다.

'민정 이양' 말은 좋지만, 어느 누가 이런 추진력을 발휘할 수 있을 것인가?

윤 보선, 장 면, 자유당과 민주당 국회의원들, 그들 주위에서 권세를 누리던 '양반 출신' 장차관과 국장들? 어림도 없다.

국가 차원의 장기 경제개발계획은 기본적으로 사회주의 경제 성격을 띤다. 1928년 소련의 스탈린은 경제개발5개년계획을 수립하고 주요 산업의 국유화와 함께 국가가 선도하는 경제 발전 전략을 추진하였다. 이후 다른 나라에서도 이런 방식의 중장기 경제개발계획을 수립하여 추진해 왔다.

전후에 새로 독립한 신흥 국가들도 대부분 경제개발계획을 수립하고 추진에 나섰다. 우리의 경우에도 원조국 미국이 적극적으로 경제개발계획 수립, 집행을 권유해 왔고 그에 맞춰 계획 수립에 나섰었다. 혁명 정부에서도 바톤을 이어받아 5개년 계획을 세우고 1962년부터 추진에 나서고 있다.

국가 차원에서 주요 산업을 국유화하고 정부가 경제 시장과 금융을 조정하고 통제한다는 측면에서 보면 경제개발5개년계획은 국가주의적이고 사회주의 경제 방식에 속한다. 자유시장경제를 채택하고 있는 민주주의 국가에서도 소련식의 통제 경제를 운용하는 것이다. 기본적으로 공산주의정치와 사회주의경제가 이념적으로 동질성을 가지고 있지만 자유민주주의 정치에서도 초기 경제 발전 단계에서는 사회주의적인 경제 개발 계획, 통제 경제가 효과적이라는 말이다.

하지만 우리가 자유와 민주 체제를 선택하고 있는 만큼 정부가 관여하는 경제 영역을 최소화할 필요가 있다. 어느 정도 경제 규모와 국부가 성장한 수준에서는 시장 경제의 자율적 성장을 추구해가야 한다.

나의 의지가 담긴 제1차 경제개발 5개년 계획은 이제 시작일 뿐이다. 1차 '경제 자립과 공업화 기반 구축'은 다음 단계의 '고도 공업화, 수출 대국화'를 위한 준비 작업이다. 국민재건운동을 통해 국민 의식 개조, 허례허식과 퇴폐풍조 타파, 건전 생활 문화 조성, 교육 및 의료 체제 개선을 이룬 뒤 최종적으로 문화 복지 국가를 만들어야만 한다.

지금까지 지켜 봐 온 정치꾼들에게 정권을 넘겨주는 민정 이양은 '최악'이 되기 쉽다.

생각이 생각을 낳고, 줄담배 연기가 방 안에 가득 차 온다.

'어쩔 것인가?'

관료제, 관료 정치

군인 정신의 최고봉은 뭐니 뭐니해도 **필승(victory)**이다. 전장에 나서면 반드시 이겨야 한다. 이기지 못하는 군대는 존재의 의미가 없다.

전투에서 이등은 없다. 이등은 곧 죽음이요 파멸이다.

나는 공무원 관료들을 군인 정신으로 무장시킬 것이다. 전투에 임하는 필승의 정신으로 국민과 국가를 위해 구슬땀 흘려 일하도록 만들 것이다. 경제 개발의 최일선에서 목표를 향해 달리도록 만들 것이다. 그들에게 대한민국 발전의 영광스런 책임, 사명감을 갖도록 만들어야 한다. 그리고 최선을 다 할 수 있도록 그들에게 충분한 보수, 안정적 근무 여건, 당당한 권위, 합리적인 업무와 권한을 주어야 한다. 대한민국 최고의 인재를 발굴하여 권한을 주고, 책임 있게 경제 개발과 국가 발전을 이룩하도록 만들 것이다.

새롭게 시작하는 제1차 경제개발 5개년 계획의 성공 여부는 우리 공무원들에게 달려 있다. 이들의 능력과 노력, 열정이 있어야만 우리의 계획이 소기의 목표를 달성할 수 있다.

1961년이 군사 혁명의 시기였다면 1962년은 새로운 국가 건설의 원년이 된다. 연초부터 신년사, 연두 교서, 시정방침 연설을 발표하면서 스스로 한껏 고무되어 있었다.

“1962년의 새해를 맞이하게 되었습니다. 희망과 의욕에 가득 찬 새해는 이 나라와 이 국민에 있어서 역사상 기념할만한 해가 될 것입니다… 우리의 의욕에 찬 경제개발 5개년 계획이 새해부터 발족을 보게 되었습니다. 여러분들이 지대한 관심을 가지고 있는 이 계획은 공업 발전과 자원 개발, 이를 위한 자본 형성과 외자도입, 세제의 합리화, 국제수지의 균형 등으로 잘 성안(成案)되어 있습니다....

이 계획의 강력한 추진을 통해 무엇보다도 시급한 실업자 문제 해결을 꾀하고, 장차의 복지국가 건설을 기약할 수 있을 것입니다. 우리의 후진과 빈곤의 근원이라고 할 농림의 부흥도 계획되고 있습니다. 농민의 생활 향상 없이는 경제재건도 민주발전도 바랄 수 없기 때문에 농촌 시책을 계속하여 주력할 것입니다...

우리는 자조 자립의 정신을 확립해야 하겠습니다... 우리가 염원하는 자유민주주의 사회는 결코 안이하게 실천되지는 못한다는 것을 깨달아야 하겠습니다. 자주적인 정신과 자조의 노력, 자율적인 행동과 자립정신의 기반이 없는 형식상의 민주주의가 우리에게 혼란과 파멸의 길만을 보여주었던 지난날의 경험을 다시 한 번 상기하겠습니다..."

서기로 시작하는 1962년은 경제개발 5개년 계획 추진의 원년이며, 동시에 공무원 조직인 관료제가 새롭게 변신하여 본격적으로 관료 정치를 시도하는 첫 해가 된다. 관료제(官僚制, bureaucratic system)를 재정비하여 관료들이 국가 발전의 선도자가 되어 활약하도록 만들어 관료 정치(官僚政治, bureaucracy)를 꽃 피울 것이다. 국가 건설이나 경제 발전 기간에는 관료정치가 왕정(王政, monarchy)이나 민주정(民主政, democracy)보다 우월하다는 것은 역사적으로도 증명이 되었다. 국왕에 의한 권력 독점 속에서는 진정으로 국민 모두를 행복하게 하는 행정이 불가능하다. 마찬가지로 의식주 여건이나 문화면에서 자유와 민주의 역량이 갖춰지지 않은 상태에서 전개되는 후진국형 '우중(愚衆) 정치' '정치꾼에 의한 선동 정치' 속에서는 경제 개발이나 국가 발전이 이루어지기 어렵다.

그래서 대안이 관료제다. 정치적 중립이 확보된 상태에서, 최고의 인재들이 안정적으로 정책을 담당할 수 있을 때 국가 발전의 목표를 달성할 수 있다.

비스마르크 시절의 독일은 관료를 앞세워 세계 열강으로 부상했다. 조선보다도 형편이 없었던 일본은 명치 유신과 함께 젊은 관료들이 앞장서서 국가 개조를 이루고 세계 최강국 대열로 올라섰다. 동양의 강국이었던 당(唐), 송(宋), 요(遼), 금(金), 원(元), 명(明), 청(淸) 모두 관료들과 함께 국가

부흥을 이뤘고, 우리 조선도 정 도전, 조 준 등 젊은 관료들이 있었기에 500년 이상 가는 위대한 국가를 만들 수 있었다. 역사상 모든 강대국은 관료제, 관료 정치와 함께 성장했다.

막스 베버(Max Weber)는 이런 관료제 국가의 강점을 찾아내 이론화(the theory of bureaucracy) 하여 6개의 중요한 특징을 찾아냈다: 전문화(Specialization), 공식적 규칙(Formalized rules), 계층구조(Hierarchical structure), 숙련된 근로자(Well-trained employees), 헌신적 근무(Managerial dedication), 공정한 관리(Impartiality of management).

1950년대까지의 우리 관료 조직은 일제 시대와 미군정, 6.25 전쟁을 치르는 과정에서 법 체제의 혼란, 비공식적 임용, 비합리적인 보수 체계와 승진, 전문성이 떨어지는 비숙련 근무, 근무평정제도의 미비 등 많은 문제를 안고 있었다. 공무원들 중에는 자리만 차지하고 봉급만 받아가는 이들이 적지 않았다. 이런 상황에서 자유당과 민주당 정치인들은 행정 조직을 마음대로 좌지우지하고 있었다. 막스 베버가 제시하고 있는 아이디얼한 관료제의 모습에 비춰보면 문제가 심각했다. 일부 양식 있는 관료나 장차관들이 관료 조직의 혁신을 생각하는 수가 없지는 않았지만 혁명의 순간까지도 구태의연한 관료제가 지속되고 있었다.

경제 개발, 국가 발전, 국민 개조를 위해서는 가장 우선적으로 후진국형 관료제 행정 조직을 정비해야만 한다. 혁명 직후부터 시도해 오던 관료제 개혁 작업을 빠른 시일 내에 마무리해야만 한다. 내각사무처 내에 행정관리국 신설(1961.7.12.), 경제기획원과 국토건설청 신설(7.22.), 최고회의 산하로 감찰위원회를 만들었다(8.22.). 8월 25일자로 기획통제관실과 기획조정관실을 신설하여 부, 처, 청의 정책과 기획을 조정하고 집행 실적과 상태를 평가 분석할 수 있는 기능을 관장케 했다. 이어서 기존 공무원법을 전면적으로 개정하였다(10.2.). 내각사무처 외곽 조직으로 중앙공무원교육원, 내각수반 소속으로 인사권 독립을 위한 중앙인사위원회와 소청심사위원회를 활성화하였으며, 공무원 채용, 보수, 연금, 근무 등 전반적인 개정 작업을 단행하였다.

- **기획 통제 기능 강화**: 경제기획원을 신설하여 경제개발 업무와 예산 기능을 집중시킨 것과 아울러서, 기획과 정책 조정 및 예산 편성 업무를 주관하기 위해서 내각 수반 직속으로 기획통제관을 두고 경제기획원과 각부처와 시도에는 기획조정관을 두었다. 그리고 내각에 기획조정위원회의(내각 기획통제관이 위원장, 경제기획원 기획조정관이 부위원장, 예산국장과 소수의 고급공무원을 위원으로 임명)를 두어 정책 조율이 가능하도록 만들었다. 최고회의 기본정책 하달. 정부 기본 운영계획 및 예산편성 지침, 각 부처 기본 운영계획 및 예산편성, 소속기관 의견서, 예산 배정 등이 일사불란하게 이루어지도록 체계화하였다. 정부 각부처와 시도의 모든 정책이나 예산을 기획 단계부터 경제개발 계획과 연관되도록 만들었다.

그동안 정치가 행정을 좌지우지하면서 기획과 정책, 사무 관리가 효율적이지 못했었다. 또 정부 홍보, 국토 건설, 농촌 지도, 공무원 교육 등이 전담 부서가 없이 혼란스러웠다. 그래서 혁명 정부에서는 현대적인 정부조직 원칙을 세우고 10월 2일, 전면적인 정부조직법 개정을 시도하였다.

- **직위 분류제, 실적주의 인사제도**: 직위 분류제는 기존의 신분적 계급제를 완전히 탈피하고, 직무분석과 직무평가 작업을 통하여 모든 직위를 직무의 종류와 곤란성 및 책임도에 따라 계급 및 직급별로 분류한 것이다. 동일 직급에 속하는 직위에 대하여는 동일한 자격 요건을 필요로 함과 동시에 동일한 보수가 지급되도록 분류하였다. 아울러 적재적소에 적합한 인물을 채용하여 임명하고, 기존 공무원들에 대해서는 직위와 직급에 필요한 전문화된 교육 훈련을 강화하였다. 근무성적평정제도를 도입하여 근무 실적을 주기적으로 심사 평가하고 그 결과를 승진과 보수에 반영토록 만들었다. 연공서열(年功序列) 식의 공무원 사회를 능력 있는 공무원이 대접받는 '경쟁성' 있는 조직으로 전환시켰다.

직위 분류제가 완성되면 중복된 기능들을 정리하고 보수나 승진 체계를 바로잡을 수 있다. 임명권자에게 잘 보여서, 또는 뇌물을 주어서 승진하거나 좋은 부서로 이동하고자 하는 공무원이 더 이상 나타나서는 안 된다.

공무원들은 승진에 목을 맨다. 승진을 해야만 권한이 커지고 보수도 많아지며, 조직 내외로부터 주어지는 권위나 사회적 존중감이 높아진다. 그래서 관료들은 승진을 위해 모든 수단과 방법을 가리지 않는다. 이를 원천적으로 차단하는 방법이 엄격한 승진 기준을 세우고, 근무 평정을 합리적으로 하여 승진에 반영하는 것이다. 누구나 예측 가능한 승진 제도를 갖추게 되었다.

부정부패 공무원 척결과 함께 정치적으로 임명된 공직자나 무능력하고 또 불필요한 공무원을 퇴직 처리한 것도 관료제 혁신을 위한 일이었다. 이제부터는 '놀고먹는, 대충대충 근무하려는' 공무원이 안주할 수 없게 만들었다.

- **최고 인재, 엘리트 관료의 선발**: 종전 고시령에 의한 자격고시제인 고등고시 행정과와 보통고시를 폐지하고 5급 공무원 임용고시제와 고시 과목 변경을 시도하였다. 직위 분류의 기초가 되는 임용 후보자 등록제를 채택하여 성적주의 원칙에 따라 우수한 인재를 선발하도록 하였다. 3급 공무원 승진에서는 직제별로 자격을 갖춘 자들을 대상으로 공개 경쟁 시험을 치러 합격자를 정한 뒤 결원에 보충하도록 했다. 신규 임용자들에 대해서는 일정한 기간 동안의 시보(試補) 기간을 두어 평가할 수 있게 하였다. 장관에게는 부처에서 필요한 인재를 직접 채용할 수 있는 인사권을 위임하였다.

젊은 청년들에게 '공무원'이 가장 좋은 직업이라는 인식을 갖게 하여야만 우수한 인재들이 공직으로 들어올 것이다. 경제가 발전하여 민간 부문이 활성화된다면 공무원보다도 나은 직업군이 등장할 것이지만, 지금 현재로서는 공직이 가장 선망하는 직업이 되도록 만들어야 한다.

- **직업 공무원제도 확립**: 공무원이 공직에서 안정적으로 직업 활동을 할 수 있도록 충분한 보수를 지급하고 정치적 중립성을 보장하며 퇴직 후 안정된 생활을 위한 연금 제도를 체계화하였다. 공무원은 형(刑)의 선고, 징계처분 또는 법률이 정하는 사유에 의하지 아니하고는 그 의사에 반하여 휴

직, 정직, 계급상의 강임(降任) 또는 면직을 하지 못하도록 새롭게 공무원법에 규정하였다. 또 고령 무능력 공무원의 도태와 신진대사의 원활화를 위해 연령 정년제를 채택하여, 일반공무원의 경우에 3급 이상은 61세, 4급 이하 공무원은 55 세로 규정하고 기능직 공무원과 공안직 공무원에 대하여는 따로 구분해서 규정했다.

직업 공무원제는 결코 무능력한 공무원을 '편안하게 정년까지 근무'하도록 하는 제도가 아니다. 철저한 근무 평가와 승진 경쟁을 통해 우수한 공무원에게 주어지는 고용 안정, 정년 보장이다. 능력이 없는 공무원은 공직에 진입하기도 어렵고, 정상적인 승진이 원천적으로 불가능하게 만들 것이다.

- **공무원 교육**: 1961년 10월 초 내각사무처 행정관리국에 교육훈련과를 신설하여 공무원 교육훈련에 관한 기본 정책 및 지침을 수립케 했고, 곧이어 중앙공무원 교육원을 설치하였다. 서울특별시 공무원 교육원과 각 시도에도 지방공무원 교육원을 설치하여 본격적으로 공무원의 정신 교육, 기술 교육을 시행하였다. 교육과정은 일반 사무계와 기술계로 구분하고 이를 다시 연구반, 고등교육반, 보통교육반, 초등교육반, 기초교육반, 특별교육반. 판검사반 등으로 구분하였다.

이미 공직에 근무하고 있는 공무원들에 대해서는 지속적으로 필요 교육을 시도하도록 만들었다. 무작정 잘하라고 명령만 해서는 안 된다. 새로운 지식과 기술을 공무원이 습득하고 훈련받을 수 있게 만들어야 한다. 새로 시도되는 경제 개발 5개년 계획은 우리가 전혀 가 보지 않은 길이다. 현재 우리 공무원들의 지식 수준이나 역량만 가지고는 어림도 없다. 선진국으로부터 전문 과학 기술자들을 불러들여서 공무원들을 교육 훈련시키도록 해야 한다. 대학에 전문 교육 과정을 개설하여 지속적으로 인재를 길러내야 한다.

아직은 갈 길이 멀지만, 내가 그리는 관료, 관료제가 잘 갖춰진다면 해볼만 하다.

나는 우리의 관료 공무원을 세계 최강의 행정가, 일꾼으로 만들 것이다. 북한과 중국 공산당 군대를 격파했던 국군이 세계 최강이 되었듯이 오늘

이 순간부터 시작되는 경제 개발 정책을 앞장서 실천해 가는 한국의 관료들도 세계 최고가 될 수 있다.

최근에 경제 개발 계획을 작성하는 과정에서 만나고 있는 공무원, 학자. 전문가들을 보면서 희망을 보고 있다. 이들은 내가 예상하는 것보다 훨씬 우수하다. 생각하는 것, 판단하는 것, 미래를 보는 시각이 탁월하다. 믿고 맡길 만했다.

이제 혁명군과 우수 관료들이 임무 교대할 시점이 다가오고 있다.

혁명군 중에서 원대 복귀할 사람과 그렇지 않은 사람을 구분해야만 한다. 지금 이 순간 군사 정부에서 눈코 뜰 새 없이 바쁘게 일을 하고 있는 혁명군들 중에는 '군인보다도 관료가 더 나은' 군인이 적지 않다. 이들은 민정이양 후에도 군보다는 관료제로 진입하여 하던 일을 지속하면 좋을 것 같다. '군인 체질'인 사람은 당연히 군으로 복귀하여 군을 책임져야 한다.

1960년 1월, 미 의회 상원 외교위원회에 제출된 보고서에는 한국에 '자혜로운 전제정치(benevolent autocracy)'가 필요하다고 적혀 있었다. 그리고 민주당 말기에도 국민들 사이에는 '선의의 독재(善意 獨裁)'라는 말이 공공연하게 떠돌고 있었다.

뭔 소리인가?

당시의 한국은 요지경(瑤池鏡) 속이고, 온갖 잡신(雜神)이 판을 치는 복마전(伏魔殿)이었다. 자유 민주주의가 무엇인지도 모르는 상태에서, 자유당과 민주당, 민의원과 참의원, 대통령과 국무총리, 공산주의, 사회주의, 중립주의가 뒤엉켜 난장판을 이루고 있었다. 깡패들이 종로 거리를 활보하면서 정당의 앞잡이가 되고 선거판을 좌우했다. 정치인들은 자리다툼에 여념이 없었고 부정부패로 물든 공무원들이 관료제를 장악하고 있었다. 국회의원이나 장차관, 공공기관장 자리는 '눈치 빠른 아첨꾼'이 차지하였다.

전 국민 대다수가 '누군가 나와서, 이 난장판을 바로잡아주면 좋겠다'는 생각을 품고 있었다.

그래서 우리 혁명군이 나서야 했다. 군사정부의 강력한 제재를 받고 나서야 전국이 다소 조용해졌다. 진정으로 국가와 국민을 위해 일하는 군대, 혁명 정부가 사실 국민이 바라던 선의의 독재(?)가 아닌가 싶다.

선의(善意)의 독재(獨裁) ?

Dictatorship of good heart ?

가능한 말인가?

인류 최고의 제왕이라고 칭송하는 요(堯), 순(舜) 임금의 통치를 철인정치(哲人政治), 성인정치(聖人政治)라고 하는데 이게 바로 선의의 독재가 아닐까? 우리가 '독재'라는 말에 촛점을 두다 보면 포악한 걸(桀)이나 주(紂)와 같은 사납고 형편없는 지배자를 생각한다. 하지만 진정으로 국민을 생각하고 국민 행복, 국가 발전을 위해 온 정성을 다하는 '강력한 통치자'라면 요순 임금처럼 선의의 독재자가 될 수 있다.

민정 이양을 고민하는 지금은, 사실 폭풍전야(暴風前夜)다. 군사 정부가 물러나면 곧바로 1960년의 혼란이 다시 등장할 것이다.

국민 대다수는 현재의 군사 정부가 장기간 이어지는 것을 바라지는 않는 것 같다. 미국이나 영국과 같은 자유롭고 민주적인 정부를 기대한다.

그렇다면 정답은 관료 정치(bureaucracy)다. 관료들이 중심에 서서 정부를 이끌어 가고 경제 발전을 이뤄가는 것이다. 최고로 지혜로운 엘리트 관료 집단, 오로지 국민과 국가만을 바라보면서, 불철주야 행정과 정책에 몰입할 수 있는 관료제가 정답이다. 이들에게 최고의 권위와 권한을 주어야 한다. 우리가 시도하는 경제 개발, 국가 발전의 실천은 우수한 관료 정권(官僚政權)만이 해낼 수 있다.

민정 이양 전제 조건이 바로 우수한 관료 조직의 완성이다.

행정: 지휘 통솔의 원리

정부 조직법과 공무원법을 개정하여 조직 체계를 정비하고 관료제를 일할 수 있는 형태로 선진화하는 작업은 매우 중요하면서도 어려운 일이었다. 그동안 모든 문제의 근원이었던 조직과 법규를 정비함으로서 이제부터는 제대로 된 행정을 수행할 수 있게 되었다. 최고위와 내각의 모든 구성원들이 성안된 경제 개발 계획에 따라 본격적으로 업무 추진에 돌입하였다.

새벽부터 출근하여 밤늦은 시각까지 업무에 열중하는 공무원들을 보면서 '이제는 될 것 같은' 희망을 본다. 비서가 타다 준 커피의 맛이 제법 입안에 감돈다. 잠시 여유를 가져 본다.

1월 4일, 최고회의 시무식을 통해 다시 한 번 직원들의 솔선수범과 봉사정신 함양, 특권 의식의 배제를 강조해 말했다. 이어진 회의에서는 비위공무원조사위원회를 구성하고 조 시형 장군을 위원장으로 임명했다.

새해 벽두부터 의욕적으로 부처 순시에 나섰다. 군 사단장 시절의 초소 순시처럼 비장한 마음으로 경제기획원을 시작(1월 5일 10시)으로 재무부(오후 2시), 상공부(1.8. 10시), 농림부(오후 2시)를 이어서 며칠 동안에 전 부처를 순시하였다. 이어서 재건국민운동본부(1.18.), 중앙정보부(1.20.), 대법원(1.29.), 수도방위사령부(1.30.) 까지 내방 하였다. 이 주일 부의장, 모든 최고위원 및 관계 분과위원회의 담당 자문위원, 보좌관 등 수행원을 대동하고 각 관서의 소관 업무의 현안과 1962년도 주요 시책을 파악하는 자리를 가졌다. 이런 대규모 인원을 대동한 순시는 우리의 강력한 추진 의지를 보여주기 위함이면서 동시에 관료들에게 적극적으로 앞장설 수 있도록 힘을 부여하고자 함이었다.

순시는 그냥 허장성세만을 보여주기 위함이 아니었다. 부처나 담당 실무자가 제대로 챙기지 못하는 부분을 찾아내서 시정토록 하고 경제 개발의 거대한 흐름에 순조롭게 동참할 수 있도록 하려는 것이기도 하다. 경제 기획원에서는 경제 각 부처의 효율적인 기획협조 및 대외 경제 교섭에 대한 일원적

통제를 지시하였고, 재무부에서는 세리(稅吏)들의 비행은 밀수와 동일하다고 일침을 놓았다. 상공부에서는 한국전력의 업적을 청취한 뒤 상공 행정의 업적을 칭찬해주기도 하였다. 농림부와 농협시찰에서는 국민들에게 반드시 농촌 빈곤 해결, 생산성 증대의 약속을 지키라고 강력하게 강조했다.

농촌 일은 항상 가슴에 와 닿는다. 상모리 그 시절의 어려움을 농부들과 함께 하면서 공감한다.

농부들과의 만남은 '솔직 담백'이다. 이런저런 가식이나 꾸밈이 없어 좋다.

2월 11일, 최고회의 지방 시찰단 10개 반을 편성하여 지방 시도 순시에 나서도록 했다. 나도 함께 청주(2.13.), 충남도청(2.14.), 부여(2.15.), 전주(2.15.), 전남도청(2.17.), 남원, 여수(2.18.), 대구(2.21.)를 돌면서 현장 행정을 확인하고 격려를 하였다. 서울에 앉아서 말로만 지시하고 통솔하는 것에는 한계가 있는 법이다.

북창동에서 설렁탕을 맛있게 먹고 사무실로 들어섰더니 금방 장 경순 농림부장관이 문을 열고 나타났다.

"의장님, 이번 농촌진흥청장 인사는 재고해 주셔야겠습니다. 내부 인사위원회 회의를 거쳐 올린 3배수 안에 대해 최고위 위원장께서 추가 한 사람을 추천하면서 일이 어그러지게 생겼습니다. 내부에서 최적임자로 결정한 사람이 3순위로 밀려나게 되었습니다."

정부는 체계적으로 농업 생산과 농가소득의 증진, 농어민 생활 개선을 위해 농촌진흥법안을 2월 17일 내각에서 의결했다. 농림장관 밑에 농촌진흥청을 두고, 도지사 밑에는 농촌진흥원, 서울특별시장 및 시장과 군수 밑에는 농촌지도소를 두며, 가장 말단에 농촌지도소 지부를 두도록 하였다. 그 후속 작업으로 농촌진흥청장 인사 문제가 대두되어 있었다.

"일단 3배수 추천은 부처에서 내각사무처와 상의하여 정하도록 되어 있지 않습니까?"

"하지만 아직 법 시행 초기라서 승진에 필요한 평정 자료가 불충분하고 외부 인사의 경우에는 객관적 판단 근거가 부족합니다."

알만 했다. 최고회의의 권한이 큰 상황에서 부처의 의견이 묵살될 염려가 있었다.

"알겠어요. 결재가 올라오면 내가 눈 여겨 보리다."

취임 초기부터 기관장 인사 문제는 부처 장관이 내부적으로 적임자 추천을 하여 내각 수반의 동의를 얻은 후, 담당 최고회의 위원과 상의하여 최종안을 의장에게 올리도록 하고 있는 중이다. 문제는 부처와 내각수반, 담당 최고위원의 의견이 서로 다를 경우다. 이번 농촌진흥청장 인사 문제도 부처와 최고위원 사이의 견해 차이로 인해 나타난 결과다.

법규를 통한 조직 정비와 관료제 체제 구축은 결코 '끝'이 아니다. 원칙이나 기본을 정해 놓았을 뿐이다. 이를 실천하는 행위자(actor)가 어떻게 해석하고 현실적 행위로 표현할 것인가의 단계가 뒤따르게 되어 있다. 법규 속에는 현실적으로 발생할 수 있는 모든 경우의 수를 다 표현해 담을 수 없다. 그래서 가장 중요한 원칙만을 내용 속에 포함시키고 나머지는 행위자, 집행자에게 맡기게 된다. 공무원의 재량행위(裁量行爲)가 필요하다.

공무원의 재량 행위는 법규가 허용하는 범위 내에서 최대한 자유롭게 허용되어야만 한다. 그래야만 행정이 능동적으로 불확실성을 해소하고 미래 지향적으로 일을 할 수 있다. 이때 중요한 것은 공무원이 법 내용을 정확히 이해하고, 법의 존립 목적과 더 나아가서 정부의 국가와 국민 지향성에 충실히 따라야 한다는 점이다. 권위주의 정부나 오만한 관료는 바로 이런 순간에 등장한다.

정부 운영이나 국가 행정에서 중요한 것이 바로 통치자의 리더십이다. 리더는 정부, 행정, 관료제를 리드하고 지휘하며 통솔해야만 한다. 지금 이 순간, 나 박 정희는 국가재건최고회의 의장으로서 정부의 모든 관료들을 이끌어 지휘하고 통솔해야만 한다.

경제 개발 5개년 계획을 토대로 정부 관료제, 모든 관료들을 일사불란하게 국가 발전의 궤도로 이끌어야 한다. 군사 혁명을 앞장 서 이끌었듯이 이제는 경제 개발, 국가 발전을 진두지휘해야만 한다.

방금 전에 만난 농림부장관의 마지막 눈빛은 '제발, 제대로 해주십시오' 였다.

다음 날 최고회의 석상에서도 행정의 병폐 현상 때문에 한참 논란을 벌려야 했다.

위원 중 몇 사람이, '행정 문서 처리가 제대로 된 절차를 거치지 않고 장차관이나 최고회의로 올려지는 경우가 비일비재하다'고 언성을 높였다. 군사 정부에서 힘 좀 쓴다는 이들이 위계 질서를 어기고 인사 청탁이나 정책 관여, 행정 행위 요구를 함부로 하고 있다는 불평이 내각 쪽 참석자의 입에서 나왔다.

새해 벽두부터 의욕적으로 시작한 '위대한 전진'이 무색해지려 하고 있다. '안 되겠다' 싶어서 지시 초안을 잡아서 비서실장에게 전달하고 회의를 통해 **'지시 각서 제2호(1962.4.13.)'**를 발령했다.

"1) 아직도 업무 처리에 있어서 몇 가지 미비된 점이 있어 업무상의 복잡성을 초래하는 예가 있으니, 다음 사항에 대하여 각별히 유의하여 완전무결한 업무처리 계통을 확립하여 주시기 바랍니다.

가. 타 부서에서 최종 결재권자의 결재를 득한 후 사후 처리만을 해(該)

부서에 의뢰하는 다음과 같은 예의 업무 간섭을 철저히 단속할 것. (1) 중요 직위자의 인사 문제를 실무 부서를 경유하지 않고 직접 최종 결재권자의 결재를 득한 후 실무 부서에 발령 조치만을 의뢰하는 예. (2) 표창 수여 상신을 공적 심사를 필하지도 않고 직접 상신하는 예. (3) 건의 및 청원 처리에 있어서 관계 부서와의 협조를 필할 내용을 협조없이 단독 처리하는 예. (4) 기타 타 부서의 소관 업무를 자체에서 결제를 득하여 처리한 후 해 부서에 통보로 그치는 예. (5) 발송 공문의 수신처를 무책임하게 결정하여 소관부서가 아닌 부서로 발송하는 예.

나. 각 부서에서는 접수된 공문의 내용을 충분히 검토하여 타 부서 소관의 업무 내용일 경우에는 지체없이 해 부서로 이송하여 업무처리의 신속을 기하도록 할 것.

다. 각종 보고서는 기일을 엄수하고 보고서 제출 일자는 업무 성격을 고려하여 여유 있는 일자를 주도록 할 것.

2) 이상과 같은 사항을 철저히 준수하여 차후에 있어서는 업무상의 복잡성을 초래한다든가 결재권자의 결재상의 혼란을 초래하는 일이 없도록 이행을 촉구하는 바입니다. 끝.

의장 육군대장 박 정 희”

4월 16일, 차관사업추진방침 결정을 위한 최고회의와 내각 연석회의에 이어 17일에는 1962년도 제1차 추가경정예산 심의에 착수하였다. 회의가 진행되는 내내 수많은 관료들이 복도를 꽉 메우고 있는 것을 보았다. 회의에 참고인으로 참석하는 사람들일 것이다. 문득 이렇게 많은 공무원들이 여기에 와 있으면 사무실에는 누가 있고 일은 언제 하는가 하는 생각이 든다.

회의 시작과 함께 말을 꺼냈다.

"밖에 와 있는 사람들이 많던데, 꼭 이렇게 많은 사람이 와서 대기해야만 합니까?"

"지금까지 그래 왔습니다. 회의에 필요한 추가 서류들을 챙겨 들고 있다가 그때그때 들어와서 전달해주곤 합니다. 장차관이 잘 모르는 경우도 있으니까요?"

경제기획원 장관이 정색을 하면서 답변을 한다. 내무부 장관도 거든다.

"장관들이 모든 상황을 다 알 수 없기 때문에 해당 국과장들이 대응해야만 할 경우가 많습니다."

무슨 말인지 이해는 한다. 하지만 장차관들이 직접 챙긴다면 실무 국과장들이 이렇게 대기하면서 시간 낭비를 하지 않아도 된다.

회의가 끝난 후에 송 요찬 수반실로 전화를 걸고 직접 방으로 찾아 갔다.

"얼마나 바쁘십니까? 차 한 잔 주시죠?"

"어서 오십시오. 바쁘실 텐데 이렇게 직접 걸음을 해 주셨네요."

앉자마자 담배 한 대를 피워 물었다. 비서가 금방 쌍화차 한 잔을 내왔다. 가까이 있는 내각사무처장도 방으로 불렀다.

"내각 상황은 어떻습니까? 새로 바뀐 규정들에 대한 반응도 궁금합니다."

"뭐 아직 특별하게 눈에 띄는 일은 없습니다. 의장님께서 앞장서서 리드하시니까 모두가 열심히 하려는 분위기가 팽배해 있습니다. 금년부터 시작되는 경제 개발 5개년 계획에 맞춰서 모든 일이 착착 진행되고 있습니다."

"그렇다면 다행입니다. 한두 가지 말씀을 나눠 보고 싶은 것이 있어 들렸습니다. 오늘 최고회의와 내각 연석회의를 하는 과정에서 느낀 건데 불가피하게 문밖에서 대기하는 관료들이 너무 많았습니다. 꼭 이래야 하는가 생각이 들어서요."

"무슨 말씀이신 지 알겠습니다. 자유당, 민주당 국회가 하던 관습이 여전히 지속되고 있다고 생각합니다. 국회의원들은 쓸데없이 많은 사람을 부르고, 회의실 밖에 대기하도록 만드는 나쁜 습성이 있었습니다. 공연히 권위를 내세우려는 잘못된 관행입니다. 그런데 요즈음 보니 우리 최고회의에서도 그런 짓을 하고 있습니다. 장차관들 말을 들어 보면 쓸데없이 최고회의로 관료들을 오라 가라 부르는 일이 너무 많다고 합니다. 별것 아닌 일 가지고도 관료들이 일할 시간과 노력을 빼앗고 있습니다."

"최고회의 차원에서 반드시 시정토록 하겠습니다. 장차관을 호출하는 것은 최고위원 차원에서만 하도록 하고 다른 경우는 최고회의 직원들이 직접 부처를 방문하여 의견을 듣고 서류를 받아오도록 하겠습니다. 그리고 인사 문제를 가지고 의장실로 직접 찾아오는 기관장들이 있습니다. 내각 차원에서 완전히 결정을 하신 다음에 최종 결재만을 올려 주시면 좋겠습니다. 제가 쓸데없이 끼어드는 형태가 되어서는 애써 정비하려고 하는 인사 행정이 또 다시 엉망이 될 겁니다. 제가 필요한 인재가 있을 경우에는 부처 장관들에게 사전에 인사 서류를 전해드리고 첫 단계부터 절차를 밟을 수 있도록 만들겠습니다."

"잘 알겠습니다. 내각에서도 불필요한 행위, 과잉 대응을 최대한 자제하도록 만들겠습니다. 참 한 가지 더 상의드릴 일은 공무원들이 너무나 많은 서류 작성 작업에 매달려 있어 걱정입니다. 군대식으로 한 장이면 족할 보고 문건을 상세하게 만들다 보니 시간과 노력, 물자 낭비가 너무나 심합니다. 지난 번 공무원법 개정과 함께 행정사무처리 규정도 대폭 정비를 해야겠어요."

"지난 1월 7일자로 민원서류 간소화 방안도 만들어 배포하여 실행 중에 있습니다."

내각사무처장이 진행 중인 행정 간소화 사무에 대해 설명을 하고 나선다.

또 할 일이 생겼다. 공무원 부정부패를 척결하는 것처럼 업무 처리 방식을 개선하고, 낭비성 지출 행위를 금지하며, 최고회의의 권위주의적 태도를 새롭게 다듬어야만 하겠다. 민원 서류 간소화 작업은 사실 연초부터 내각사무처에 지시하여 정비 중에 있다. 이와 병행해서 일반 사무에서도 지나친 문서 작업을 줄일 필요가 있어 보인다.

최고회의 위원들이 의욕적으로 일을 하려다 보니, 최고회의가 내각의 각 부처에 대해 너무 지나친 관여를 하는 것이 아닌가 싶다. 혁명 직전의 내각 책임제 시절처럼 국회가 모든 행정 영역을 장악하는 형태가 되어 버린 것 같다.

이래서는 곤란하다. 정치가 행정을 장악하면, 조선 시대 말기처럼 '국가 패망'의 혼란 상황이 다시 전개될 수 있다. 임기가 정해져 있고, 당선을 목표로 인기 영합적인 법규 제정과 정책을 남발하는 정치인들이 행정을 무력화시킬 수 있다.

행정은 철저하게 관료에게 맡겨져야만 한다. 관료들에 의한 관료 정치가 정상적으로 작동하도록 해야만 한다. 이제부터는 정권을 민간으로 이양하는 준비 작업을 해야만 하는데 최고위원들이 '권력의 달콤한 맛'을 즐기도록 내버려 둬서는 안 된다.

빡빡한 일정을 정신없이 소화해 가는 와중에도 국면 전체를 총괄하면서 정국을 잘 이끌어가야만 했다. 하지만 곳곳에서 들려오는 보고 내용과 신문 기사, 최고위 위원들과 내각의 장차관들이 찾아 들어 전해주는 말들을 종합적으로 분석해 보면 상황이 만만치 않다. 나의 뜻대로 움직여 주질 않고 있다. 모두가 열심으로 움직이고 있는 것 같은데 원하는대로 진도가 나가질 않고 있다.

벌써부터 곳곳에서 삐걱거리고 불평불만이 튀어나오고 있다.

혁명 정부가 곧 민간 이양 수순을 밟을 것이라는 사실을 믿고서 눈치만 보는 공무원이 많아지고 기존 구 정치권과 접촉하려는 이들이 눈에 띄기 시작한다. 최고회의가 열심히 일을 하는 것이 오히려 내각측 관료들에게는 책임 전가의 수단이 되기도 한다. 음지에서 혁명 과업을 착실히 챙기고 있는 중앙정보부의 활동에 대해서도 공공연하게 불만을 터트리는 인사들이 적지 않다.

4·19로부터 이어지는 정국 혼란에 편승하여 현 군사 정부에 와서도 여전히 혼란스러운 관기 문란, 사회 혼란 행위가 곳곳에서 자행되고 있다.

"최근의 일련의 사태 곧 비위 공무원의 속출, 공무원의 명령 불복종, 불투명한 행위의 증가, 빈번한 폭력 사건 및 깽 사건, 위조 화폐의 횡행, 심지어는 경찰관 치상, 치사 사건 등은 시민들에게 유감스러운 일이며 이는 곧 관기(官紀)가 해이 되고 경찰 업무가 약화되었다는 표상입니다… 과거의 타성과 부패는 아직도 그 잔재가 가시지 않고 있으며, 조금이라도 긴장이 해이 되면 또다시 국가와 민족을 무질서에 함몰케 할 독소로 작용할 가능성을 노출시키고 있습니다… 출퇴근 시간을 엄수하고 근무 시에는 반드시 신생활복을 착용해야겠고, 주식(晝食)은 도시락을 지참하거나 구내식당을 이용할 것이며, 외식은 일체 금해야 하겠습니다... <공무원의 관기 단속과 경찰관 업무 강화> 지시 각서 제7호 1962.5.28. 의장 육군대장 박 정희."

공무원 관기 단속, 교통 규칙 엄수, 폭력배 단속, 밀수범 발본 색원, 마약범 단속 강화, 범죄 수사 기능 강화, 비위 경찰관 단속에 대해 엄명을 내려야 했다. 정책적 업무 이외에 정부 조직과 관료제, 공무원의 행정 행위 전반에 대한 감시 감독을 조금도 게을리 할 수 없다.

새롭게 시작하는 경제 개발 5개년 계획은 현 군사정부를 영도하는 최고회의 의장 박 정희의 리더 역량을 시험하는 첫 무대가 된다. 이전 이 승만 대통령이나 장 면 총리와는 확연하게 다른 지도자의 모습을 보여주어야 한다.

연초 1월 31일, '울산 공업 지구 설정에 관한 담화'를 시작으로 2월 3일, 울산 현지에서 있었던 '울산 공업지구 설정 및 기공식 치사'는 의욕적인 나의 지도자적 욕망을 표현한 것이었다.

"전 국민의 뜻을 하나로 모아 우리나라의 번영을 기약하려는 경제개발 5개년 계획 수행을 위해… 정부는 울산지구에 공업지대를 설정하고 정유, 석유, 제철, 비료 등 기간 공장과 발전소를 건설키로 하였으며, 이에 따른 연관공업 및 위성공업 도시 발전을 도모키로 하였습니다…."

2월 2일, 최고회의 각 분과위원장, 재경위원 전원, 유 달영 국민운동본부장, 채 명신 감찰위원장, 이 원엽 심계원장, 이 후락 공보실장, 내각의 관계 장관, 주한 외교사절 등을 대동하고 울산 공업단지 기공식을 거행하였다.

"4천년 빈곤의 역사를 씻고 민족 숙원의 부귀를 마련하기 위하여 우리는 이곳 울산을 찾아 여기에 신생 공업도시를 건설하기로 하였습니다. 루르(Ruhr)의 기적을 초월하고 신라의 영성(榮盛)을 재현하려는 이 민족적 욕구를 이곳 울산에서 실현하려는 것이니, 이것은 민족 재흥의 터전을 닦는 것이며, 국가 백년대계의 보고(寶庫)를 마련하는 것이며, 자손 만대의 번영을 약속하는 민족적 궐기인 것입니다... 이 울산 공업도시의 건설 이야말로 혁명 정부의 총력이라 할 상징적 웅도(雄圖)이며 그 성패는 민족 빈부의 판가름이 될 것이니 온 국민은 새로운 각성과 분발과 협동으로서 이 세계적 과업의 성공적 완수를 위하여 분기 노력해 주시기 바랍니다."

치사에 이어서 '공업지구 설정 선언문(工業地區設定宣言文)'을 선포하였다(1962.2.2.).

"대한민국 정부는 제1차 5개년 경제개발계획을 실천함에 있어서 종합제철공장, 비료공장, 정유공장 및 기타 연관 산업을 건설하기 위하여 경상남도 울산군의 울산읍 방어진, 대현면, 하상면, 청량면의 두왕리, 봉서면의 무거리, 다운리 및 농소면의 화봉리, 송정리를 울산공업지구로 설정함을 이에 선언한다."

울산 공업단지는 국가 지도자의 강력한 진두 지휘가 있어야만 성공 가능한 사업이다. 최고위 차원에서 내각을 진두 지휘하여 계획, 입법, 추진 조직과 일정 수립, 토지 매입, 단지 건설, 민간 기업과 외국 기업의 참여 계약, 각종 공장의 유치, 필요 재원의 국내 자본 조달과 외자 유치, 외국 차관 도입 등 모든 것이 차질없이 진행되어야만 한다.

그리고 공장이 들어 선 이후에도 금융, 노동자 고용, 차질 없는 생산, 원료 수급, 생산물 판매, 수출입 등 모든 업무가 순조롭게 진행되어야만 한다. 울산을 도시로 승격시키는 일도 필요하다.

울산 공업 단지는 경제 개발 계획의 첫 걸음이다. 이것이 제대로 된다면 여타 다른 지역에도 공업 단지를 조성할 것이고 지속적으로 공업화, 산업화, 수출입 강국화를 진행해 갈 수 있다.

기공식 후 경주 불국사 호텔에서 축하 파티를 열었다. 이 자리에서 USOM의 킬렌 차장이 '현재의 한국 상황에서는 시기상조다. 당장 필요한 생필품 생산에나 집중하는 것이 낫겠다'는 의견을 피력했다.

알만했다. 그는 나처럼 미래를 보지 않고 과거로부터 이어지고 있는 '현재의 답답함'만을 보고 있었다. 더욱이 우리의 싱싱한 관료제를 보지 못하고 더 나아가서 나의 탁월한 지휘 통솔 역량을 믿지 못하고 있었다.

5월 7일. 울산지구 개발계획 본부를 찾아가서 진행 상황을 살폈다. 담당자의 보고에 따르면 차질없이 진행 중이라고 한다.

"가능하면 완공 시일을 앞당겨 봅시다. 울산이 성공해야 우리의 원대한 경제 개발계획이 희망을 가질 수 있어요. 힘 냅시다."

가슴이 벅차 온다. 나의 국가 리드, 행정 지휘 통솔이 반드시 성공해야만 한다.

미국 국제개발처

이런 정치를 어이할꼬?

시시각각 다가오는 정권의 민정 이양을 생각하면 할수록 골치가 아파온다. 혁명 당시부터 하루도 떠나지 않고 머리를 짓누르고 있는 고민.

누구에게? 어떤 방식으로 넘겨주어야 하나?

지금 현재 활약하고 있는 혁명 정부 요원들이 물러난다면 상황이 어떻게 전개될 것인가?

시원한 답이 나오지 않는다.

혁명 정부 눈치만 보면서, 교묘하게 민정 이양을 논하며 조용한 국민들을 충동질하는 몇몇 신문 기자들과 기존 민주당, 자유당 시절의 정치인들. 엉거주춤 국가 원수인 대통령직에 머물고 있는 윤 보선도 마찬가지다. 틈만 나면 내게 메시지를 전해온다.

5·16 혁명 당일, 군사혁명위원회는 포고 제4호로 정치 활동을 일체 금지하였다.

"현 민의원, 참의원, 지방의회는 1961년 5월 16일 오후 8시를 기하여 해산한다. 일체의 정당 및 사회단체의 정치활동을 금지한다. 장면 정권의 전 국무위원과 정부위원은 체포한다."

이렇게 시작된 정치 활동 금지를 이제는 서서히 풀어야 할 때가 되어 간다. 내년 여름 정권 이양을 위해서는 어떠한 형태로든 정권 인수를 담당할 정치적 실체를 새롭게 구축해야만 한다.

정치와 행정은 사실 하나의 통치 현상이다. 인류 역사상 오랫동안 지속되었던 왕정 시대에는 정치와 행정이 분리되지 않고 통치 행위, 다스림(治) 현상 속에 동시에 포함되어 있었다. 물론 그리스나 로마의 원로원, 옛 조선이나 부여, 신라와 백제의 부족장 회의나 원로 회의처럼 현대의 정치 역할을 담당하던 기구가 있었던 적도 있다. 하지만 국왕의 전제정치가 활성화된 국가에서는 통치체제 전체가 국왕의 직할에 속해 있었다.

그러다가 민주주의 정치제도가 활성화되면서 점차 국왕을 견제하는 민의 대변 기관이 등장하게 된다. 국민 대표자로 구성된 의회가 권력화하면서 어느 순간에 관료들의 행정이 정치의 지배를 받게 되었다. 20세기 자유 민주주의 정상 국가에서는 삼권 분립을 원칙으로 하고 있는데, 정치와 행정의 속성상 '정치가 행정 우위에 서서' '행정을 좌우하는 일'이 다반사로 일어나고 있다.

지난 장 면 민주당 정부 시절은 철저하게 국회의 정치가 장 면 총리가 이끄는 행정, 관료제를 압도하였었다. 그 결과로 인해 벌어진 난맥상은 우리 모두가 잘 알고 있다.

어느 책에 선가 읽은 기억이 있다. 정치는 주권자들에 의해 부여되는 통치권력(統治權力)의 획득, 유지, (소극적) 행사에 관련된 활동이고, 행정은 통치 권력을 바탕으로 이루어지는 정부의 모든 정책과 그 관리 활동이다. 삼권 분립 국가에서는 행정이 정치와 분리되어 행정부에 주어져 있다.

정치는 국민에 의해 선출된 의원들로 구성된 국회를 통해 헌법과 각종 법규를 만들어 행정부가 일을 할 수 있도록 하는데 이것이 바로 통치 권력의 핵심인 입법권이다. '정치'는 국회를 장악하고, 입법권을 행사하고자 하는 일이다. 정당, 선거, 국회, 투표가 정치에 속한다. 국민이 무엇을 원하는가에 관련된 여론 수렴이 중요한 부분이다.

행정은 국회에서 만들어 놓은 헌법과 법규를 토대로 실질적인 행위, 정책, 사무를 수행하는 일이다. 실질적으로 행정 행위를 하여 국민에게 직접적인 영향을 미치는 일을 담당한다. 정치가 사전적, 선언적인 측면이 강하다면 행정은 사후적, 실질적, 성과 창출에 집중한다.

속성 상 정치는 국민, 희망을 얘기하면서 무한대의 긍정을 추구하려고 한다. 이에 비해 행정은 철저히 현실적으로, 능률과 효과, 실질적 결과를 찾는다. 행정에는 허풍이 있어서는 안되고 철저하게 좋은 결과를 만들어내야만 한다.

내가 이끄는 군사 정부는 정치가 아닌 행정이다. 국가재건최고회의는 기존의 국회 입법 기능을 대변하고 있지만 하는 일은 대부분 실질을 만들어 내는 행정에 관한 것들이다. 필요에 의해 '정치를 잠시 멈춰 두고, 긴급하게 필요한 행정을 하고 있는' 중이다. 고지를 점령하는 전쟁에는 정치가 필요 없다. 농촌의 가난 극복이나 도로 건설에는 정치보다는 행정이 필요하다.

정치가 없는 현재의 군사 정부는 아주 능률적으로 일을 해내고 있다. 신문 등 언론이 눈치를 보면서 '정치적 발언'을 내세우고 있지만 적당히 단속하여 정도를 벗어나지 못하게 하고 있다.

건국 후 10여 년간 지속된 한국의 정치판을 보면 한심하다는 생각 밖에 안 든다. 사분오열된 상태에서, 모두가 자기 목소리만을 크게 내려 했다. 상대를 인정하지 않고, 끝끝내 반대를 일삼는다. 장 면 정부가 하려는 거의 모든 일에 대해서 태클을 걸면서 방해만 해댔다.

국회의원이라고 어깨에 힘주고, 국민들은 생각도 하지 못할 정도로 많은 세비를 받으면서 자리보전에만 힘쓰고, 국가 발전을 위한 '긍정적인 활동'을 별로 하지 못했다. 민주라는 미명 하에 학생, 시민 단체에 휘둘리고 내각제를 통해 정치인이 행정부까지도 점령하였다.

우리 역사를 보면 정치가 행정을 압도하였을 때 국가 혼란이 야기되었고, 행정이 쇠락했으며, 끝내는 외적의 침략을 받고 나라가 멸망하기까지 이르렀다. 임진란, 병자란 직전의 사색 당파 싸움을 보라. 조선 시대 말 개화파와 보수파의 정쟁은 끝내 행정을 무기력하게 만들고 국가를 멸망에 이르게 하였다. 건국 직후의 정치 혼란은 김 일성의 남침을 초래하였다. 자유당 말기의 정치 혼란은 4·19 학생 의거를, 민주당 정권의 신파, 구파 다툼은 5·16 군사 혁명을 겪고 나서야 멈췄다.

한국인은 역사적 경험칙을 가지고 있다.

'정치가 행정을 엄습하면 사회 혼란, 국가 패망으로 치닫는다.'

이 정치를 어이할꼬?

당장 답을 내야만 한다.

1962년 3월 16일, 국가재건최고회의에서는 국가재건비상조치법 제22조 개정안을 안건으로 올렸다.

"국가재건비상조치법 중 다음과 같이 개정한다. 제22조 제3항을 다음과 같이 신설한다. '③국가재건최고회의는 정치활동을 정화하고 참신한 정치도의를 확립하기 위하여 5.16 군사혁명 이전 또는 이후에 특정한 지위에 있었거나 특정한 행위를 한 자의 정치적 행동을 일정한 기간 제한하는 특별법을 제정할 수 있다.' (부칙) 본 법은 공포한 날로부터 시행한다."

이 석제 법제사법위원장의 제안 설명에 이어 손 창규 문교사회위원장의 재청과 박태준 의원의 동의로서 표결에 들어 갔다. 재석 22명 중 찬성 22표, 전원 만장일치로 원안대로 무수정 통과되었다. 즉시 공포하여 시행에 들어갔다. 민주당 정권 시에 제정된 '반 민주행위자 공민권 제한법'은 폐지하였다.

바로 이어서 이 위원장이 치밀하게 작성한 '정치 활동 정화법안'이 안건으로 상정되었다. 제안자 12명을 대표하여 이 석제 위원장이 제안 이유에 대해 설명을 한 뒤, 축조 심의에 들어 갔다.

"제3조 1항 4에 감찰 의원장, 심계원장, 해외 주재 대사 및 공사도 포함시키는 것이 좋겠다고 생각합니다.” 김 형욱 위원이다.

“재청합니다.” 유 원식 위원에 이어서

“삼청입니다.” 강 상욱 위원이다.

이 수정안에 대해서 표결에 부친 결과 22명 중 14명 찬성, 반대 8표로 통과되었다. 이 수정내용을 담은 법안은 전체 표결에 부친 결과 만장일치로 통과되었다.

이 법안도 즉시 공표하고 시행에 들어갔다.

정치활동정화법은 빠른 시일 내에 정치 활동을 정상화하기 위한 긴급 조치였다. 국민적 지탄을 받고 있는 문제 정치인을 일정한 기간 동안 정치 활동 공간에서 배제시키고, 참신한 정치인들에 대해서는 빠른 시일 내에 정치 활동을 자유화하기 위함이었다.

정치정화위원회를 구성하고 행정 조직을 만든 뒤 적격 판정 신청을 받고, 5월 말까지 1차 심사를 완료하기로 하였다. 엄청난 속전속결이다. 이후에 연말까지 이의 신청을 받아 처리하는 일정이다.

법안 공표와 동시에 대국민 담화문을 발표하였다.

“…주지하는 바와 같이 과거의 정치적 부패와 무능은 정당과 국회를 중심으로 하여 이에 아부하고 내동한 관료, 기업인 등에 의하여 만성화하였고, 그 결과 국가를 누란의 위기에 몰아넣었던 것이니 만큼 구 정치인들은 그 당시 여야를 막론하고 국민 앞에 정치적, 도의적 책임을 져야 함은 자명한 일입니다. 이 법률은 어디까지나 정치 정화를 위한 정치 도의의 확립에 그 목적을 두고 참신한 민주정치의 창달을 위하여 일부 인사들이 정치활동을 최소한도로 규제하려는 것뿐이요, 그들의 공무담임권이나 선거권, 직업종사 등에는 여하한 제한도 가하려는 것이 아닙니다. 그러므로 이 법률은 전 정권시대에 제정되었던 '반 민주행위자 공민권 제한법'과는 그 목적과 취지를 전혀 달리하는 것입니다...”

언론에서는 긴급으로 정치정화법안 내용을 소개하면서 향후 어떻게 진행될 것인가에 대해 촉각을 곤두세웠다.

"… 적격 심판(適格 審判)을 자진해서 청구치 아니한 자나 적격 판정을 못 받은 자에 대해 정치 활동 금지 기간을 6년으로 정한 것은 좀 가혹한 감이 있다… 사람이란 명예를 중요시하는 동물이기때문에 가령 정치활동을 하지 않는다 하더라도 법정(法定)된 부패 분자(腐敗分子)라는 낙인을 찍히지 않기 위해 대상자의 거개(擧皆)가 적격 심판을 청구할 것으로 보여지는데, 5월 말까지 심사를 끝내겠다는 것은… 무리(無理)한 일일 것이다.... 「구정치인(舊政治人)」의 정치 활동 제한 여부를 둘러싸고 시비(是非)가 많던 차제(此際)에 이런 법을 제정하였다는 것은 시의(時宜)에 알맞은 처사라 하겠는 데, 운용의 묘를 충분히 얻는다면 이 법은 국민적 단결을 촉구하고 새로운 민주 대의 정치를 확립시키는데 큰 도움을 줄 것이다…(조선일보 1962.3.17.)"

일단 조심스럽게 반응을 보이고 있다. 그 들로서는 서슬 퍼런 우리 군사 정부의 눈치를 보지 않을 수 없을 것이다.

정치정화위원회(政治淨化委員會)는 위원장급 핵심 혁명 동지들로 구성하였다. 위원장은 이 주일 최고회의 부의장으로 하고 위원으로는 이 석제 법사위원장, 조 시형 내무위원장, 유 양수 외무국방위원장, 김 동하 재경위원장, 김 윤근 교체위원장, 손 창규 문사위원장을 선발하였다. 사무국장에는 홍 필용 전 혁명검찰부 수석검찰관을 임명하였다.

최초의 거부 반응은 윤 보선 대통령으로부터 나왔다. 윤 대통령은 3월 22일 오전 11시, 청와대대변인을 통해 사임한다는 뜻을 발표하였다. 이어서 오후 3시에 70여명의 기자들을 모아 놓고 10분동안 청와대 접견실에서 고별 기자회견을 하였다.

윤 대통령의 반응은 법안 서명을 받으러 갔던 내각사무처장을 통해 이미 전해 듣고 있었다. 그동안 대통령 직위에 머물면서 정권 이양에 대해 여러 차례 내게 언질을 주었고, 혁명 정부의 눈치를 보고 있던 중이다. 그런데 구 정치인에 대한 적격 심판을 한다고 하니 내심 크게 놀랐을 것이다. 본인도 심판 대상에 포함되어 있었기 때문이다.

기자 간담회 석상에서 그는 섭섭한 마음을 감추지 않았다.

“내가 알기에는 국민의 인화(人和)와 단결 그리고 이 나라 장래를 위해서 좋지 못하다.”

“내가 하야를 결의하게 된 것은 구 정치인과 정부의 중간에 들어서서 융화시키려는 것이 목적은 아니며 그렇다고 구 정치인들을 변호하려는 이유에서도 아니다. 하지만 가장 큰 원인은 구 정치인의 활동을 제한하는 제재법 때문이다. 더 이상 내가 서 있을 공간이 없다”

“혁명 과업이 순조롭게 진행되고 있는 만큼 내가 사임하더라도 국내외적인 파문을 일으키지 않을것이다. 비록 박 정희 의장이 번의(飜意)를 요청한다고 하더라도 이번에는 결코 번의하지 않겠다. 하야 절차는 성명(聲明)으로써 충분하다고 보나 법 절차 상 꼭 사임서를 내야한다면 내겠다. 할일이 없으니 이제 해외 여행이라도 했으면 퍽 좋겠다.”

어느 정도 예상했던 일이다. 지금까지 윤 대통령을 앉혀 두고 일을 해 왔는데 이제는 정면 승부를 해야 할 때가 되었다.

구 정치인들에 대한 적격 심사는 한국 정치 역사에서 오랜 기간동안 지속되어 온 특정 양반 계층이 주도하는, 사색 당파의 맥을 이어가는 정치판을 근본적으로 바꾸는 일이다. 혁명은 ‘사람’을 바꿔야만 성공 가능하다. 대학에서 새롭게 신학문 교육을 받은 젊은이들, 국가관이 확고한 인사, 충성심이 강한 예비역 군인들, 기존 정치권에서 소외되었던 참신한 인물들이 민정 이양 후의 정치를 담당하도록 할 것이다.

자유당 정권에서 부정부패를 일삼던 정치인들, 민주당 정권에서 신파와 구파로 나뉘어 싸움질만 하고, 통일과 중립화를 주장하는 회색분자나 학생운동권에 휘둘리던 정치인들은 이제 자리를 내놓아야만 한다. 이들은 자신들이 우리 국가를 혼란스럽고 어렵게 만들었다는 반성을 하기보다는 민정 이양의 시기만을 노려보면서 비밀스럽게 정치 재개를 꿈꾸고 있는 중이다.

어림도 없다. 우리의 목숨을 건 군사 혁명은 이런 '정치꾼'들에게 새로운 판을 깔아주기 위한 것이 아니다. 윤 보선 대통령을 포함하여 구 정치인들이 그런 기대를 하고 있었다면 '아직도 정신을 못 차린 것'이다.

이런 정치판은 다시 재연되어서는 안 된다.

윤 보선 대통령의 사임서가 최고회의로 전달되었고, 회의를 통해 그의 사임을 받아들였다. 그리고 헌법 개정이 진행되고 내년에 정치 자유화와 민정 이양 일정에 맞춰 새로운 대통령을 선출하지 않기로 정했다.

대통령권한대행이 되어서 내가 청와대로 들어가 임무를 보기 시작했다. 첫 번째로 3월 28일 10시 30분, 부인과 함께 외교 사절단 29명을 일일이 접견하였다.

정치 정화의 첫 단추

현 단계에서 정치를 정화하는 첫 단추는 부적절한 기존 정치인을 가려내 격리 또는 도태시키는 일이다. 이런 정치인들이 우리 정치계에 계속 머무르고 있는 한 희망이 없다.

지난 해방 후 16년간 이런 무능력하고 구태 의연한 정치인들은 언필칭 국가와 민족을 위한다면서 뒤로는 자기 일신상의 영달과 사리사욕을 채우기에 급급하였다. 정쟁에만 몰두하면서 온갖 불법과 부정을 자행하여 왔다. 이들은 민주라는 이름하에 중립주의나 사회주의에 영합함으로서 국가의 정체성을 흔들리게 만들었고, 국가의 기강과 사회의 질서를 파괴하여 민생을 도탄에 몰아넣고 마침내는 국가 운명을 백척 간두에 서게 만들었다. 만약

4 · 19 혁명이 없었던 들 우리의 민권은 여지없이 유린되었을 것이며, 5 · 16 혁명이 없었던 들 우리는 비참한 역경에서 헤어나지 못하고 마침내 공산침략을 당하고야 말았을 것이다.

국민은 모두 금반(今般) 혁명이 우리 겨레가 살 수 있는 마지막 혁명임을 깊이 깨닫고 있으리라.

정치인을 새로운 인물로 교체하여 근본적으로 우리의 정치판을 바꿔야만 한다.

정치정화위원회는 빠르게 움직였다. 발족에 이어서 사무국을 설치하고 산하에 행정실과 4개의 부를 두었다. 사무국장이 위원장의 지시를 받아 실과 부를 통솔하도록 하고 각 부에는 부장 1인과 10인의 조사관, 11인의 서기를 두었다.

관계 기관에 요구하여 기초 자료를 수집한 다음 심의를 통해 적격 여부 판정 대상자를 언론에 공고하였다. 1차 공고(1962년 3월 30일), 2차 공고(3월 31일), 추가 공고(4월 15일)를 거쳐 총 4,494명의 대상자를 공고하였다.

1차 공고 명단 2,906명 속에는 민주당 정권 때 공민권을 제한받았던 자유당계 1,257명, 민주당과 신민당계 1,500여명이 포함되었고, 2차 공고 1,281명 속에는 혁신계를 비롯한 군소정당 및 사회단체 간부, 민주당 정권 때의 공직자 및 국영 기업체 간부, 부정 축재자, 정치적 부패 책임자, 반혁명 분자가 포함되었다. 추가 공고 307명 속에는 앞서 빠진 사람들이 포함되었다. 4월 15일에는 기존 공고자 중 사망자 20명을 삭제하고, 또 중복된 111명을 삭제하여 실제로는 4,363명이 총대상자로 발표되었다.

지방 시찰 도중에 만난 신문 기자나 국회의원 들 중에 지나가는 말처럼 내게 '판정 기준이 어떻게 됩니까?'고 물어 오는 이들이 간간 있었다. 아직 구체적인 심사 기준이 정해지지 않은 만큼 뭐라고 답할 말이 없어서 건성으로 '국회의원 한 번 나왔던 사람은 못 나올 줄 알면 돼'라고 대답을 했다.

은연중에 내 속셈이 드러난 셈이다. 정치활동정화법의 근본 원인이 다름 아닌 지난 자유당, 민주당, 신민당 국회의원들이 만들어낸 난장판 국회이기 때문이다. 부적격 판정 대상자들이라고 할 때 퍼뜩 떠오르는 몇몇 국회의원들이 있다. 부정부패나 부정축재자로 처벌받은 사람들과 함께 이들을 정치 현장에서 격리시키고자 하는 것이 가장 큰 목적이다.

정치정화위원회는 1962년 4월 3일, 제9차 회의를 통해 정치활동 대상자의 심사 기준안을 의결하였다.

이 주일 위원장이 회의 결과를 들고 결재 차 내 방을 들어섰다. 중요한 문제라서 일일이 체크해 볼 필요가 있었다. 커피 한 잔을 놓고 접견 소파에 마주 앉았다.

"어디 봅시다. 의견 조율이 잘 되던가요?"

"사무국장이 부장들과 상의하여 만든 초안을 가지고 위원회에서 몇 차례 회의를 거쳐 최종 확정한 겁니다. 몇 가지 항목에 대해서는 이론이 있어 갑론을박하기도 했습니다. 전체적으로는 큰 이의가 없었습니다."

"판정 기준 정하기가 쉽지 않았을 겁니다. 확실하게 표가 난 부정 부패자, 부적절한 행위자를 꼽으라면 오히려 쉬울 텐데, '적격자(適格者)'를 가려낸다는 것이… 여기 들어 있는 적격 판정 기준이 모두 애매해요. 판정 대상자들 입장에서는 '귀에 걸면 귀걸이, 코에 걸면 코걸이'라는 비난이 있을 수 있어요."

"사실 적격 여부 판정 대상자를 선정할 때 특정 개인을 기준으로 하기보다는 국회나 지방의회, 장차관, 정당과 같은 조직이나 단체 위주로 일괄 선정했기 때문에 대상자 수가 엄청 많아졌습니다. 일반 정당원이나 지방의회 의원, 정부 공공기관 임원급, 대사나 공사 등의 경우에는 이미 법적으로 처벌 대상이 된 자들을 제외한다면 부적격 판정에 들 사람들이 별로 없을 것 같습니다."

"좀 과한 감이 있다지만 한번 이렇게 걸러 보는 것도 의미가 있어요. 우리 역사상 한 번도 이런 작업을 해 본 적이 없잖아요? 정치라는 것이 착실히 공부하고 직장 생활에 충실한 사람들이 하는 것이라기 보다는 조금은 한량(閑良) 기질이 있는 사람들이 하는 것이라는 생각이 들어요. 그만큼 알게 모르게 이권에 개입하고 부정부패에 물들기가 쉽지요. 한번 거르는 작업을 해 봅시다."

"알겠습니다. 이 심사 기준은 그대로 공표하면 되겠지요?"

"최선의 안이라고 생각합니다. 이대로 진행하시고 문제가 생기면 다시 조정하십시다."

위원회에서 마련한 심사 기준은 다음과 같다.

(정치정화위원회 심사 기준)

(1) 적격 판정자 기준: 혁명 과업수행에 현저한 공헌이 있다고 인정되는 자, 참신한 정치 도의를 구현할 수 있다고 인정되는 자, 국가 민족에 현저한 공로가 있다고 인정되는 자, 불가피하게 또는 단순한 실수로 잘못된 행위를 했다고 판단되는 자

(2) 부적격 판정자 기준: 3.15 정부통령 부정선거의 기획 계획 또는 실시를 한 자나 이에 가담한 자, 또 이에 자금을 조달, 제공 또는 대출한 자, 각종 정치파동이나 국회의원 선거에서 부정 행위나 혼란을 야기한 자, 정치적 과오를 범하거나 세론(世論)을 오도하여 정치적, 사회적 혼란을 야기 조장하거나 이에 적극 동조한 자, 국제여론을 오도하여 국가의 위신을 실추케 한 자, 국회의원이나 행정 관료로서 부정부패에 연루된 자, 정당에 소속하거나 정당 기타 정치세력을 이용 또는 배경으로 하여 부정축재한 자, 혁명 과업 수행을 방해하였다고 인정되는 자, 부정선거 관련자 처벌법과 특수범죄 처벌에 관한 특별법 및 부정축재처리법에 의해 처벌을 받은 자.

온 국민이 관심을 가지고 있는 주요 사안이었기 때문에 이곳저곳으로부터 많은 이야기가 전해져 왔다. 매일 만나는 김 종필 부장이나 이 후락 공

보실장, 이 석제 위원장 등이 돌아가는 민심 사정을 상세하게 전해주었다.

적격 판정 대상으로 공고된 사람들은 자신이 '뭔가 잘못이 있는' 보균자(保菌者) 처럼 낙인이 찍혔다고 느끼는 이들이 많다.

'이런 판국에 심판 청구를 해야 하나 말아야 하나? 신청해도 당연히 불합격 판정을 받을 게 뻔한데 구태여 신청해서 창피를 당할 필요가 있나?'

'아니, 이 참에 당당하게 판정을 받아 애매한 보균자 취급을 당하는 것에서 벗어나는 것도 좋겠다.'

돌아가는 상황을 짐작컨대, 남들보다 앞장서기보다는 일단은 지켜보자는 태도이고 마지막 기한까지 신청을 미루려는 분위기가 감지된다.

'청구를 해서 적격 판정을 받으면 깨끗한 정치인으로 거듭날 수 있을 것이다. 하지만 신청조차도 하지 않는 다면 당연히 부적격 판정을 받게 되고 구 정치인으로 도태되겠지?'

그동안 국회의원이 되어 보지 못한 정당원들이나 지방의회 의원들은 대체로 '겁먹을 것 없다'는 태도로 적격 심사를 신청하려는 분위기가 서서히 살아나는 것 같다. 기존 국회의원들이 부적격 판정 대상이 될 가능성이 높다면 '다음 국회의원 선거에 내가 나갈 수 있지 않을까?' 하는 기대감도 감지된다.

비서실장이 첫 신고자가 나타났다고 알려주었다. 4월 1일 일요일 오후에 고대 경제과 4학년생인 박 상원(25세) 군이다. 전 한국학생연맹위원장으로 4·19 때 반독재학생운동을 시작한 뒤, 장 면 정권에서 협력을 요청했을 때도 이를 뿌리치고 오직 학생운동에만 전념했다. 부패 정치인처럼 취급받는 것이 싫어서 적격 심판을 받기로 했다고 한다. 정치 활동할 욕심은 추호도 없다고 했다.

갑자기 기분이 좋아진다. 이런 젊은이들이 정치 현장에 필요하다.

이 후락 공보실장이 급히 나타났다.

"의장님. 상의드릴 일이 있습니다. 신청자 명단을 외부에 공고하지 말아야겠습니다. 문제가 있네요."

웬 일 인가 싶어 그의 얼굴을 바라본다.

"신청을 독려한다는 생각에서 출입 기자들을 통해 공보실에서 신청자 명단을 오전과 오후 두 차례에 걸쳐서 공개를 했는데 생각지도 않게 부작용이 있습니다."

별 생각 없이 위원회에 맡겨 두고 있던 중이다. 그런데 명단이 공개되면서 주변에서 당사자에게 연락해서 이런저런 문제 제기를 하고 비난하는 이들도 있다고 한다. 적격 판정의 결과와 상관없이 당사자의 명예가 실추되는 일이 발생하고 있었다.

정치정화위원회에서는 4월 3일 오후부터 정치 활동 정화법 해당자 중 적격 심판 청구자들의 명단을 공개하지 않기로 결정하고 최고회의 공보실을 통해 발표했다.

이 주일 위원장과 홍 필용 사무국장을 방으로 불렀다.

"신청 상황이 어떻습니까?"

"오늘 4월 8일까지 85명이 신청서를 제출하였습니다. 그동안 방관적 자세를 취하고 있던 대상자들 중에서도 적극적으로 신청하려는 분위기가 감지되고 있습니다." 홍 국장이다.

내심 조심스럽다. 급박하게 추진하는 일이라서 우리 의도대로 반응을 해줄까 걱정이 된다.

"신청이 들어오는 대로 청구자들을 분류하고, 심사에 필요한 기초 자료를 준비하도록 지시하고 있습니다. 위원장님 지시에 따라 직원들에게 편견이나 선입견을 가지지 말고 공평 무사하게 일을 처리하라고 신신당부하고 있습니다." 홍 국장의 얼굴에 자신감이 넘치고 있다.

"매우 예민한 문제라서 조금만 실수를 해도 원성이 자자해질 겁니다. 직원들이 개인적 사견(私見)을 버리고 오로지 국가를 위한다는 책임감으로 일을 하도록 하고 있습니다. 국장과 부장들에게 사무 기강을 엄격하게 하고, 심판 대상자 개인의 신상에 관한 비밀을 지키고, 주말이나 휴일에도 근무하도록 특별 지시를 내렸습니다." 이 위원장이다.

4월 10일자 조선일보 석간을 보니 박 준규 등 전 신민당 청조회 회원들이 적극적으로 심판 청구를 하겠다고 나섰다는 기사가 눈에 띄었다.

"공정심판(公正審判) 바란다… 과거에 청조(淸潮) 운동을 해오던 구 정치인들(주로 원내(院內))이 '공식론(公式論)과 안가(安價)한 명예와 자존에 얽매어 심판청구를 망설이는 소극적인 태도를 버리고 그 결과에 구애됨이 없이 심판에 응함으로써 새로운 민족적 주체세력의 기치를 들기로 했다'는 성명서를 내고 심판청구에 적극성을 보였다… 박 준규, 김 용성, 김 창수, 이 상신, 홍 춘식씨 등과 김 병희씨… 공동성명을 내고 심판 청구서를 낼 뜻을 밝혔다… 그리고 같은 「멤버」인 조 윤형, 백 남헌, 김 영삼씨 등도 11일 중으로 청구서를 낼 예정이다."(조선일보 1962.4.10.)

이런 움직임이 나타나면서 청구 신청자가 급증하기 시작했다. 11일 오후 5시 현재 1,283명이 신청을 하였다.

신청 마감일을 하루 앞둔 4월 29일, 이 석제 위원장과 이 후락 공보실장이 조선일보사 한 동섭, 조 용중 기자와 '적격 심판의 금후 과제'란 주제를 가지고 좌담을 벌렸다. (조선일보 1962.4.29.)

▲이 석제: 기초조사 자료는 어디까지나 참고에 지나지 않는 것이고 본인의 사유서(事由書)에 의해서 조사합니다. 필요에 따라서 검찰이나 군 특무부대, 중앙정보부 등에도 조사를 의뢰할 수도 있습니다.

▲한 동섭: 해당자가 되었으니까 죄가 있는데, 심판을 해서 구제를 해준다는 것인데, 본인에게 항변이나 진술할 기회를 안주고 있는데 이유가 뭡니까?

▲이 후락: 다시 말하자면 '너는 이러 이러한 죄가 있지만 심사를 해서 봐준다'는 입법 정신이 아니라 '이 기관이 부패정치의 기관인데 네가 불행이도 그런 기관에 있었으니까 조사를 받아 봐야 한다'는 것입니다. 본인 진술은 불필요하고 사유서로서 충분합니다.

▲한 동섭: 이번 심사를 하는 데 있어서 어떤 직위에 있었다는데 중점을 두는 것인가요 아니면 실질적인 부패 행동에 중점을 두고 심판을 하시는 건지? 과거 공민권 제한 같은 것을 보면 순전히 직책에 의해서 했는데…

▲이 후락: 명단 작성은 부득이 직책이나 기관에 기준을 두어서 했읍니다. 그러나 판정은 행동에 근거를 두지 직책에 중점을 두지는 않습니다. 직책보다도 행동을 중요시합니다.

▲조 용중: 편의상 같은 부류들 몇 개로 나누어서 심사를 한다는 말이 있는데… 5월 초부터 위원회에 올라 가는 것으로 되어 있는데, 한 달 안에 심판이 가능 할는 지….

▲이 석제: 심판은 5월 30일까지 하기로 되었습니다. 일요일 밤이라도 해야지요.

▲조 용중: 표결 말씀을 하셨는데 동질적인 것을 일괄해서 투표하는 것인가요, 한 사람 한 사람씩 하나요?

▲이 석제: 개별적으로 투표합니다. 한 사람씩 개별적으로 투표를 해서 다섯 표만 얻으면 적격이 되죠.

▲한 동섭: 이번 심판에서는 명년 총선거에 입후보를 해서 당선 가능성이 있는 사람은 상당히 제한할 것이라는 말이 있는데 어떻습니까?

▲이 후락: 과거 부패 정치에 가담했던 사람이란 말이 빠졌군요.(웃음) 판정이 나와서 의장께서 확인하게 되는 데 개과천선(改過遷善)하면 대열(隊列)에 가담 시켜서 일하도록 하는 그런 정신이 이 법에는 죽 흐르고 있읍니다.

▲한 동섭: 신청 안 한 사람들에 대해서는 정화법 제9조 '의장이 정치적

인 행동을 금지했던 것을 해제'하는 것인데, 어느 정도 융통성 있게 운용되느냐가 문제인데 그 점에 대해서 어떻게 생각하시는지요?

▲이 후락: 청구한 사람은 물론 고려될 것이고 청구 안 한 사람도 9조의 혜택을 받을 수 있을 겁니다.

▲한 동섭: 청구한 사람의 과거 소속 별 성분이라고 할까 그런 것에 대해서.

▲이 후락: 수로는 신민당이 가장 많고 그 다음이 자유당, 그 다음이 민주당입니다. 그 다음에 군소정당인데, 혁신정당이니까 혁명 정부로부터 구제가 될 수 없다고 신청을 적게 한 모양 같습니다. 이 중 지방의원이 제일 많아서 90% 가량 됩니다.

▲한 동섭: 정치정화를 함으로써 정화의 성과는 얻어지겠지만 그 반면에 너무 구 세대에 대한 일률적인 배제가 되지 않나 그런 평을 하는 경향이 있는데 그 점에 대해서….

▲이 석제: 나이 많은 사람들을 어떻게 한다 든 지 구 세대를 일괄적으로 어떻게 한다는 것이 아닙니다. 나이가 많다고 안되는 것도 없고 젊다고 좋다는 것도 없는 것입니다.

▲한 동섭: 과거에 정계에서 지도자급이었던 사람이 많이 배제되는 것 같은데 그렇게 되면 앞으로 정당정치를 해 나가는데 있어서 정당 육성에 지장이 생기지 않을까요?.

▲이 후락: 오히려 과거의 나쁜 경험을 배제함으로써 정당 활동을 순화시키고 발전시킬 수 있지 않을 까요? 소위 구 정치인들 중에 정치는 자기 전매품(專賣品) 같은 생각을 갖고 있는 이가 있지만, 그건 독선적인 사고방식이에요. 그런 사람들에게 맡겨서는 안 되리라고 봅니다.

기자들의 궁금증이 무엇인지 알 것 같다. 좌담에 응한 우리 위원들의 답변 내용이 마음에 든다.

5월 30일 마무리된 심사 결과를 보면 총대상자 4,363명 중에서 신청 후

적격 판정자는 1,336명이고 부적격자는 1,622명으로 확정되었다. 신청을 하지 않은 제한자 1,405명을 포함하면 총 3,027명이 정치활동 제한자가 된 셈이다.

부적격 판정을 받은 자의 '정치적 사회단체 등의 범위에 관한 건'을 1962년 5월 29일자로 의결하여 6월 1일부터 시행에 들어갔다. 정치활동정화법 제8조에 규정되어 있는 '적격 판정이 확정되지 아니한 자는 1968년 8월 15일까지 정치행동을 할 수 없다'는 내용과 함께 법 제2조 3항 내용인 '정당 또는 정치적 사회단체 결성의 발기 또는 준비를 위한 직위에 취임하거나 정당 또는 정치적 사회단체에 가입하거나 그 고문 기타 이에 준하는 직위에 취임하는 일'에 대해 명확하게 규정을 한 법이다.

정치는 참으로 요상하고 다루기 어렵다.

정치인이 되는 시험도 없고 정치인이 어떻게 사고하고 행동해야 한다는 규칙도 없다. 억지로 대통령 후보 자격을 정하고 국회의원 출마 자격을 정하는 정도로 자격 요건을 두고 있다지만 일반 정치인에 대해서는 아무런 전제 조건이 없다.

이런 마당에 정치 무적격자를 가려낸다니...

인류 역사에서 연장자 중심으로 원로원을 구성한다거나 부족의 장들만으로 구성되는 부족장회의를 둔 경우는 제법 많다. 그런데 현대 민주주의 국가에 와서는 아무런 조건이 없이 본인이 원하면 누구나 자유롭게 정치인이 될 수 있다. 법적으로 문제가 없다면 정치인이 되는 것을 막을 수 없다.

그래서 고민이다. 제대로 된 인물이 아닌, 어중이떠중이가 정당에 가입하여 목소리를 내고 위원으로 당선되려 애를 쓴다. 선동적으로 행세하면서 다수표만 얻으면 국회로 진출할 수 있다.

긍정의 정치: 국가와 국민을 위하여

적격 판정에 대한 최종 결과 발표에 즈음하여 간단하게 담화문을 냈다(1962.5.30.).

"… 여기에 적격 판정을 받은 사람은 두말할 것 없이 자기 자신을 스스로 반성하여 이후에 있어서는 일층 적극적으로 혁명 대업에 참여할 것이며, 또한 부적격 판정을 받은 사람은 이제라도 적극 국가에 봉사하여 다시 적격 판정을 받을 수 있는 기회를 얻도록 할 것입니다. 특히 적격 판정 불신청자에 대하여는 양심적이거나 또한 앞으로 국가재건에 기여 공헌하는 사람들을 다시 검토하여 적격 판정을 내리도록 할 것입니다…"

정치정화위원회는 지속적으로 정치 적격 판정 대상에 대한 심의를 이어갔다.

지금 시행하고 있는 정치 정화 업무는 한국의 자유 민주 정치를 건국 이전의 혼란 상태로 되돌리기 위한 것이 결코 아니다. 1948년 건국과 함께 의욕적으로 출범한 대한민국의 발전 궤도를 이어가면서 퇴폐적이고 무기력한 정치판을 새롭게 혁신하려는 것이다. 기존 정치인들은 나름대로 정치 현장에서 활동하면서 수많은 정치적 식견과 경험을 축적해 왔다고 본다. 이런 자유 민주 정치에 대한 경험은 한국 역사상 아주 소중한 것이다.

그래서 민주당 정부 이전의 정치 활동에 있어서 조금이라도 잘못한 것이 있는 정치인에 대해서도 간절하게 반성토록 하고, 새로운 국가 발전의 노정에 동참하는 동반자로 만들고 싶은 것이다.

판정 결과에 대한 대상자들과 여론의 동향을 면밀하게 살피도록 관계자들에게 지시를 했다. 전해들은 바로는 적격 판정을 받은 사람은 '당연히 적격 판정을 받을 만했다'는 반응을 보였고, 부적격 판정자들은 '억울하긴 하지만 일단 결과에 순응할 수밖에 없다'는 태도를 보였다. 군사 정부가 엄격하긴 하지만 '해야 할 일을 제대로 하고 있다'는 견해를 피력하는 정치인들과 언론 기사 내용이 많았다.

그동안 수고가 많았던 정화위원들과 김 종필 중정부장, 이 후락 공보실장 등을 안가 식당으로 불러 함께 저녁 식사를 하였다. 식사를 하면서 그동안 수고한 것에 대해 치사를 하고 아울러 향후 후속 조치에 대해 논의를 하였다.

"심사 결과를 보니 민주당, 신민당, 청조회 의원들 중에도 적격 판정을 받은 사람이 제법 있네요. 내 생각으로는 지난 민주당 장 면 정부 때 언쟁만 일삼고 국회를 난장판으로 만든 핵심 인사들 같은데…"

"그러게 말입니다. 실제로 꼼꼼하게 체크해 보니 부적격 대상은 아니더라구요. 전반적으로 큰 하자 없이 옥석을 잘 가려낸 것 같습니다." 이 주일 위원장이 편안한 얼굴이다.

"그나저나 이런 작업은 우리 군사 정부를 이어받을 정당 결성과 관련이 깊습니다. 혁명 정부 사업에 긍정적인 사람들을 가려내서 우선적으로 정치 활동을 재개시키는 것이 필요합니다. 지금 본격적으로 시작하고 있는 신 헌법 제정 작업과 연계하여 물밑에서는 서서히 신규 정당, 여당 창당 작업을 병행해야 합니다." 김 부장이다.

"말씀 잘 하셨어요. 신헌법에서는 정당 정치를 전제로 국회를 구성하려고 합니다. 지역구 선거에서 무소속을 없애고 모두 정당 소속 후보만이 가능하도록. 이것이 자유 민주주의 국가의 정당 정치입니다. 건국 직후에 난립한 무소속 후보, 무소속 의원들 때문에 국회가 얼마나 무질서하고 난장판이었어요?"

다수 의석을 가진 여당과 두 세 개의 야당이 선의의 경쟁을 하는 구도가 이상적인 정치 상황이 될 것이다. 공산 국가처럼 일당 독재가 되어서도 안 되고 건국 직후처럼 수백 개의 군소 정당이 난립하는 것도 문제다.

"지금 서서히 박 의장님의 대통령 출마설이 나돌고 있습니다. 의장님께서 아직 결심을 하지 못하고 계신 것 같습니다만 5.16 혁명 정신의 계승과 우리가 벌려 놓은 일들을 마무리하기 위해서는 주저하셔서는 안 됩니다.” 이석제 위원이 적극적이다.

“맞습니다. 이번 정치 정화위원회의 작업도 어느 정도는 내년의 대통령 선거와 국회의원 선거를 염두에 두고 일을 하였다고 생각합니다. 누가 대통령이 되든 국회를 혁명정부를 적극 지지하는 형태로 만들어야 합니다.” 김 부장의 말에 이 후락 실장도 맞장구를 친다.

“일단은 엄정하게 적격자 판정을 했다고 생각합니다. 이제부터는 좀더 신경을 써서 전국적으로 국회의원 선거 지역구를 고려하면서 신청을 하지 않은 사람들에 대해서도 해제 여부를 판단합시다. 우리에게 호의적인 사람들을 찾아내서 지역구 조직을 담당토록 내밀하게 작업해 갑시다. 외부로 노출되지 않도록 철저하게 말조심 하구요.”

우리들이 아무리 은밀하게 작업을 한다고 하더라도 노련한 정치인들은 금방 눈치를 챌 것이다. 며칠 뒤 신문을 보니 청조회 출신 박 준규 의원의 인터뷰 기사가 눈길을 끌었다. (조선일보 1962.6.4.)

“정치활동정화법에 따른 심판에서 적격판정을 받은 구 청조회(舊淸潮會) 「멤버」의 일부는 명년 8월의 민정 복귀에 앞서 박 정희 최고회의 의장을 민정(民政) 때의 대통령으로 추대하고 그 밖의 혁명주체 세력으로 하여금 직접 정치의 앞줄에 나서게 하도록 하는 것을 그들의 새 정치 구상으로 삼고 있다.

4일 아침, 박 준규 씨는 ‘민정으로 넘어간 뒤에 지금 일부에서 생각하고 있는 것처럼 군대(지금의 혁명주체 세력)의 감시를 받는다 든지 하는 것보다 차라리 그들을 정치의 제일선에 서게 하면 책임 있고 강력한 정치가 될 것’이라고 말했다. 특히 그는 국군의 통수권을 대통령에게 주어야 한다는 점을 생각한다면 다른 사람이 대통령이 돼서 사실상 통수권을 행사 못하느니 보다는 박 의장이 대통령이 되는 것이 명백한 논리의 흐름이라고 말했다.

박 씨는 이 경우에 「버마」와 같은 군부에 의한 제2혁명이나 토이기(土耳

其)에서의 정치적 불안정성 같은 가능성을 막기 위한 것이라는 것을 강조했다. 그는 민정 복귀 후에 군부로부터 감시를 받는 다는 것은 '도대체 민주주의적인 것이 못 된다'고 말하고 '차라리 우리가 야당이 돼서 국민의 한사람으로 감시를 한다는 것은 모르지만 군부의 감시를 받아서는 안 된다'고 말했다."

역시 노련하고 명석하다. 내가 주저하는 이유를 정확히 꿰뚫고 있다. 이래서 꼼수는 안 된다.

이미 여러 사람들이 나의 정치 참여 가능성에 대해 저울질을 하고 있다. 나로서는 스스로 정치의 전면에 나서는 것보다 현 정부 시스템을 안정적으로 민정 이양 후까지 이어가는 것이 어떨까 이리저리 재고 있는 중이다.

민정 이양 후를 적극 고려하면서 1962년 12월 31일 부로 171명을 1차로 추가 구제를 하여 명년부터 정치 활동을 시작할 수 있게 만들었다. 이어서 다시 1963년 2월 1일부로 265명에 대해 2차 해제를 단행하였다. 추가 해제 기준은 다음과 같다.

(1) 기성 정당 정파 중 영향력이 많고 지도적 위치에 있는 자로서 혁명과업 수행에 도움이 될 수 있는 자 (2) 구 정치인으로서 정부시책을 찬동하고 국민의 신망을 얻고 있는 자 (3) 사회적 또는 지역적 신망이 두텁고 조직력이 있는 자로서 혁명과업 수행에 적극 협조하고 있는 자 (4) 사회적 신망이 있는 정치인으로서 해제함으로써 혁명과업 수행에 적극 협조할 수 있는 자 (5) 대공(對共) 활동에 현저한 공로가 있고 혁명정부 시책에 협조하고 있는 전직 경찰관.

1963년 2월 27일부로 전면적인 해제를 하면서도 부정선거에 관련되었거나 부정축재자, 특수범죄처벌법 관련자들에 대해서는 끝끝내 해금 조치를 취하지 않고 정치 활동을 제한하였다. 최종적으로 266명이 불해금(不解禁) 대상자로 남게 되었다.

7월 20일, 충주비료공장 시찰을 마치고 기자들의 질문에 답하는 형태로 내가 가지고 있던 생각을 신문에 공개하였다.

(질문) 국민의 여론이 박 의장의 차기 대통령 출마를 원한다면 이를 받아들일 생각인가?

아직 전혀 생각해 본 바 없다. 혁명 후 지금까지 신정부의 모든 일에 대해 관여하고 진두지휘하다 보니 내년이나 민정 이양 후의 일에 대해 신경을 쓸 여력이 없다. 대통령이 된다는 것도 그렇지만 선거전에 나선다는 것 자체도 엄청난 고민을 해야만 할 일이다.

국민들이 진심으로 국가 장래를 생각한다면 다음 대통령은 정치를 잘 아는 정치인 중에서 선택하는 것이 옳다고 생각한다. 사실 나와 같은 군인은 국가 위급 시에 일시적으로 필요한 사람일 지는 모르나 앞으로 모든 것이 정상화되고 질서가 바로 잡힌 다음에는 우리 같은 사람이 정계에 나온다는 것은 국가 장래를 위해서 이롭지 않다는 것을 나는 잘 알고 있다.

(질문) 새 헌법에 현 최고위원의 민정 이양 후 거취 문제를 규정할 필요가 있다고 생각하는가?

헌법심의위원회에서 논의될 수 있는 문제이나 거취 문제는 오로지 각자의 선택에 달려 있다. 현재의 군사 정부에서 활동을 하고 있는 군인들 중에는 군 복귀보다도 민정에 참여하여 지속적으로 혁명 과업을 수행해 가는 것이 좋겠다는 인물들이 많이 있다. 헌법에 규정할 성격이 아니다.

(질문) 어떤 사람이 새로운 대통령이 되었으면 좋겠다고 생각하시는지?

현 정부에 이어서 정부를 이끌어갈 대통령이라면 군부에 대한 완전한 통솔력을 갖고, 우리의 현실을 비약시킬 수 있는 역량, 어떤 정치적 계보에도 속하지 않는 순수성을 가진 인물이면 좋을 것이다.

밖으로 공개되는 것과는 달리 나의 마음속에는 이런저런 고민과 생각이 많다. 나 개인적인 거취문제에 앞서서 한국의 정치에 대한 부분이다.

정치가 뭔 지 잘 모르는 사람들도 사색당파 싸움에 대해서는 잘 안다. 주기적으로 등장하는 선거철이 되면 후보라는 인사들이 길거리로 나서고, 요란스럽게 목소리를 내며, 사람들은 '억지로 끌려가듯' 하는 투표에 익숙해져 있다. 대통령 하나만 있어도 될 것 같은데 국회의원, 지방의회 의원들이 많기도 하다.

지난 자유당, 민주당 정권을 보면서 '정치가 정치다워야겠다'는 생각이 절실하다. 모두가 국가와 민족, 국민을 위한다고 하면서 왜 그리 목소리가 크고 갈등이 심한 지. 혁명 직전의 민주당은 같은 정당 소속의 장 면 총리를 끝까지 닥달을 하고 밀어 부쳐 일을 할 수 없게 했다. 국회에서 서로 싸우고, 국회와 정부가 갈등을 한다. 이런 와중에 국가는 어디로 가고, 국민은 또 어찌해야 하는가?

국회는 갈등을 조정하고 푸는 곳이라는 얘기를 하기도 한다. 그런데 '합의가 이루어지지 않는' 국회 때문에 문제다. '양보가 없는' 타협이 불가능하듯이 나의 의견만이 100% 받아들여지는 국회도 존재하기 어렵다. 서로 상대를 존중하고 그러면서 나의 의견도 존중을 받을 수 있어야만 국회가 정상적으로 돌아갈 수 있다.

내가 진정으로 원하는 바는 긍정의 정치다. 국가와 민족, 국민을 위해 모두가 합심하여 긍정적인 통합을 이루는 정치가 필요하다. 갈등을 극대화하여 뺄셈의 정치가 되는 것보다는 양보와 타협, 상대방 존중을 통해 통합되고 화합하는 긍정의 정치판이 되어야 한다.

정치판에서는 국회의원이나 언론, 재야 세력들 모두 대통령과 정부, 행정과 정책의 단점에 너무 촛점을 맞추고 있는 것 같다. 자그마한 실수나 단점이 보이면 그것을 침소봉대(針小棒大)하고 대서특필(大書特筆)하여 따지고 든다. 온전한 전체를 보지 않고 아주 지엽적인 문제만을 파고 들어 험집을 내려 한다. 여나 야나 국회의원들, 정치인들을 만나면 개인적으로는 더없이 현명하고 판단력도 있다. 그런데 국회에만 들어 가면, 또 언론의 카메라만 만나면 돌변한다. 톤을 높이고 얼굴에 핏대를 세우는 것을 자주 보아왔다.

내가 원하는 긍정의 정치는 이런 것이 아니다. 철저히 국가와 국민 입장에서 생각하고, 대통령과 정부, 관료들의 행정 의도를 정확히 이해하여 비판적으로 지지하는 것이다. 국회의 고유 기능인 행정 견제 역할에 충실하면서, 국민이 진정으로 원하는 것이 무엇이며, 어떤 것이 국가 발전에 최선인지를 진지하게 고민하는 것을 원한다.

정치 정화를 이루고 정당 정치를 지향한다고 하지만, 새로 시작하려는 명년의 정치판이 또 다시 조선시대의 극단적인 사색당파가 되지 않는다는 보장이 없다.

그래서 걱정이다.

내년 민정 이양을 앞두고 좀 더 진지하게 정부를 지지하는 긍정의 국회를 구성하는 일에 신경을 써야겠다. 정치를 직업으로, 국회의원을 세비나 받고 어깨에 힘주는 자리로 보는 이들보다는 살신성인(殺身成仁)의 이 순신 장군처럼 온 몸을 내던져 국가 발전에 매진할 수 있는 정치인, 국회의원을 찾아내야만 한다.

아침 보고 차 나타난 김 종필 부장에게 좀 더 적극적인 민정 이양 작업에 대해 주문을 했다.

"김 부장. 창당 작업 잘 되어 가지?"

"치밀하게 준비 중입니다. 적어도 1963년 2월 이전에는 모습을 보여야 할 겁니다."

"정치활동 재개가 내년 1월부터이지만 기존 정당 소속 정치인들은 금방 새로운 정당을 창당할 수 있을 게요. 기존 조직과 경험이 있으니까. 우리보다 훨씬 유리할 거야. 우리들은 선거라는 것을 치러보지 않아서, 뭐가 뭔지 잘 모를 수 있어요."

"전국적으로 지역별 인재 확보는 어느 정도 윤곽을 잡아가고 있습니다. 그런데 문제는 자금입니다. 공개적으로 자금을 확보할 수 있는 방법이 없어서요."

"남에게 손을 벌리기보다는 우리 스스로 갹출하더라도 떳떳하게 시작합시다. 연말이나 연초 쯤에는 거의 작업이 완료되어야 할 겁니다."

내년 8월을 기다리는 정치인들은 나의 일거수일투족을 눈여겨보고 있다. 정부부처 순시와 전국 지방 시찰, 각종 행사 참여가 무엇을 의미하는지 간파하고 있다.

적당한 시점이 되면 나의 의지를 대외적으로 공개해야 한다. 적극적으로 다음 행보를 열어가야만 한다.

정치정화위원회 적격심판자 선정에 관한 회의 광경

정치정화 대상자 서류심사에 착수하고 있는 정치정화위원회 사...

정치정화위원회 선별 관계자 기자회견의 모습

정치 활동 자유화를 앞두고 생각이 많아진다. 정치계 정화를 꾀하고 새로운 정치를 지향하겠다고 하지만 내 의도대로 될 지 의문이다. 건국 후 지금까지 이미 자리매김한 한국식 민주주의, 우리 스타일의 정치가 강제적 적격판단을 한다고 해서 극복될 리가 없다. 정치의 근본적인 속성, 그리고 조선시대로부터 이어지고 있는 질 낮은 사색당파, 장 면 민주당 정부 시절 보여주었던 분파와 갈등, 금방 다시 재현될 것이다.

몇몇 사람을 규제 대상으로 하고 정치판에 발을 들이지 못하게 한다지만 그들은 이미 이런저런 정치 행위를 지속하면서 '정치판의 중심'에 들어 서 있다. 당장 대통령이나 국회의원 출마가 제한된다지만 언론이나 정당, 개인적 인맥을 통해 정치적 영향력을 발휘하려 들 것이다.

일단, 헌법을 바로 세우고…

내년 1963년 1월부터 정치를 자유화하고, 여름에 정권을 민정으로 이양하기 위해서는 새로운 헌법 제정이 필요하다. 벌써 7월로 들어서는데 이제는 본격적으로 헌법 제정 작업에 착수해야만 한다.

이 석제 법사위원장을 불러서 빠른 시일 내로 헌법기초위원회를 구성토록 지시하였다.

7월 10일자로 내각 수반에 김 현철, 경제기획원장관 김 유택, 상공부 장관 유 창순을 임명하였다. 지난 번에 발효한 화폐개혁 조치에 대한 책임을 지고, 송 요찬 수반과 천 병규 재무부 장관이 사표를 낸 이래 내가 맡아 오던 내각 수반직을 김 현철 수반에게 담당케 하였다. 그리고 최고위원회에서는 외무국방위원장에 김 동하 장군, 재경위원장에 유 양수 장군, 문사위원장에 김 용순 장군을 임명하였다.

이에 이어서 11일에는 헌법 심의위원회를 구성하고 위원장에 이 주일 부의장, 위원으로는 각 분과위원장과 길 재호 의원, 전문위원으로 민간인 21명의 명단을 발표하였다.

전문위원회는 7월 16일, 제1차 회의를 소집하여 전문위원 중 주로 헌법학자를 중심으로 9인 소위원회를 구성하여 임무를 맡겼다. 9인 소위원회 위원은 유 진오, 한 태연, 박 일경, 이 경호, 강 병두, 김 도창, 신 직수, 문홍주, 이 종극이었다. 9인 소위원회는 이후 헌법 개정 시 핵심 사항인 문제점 12개 항목을 선정하여 전문위원회에 제출하였다. 전문위원회는 24일 2차 회의에서 4개 분과위원회를 구성하여 문제점 검토에 착수하였다.

헌법심의위원회와 전문위원 전체 회의에 참석하여 간단하게 인사말을 하였다. 미래 지향적 헌법 제정의 중요성을 내 나름대로 설파했다.

<표 2> 헌법심의위원회 분과별 위원

분과	담당 부문	간사	위원
제1분과	총칙적 문제	문홍주	한태연, 유민상, 조병완
제2분과	기본권, 법원, 헌법재판소	이경호	유진오, 이영섭, 이한기, 박천식
제3분과	국회, 정부, 지방자치	이종극	강병두, 김도창, 민병태, 윤천주 김운태, 김성희, 신직수
제4분과	재정, 경제	신태환	최호진, 성창환, 박일경

"1948년 제정된 우리나라 헌법은 세계 어디에 내놔도 꿀릴 게 없을 정도로 좋은 헌법이었다고 생각합니다. 하지만 우리가 한 번도 경험해 보지 못한 자유 민주주의를 시행해 오는 과정에서 이런저런 문제점도 적지 않았다고 생각합니다. 10여 년 동안에 벌써 네 차례나 개정 작업을 거쳐야 할 정도로 갈등도 적지 않았습니다. 우리 현실과 맞지 않고 너무 이상적으로만 만들어졌다는 생각이 듭니다.

여러분들께서는 우리 혁명 정부가 추진하고 있는 경제 발전, 복지 국가 건설의 취지를 충분히 살려서 우리 현실과 미래에 적합한 우수한 헌법을 만들어 주시기 바랍니다. 초안이 만들어지면 공청회도 열고 국민 여론을 최대한 수렴한 뒤에 국민 투표로 최종 결정을 하려고 합니다. 부탁드립니다."

건국 당시의 헌법은 미국과 영국 등 선진국 헌법을 많이 참조하여 매우 이상적으로 만들어졌다. 하지만 2년 만에 전쟁을 치르게 되면서 헌법 정신에 맞춰서 국정 운영을 하기가 어려웠다. 야당에서는 걸핏하면 내각책임제로 개헌하자고 하여 이 승만 대통령을 괴롭혔고, 6.25 전쟁이 한창이던 상황에서도 야당 국회의원들은 이 승만 대통령의 권한 제한, 리더십 체인지(leadership change)에만 골몰하였다.

자유 민주주의가 좋지만, 절대 권력을 장악하고 남침을 강행한 김 일성을 대상으로 전쟁을 벌이고 있는 마당에 전쟁 승리보다도 정권 교체에만 매달리던 정치 상황이 잘 이해가 되지 않았었다.

이번 헌법 개정은 위원들에게 전적으로 맡겨서 초안을 만들고 국민투표에 부칠 것이다. 제헌 헌법은 물론 지난 4.19 직후 진행된 민주당 주도의 헌법 개정도 국민의 뜻이 온전히 반영되기 어려웠었다. 역사상 처음으로 국민 공청회를 열어 관심 있는 사람들의 의견을 청취하고, 최종적으로는 국민 의사에 따라 신헌법을 제정하려고 한다. 물론 기본 골격은 제헌 헌법을 존중하고, 헌법을 재건하려는 것이기에 개헌(改憲)이라고 해야 옳다.

내가 바라는 헌법 개정 내용 중 핵심은 내각책임제 정부가 아닌 대통령 중심제 정부, 양원제 국회가 아니라 단원제 국회, 국회의원 수의 감축, 경제개발을 위한 경제계획 등 관련 내용, 정당 정치의 구현, 국민 기본권 조항의 정교화 등이다. 이런 나의 의도는 지난 해 8월 민정 이양 담화문 내용 속에 이미 공개되어 있다. 갑론을박 말들이 많겠지만 이런 나의 생각은 국민들의 생각과 거의 일치하는 것이다.

헌법심의위원회는 8월 8일 전체회의를 소집하여 전문위원회에서 작성된 공청 사항 7개 항목과 공청 계획을 추인하였다. 이에 따라 8월 23일부터 8월 30일까지 8일간 서울을 시작으로 각 도청 소재지 및 인천, 마산, 목포 등의 주요 도시에서 공청회와 좌담회를 개최하여 각계 각층의 헌법에 관한 국민의 의견을 청취하였다. 한편 국민 개개인으로부터 서면으로 제시된 헌법에 관한 의견서도 접수하여 각 분과 위원회별로 검토하고 참작하였다.

각 분과 위원회 별로 공청회와 좌담회를 통하여 얻은 헌법에 관한 국민의 여론을 참작하여 구체적인 헌법 요강안을 작성하기에 이르렀다. 각 분과 위원회에서는 각계 실업인 대표, 법조계 인사 및 헌법학 교수들을 초청하여 조문 작성 후 문항 검토에 들어갔다. 9월 17일부터 10월 11일까지 전문위원회에서 헌법 요강안 심의를 완료하였다. 헌법 개정안의 각 조문에 대하여 한글 맞춤법에 맞도록 자구 수정과 문장 체제 등을 검토하기 위하여 10월 30일과 31일 이틀간에 걸쳐서 한글학자 이 희승, 정 인승, 김 형규 등 세 사람을 초청하여 자문을 받았다.

11월 3일 헌법심의위원회에서 헌법 개정안을 최종적으로 심의 완료하였다. 헌법안은 곧바로 11월 5일에 최고회의에 제의(提議), 결정되었고, 이 개정안은 당일로 정부에 이송되어 각의 결의를 거쳐 공고되었다.

빠른 속도로 진행되어 완성한 헌법 개정안 초안을 공고하고 잠시 숨을 돌리던 화요일 점심 시간. 헌법심의위원회 위원들과 청운동 삼계탕 집을 찾았다. 푹 삶아진 삼계탕 속 닭고기를 맛있게 먹는데, 김 용순 장군이 한마디 한다.

"헌법 개정안이 부결될 수도 있을까요?"

갑자기 생각하지도 않은 결론에 대해 말을 꺼내니 순간 멍멍해 졌다.

"그럴 리가 없습니다. 하지만 뭔 걱정입니까? 국민들이 헌법 개정안을 부결시킨다는 얘기는 국민들이 민정 이양에 반대하고 우리 군사 정부를 더 원한다는 게 아닙니까?"

간사를 맡았던 길 재호 대령이다. 생각을 해 보니 '그런 가?'라는 느낌.

어쨌든 국민투표를 하고자 한 것은 국민들의 전폭적인 지지를 이끌어내고자 함이다. 결코 부결이 되어서는 안 된다. 압도적 찬성이 아닐지라도 반드시 과반수 이상을 넘겨야만 한다. 개정안은 나의 의도가 충분히 담겨 있고 향후 적극적으로 추진해 갈 국가 발전, 경제개발5개년계획 실천의 굳건한 토대가 될 것이기 때문이다.

12월 6일 헌법 개정안을 공고하면서 조문 내용을 압축하여 의장 담화문을 발표하였다.

"… 제2 공화국 헌법에 있어서는 내각책임제의 권력구조로 인한 정국의 불안정성과 그 기본권에 있어서의 무질서한 자유 확대로 인하여 5.16 혁명을 유발케 한 정치적 무정부상태를 출연케 하고 말았습니다.

이번에 혁명정부가 헌법의 전면적 개정을 시도하게 된 것은 바로 그 까닭입니다. 이번에야 말로 3천만 동포의 자유와 평등과 제3 공화국의 영광을 위하여 '새 술은 새 부대에' 담아야 할 적절한 기회가 아닐 수 없읍니다. 이러한 이상과 필요에 의하여 우리가 마련한 헌법 개정안의 주요한 내용은 다음과 같습니다.

1) 기본권의 보장. 자유권에 있어서는 국가적 안전과 양립될 수 있는 범위 안에서 그것을 최대한으로 보장하였으며, 생존권에 있어서는 단순한 프로그램적 규정에서 현실적인 수익의 가능성을 규정하고 또한, 참정권에 있어서는 민주주의 이념에의 최대한의 접근을 꾀하였습니다.

2) 정당정치 체제 확립. 민주정치는 의회정치이며 의회정치는 정당정치라는 근대민주국가의 원리에 따라서… 책임정치의 실천을 위하여 정당에 관한 규정을 두어 정당국가적 체제의 정비를 꾀했습니다.

3) 의회주의의 합리화. 국회의 단원제에 의한 국회의 능률화… 그 운용과 절차의 경제화, 국회의원의 행동규제에 의한 정치적 정화 같은 의회주의의 합리화를 꾀하였습니다.

4) 대통령제에 의한 정부의 행정국가화. 대통령제의 순화에 의한 정부의 안정성, 능률성과 동시에 국무총리제에 의한 행정 관리의 완벽화를 꾀하였습니다.

5) 사법의 독립과 민주화. 대법원장과 대법원 판사 임명을 법관 추천회의의 추천에 의하게 함으로써 사법의 독립과 민주화를 꾀하는 동시에 위헌법률의 심사권을 법원에 줌으로써 사법권의 우위를 꾀하였습니다.

6) 경제 국가적 체제. '빵과 근로'의 문제를 해결하고 국민경제의 조속한 발전을 기할 수 있는 경제 질서의 민주화와 아울러 경제 정책의 적절과 일관성 있는 심의를 위한 경제과학심의회와 같은 경제적 기관을 두었습니다.

7) 국방 국가적 체제. 공산주의의 침략으로부터 국가의 안전을 보장하기 위한 안전보장기구로서 국가안전보장회의를 두었습니다.

8) 헌법의 개정에 있어서의 국민투표. 빈번한 헌법의 개정에 대한 보장과 또한 주권 재민의 원리를 존중하여 헌법의 개정은 최종적으로 국민투표에 의하게 하였습니다."

들리는 소문에 의하면 일부 불순 세력들이 투표 반대 선동을 하고 다니는 경우도 있다고 한다. 신헌법은 국민 절대 다수의 의사를 반영한 것이 되어야겠기에 12월 15일에는 투표를 독려하는 담화를 발표하였다.

"… 친애하는 국민 여러분. 희망에 찬 새 출발의 날 17일, 여러분들이 국민투표에서 던질 한 표 한 표는 이 나라의 영원한 초석이 될 것이며, 조국 번영을 길이 약속하는 증표가 될 것입니다. 이런 역사적 국민투표에 국민 여러분은 한 사람도 빠짐없이 참여하여 투표함으로써 성스러운 국민 기본권 행사를 다하고, 이 나라 민주 역사의 영원한 주인공이 되어줄 것을 심심 당부해 마지 않습니다."

전국적인 국민투표이기 때문에 재건국민운동 차원에서도 개헌안에 대한 국민 투표 참여를 독려하는 계몽 운동을 벌릴 필요가 있다. 처음으로 시도되는 헌법에 대한 국민 투표이고, 국민 각자의 참정권을 행사할 수 있는 최초의 기회이기 때문이다. 국회의원 선거 때처럼 '이리저리 흔들리는, 인물에 대한 평가'가 아니라 국가와 정부, 국민의 원초적인 사항에 관한 것이기에 남다르다.

전화로 유 달영 본부장과 통화를 하였다.

"본부장님, 학교 일과 국민운동 일로 얼마나 바쁘십니까?"

"아, 별로요. 저 보다 수백 배 의장님께서 바쁘시겠지요. 그렇잖아도 전화 드리려고 생각 중이었습니다. 국민 투표 관련해서요."

나보다 적극적인 성격이 드러나는 순간이다.

"12일부터 재건국민운동본부 차원에서 헌법 개정안에 대한 광범한 계몽 운동을 벌릴 계획입니다. 정부 홍보 차원이 아니라 국민운동본부 스스로 국민들에게 헌법 개정안의 골자와 의미에 대해 설명을 하고 국민 투표 참여를 호소할 생각입니다. 국민투표에서 가급적 기권(棄權)이나 무효표(無効票)가 나오지 않도록 힘쓰겠습니다."

"감사합니다. 잘 부탁드립니다."

헌법 개정안이 압도적인 찬성으로 통과되기를 바라면서도 '만에 하나' 잘못될 경우를 잠시 머리에 떠올려 본다.

헌법 개정안 국민투표의 결과는 법적인 면과 정치적인 면으로 나누어서 생각해 볼 수 있다. 과반 수 이상의 찬성을 얻어 통과될 경우에는 헌법이 발효되는 1963년부터 정상적으로 민간 정부 구성에 들어가게 된다. 하지만 개정안이 부결될 경우에는 표결에 붙였던 개정안이 폐기되고, 새로운 헌법 개정안을 만들어야 할 것이다. 이럴 경우에는 현재의 군사정부가 자연스럽게 연장되는 것이다. 하지만 음성적으로는 군사 정부가 하는 일에 대한 부정적 국민 평가를 받는 셈이다. 은근히 혁명 정부에 대한 신임 투표 성격도 띠고 있다.

국가재건최고회의는 헌법 개정안 공고일(11.5.)로부터 30일 이상의 공고기간을 경과한 12월 6일, 동 헌법 개정안을 재적 최고위원 25명 중 결석위원 3명을 제외한 22 명의 투표에서 전원 찬성으로 이를 의결하였다. 이어서 12월 17일을 국민투표일로 정하여 국민투표에 부(附)할 것을 권고하였다. 12월 17일 헌법개정안을 국민투표에 부한 결과, 총 유권자 1,241만 2,798명 중에서 투표자 수는 1,058만 5,998명이었으며, 이 중 찬성이 833만 9,333표였다. 유권자 과반수의 투표와 투표자 과반 수 이상의 찬성으로서 개정안은 대한민국 헌법으로 확정되었다. 12월 26일 이를 공포하였다.

드디어 헌법을 바로 세웠다. 위대한 대한민국 건설을 위한 든든한 토대가 만들어졌다.

가슴이 벅차오르고, 자신감이 생겨난다.

정권의 민간 이양의 순간이 한걸음 더 앞으로 다가왔다.

신 헌법 공포
(1962. 12. 26.)

신헌법에 대한 서명

새로운 시대를 열어 갈 신헌법에 대해서 전 국민이 압도적인 지지를 보여 주었다.

화폐 개혁, 판단 착오?

국민투표로 확정된 신헌법을 공포하고 드디어 한 숨을 돌리고 있던 1962년 12월 말, 어떤 출입 기자가 물었다.

"화폐 개혁의 성패를 어떻게 평가하십니까? 성공했다면 관련자들에게 상을 주고 실패했다면 책임자를 처벌할 용의가 있으십니까?"

당돌하게 내게 도발을 하고 나섰다. 지난 6월 9일 화폐 개혁을 선포한 뒤 한 달여 만에(7월 13일), 동결시켰던 은행 봉쇄 예금 계정을 전면적으로 해제하는 '긴급 금융 조치법에 의한 봉쇄 예금에 대한 특별조치법'을 발령해야만 했었다. 기업은 기업대로, 일반 국민은 국민대로 불편을 호소하고, 버거 미국 대사를 비롯한 미 국무성까지도 반발을 하고 나서 나를 압박해 왔다.

"화폐 개혁은 확실히 실패했다고 생각합니다. 국민에게 잘 설명해 주세요. 처음에 내자 동원(內資動員)을 위해 계획했는데 막상 뚜껑을 열고 보니 뜻대로 되지 않았어요. 그래서 얼른 정신차리고 불과 2개월 안에 원상 복귀하는데 힘을 썼습니다. 벌을 받아야 한다면 최고회의 의장이 받아야지 달리 책임질 사람은 없습니다."

그가 씁쓸해하며 입맛을 다시는 것을 보면서 지도자의 잘못된 정책이 얼마나 큰 악영향을 끼쳤는가를 짐작할 수 있다. 그토록 확신을 하고 적극적으로 추진했던 정책이었건만 결과가 신통치 않았다.

화폐 개혁은 지난 해 경제개발 5개년 계획 수립을 추진하는 과정에서 필요 재원 마련에 고심을 하면서 찾아낸 방법 중 하나다. 총력을 기울여 만든 경제 개발 5개년 계획을 정상적으로 추진해 가기 위해서는 무엇보다도 소요 재원 마련이 관건이었다. 국고가 텅 비어 있는 상황에서 미국의 대한(對韓) 원조는 축소될 것이 명약관화했고, 선진국으로부터의 차관 도입이나 일본의 청구권 협상 모두가 불확실한 상황이었다. 가장 확실하게 믿을 것은 세금을 많이 거둬들이든지 아니면 국민들의 장기 저축을 이끌어 내는 방법이었다.

그토록 야심차게 시도하는 경제 개발 계획에 절대적으로 필요한 내자 동원(內資 動員) ? 아무리 생각해도 막막하기만 했었다. 이런저런 방법들에 대해 고민해 보았지만 어느 하나도 쉬워보이질 않았다.

부정축재처리 업무에 바쁜 이 주일 장군, 유 원식 대령과 함께 점심을 먹으면서 진행 상황에 대해 얘기를 들었다.

"그런데 환수 자금이나 실물 납부 재원을 경제 개발 계획 1차 년도부터 활용할 수 있을까?"

"가능성이 있습니다. 하지만 그것만으로는 어림도 없을 겁니다."

"그래서 요새 잠이 안 옵니다."

송 요찬 수반은 물론 최고회의 재정분과 위원, 경제기획원과 재무부 각료, 경제 전문가들과 만날 때마다 나의 고민을 털어 놓고 좋은 방안을 물었다.

"부정축재 자금 환수 조치나 농촌 고리채 정리 등을 통해 시중에 있는 불법 자금을 어느 정도는 투자 재원화하고 양성화할 수 있는 방법을 찾았다고 생각합니다. 하지만 아직도 지하에 숨어 있는 음성 자본이 적지 않게 존재한다고 봅니다."

"자유당 정권 말기에 부정 선거를 치르면서, 또 민주당 정부가 등장하면서 시중에 돈이 많이 풀렸어요. 정치적 포퓰리즘으로 인해 선심성 지출에 충당하기 위한 화폐 발행이 증가했습니다. 이렇게 통화량이 많아지다 보면 자연스럽게 퇴장되는 통화량도 많아지고 어느 순간에는 물가 폭등, 인플레에 치명적인 악영향을 미치게 됩니다."

"꽁꽁 숨겨진 돈을 지상으로 끌어 올려서 장기 저축예금으로 전환하고 이를 투자재원으로 하는 것이 필요합니다."

모두가 한 마디씩 한다. 걱정 반 기대 반으로 퇴장 자금(退藏資金)을 어찌 할 것인가에 대해 고민이 많았다.

"이 판에 화폐 개혁을 하는 것은 어떻겠습니까?"

유 원식 최고위원이 깜짝 제안을 한다.

"부정 축재자로부터 반강제적으로 자금 회수를 시도하고 있는 중이지만 부정 축재자나 대기업 총수들 중에는 장농 깊숙이 숨겨 놓은 자금을 다 내놓았다고 보기 어렵습니다. 그리고 정치권에 빌붙어서 온갖 못된 짓을 일삼던 폭력 조직, 중국인 화교들도 적지 않은 자금을 보유하고 있을 것이라 생각합니다. 이런 자금을 가시권으로 끌어내기 위해서는 화폐 개혁만이 해결책입니다."

"그런 방법을 생각 안 해 본 것은 아니요. 하지만 충격이 커서…"

"그렇습니다. 화폐 개혁은 정말로 절실할 경우에 단행해야지 그렇지 않으면 국민 경제에 심각한 악영향을 끼칠 수 있어요."

천 병규 재무부 장관이다. 그는 한국은행에 재직한 경력이 있어서 통화 문제에 대해 정통하다.

"국민재건운동본부 차원에서도 국민 저축 운동을 활발하게 추진하고 있지만 좀처럼 저축액이 늘어나질 않고 있어요. 부정 축재 자산의 환수 조치와 기업인들의 실물 대납 등이 그나마 최소한의 투자 재원이 될 것 같은데… 가장 바람직한 것은 기업이 주식을 발행해서 건전한 산업 경제로 전환해 가야 하는데 우리나라 기업들이 대부분 영세해서 그러지도 못하고 있어요."

군인 경력이 대부분인 나로서도 뾰족한 대안이 나오질 않는다.

일단 화폐 개혁에 대한 논의의 책임을 국가재건최고회의 내에 설치된 종합경제재건기획위원회 유 원식 위원장에게 맡겼다. 유 위원장은 천 병규 재무부 장관과 상임위원인 박 선범, 김 성범, 백 용찬, 정 소영 등을 총동원하여 1953년의 화폐 개혁 상황과 함께 주변국들의 사례 검토에 들어갔다.

극비로 움직이도록 엄명을 내려서 극소수 실무진 만이 진행 상황을 알고 있었다.

10월 초, 배 의환 씨를 한일회담 한국측 수석 대표로 임명하고 청구권과 차관 문제에 대해 간단하게 대화를 나눴다. 그리고 이어서 송 요찬 내각 수반과 유 원식 최고위원, 천 병규 재무부 장관, 그리고 서울 상대 박 희범 교수와 지리를 함께 했다. 유 장군이 통화 개혁 방안에 대해 박 교수에게 검토를 부탁하였고 그에 대한 보고를 듣는 자리였다.

"의장님, 사실 화폐 개혁을 하려면 지금이 최적기라고 생각합니다. 정치적, 사회적 혼란을 수습하는 의미도 있고, 부정부패의 상징처럼 되어 있는 구 환화(圜貨)를 새로운 화폐로 바꾸는 겁니다. 도안도 바꾸고, 원(圜)을 '환'으로 발음하는 것도 바꿔서 그냥 한글로 '원'으로 표기하면 좋겠습니다. 내년부터 단기를 버리고 서기로 시작하는 것처럼 말이죠."

젊은 박 교수가 적극적이다. 의미 있는 말이다. 지금까지 한국은행에서 발행된 화폐에는 이 승만 대통령의 얼굴이 들어 있다. 지금의 정치 경제 사회 상황에서 구 자유당 정권을 상징하고 부정과 부패의 의미가 얼룩져 있는 화폐를 바꾸는 것도 필요한 조치 중 하나라는 생각이 든다.

"지난 번 1953년 화폐 개혁은 성공적으로 이뤄진 거죠?"

"1950년 전쟁 중에 단행된 화폐 개혁은 기존 조선은행권을 대체하기 위해서 새로 출범한 한국은행에서 만든 화폐로 교체하기 위한 조치였습니다. 하지만 전쟁 중이었고 조선은행권, 신규 화폐, 북한 돈이 뒤엉켜 있었습니다. 전쟁 중에 공산군에 의해 화폐 주조 틀이 약탈되어 불법적으로 화폐 발행이 일어나서 엄청난 인플레 현상을 겪게 되었죠. 정부는 1950년 8월 28일 대통령 긴급명령 제10호로 '조선은행권 유통 및 교환에 관한 건'을 공포하여 조선은행권의 유통을 금지하고 이를 한국은행권으로 등가교환(等價交換)하였습니다. 9월 15일부터 1953년 1월 16일까지 다섯 차례에 걸쳐 권역별로 화폐 교환을 시도하여 교환 대상액 777억 원 중 720억 원의 조선은행권이 한국은행권으로 교환되었습니다."

하지만 전쟁과 더불어 발생한 물자 부족과 가격 인플레 현상을 막기에는 역부족이었다. 그래서 1953년 2월 17일 '대통령 긴급 명령'을 발하고 제2차 긴급 통화 개혁이 추진되었다.

화폐 단위를 원(圓)에서 환(圜)으로 변경하면서 기존 100원을 1환으로 대체하였다. 아울러 원 표시의 은행권과 전(錢) 표시의 조선은행권 등 구화폐의 유통을 금지시켰다. 일환(一圜), 오환(五圜), 십환(十圜), 백환(百圜), 오백환(五百圜), 천환(千圜) 등 6종류의 화폐가 발행되었다. 1959년에 와서 화폐 제조비 절감 및 소액거래의 편의를 도모하기 위하여 100환, 50환, 10환 등 3종의 동전(銅錢) 주화(鑄貨)를 최초로 발행하였다.

미국 출발에 앞서 좀 더 논의를 진행하였다. 유 위원장과 송 수반, 천 재무, 김 종필 부장, 이 주일 부의장, 실무자가 다시 모였다. 그동안 중정의 강 성원, 재무부의 김 정렴 등이 새로운 멤버로 참여하고 있었다. 김 정렴은 1953년 화폐 개혁에 참여한 경험을 가지고 있었다.

"유 위원장. 화폐 개혁을 하려면 시간이 얼마나 걸리겠나? 타이밍이 중요할 것 같은데."

일단 화폐 개혁을 단행하는 것으로 하고 정확한 시점을 정해야 했다. 이를 역산하여 화폐 도안과 인쇄를 어떻게 할 것인가를 상의하였다.

"비밀리에 속전속결해야 합니다. 경제개발 5개년 계획이 시작되는 연초를 피해 3월쯤이 좋을 것 같습니다. 화폐 인쇄는 비밀 보장을 위해 한국은행이나 미국 쪽은 피하는 것이 좋겠습니다."

"3월은 너무 빠릅니다. 또 5개년 계획을 시작하자마자 혼란을 줄 염려가 있습니다. 좀 늦춰야 합니다. 화폐 개혁은 당연한 수순으로 미국과 상의해야만 합니다."

화폐 개혁을 단행하는 것으로 정한 마당에 너무 많은 생각을 하게 되면 일이 꼬일 수 있다. 화폐 개혁 시기는 5월 전후로 하되 화폐 인쇄 일정을 고려하기로 하였다. 화폐 인쇄는 고심 끝에 영국의 De La Rue 조폐회사로 정했다. 영국 대사관과 접촉하여 협조를 부탁하고 긴급하게 정 래혁 상공부 장관에게 독일 방문 기간 동안 런던에 들려서 계약을 체결하도록 하였다.

11월 말, 케네디 대통령을 만나고 귀국 길에 천 재무를 직접 영국으로 날아가도록 조처했다. 천 재무는 데 라 류 회사를 들려서 450만 달러에 6 종류 화폐 인쇄를 최종 계약 완료하였다. 납품은 4월말로 정했다.

인쇄된 신 화폐는 5월 18일에서야 네덜란드 선박을 통해 부산항에 도착했다. 중앙정보부의 이 영근 차장이 군인들을 동원하여 비밀리에 하역 작업을 하였다. 6월 7일에는 재무부와 한국은행 관계자들이 부산에 도착하여 중정 요원과 군인들의 엄호 하에 화폐 교환 장소로 이동시켰다.

1962년 6월 9일 저녁 7시 30분. 최고회의 위원과 송 요찬 수반을 비롯한 전 각료들이 최고회의 회의실에 모였다. 의장으로서 짤막하게 회의 소집 이유를 설명하고 이어서 유 원식 재경위원으로 하여금 긴급통화조치법(안)에 대한 제안 설명을 하도록 하였다. 처음부터 축조심의에 들어가서 만장일치로 법안을 통과시켰다.

"여러 분들께 사전에 미리 상의 드리지 못한 점 죄송스럽게 생각합니다."

사정 설명을 간략하게 하고 화폐 개혁의 불가피성에 대해 양해를 구했다. 참석자 모두는 10시 공식적인 발표 이전까지 회의장 내에 머무르도록 하였다.

오후 10시에 '긴급 통화 조치에 관한 담화'를 발표하였다.

"...누구나 다 일터를 갖고 향상된 생활을 하며 부강한 국가를 건설해 나가기 위하여는 음성 자금과 과잉 구매력을 진정한 장기저축으로 유도하여 이를 투자재원으로 활용하는 동시에 인플레이션을 미연에 방지하는 조치, 즉 통화개혁이 불가피한 것입니다....

첫째로 6월 10일부터 화폐 단위는 '원'으로 변경되고. 신 '원' 표시의 화폐가 발행됩니다. 둘째로 환화(圜貨) 표시 화폐는 잠시 병용될 소액 화폐를 제외하고 무효로 되며 금융기관에 예입하여야 합니다. 셋째로 이들 구화(舊貨)는 규정에 따라 10대 1의 비율로써 신 원화 표시 화폐로 교환될 것입니다... 국민 여러분은 소정 기일까지 소지하고 있는 구 환화와 환 표시 지불지시(支拂指示)를 지정 금융기관에 신고하고 예입하여 주십시오... 기간 중의 생활비와 기업 활동에 소요되는 최소한도의 경비의 지불은 보장되어 있습니다...

대통령권한대행, 국가재건최고회의 의장 박 정희"

6월 10일자로 시행에 들어가면서 전국이 요동을 쳤다. 액면 오십 원 이하의 소액 은행권과 주화(鑄貨)를 제외한 구 환화의 유통과 거래를 전면적으로 금지하고 10대 1 비율로 화폐 교환 조치를 시행하였다. '주화(鑄貨)의 통용에 관한 임시조치법'을 통해 50환화 및 10환화를 10분의 1로 조정된 '원'화로 간주하여 그대로 통용토록 하였다.

이 후락 공보실장이 긴급하게 방문을 열고 들어선다.

"의장님, 큰 일 났습니다."

뭔 일인가 싶어서 뜨악하게 쳐다보니까

"신 화폐에 글자가 틀린 부분이 있습니다. '조폐'가 '조페'로, '독립문'이 '득립문'으로 되어 있어요."

인쇄 작업을 꼼꼼히 챙기지 못한 관계로 백원권 앞면 왼쪽 그림 속에 '독립문'이 '득립문'으로 잘못 되어 있고, 모든 지폐의 앞면 아랫 쪽에 '한국조페공사 제조'로 되어 있었다.

갑자기 기분이 상했다. 전 국민을 대상으로 하는 엄청난 정책에 이런 흠이 있다니. 결코 있어서는 안 될 실수가 나왔다. 긴급으로 한 조치라고 하지만 이런 실수는 큰 잘못이다. 이 잘못 인쇄된 화폐는 앞으로 당분간 그대로 유통되도록 하면서 점차로 고쳐진 새 화폐로 교환해 가야만 할 것이다.

갑자기 5 · .16 당시가 생각났다. 치밀하게 계획을 세우고 철통같이 거사 약속을 정했건만 '내가 일일이 나서서 챙겨야만 했던' 긴박한 군사 혁명.

권한 위임을 통해 책임 행정을 꾀하면서도 마지막 순간에는 역시 '직접 챙겨야만' 한다.

긴급 통화 조치 기간 중 금융기관의 시재금(時在金)을 포함한 구권(舊券) 및 지불 지시(支拂指示)의 예입 총액은 1,873억 환에 달하는데, 이 중 구권이 1,582억 환으로 총 예입액의 84.4%에 해당하고 지불 지시는 291억 환으로 15.8%에 해당되었다. 또한 구권 1,582억 환은 1962년 6월 9일 현재의 화폐 발행고 1,653억 환의 95%이며 발행고 중 미예입액은 71억환에 불과하였다.

신고 마감 직후에는 '긴급금융조치에 관한 담화'를 발표하였다(1962. 6.16.)

"... 혁명 정부는 통화 개혁 전에 유통되고 있던 투기 기타의 비생산적 자금과 퇴장자금(退藏資金), 그리고 일시적으로 은행에 예치되어 있는 자금 중에서 대기성 자금 부분을 봉쇄하여 이것을 경제개발자금으로 인도하고자 오늘 긴급금융조치법을 공포하는 바입니다. 긴급 금융조치법의 골자는 지난 일주일 동안에 예입된 구권 예금과 재래 예금 중 일부를 산업개발재원으로 전환하고 나머지는 자유로이 인출하여 사용할 수 있게 하는 데 있습니다..."

6월 16 일부터는 긴급금융조치법에 의하여 구권 예입액과 재래(在來)의 예금에 대하여 체납국세, 지방세, 벌과금납입금 등의 공과금 지불에 충당한 후 소정 누증율(所定 累增率)에 의하여 그 일부를 봉쇄하기 시작하였으며, 그 봉쇄예금의 총액은 6월 23일 현재 98억 원에 달했다. 이중 저축성 예금에 의한 봉쇄금액이 16.8%에 해당하는 16억원, 요구불 예금이 83.2%인 82억 원이었다.

6월 30일자로 긴급금융조치법이 개정됨으로써 저축성예금과 외국인에 속한 예금에 대한 봉쇄예금을 해제하였다. 최종적으로 남아있던 봉쇄 예금 계정 총액 82억 원도 7월 13일 자로 모두 해제하였다.

지난 연말부터 추진했던 화폐 개혁은 기대한 것만큼 좋은 결과를 낳지 못했다. 퇴장 자금 규모가 그리 크지 않았다. 이런 결과를 얻기 위해 들인 노력과 비용, 국민 경제 활동을 불편하게 한 것 등을 종합적으로 고려하면 '실패한 정책'이라고 볼 수밖에 없다.

하지만 '실패한 정책으로부터도 배울 것이 있다'고 하지 않았던가? 나는 최초의 정책 의도대로 결과가 나오지는 않았다고는 하지만 향후 정책 수행 과정에서 적지 않은 긍정적 의미를 찾을 수 있다.

일단 원(圓), 원(圜), 환(圜)으로 표기하던 화폐 단위를 한글 '원'으로 통일시켰다. 그리고 부정적 영향을 가지고 있던 구폐를 산뜻한 새 도안으로 교체할 수 있었다. (비록 국가 건설의 공이 큰 분이지만) 화폐 속 인물이었던 이 승만 대통령 초상화를 바꾸게 되었다.

무엇보다도 중요한 것은 내년부터 추진되는 경제 개발 5개년 계획에 필요한 국내 자본에는 분명한 한계가 있다는 사실을 알게 되었다. 그래서 적극적으로 외국 원조와 차관 도입에 나서야 하고, 수입 대체 산업, 수출 지향을 통한 달러 확보가 급선무임을 알게 되었다.

충격적으로, 진저리가 처질 정도로, '달러 확보'에 목숨을 걸어야 하리라.

우리民族의나갈길

-社會再建의理念-

朴正熙著

박정희

매년 정초만 되면 새로운 결심을 한다.

지난해보다는 더 나은 신년을 맞이하려는 희망을, 적기장이나 노트에 글로 적어보곤 한다. 때로는 먹을 갈고 붓을 들어 신년 휘호(新年揮毫)를 쓰는 때도 있다. 요즈음에는 '원단(元旦)'이나 '근하신년(謹賀新年)'이라는 단어가 적힌 연하장이 등장하였다. 보통 사람들은 입춘(立春)에 '입춘대길(立春大吉) 건양다경(建陽多慶)'을 써서 대문짝에 내걸면서 복을 비는 것이 관습이다.

금년 1962년은 전 국민과 함께 의욕적으로 경제개발 5개년 계획을 시작한 해다. 국민과 함께, 혁명 동지들과 함께 나의 인생을 국가 발전에 바치기로 하고 1년 동안 매진해 왔다. 헌법 개정을 완료하고 내년부터는 정치 자유화와 함께 민정 이양 작업에 나설 것이다.

그런 결심을 연초에 「우리 민족의 나갈 길」이라는 책으로 펴냈다. 책상 앞 책꽂이에서 책을 꺼내 펼쳐 본다. 내가 봐도 당당한 나의 모습. 사진 속의 내가 강렬한 인상으로 나를 바라보고 있다.

'제대로 하고 계시는가?'

천천히 '머리말'을 읽어보면서 새해를 맞으며 감격스럽게 다짐했던 나의 결심을 되새겨 본다.(박정희. 1962.「우리 민족의 나갈 길」)

"고달픈 몸이 한밤중 눈을 감고 우리 민족이 걸어온 다난한 여정을 생각해 본다. 우리가 짊어진 유산들은 몹시 무겁고 우리의 앞길을 가로막는 것만 같이 느껴진다. 더욱이 8.15 해방 후의 민족 수난사는 뼈아픈 바가 있다. 과거 17년사(年史)는 두 정권의 부패, 부정으로 '빈곤의 악순환'에 허덕이는 오늘의 위국(危局)을 결과 하고야 말았다.

그렇다면 우리 민족에게는 갱생(更生)의 길이 없을까? 이지러진 민족성을 고치고 건전한 복지 민주국가를 세우는 길은 없을까? 한마디로 말하면 거짓말하지 않고 무사주의(無事主義), 안일주의(安逸主義)의 생활 태도를 청산하여. 근면한 생활인으로 '인간 혁명(人間革命)'을 기하고 사회 개혁을 통해서 '굶주리는 사람이 없는 나라' '잘 사는 나라'로 만드는 길이 없을까 하고 여러모로 생각해 보았다.

반드시 길이 있을 것이다. 설움과 슬픔과 괴로움에 시달리던 이 민족의 앞길에는 반드시 갱생의 길이 있을 것이다. '두드리면 열린다'고 하지 않았는가?

혁명이라는 수술만으로 환자가 원기(元氣)를 회복하는 것이 아니며 병인(病因)을 도려내는 것만으로 건강이 오는 것은 아니라는 것을 알았다. 병이 되오지 않도록 항구적인 방략(方略)과 기초공사를 해 놓아야 한다.

이 길이 어디 있을까? 꼭 있을 것이다. 이 민족의 걸어온 길과 걸어 나갈 길을 생각하며 잠 못 이루는 밤에 내키는 대로 몇 줄씩 메모하여 정리한 것이 이 책으로 되어 나왔다. 서술은 무디고 서투르나 내가 말하고자 하는 뜻은 단편적이나마 나타났다고 생각한다.

지금 우리가 당면한 문제는 대체로 세 가지로 요약할 수 있을 것이다.

첫째로 지난 날 우리 민족사 상의 악 유산(惡遺産)을 반성하고 이조 당쟁사(李朝黨爭史), 일제 식민지 노예근성 등을 깨끗이 청산하여 건전한 국민도(國民道)를 확립하는 일이다. 인간이 혁명되지 않고는 사회 재건은 불가능하다.

둘째로 '가난에서 해방'되어야 한다. 특히 우리 농민들의 기나긴 빈곤의 역사를 종식시키고 덴마아크와 같은 복지 농촌 재건을 위해 있는 힘을 경주해야 한다. 우리는 이 해부터 제1차 5개년 경제개발계획에 착수했다. 누적된 빈곤을 하나씩 추방하고 공업화된 근대국가의 토대를 구축해야 한다. 자유사회의 존립을 위해서는 국민의 생존권을 옹호할 수 있는 경제자립 없이는 불가능하다. '최대한의 자유, 최소한의 계획'을 원칙으로 경제계획을 완수하여 '한강변의 기적'을 이룩해 놓는 것이 바로 승공(勝共)의 길이다. 북한 집단은 무리한 경제발전을 강요하여 '천리마 운동(千里馬運動)'을 전개하고 있으나, 이는 국민의 자유권을 침해하여 민주주의와 자유를 말살하는 악독한 처사가 아닐 수 없다. 우리는 진정한 경제발전이 민주주의적인 자유와 창발성(創發性) 가운데서 만이 가능하다고 생각한다. 중도이폐(中途而廢) 하는 '토끼'보다 꾸준히 밀고 나가는 '거북이의 길'을 택한다.

셋째로 우리는 건전한 민주주의를 재건해야 한다. 직수입(直輸入)된 민주주의가 한국 현실 속 깊이 뿌리박지 못하고 실패한 해방 후의 역사가 교훈하듯이 한국화된 복지 민주주의의 토대를 구축해야 한다. 범 민족운동은 '건전한 민주적 공민도(公民道)의 도장(道場)의 몫을 다해야 할 것이며, 스스로 자기의 대표를 선거하여 나라를 다스리는 민주주의 제도를 운영 할 수 있는 사람은 자치 정신을 함양해야 한다. '국민의 지배'는 국민의 자치정신 없이는 불가능할 것이다. 자유당 치하의 한국을 본 외국기자는 '한국에서 민주주의가 성공하기를 기대하는 것은 쓰레기통 속에서 장미꽃이 피기를 바라는 것과 같다'고 했는데, 이제 우리는 그 쓰레기통 같은 과거의 실패를 거름 삼아 그 위에 장미꽃을 피우고야 말 것이라는 것을 확신한다.

우리 혁명정부는 이미 민정 복구(民政復舊)를 약속했다. 누란(累卵)의 위기에 처한 이 민족에 대한 무한한 사랑과 조국을 애호하는 불 끊는 정렬로 혁명의 횃불을 든 우리 혁명군의 마음속에는 민주 조국의 번영을 위한 일편단심 밖에 없었다. 그러므로 민정복구를 하더라도 이 조국이 다시금 부패, 부정에 물든 구 정치인들의 손에 들어가는 것은 원치 않는다. 새로운 양심적인 정치인들이 육성되어 그들이 책임 있게 국정을 맡아 운영한다면 우리들은 그 위에 더 바랄 것이 없을 것이다.

혁명은 개혁이어야 하며 전진이어야 한다. 도려낸 상처가 아물어 가는 곳에 다시 구 병균이 침투할 것을 두려워한다. 그러므로 젊은 세대의 건실한 지도 세력이 대두하여 새로운 정치를 해줄 것을 바란다. 인간 혁명이란 국정을 감당할 지도 세력의 교체를 말하는 것이기도 하다.

1960년 이후 세계사는 바야흐로 '후진국의 각성'의 시대, 그 지역을 둘러싼 '경제 경쟁의 시대'로 들어섰다. 우리 민족에게는 안팎으로 민족 르네상스의 터전을 닦을 수 있는 호기(好機)를 맞이했다고도 볼 수 있다.

나아가 이 호기를 선용하느냐 다시 파국의 되풀이를 감수하느냐의 엄숙한 선택이 우리를 기다린다. 이 재건과 파멸의 간두(竿頭)에 서서 민족사의 정로(正路)를 길 잡아 전진해야 할 것이다.

우리 민족에게도 반드시 길이 있을 것이다. 환히 트인 대로(大路)가 있을 것이다. 1962년 2월 박 정희 ”

다시 읽어도 비분강개(悲憤慷慨)한 나의 모습, 절절한 감정이 느껴진다.

누구를 향해서?

나는 왜 이리도 화가 나 있는가?

어릴 적부터, 일제를 향해서 ? 아니 아무런 힘도 없던 무기력한 나 자신을 향해서, 화가 나 어쩔 줄을 몰랐던 때가 많았다. 뭔가 해야만 할 것 같은데, 그저 무기력하기만 했었다.

그런 무기력감을 훌훌 털어버리고 새로 시작한 서기 1962년, 국가 발전의 원대한 계획의 첫 해…

지난 1년을 회고해 보면서, 아니 지난 해 군사 혁명 이후의 행적을 차분히 점검하면서 새로 닥쳐 올 1963년을 가늠해보고 싶어 졌다. 인간 개조, 국민 개조의 민족적 사명을 완수하기 위해서는 우리 민족의 과거를 철저히 반성하는 일로부터 시작해야만 한다. 그리고 원대한 복지 국가 대한민국의 미래를 향해 정열적으로 부딪쳐가야만 한다.

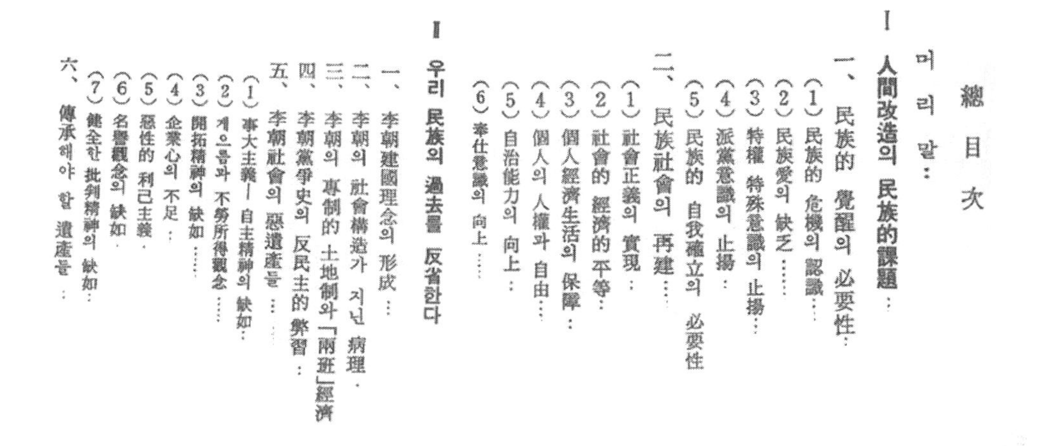

總目次

머리말 :

인간 개조 ? 국민 개조(國民改造) ?

과연 가능하겠는가?

지난해부터 전 국민을 대상으로 재건국민운동을 전개해 오고 있다.

전 방위적으로 시도되고 있는 국민 재건. 곳곳에서 가시적 효과가 나타나고 있다.

조심스럽게 한국의 미래, 희망을 보고 있다.

인간 개조: 파당(派黨)과 특권의식을 없애라

조선 시대의 양반과 상놈, 사농공상(士農工商)의 계급 구조는 일제 침략을 당해 국가가 망하면서 적지 않게 사라졌다. 대부분의 조선인들은 일제의 피지배 국민, 반노예 상태로 전락하여 모두가 고만고만한 존재로 살아야 했다. 그런데, 일제 36년을 지나고 또 해방 후 15~6년 동안에 새로운 특권층이 만들어졌다. 자유당, 민주당 정권을 거치면서 어느 순간에 소수의 특권 지배층이 절대 다수의 빈민, 농민, 노동자 위에 군림하는 사회가 형성되었다.

1948년 건국 후 이 승만 대통령의 유상몰수(有償沒收) 유상분배(有償分配) 방식의 농지 개혁을 통해 그나마 형성되어 있던 소규모의 지주 세력도 거세되었고, 새로운 국가의 군대 문화를 통해 '으스대던 특권층'이 모두 없어져야만 했다. 군대에서는 계급과 입대 순서, '짠 밥'이 우선이다. 조금 잘 산다고 해도 졸병은 고참의 발아래 머리를 숙여야만 한다. 해방 후 농지 개혁과 군대 문화를 통해 한국의 기득권 세력이 거의 모두 사라졌다.

그렇게 균질화 되었던 우리 사회에 불과 십여 년 만에 '정치적 양반 계층'이 새롭게 등장하었다. 이들은 생산적인 육체적 노동을 하지 않으면서 '입만 가지고 행세'한다. 가난한 수많은 농민, 일자리가 없어서 이리저리 떠도는 실업자들을 위한다면서 스스로는 정부 정책을 비난하고 사회 갈등을 조장한다. 정치는 갈등을 풀어야 하는데 어찌된 일인지 사색 당파 싸움을 벌이면서 갈등 조장에 앞장을 서고 있다.

그 같잖은 정치적 양반들이 지난 3·15 부정 선거와 4.19 이후 어지러운 정국을 만들어 국가를 백척간두(百尺竿頭)에 서게 만들었다.

우리 주변을 돌아보라. 얼마나 많은 파벌(派閥)과 파당(派黨), 특권 의식(特權意識)을 소유한 자들이 판을 치고 있는지. 연초에 발간한 책 내용을 다시금 풀어 써 옮겨 본다(박 정희. 1962.「우리민족의 나갈 길」. 동아출판사).

오늘 우리 민족의 공동 이익과 번영, 민족적 단결을 저해하는 중요한 요소로서 '특권 특수의식'을 들 수 있다. '나는 너보다 돈이 많다'든가, '너보다 훌륭하다'든가, '나는 너보다 좋은 학교를 나왔다'는 학벌 의식, '우리 조상은 영의정이었으며, 내 형은 지금 모 국장 모 장관이라'든지 하는 소위 문벌(門閥) 의식, '너는 우리 당, 우리 클럽, 우리 교파가 아니니까 우리의

적(敵)이라'는 이러한 각종 파당(派黨) 의식, 교파(敎派) 의식 등 실로 특권 특수의식은 우리 민족의 의식 전부를 독점하고 있다고 해도 과언이 아니다. 근대의 민주주의 선거제도를 좀 먹는 수다(數多)한 종친회, 문중회, 화수계(花樹契), 지벌(地閥) 의식을 조장하여 민족 분열을 획책하고 개인 관계를 파괴하는 향우회, 도민회, 군민회, 친목과 학문의 목적에서 벗어나서 파당을 만들고 학문을 독점 왜곡하는 각종 학회, 클럽 등 이루다 열거할 수 없을 정도다.

동문 관계, 지연, 혈연, 기타 어떤 연고 관계를 계기로 하여 어떤 집단이 형성되면 그것이 친목의 범위를 벗어나 곧 특수 특권 의식의 집단체로 변모하고 만다. 그리하여 자파(自派)와 타파(他派)를 가르고 적과 아방(我方)을 조작하는 소위 배타 정신이 되고 마는 것이다. 그리하여 '우리 동창, 고향 사람, 우리 파(派)가 아니면 모두 밉다', '네가 미우니까 너의 처자도 부모도 형제도 밉다'는 식의 배타 정신으로 흐른다. 이것이 오늘 우리 한국의 실정이다.

지난 번 청주 지역을 시찰 나갔을 때 들었던 얘기다.

"이곳 청주, 충북에서는 청주고 출신이 정치권을 장악하고 있습니다. 그런데 청주 농고와 청주 상고 출신 동문 세력도 만만치 않습니다. 선거철만 되면 동문회가 앞장서서 난리도 아닙니다."

이런 현상은 진주나 마산, 전주, 광주, 대구 등 거의 모든 도회지에서도 나타나고 있다. 순수한 동문회가 아니라 모두 정치 단체화 하였다. 동문회 내에서도 선후배가 주도권 싸움에 여념이 없다. 작은 시나 군, 면 단위에서는 특정 씨족이나 출신학교 동문이 시장이나 군수, 면장을 독점하고 있다. 완전히 토착 세력이 되어 있다.

오늘 우리 한국에는 사실상 진정한 동문회, 순수한 향우회, 순수한 학회, 종친회라는 것이 없다고 해도 과언은 아니다. 이러한 각종 단체가 오히려 미풍양속을 해하고, 민족을 분열시키는 잠재적 원인이기도 하다. 김해 김씨 종친회, 밀양 박씨 종친회, 청주 한씨 종친회, 전주 이씨 종친회, 경주 이씨 종친회 등 성씨마다 종친회가 있는데 이들이 서울 등 대도시는 물론 시골, 지방의 정치판을 좌우하고 있다.

지성인들의 집결처인 대학 사회 내의 학내 파쟁과 분규를 회고해 보라. 학원이 학문 연구하는 곳이라기보다 오히려 교수의 파쟁 무대라는 인상을 받아 한 때 세인의 지탄을 받았던 사실이 아직도 우리의 기억에 생생하다. 모든 상황이 학칙과 지성에 의하여 처리되어야 할 대학사회 내에서 아카데미즘의 조성은 둘째로 하고 파벌과 증오감만이 싸느랗게 감돌던 것이 과거의 학원 분위기였다. 국가를 지탱(支撑)하고 민족적 '양심의 지주(支柱)'로 믿고 있었던 학원이 4·19 전후를 고비로 해서 일반 국민의 신망을 완전히 배신해 버리고 말았다. 같은 학교 내에서도 국내파니 국외파니, 일류교니 이류교니 하여 파당 의식이 뿌리를 박아 이것이 학풍을 좀먹고 이 나라 학문의 발전을 암담하게 했던 것이다.

진정한 학파뿐만 아니라 진정한 종파나 교파도 없었던 것이다. 교회와 교회의 대립, 교파 간의 알력과 반목, 그 가운데서도 가장 우리 사회의 지탄을 받은 것이 소위 불교 분쟁이었다. 이러한 대립 알력, 분쟁의 원인이 관념상의 차이에서 온다면 명분도 서겠지만 자세히 검토해 보면 모두가 헤게모니, 재산권 문제로 귀착하는 것이었다. 민심의 귀의처이며 윤리의 원동력인 종교계의 여사(如斯)한 부패는 오히려 사회 일반 질서에 악영향을 끼쳤고, 그러한 틈을 타서 사이비 종교 집단이 우후죽순처럼 족출(簇出)하여 일반 국민을 기만하고 가재(家財)를 탕진케 했다. 이것이 모두가 특수 특권의식의 소산이라는 것을 우리는 깊이 깨달아야 할 것이다. 우리가 한 민족이라는 사실을 깨닫는다면 특수특권 의식은 있을 수 없는 것이다. 친소와 학문 능력의 우열, 이념의 차이는 있을 수 있어도 특권 특수의식은 있을 수 없다. (박 정희. 1962.「우리 민족의 나갈 길」동아출판사)

불교계의 고질적인 문제는 여전히 점입가경이다. 일제시대를 거치면서 많아진 대처승(帶妻僧)과 한국 전통의 비구니승 사이의 대립은 가장 성스러워야 할 종교계를 더러운 파당 싸움판으로 만들었다. 이 불교 파동은 1954년 5월 21일, 이 승만 대통령의 '불교 정화에 관한 유시'를 계기로 비롯되었다. '가정을 가지고 사는 중들은 모조리 사찰에서 나가 살라'는 것이 정부 측 입장이었다. 이로 인해 대처와 비구 양측은 사찰을 서로 뺏고 빼앗기지 않으려고 전국 곳곳에서 피비린내 나는 싸움을 전개하였다.

"대법원은 1960년 11월 24일, 사건을 고등법원에 환송하는 판결을 내려 다시 제자리걸음을 하게 되었다. 이 대법원 판결이 있던 날 비구승 측의 여자 신도들은 이른 새벽부터 법원에 몰려와 시위를 하는가 하면 비구승에게 패소 판결만 내리면 전국 사찰에 불을 지르고 비구니 비구승은 그 속에 뛰어들어 타 죽을 비장한 각오까지 하고 있다는 소문이 떠돌기도 했다. 이 날 정오 조금 지나 대법원의 판결이 내리자 불리한 판결로 알았던 비구승 백 명이 법원 청사로 몰려들어 법원 사상에 없던 '법원 난입 사건'을 일으켰다. 젊은 비구승 다섯 사람은 대법원장실에 뛰어들어 단도로 할복 자살을 꾀했는가 하면 수백 명의 승려 신도들은 법원 주위에서 소동을 일으켜 모두 경찰에 끌려갔다."(조선일보 1962.1.24.)

이런 특수 특권의식은 사회의 기본질서를 문란케 하는 원인이 되고, 자유민주주의의 건전한 발전을 저해하는 가장 악질적 요소가 된 것이다. 이것이 과거나 현재를 막론하고 국가와 민족을 망치는 결정적인 원인이기도 하였다. 특수특권의식이 우리 개인의 정신을 사로잡고 있는 이상 의식적이든 무의식적이든 배타주의(排他主義)와 파벌 의식을 만들어내지 않을 수 없게 된다.

우리의 마음속 구석구석에서 이러한 특수 특권의식을 뿌리 채 뽑아버리지 않는다면, 우리가 앞으로 정당을 만들고 국회 제도를 부활시켜 본댔자 과거의 반복에 지나지 않게 될 것은 너무나도 뻔한 사실이다. 이리하여 정당은 어떤 이념을 표방하고, 어떠한 금과옥조(金科玉條)와 같은 정강정책을 내걸어도 그것이 정당을 이끌고 통제하고 발전시켜 나가는 원리는 되지 못할 것이다. 조만간 그 정당은 또다시 신구(新舊)로 혹은 노소장(老少壯)으로 혹은 영남파니 호서파니 이북파니 하여 분파 분당이 되어 정당 본래의 사명에서 일탈하고, 민족 전체를 망각한 자파(自派)의 이익만을 추구하는 사당(私黨)으로 전락하고야 말 것이다.

딴 말을 할 필요도 없다. 당장 우리 혁명 동지들조차도 서북파, 평안도파, 함경도파, 경상도파로 나뉘어 파벌 싸움을 하고 있는 중이다. 혁명 직후에 터졌던 장 도영 장군 중심의 반혁명 사건이 좋은 예다. 권력을 잡았다고 금새 특권 의식을 드러낸 좋지 않은 사례다.

자유당이나 민주당이나 다를 게 없다. 지난 1960년 정, 부통령 선거를 앞두고 누구를 후보자로 내세울 것인가를 놓고 신파와 구파, 중도파, 청년층과 노년층 사이의 파당 싸움이 참으로 치열하게 전개되었었다. 분열 현상은 여당인 자유당보다도 야당인 민주당 측에서 더욱 심하게 전개되었다. 결국 부정 선거라는 무리수를 둔 자유당 정권이 붕괴되고 얼떨결에 정권을 잡게 된 민주당. 과연 어떻게 되었던가. 자유당 때보다도 심한 난장판으로 정쟁을 전개하여 국민들을 극도로 불안하게 만들었지 않은가? 국민은 냉소적 태도로 '도대체 국회나 국회의원이 무슨 필요가 있으며, 정부의 총리나 장관들은 뭐 하려고 그 자리에 앉아 있는가' 하는 비난을 퍼부었다.

과거의 모든 국가정책이 사당(私黨)의 이해관계로 말미암아 변조 왜곡되었으며 자당(自當)의 이익에 합치되어야만 그 정책이 결정, 시행되었던 것이다. 국가정책을 결정하는 규준이 민족전체의 이익이나 국가의 이익이 아니라, 자당 자파의 이익이었으니 이러고도 어떻게 민주정치가 구현되며 민주주의가 성장할 수 있었겠나? 정당이라는 것이 정책 상의 대결을 하지 못하고 자연히 모략과 중상, 권모술수로써 정쟁(政爭)을 하게 된다.

정당의 당원이라는 자들은 다만 마키아벨리즘의 강습생이었으며, 국회란 정쟁을 위한 합법적 무대였을 뿐이다. 국회의사당이 시장과 별다를 것이 없고, 소위 국회의원들이란 정상배(政商輩), 정치 브로커의 별명에 불과하였다. 선거 때엔 양(羊)의 가면(假面)을 쓰고, 일단 당선만 되면 민중을 배신하는 이리(狼)의 정체를 드러내는 것을 예사로 하였다.

국회의원이란 이력서 보따리나 가지고 다니는 직업 중개인, 이권 청부업이라는 일종의 고급 특권직이었던 것이다. 이러한 정치적 혼란 속에서 진정한 정당정치와 민주주의가 발전할 수 있다는 생각은 그야말로 쓰레기통에서 장미 꽃 피기를 바라는 것과 조금도 다른 것이 없다.

영미 제국의 예를 들 필요도 없이 근대의 자유민주주의는 정당제도를 그 기반으로 하여 발전하여 왔다. 정당제도란 근대적 자유민주주의의 토대다. 근대적 자유민주주의가 의회 제도를 채택하지 않을 수 없는 이상, 정당정치는 필수적인 것이며, 이것이 또한 봉건적 전제주의나 신판 공산독재와는 구별되는 가장 특징적인 제도다. 우리는 근대적 자유민주주의만이 우리 민족이 살 수 있고 번영할 수 있는 유일한 제도인 이상, 어떠한 일이 있더라도 건전한 정당을 마련하는 준비 과정을 밟아 나가야만 되겠다. 정책과 이념으로 상호 비판하고도 일정한 한계와 자제를 가진 국민의 정당, 민족의 정당을 가지지 않으면 안된다.

그러나 이러한 정당제도를 부활시키려면 먼저 파당 의식을 지양하지 않으면 안 된다. 파당 의식이 불식되지 않는 이상, 과거의 자유당과 민주당의 재판에 불과하게 될 것이다. 우리가 차제에 뼈저리게 느끼지 않으면 안 될 것은 과거 십여 년 간 비정상적이며 무궤도한 정당 활동이 우리 민족에게 최대의 불행을 가져왔다는 사실이다. 해방 직후엔 이 땅에 무려 60여 정당이 우후죽순처럼 난립하였으니, 이것은 민족분열과 파당 의식만 조장한 '파당군(派黨群)의 통계 숫자'로서는 너무나 엄청난 것이었다.(박 정희. 1962. 「우리민족의 나갈 길」 동아출판사)

고민이 많다. 재떨이에 꽁초가 그득하다. 나도 모르게 불을 붙여 빨아대는 담배 맛이 입안에 쓰다.

불량한 정치인들을 솎아 내고, 국가와 민족에 긍정적인 정당을 만들어, 국회를 정상화해야만 한다. 국회가 이전투구의 싸움판인 상황에서는 경제개발도 국가 발전도 기대하기 어렵다.

정치인들을 일일이 심사하면서 누가 진정으로 쓸만한 정치인인가를 찾아내고자 하였다. 기존 정치 특권층을 찾아내 도태시키고 지혜롭고 유능한 젊은 정치인으로 하여금 정치판을 새로 짜도록 만들어야 한다. 우리 혁명 과업에 진정으로 동참하고자 하는 젊은이들을 하나로 묶고, 또 다른 정의로운 젊은이들로 하여금 건전한 비판 세력화 하게 해야 한다.

새로운 정치판은 온전히 국가와 국민을 위한 것이 되어야 한다. 국회의원이나 장차관, 도지사와 군수, 시장들은 국가와 국민만을 보고 일을 해야 한다.

역사적으로 증명이 되었다.

정치가 행정을 엄습하면 나라가 망한다.

정치는 언제나 분열되고 싸움판이 되기 쉽다. 건전한 비판이 사라지는 것도 문제지만, 끊임없이 분열되며 국가와 국민을 힘들게 하는 정치는 더욱 심각한 문제를 만들어낸다.

건전한 정치, 믿을만한 정당…

생각이 길어진다.

인간 개조: 민족적 자아

혁명 후 지금까지 정신없이 법률과 제도, 정책을 새롭게 만들어 시행해오고 있다. 헌법까지도 개정하여 이제는 완벽할 정도로 만들었다. 내년 1월부터 본격적으로 정치 자유화를 꾀하고 민정 이양 과정을 밟을 것이다. 1962년 12월 지금은 마치 폭풍전야 같은 느낌이다.

희망을 갖고 내일을 기다리게 되었다.

서쪽 인왕산 뒤편으로 사라지는 저녁 해를 바라보면서 잠시 상념에 젖어 든다.

5·16 혁명을 불러들였던 민주당 장 면 정권 당시의 국가 사회는 그야말로 카오스 혼돈 그 자체였다. 우리가 나서서 책임을 지고 교통정리를 한 덕분에 지금은 차분하고 조용해진 상태다. 전과는 달리 거의 완벽할 정도로 법 체제를 정비하였으니 민정 이양이 되면 전과는 사뭇 다른 국가 사회가 전개될 수 있다.

그렇지만 아직 안심이 되지 않는다. 군사 정부 2년 동안 법규와 시스템을 새롭게 구축하긴 했지만 새로운 민간 정부가 제대로 이어받을 수 있을까 걱정이 된다.

문제는 제도 자체에 있는 것이 아니다. 그 제도를 구성하고 운영하는 인간 개인에게 달려있다. 어떤 단체나 정당이라 하더라도 그 구성요소는 개인이다. 또한 민족 운명의 공동체라 하더라도 역시 민족의 구성요소는 민족 개개인이다. 그러므로 아무리 제도를 고치고 기구를 개편한다 할지라도 그 제도를 움직이는 개인이 여전하다면 전과(前過)가 되풀이될 수밖에 없다. 우리가 차제에 '인간 개조(人間改造)'를 부르짖고 '민족적 자각(民族的自覺)'을 요청하는 소이도 바로 여기에 있다(박정희. 1962.「우리민족의 나갈 길」 동아출판사).

더구나 '민족의 결핍'이라든지 '특수 특권 의식'이라든지 '파당주의'는 역사적인 뿌리를 가지고 있기 때문에 이것을 완전히 뽑아 버리기에는 상당한 곤란이 있을 것이다.

이런 악질적인 민족의 근성은 사대주의(事大主義), 반상 적서(班常嫡庶)의 계급관, 사색당쟁(四色黨爭) 등과 결코 무관한 것이라고 할 수는 없다. 의존 사상(依存思想)이나 아부근성(阿附根性), 지배자에 대한 맹종 등도 이조 500 년의 역사에 그 근원이 있다. 파벌(派閥)과 배타(排他)로 민족 분열을 조장하는 특수 특권의식도 과거의 봉건적인 신분제도, 관료제도에 직접적인 연원이 있다. 파당 의식도 이조사(李朝史)에 뿌리박고 있다. 사색 당쟁의 시초를 고찰해보면 정책상의 싸움이 아니라 관직 쟁탈을 위한 대립 반목에서 발생했다는 사실을 알 수 있다.

이조 당쟁의 오랜 계보는 마침내 임란(壬亂)을 거쳐 구한말의 비극과 한일 합방의 최후를 가져왔다는 것은 너무도 뚜렷한 사실이다. 이러한 역사적 비극을 똑똑히 알고 있으면서도 또 다시 전근대적인 파당 의식의 포로가 되어 모두가 정쟁을 일삼고 있으니 얼마나 어리석은가?

참으로 무서운 것은 개인의 의식 속에 있는 이러한 '악질적인 근성'이다. 그러므로 인간 개조는 자기 의식의 혁명이며, 나아가서는 자유 민주주의 하에서 살 수 있는 인간의 자질을 형성하는 것이 된다. 다시 말하면 '자아(自我)의 확립'이 선결 문제이다. 인간 스스로 자아가 확립되지 못한 채, 복종과 예속 하에 있는 봉건적 신분 관계만이 있을 때 아부(阿附)와 사대(事大)에 의존한 특수특권의 노예가 되는 것이다.

지난봄에 가뭄이 극심해서 농민들은 물론 전 국민의 목이 타들어 가던 때 김포 쪽으로 시찰을 나갔었다. 마음이 답답한 상태로 들판을 지나다가, 꾀죄죄한 농사꾼 하나가 지게에 두엄을 가득 지고서 논두렁을 가다가 발을 헛디뎌 아래 논으로 처박히는 것을 보았다. 지게 밑에 깔려서 허우적대는 것이 안쓰러워서 신작로 길 가에 차를 멈추고 다가가 일어나는 것을 도와주었다. 지게를 다시 세워주고 다치지 않았냐고 물었다.

"아니라요. 괜찮당게요."

말로는 그러는데 다리를 접질려 제대로 서지를 못한다.

"얼른 병원에 가야 할 것 같네요."

내 말은 들은 척도 않은 채 손으로 남의 논에 떨어진 두엄을 주워서 지게 소쿠리에 다시 담는다. 바지저고리가 모두 흙투성이가 되었고 다쳤으면서도 연신 건너편 논둑에 서서 바라보고 있는 주인(?) 눈치만을 살핀다. 형상을 자세히 살펴보니 그 집 머슴이다. 이 승만 대통령 시절에 농지 개혁을 통해 모두가 농지를 받았다지만 여전히 이런 머슴들이 있었다.

"전쟁 전에 농지를 받지 않았어요?"

대꾸도 않고 자기 일만 한다. 내가 몇 차례 더 물으니

"조막만한 밭뙈기와 냇가 자갈밭을 조금 받았는디, 고것을 큰놈이 노름해서 날렸지라…"

알만했다. 정부에서 농지를 주고 열심히 살라고 했건만 '자기 자신을 지킬 줄 모르는' 못난이들이 있다. 누구 탓을 하랴. 이런 머슴들에게는 그저 하루하루 입에 풀칠하는 것도 버겁다.

"저기 전라도 어디 산골에 살았다는데, 지난 달에 무작정 우리 동네로 나타나더니 '그저 밥이나 먹여 주세요' 합디다."

건너편에 있던 논 주인이 어느새 나타나 내게 말을 건넨다. 내가 누군지는 잘 모르면서도, 차와 보좌진을 보면서 대충 '높은 사람'인가 보다 짐작을 하는 것 같다.

"가뭄 때문에 큰일이죠?"

"그래도 이 곳 김포는 한강 물을 끌어다 쓸 수 있어 다행입니다. 참 괜찮으시다면 집사람이 새참을 내오는데 함께 들고 가시죠?"

인심 좋은 농촌이다. 그저 지나가는 사람에게도 새참을 권한다. 조금 있으니 50대 아낙 하나가 함지박을 머리에 이고 나타났다. 주섬주섬 먹을 것을 조금 너른 마른 논둑에 꺼내 늘어놓는다. 주인장이 누런 양은 주전자에 든 막걸리를 잔에 따라 권한다. 기분 좋게 한 잔을 들이키고 그에게도 한 잔을 따라 주었다.

"대장님이시죠? 장군님 덕분에 요즘 살맛이 납니다. 우리 동네도 '으쌰으쌰' 합니다. 가뭄도 거뜬히 이겨내는 중입니다."

소개를 하지 않았지만 그는 나를 금방 알아본다. 그의 표정, 말 한마디 한 마디에 요즘 농촌 사정이 묻어난다.

"비록 꽁보리밥이지만 좀 드시겠습니까?"

불감청이언정 고소원(不敢請固所願)이란 말이 있다. 힘이 들 때면 언듯언듯 어릴 적 상모리 시절이 생각나는 이런 농촌의 맛이 그립다. 그릇이 없다면서 바가지에 쌀이 적당히 섞인 보리밥을 듬뿍 퍼서 건네준다. 봄철 상추에, 겉절이 김치를 곁들여 맛있게 먹어 젖혔다.

오후 일정이 있고 뒤에 서서 기다리는 일행이 있어서 오래 머물 수 없었다. 주인장과 가볍게 인사를 하고 차에 올랐다.

자아의 확립이 없고, 아버지와 아들, 주인과 노비, 어른과 손아래 등의 관계에서는 평등도 없고 인권도 없다. 그러한 봉건적 관계 속에는 평등이나 인권이 개입할 여지가 없다. 자기(自己)의 확립이 없으니 자기의 인권이 있을 리 만무하고, 자기 인권이 없으니 남의 인권을 어떻게 존중할 줄 알겠는가?

조선 시대에도 그랬지만 우리 농민들은 일제 시대에 더욱 처참했다. 자기 농토를 가지고는 먹고 살기가 어려워 대부분 남의 땅 소작을 겸해야 했고, 적지 않은 농민들이 손바닥만한 자기 땅도 없었다. 이들은 모두 먹고 살기 위해서 노예처럼 살아야만 했다. 그들에게 인권이 무엇이고 민족이 무엇인가? 아무런 의미도 없었다. 그런 그들에게 독립 운동 운운하는 것은 '그야말로 사치'였다.

이들을 교묘하게 이용하는 공산주의자들은 달콤한 말로 꼬드겨 지주를 향해 낫을 들게 만들었고, 일제를 넘어 해방 후에는 자유 민주 정부를 향해서도 저주를 하도록 충동질했다. 농지 개혁을 통해 자기 농토를 갖게 함으로서 공산당의 꾐에 쉽게 넘어가지는 않게 되었다지만 최근에는 정치꾼들에 의해 이리저리 이용당하는 처지가 되어 있다.

아직도 수많은 농민, 노동자, 실업자, 아녀자와 노인들 중에는 일자무식(一字無識)인 사람이 많다. 국민 재건 교육을 통해, 화요일 공부를 통해 한글을 가르치고 있지만 나이 든 어른들에게는 아직도 문자를 깨우치는 것이 버겁다. 교육을 제대로 받지 못한 사람들은 남의 말에 쉽게 넘어가고 뭐가 뭔지도 모르면서 '정치적 노예'로 전락한다.

자기 확립이 없을 때, 남에게 의존하게 되고, 파당을 지워 민족을 해치는 것이다. 자기의 확립이 없으면 민족공동체 일원이라는 자각적 주체도 없으며, 민족애를 가질 바탕도 없는 것이다. 자기 확립이 있고 난 뒤에야 민족의 일원이라는 확고한 자각이 설 것이요, 아부와 사대 근성이 얼마나 자기를 모독하며 민족을 해치는 것인가를 깨닫게 될 것이다.

서구에 있어서의 근대화 과정은 '개인'의 확립을 기초로 하고 있다. 개인의 확립이 없는 곳에는 근대화도 없고 민주주의도 없다. 자기를 확립한다는 것은 먼저 '자기를 안다'는 뜻이다. 자기를 안 다음에야 타인을 알고 나아가서는 민족을 알게 될 것이다. 그리고 자기를 신뢰하게 될 것이며 나아가서는 민족을 신뢰하게 될 것이다. 남을 믿고 신뢰한다는 것과 남에게 의존한다는 것과는 엄청난 차이가 있다. 거기에는 봉건과 근대의 차이 바로 그것이라 하겠다. 남을 알고 남을 믿는 데서 참다운 타협과 협력이 가능할 것이다(박 정희. 1962.「우리민족의 나갈 길」동아출판사).

자기를 확립한다는 것은 자율성(自律性)과 자발성(自發性)을 확립한다는 의미이다. 자율성과 자발성이 없을 때 타율(他律)에 강요되고 지배된다. 설령 그것이 양처럼 순한 복종이라 하더라도 근대적 민주화의 과정을 가로막는 요소라는 사실을 깨닫지 않으면 안 될 것이다. 자기의 생활에 있어서도 자율적 자의적이어야 할 것이고, 자기 사상의 판단에도 자율적 자발적 이어야 할 것이며, 투표 등 각종 정치참여에 있어서도 역시 그러해야 할 것이다.

의타(依他)와 사대 근성은 자율성과 자발성이 없다는 증거에 불과하다. 지난날의 매표 행위, 부정 증수회(贈收賄) 등 각종의 음성적이며 비정상적인 사태는 그 근원을 따져 들어가면 결국 '자기의 확립'이 없는 데서 오는 것이었다. 자기를 믿고, 자기가 든든하고, 확고하다면 어떠한 감언이설(甘言利說)이나 부정, 불법에도 휩쓸려 들어가지 않을 것이다.

오늘 우리 민족에게 가장 절실히 요구되는 것은 무엇보다도 먼저 '자기의 확립'이다. 이것 만이 지난날의 부패와 부정을 일소할 수 있는 근본적 계기가 된다고 해도 과언은 아니다.

민족적 자아를 확립하는 데 극복해야만 할 악질적 근성과 함께 민족적 열등감이나 패배주의도 문제가 심각하다. 우리 한민족은 지난 19세기 조선 시대 말부터 일제 시대, 미군정과 6.25 전쟁을 거쳐 오는 과정에서 민족적 열등감과 패배감, 허무주의 국민성을 갖게 되었다.

해방 전 문경에서 보통학교 훈도로 있을 때다. 학생들 집에 지도를 나갔는데, 그 집 할머니가 포대기에 싸인 채 울음을 그치지 않는 어린 손자를 달래는 말을 듣고 가슴이 아팠다.

"그만 울어, 저기 순사 온다. 순사가 너 잡아가려고 쫓아온다. 이 노오옴!"

전래 동화에 아기가 울면 '뒷산에서 호랑이가 나와서 잡아간다.' 고 무섭게 해서 그치도록 한다는 내용이 있는데 그런 호랑이보다도 무서운 존재가 바로 일제 순사였다. 순사 정도가 그렇게 무서웠으니 경무관이나 경찰서장, 헌병, 조선 총독은 더 말해 무엇 하랴.

일제 시대 내내 한민족은 모두 오금이 저려서 덜덜 떨면서 지냈다. 지금은 모두 독립 운동을 쉽게 말하지만 당시에는 감히 엄두도 내지 못할 단어였다. 순사들의 엄포에 벌벌 떨면서 노예 같은 소작인으로 목숨 부지하느라고 힘이 들었다.

일본과 일제에 대한 열등감이 팽배해 있었고, 한민족 모두가 무기력증, 패배주의에 찌들어 있었다. 민족적 자아라는 것이 존재할 수가 없었다.

해방 후 16년이 지난 지금은 어떤가?

대학생 농촌 문맹 퇴치 계몽 활동(1962)
(출처:국가기록원 CET0048264)

국민 재건 운동을 통해 적극적으로 국민 계몽에 힘쓰고, 국민 교육에 총력을 기울이면서 다소 침체 상태를 벗어나는 것 같아 보인다. 젊은 군인들이 나서서 무능력하고 부패한 정부를 대신하고, 혼란스런 정치판과 사회를 정화함으로써 많은 국민이 안심하고 미래의 희망을 말하기 시작하고 있다.

책상 위에 놓여 있는 결재 서류판이 눈에 들어온다. 며칠 전에 들어온 보고서인데 아직 결재를 못하고 있었다. 펼쳐 보니 지난번에 지방 순시 후에 긴급 지시했던 내용에 대한 보고였다.

"의장 지시사항 하달. 1) 수차에 걸친 지방 순시에서 아래와 같은 미흡한 점을 발견하였음. 내각은 다음 지적된 사항에 관하여 즉시 시정 가능한 사항은 조치하고 세부 구체적 계획을 필요로 하는 것은 담당 최고위원과 협조 입안하여 1962년 10월 10일 한 보고할 것.

(가) 사방조림: 지난 1년 간 정부의 지도와 국민의 협조 노력으로써 우리나라의 사방 조림 사업은 괄목할 만큼 훌륭한 성과를 올렸음. 이 상태로 나간다면 앞으로 수년 내에 우리나라 임야는 완전히 옛 모습으로 환원할 수 있다는 자신을 갖게 되었음. 정부는 명년 중으로 미실시한 지역에 대한 사방공사를 100% 완료할 수 있도록 만단의 계획과 준비를 갖추어 금년 가을부터 이 사업에 착수할 것......

(마) 농촌 생활개선: 혁명이후 국민의 자각으로 농촌생활이 다소 개선된 것은 사실이나 정부에서 기대하는 목표에는 전도요원(前途遙遠)하다고 생각됨. 이는 타 여건이 구비되어야 하므로 일조 일석에는 이루어질 수 없는 일이지만 관(官)의 꾸준한 지도 계몽과 민(民)의 창의 노력으로서도 많은 향상을 기할 수 있을 것임. 예를 들면 위생 관념의 함양, 주위 환경의 정리 정돈, 의식주의 개선, 관혼상제의 간소화 등은 돈 없이 노력과 연구로서 시정할 수 있을 것임. 정부는 생활개선에 더 한층 관심을 가지고 연구하여 지도 계몽토록 할 것. 끝.

의장 육군대장 박 정희. 지시 각서 제20호. 1962. 9.19)"

정부와 공무원이 앞장선다고 치더라도 궁극적으로 움직여 줘야 하는 것은 국민들이다. 공무원들조차도 열정적이지 않으면 더욱 기대할 것이 없게 된다. 다음 결제서류에는 공무원들을 닥달 하는 내 지시 사항이 담겨 있었다.

"… 근간에 와서 사회의 질서가 안정됨에 따라 일부 몰지각한 공무원은 국가재건을 위하여 선두에 서서 솔선수범, 국민의 의표(儀表)가 되어야 함에도 불구하고 악의 유혹에 넘어가 구태 의연화 하고 있다는. 세간의 여론이 자자함에 대하여 심히 유감스러이 생각하는 바임, 즉 일부 공무원 중에는

- 교묘한 수단으로 업무를 지연시켜 수뢰를 꾀하며
- 안일, 무사, 기회주의적으로 업무를 수행하고
- 정당하고 유익한 사업을 일부 업자의 충동을 받아 부당하게 처리하며
- 압력, 청탁 등에 의하여 부당성을 정당화시키고
- 업무처리에 있어서 자주성을 결한 동시에 자기 권한을 최대 악용하고
- 공정한 법을 악용하여 부정을 자아내게 하며
- 대민 관계에 있어서 불손한 언사로 인하여 불쾌감을 주며
- 사치와 허례 허식을 아직도 암암리에 탐내고 있는 등

과거에 노골화하였던 부패성을 지금은 음성화 하면서 교묘하게 구악을 싹트게 하고 있음.

따라서 악몽에 사로잡힌 일부 공무원의 각성을 촉구하는 바임. 끝.

의장 육군대장 박 정희. 지시 각서 제21호. 1962. 9.27."

갑자기 나 혼자서만 고군분투하고 있는 것은 아닌가 하는 생각이 든다.

공무원들이 움직여 주지 않으면 아무런 일도 할 수가 없다. 내가 관료 행정주의, 관료제 정부를 적극 추구해 가고 있는 마당에 이런 공무원들이 여전히 존재하고 있다니…

아직도 부족하다. 최고회의의 존속 기간이 이제 반년 정도밖에 안 남은 판국에, 이래서는 안 된다. 민정 이양이라는 예정된 수순을 밟아가고 있는

과정이라지만 혁명 정부가 아직도 막강한 권한을 쥐고 있는 판국인데, 벌써부터 눈치를 보는 공무원들이 있는 것 같다.

교육, 백년 대계를 세워라

12월 14일, 제1군 사령부 창립 기념식에서 군의 민정 참여와 관련된 내 소신을 짧지만 확실하게 피력했다. 현재 군사 정부에서 요직을 담당했던 경력이 있는 사람들은 군으로 복귀하는 것이 적절치 않고, 향후 새로운 민간 정부에 참여하거나 아니면 예편을 해야 한다는 생각이다. 지금까지 군사 정부 초기로부터 군 복귀를 적극 피력한 사람들은 수시로 군으로 복귀시켜 왔다. 하지만 장기간 최고회의나 정부측 고위급 기관장으로 재직했거나 하고 있는 군인들은 또 다시 군으로 복귀하여 군 장성이나 사령관직으로 복귀하는 것을 단념하라는 입장 표명이다.

내가 전방 전투 군단과 사단, 연대 수뇌부들을 모아놓은 상태에서 이를 천명한 것은 현재 군 지휘관들은 전혀 동요치 말고 현재의 전투 태세 유지에 만전을 기하라는 엄명이기도 했다. 그러다 보니 상대적으로 이쪽저쪽을 넘나들며 기회를 엿보려 했던 혁명 동지들 중에 불만자가 나타날 소지가 있었다.

금년 1962년부터 각급 학교의 학기 시작을 3월과 9월로 한 달 씩 앞당겼다. 제1학기는 3월 1일부터 8월 말까지, 제2학기는 9월 1일부터 2월 말까지로 변경했다. 일제시대에 현대식 교육 체제가 한반도에 도입된 이후 지금까지 학기 시작이 4월과 10월로 유지되어 왔다. 일제시대의 교육 시스템이 건국 후에도 바뀌지 않은 채 이어져왔다.

학교가 3월에 개학을 하면 3월, 4월, 5월 가장 좋은 기간 동안 학업에 충실할 수 있다. 9월에 개학을 할 경우에도 9월, 10월, 11월에 공부하기 가장 좋다. 몹시 더운 7월과 8월에 여름 방학을 하고, 가장 추운 12월과 1월에 겨울 방학을 하면 된다. 그리고 2월은 학년 교체기로 하면 된다. 일본의 사계절이 우리와 조금 다른데도 불구하고 여태까지 바로 잡지를 못했다.

일제 시대의 법제가 지난 장 면 민주당 정부에까지 이어져 오는 동안 국회나 교육부는 자주적 관점에서 우리 실정에 맞게 법령과 교육 제도를 고치지를 않았다. 그들은 오로지 권력 투쟁에만 열심이었다고 해도 과언이 아니다.

교육은 '백년지대계(百年之大計)'라고 한다. 장기적 관점에서 청소년 교육, 국민 교육이 이루어져야 한다는 의미다. 경제 개발도 좋고 국가 발전도 좋지만 근본적으로 개개 국민의 역량이 높아지지 않는 한 기대 난망이다. 가장 중요한 국민 교육이 체계적으로 이루어져야만 한다. 기초 교양 교육과 함께 전문적인 학술, 실업 교육이 제대로 이루어져야 한다.

헌법 개정안이 완성됨과 동시에 최고회의 내에 문교정책심의위원회를 새롭게 발족시켜 첫 회의를 1962년 11월 29일에 소집하였다. 위원 명단은 다음과 같았다.

(위원) 정 세웅(문교담당 최고위원), 이 승우(문교부 차관), 권 중휘(서울대학교 총장), 유 진오(고려대학교 총장), 김 기석(서울특별시 교육회장), 이 관구(재건 국민운동본부 중앙위원), 정 태시(대한교육연합회 사무국장), 백 현기(중앙교육연구소장), 권 형섭(원자력연구소장), 박 준희(이화여대 교무처장), 신 기석(최고의 내무위원회 자문의원), 문 홍주(법제처장).

첫 회의 소집을 앞두고 정 세웅 위원을 방으로 불러서 몇 가지 핵심적인 사항에 대해 지시하였다.

"정 대령. 이번 기회에 문교 정책에 대해 전반적으로 심도 있게 살펴 주시게. 그동안 교육부를 통해서 꾸준히 교육 혁신 작업을 해 왔지만 내년 민정 이양을 앞두고 걱정이 많다네. 학교 증설과 입학 정원, 입시 제도, 교과서, 교육 내용, 장학 제도, 실업 교육, 교육 공무원과 대학 교원 문제, 공립과 사립 문제 등 모든 것에 대해 점검해 주시게."

"예. 잘 알겠습니다. 일단 위원회에서 논의를 거쳐 개선 방안을 도출한 다음 교육부로 넘겨서 이행토록 조치하겠습니다."

위원회는 4개 소위원회로 나누어 활동에 들어갔다. (제1분과: 교육행정 분야), (제2분과: 고등교육 분야), (제3분과: 보통 교육 및 실업교육 분야), (제4분과: 체육 및 문화 분야). 연말 이전에 논의 결과를 취합하여 최고회의에 보고하기로 되어 있었다.

정 대령은 수시로 내게 들려 진행 상황을 보고해 주었다. 논의 사항에 대해 보고를 받으면서 내가 생각하고 있는 의견도 수시로 전달해 반영할 수 있도록 하였다.

학구제(學區制) 문제는 지난 해 7월 4일 문 희석 교육부장관 담화를 통해 '불법적인 학구제 이동을 엄격히 적발하여 돌려보내겠다'고 천명한 바 있다.

"의무교육을 실질적으로 구현하기 위하여는 우선 학구제가 철저히 이행되어야 할 것입니다. 이 학구제가 철저히 이행됨으로써 의무교육의 수행에 필요한 구체적인 시책을 발전시켜 학교의 시설 차를 완화하고 교사의 질적 균형을 도모할 수 있을 뿐만 아니라 나아가서는 중학교 입학시험제도의 폐단도 개선할 수 있을 것입니다."

해마다 입시철이 되면 좋다는 평이 나 있는 국민학교로 진학하기 위해 같은 관내 거주지로 주소를 옮겨 거주하는 사례가 급증하고 있었다. 게딱지만한 판잣집, 방 한 칸에 여러 명의 어린 아동들이 주소를 이전하여 거주하는 일들까지 나타나고 있었다. 공무원들이 취학 아동을 일일이 찾아다니며 확인한다지만, 이를 막을 방법이 없다.

베이비 부머들은 중학교 입학 시험도 치열하게 치러야 했다.

이런 문제는 근본적으로 학교 시설을 좋게 개선하고, 교사들 수준을 높이며, 좋은 중학교, 고등학교를 많이 만드는 방법을 통해 해결해야만 한다. 좋은 대학교, 고등학교, 중학교, 국민학교가 있다는 것은 당연히 권장할 만한 일이다. 하지만 돈 있는 사람만이 이런 좋은 학교에 들어갈 수 있어서는 안되고 가난하더라도 우수한 학생들이 진학하여 공부할 수 있도록 제도적 약점을 보완하고 장학금 제도를 잘 갖춰야 할 것이다.

의무교육 시설 확충을 위하여 혁명 정부는 1962년도에 16억 3,00만 원의 의무교육 시설비를 계정하여 5,29 개의 교실을 신축하고, 3,66개 교실을 수리하기로 하였으며, 우물 및 수도 등의 부속시설을 개축하기로 하였다. 1963년도 계획에도 1,61 개의 교실을 건축하기로 결정하였다.

교육자치제를 제대로 시행하기 위해서는 교육 행성을 일반 행성으로부터 독립시키고, 시군구마다 독립된 교육구를 설치하고 교육감을 두어 교육문제를 전담토록 하여야 한다. 중앙 차원에서 교육 행정을 전담하는 교육부의 중앙교육위원회를 강화하고 시도별로도 교육위원회를 두어 활성화해야 한다.

공교육의 약점을 보완하는 의미에서 사립학교를 적극 권장하는 것도 방법 중 하나다. 하지만 사립학교 운영이 주먹구구이고 탈법과 불법이 만연하며, 학내 경영권 분쟁이 치열한 사례가 적지 않다. 5.16 혁명 당시의 분규법인을 보면 대학법인이 12개, 중등법인이 31개로 총 43개 사립학원이 분규 중에 있었다. 그래서 하루 빨리 사립학교법을 제정하여 시설 기준을 충족케 하고 교원 채용과 재직, 교육 내용, 보수와 연금 등을 합법화시킬 필요가 있다.

교원 보수에 있어서 채용 여건, 최종 학력, 사립과 공립, 초등과 중고등 사이에 격차가 심하여 불만이 많다. 일단은 학교 차이를 전제로 하는 급여 차이는 있어서는 안 될 것이기에 단일 호봉제로 고치도록 지시했다. 학교 운영비와 함께 교원 보수, 교장과 교감의 보수나 직무 수당을 현실화할 필요가 있다. 문제는 예산인데, 의무 교육 부분에 있어서는 지방자치단체의 부담을 좀 더 늘려야 하고, 교육세도 도입하여 교육 재정으로 활용해야 한다.

향후 경제개발계획을 추진해 가는 과정에서 많은 이공계 대학교육이 필요하다. 현재 대학 입학 정원이 6만 6,10명으로 되어 있는데 이를 20~30% 증원하고, 인문계와 이공계 비율을 3:7 정도로 하여 실업 교육을 강화할 필요가 있다.

그동안 자율적으로 시행되던 입학시험을 국가에서 체계적으로 관리하기 위하여 1961년 8월 12일 법률 제681호로서 '중학교, 고등학교 및 대학의 입학에 관한 임시조치법'을 만들어 공포함으로써 교육의 정상화와 질적 향상을 기할 수 있게 만들었다. 법안의 내용을 검토하는 과정에서 내 나름대로 가지고 있던 내용들을 조심스럽게 개진하여 위원들로 하여금 논의에 참조하도록 유도하였다.

- 중학교와 고등학교의 입학 지원자가 지원할 수 있는 학교는 그의 소재지를 관할하는 서울특별시 또는 도의 관내 중학교 또는 고등학교에 한한다. 해당 시도 내에 지원할 해당 계통의 학교가 없거나 기타 지역적 조건으로 불가피할 때만 각 령의 정하는 바에 의하여 타 시도의 학교에 지원할 수 있다. 이는 지나치게 급격한 속도로 도시화가 진행되거나 서울 수도권으로의 쏠림 현상을 막는 효과가 있을 것이다. 하지만 장기적 관점에서는 세계 일류 수준의 중학교, 고등학교, 대학교를 육성해야만 한다. 제반 여건을 고려하여 우수 학생이나 특별한 역량을 갖춘 청소년들에 대해서는 지역 경계를 넘어 자유롭게 학교를 선택할 수 있게 조정할 필요가 있다.

- 중학교와 고등학교의 입학 선발 전형에 있어서 그 필답고사는 국가가 공동 출제하여 시행한다. 후진국형 입시 비리를 막기 위한 최선의 방책이라고 생각한다.

중학교 입학시험에 체력시험도 추가되었다.

대학 입학은 그야말로 좁은 문이었다. 이 문만 통과하면 성공의 길이 보였다.

- 대학에 입학할 수 있는 자는 교육법 제111조의 자격을 가진 자로서 국가에서 시행하는 고사에 합격한 자로 한다. 선진국에서는 이미 오래 전부터 대학 입학 자격 또는 수학 능력 시험 제도를 운영해 오고 있다. 미국에서는 1926년부터 SAT(=Scholastic Aptitude Test)를 도입하였고, 영국은 1951년부터 A level (Advanced level test) 수능 제도를 도입하여 고등학교 3학년 과정과 대학교 1학년 과목을 통합하여 교육하고 시험을 치른다. 일본은 이들보다도 훨씬 이전인 19세기 말부터 대학 입시 시험을 치르고 있다. 대학 입학 자격 시험은 고등학교까지의 교육 수준을 정하는 의미와 함께 대학 진학 후 본격적으로 전문화 교육을 시행하기 위한 기초 학력 수준을 정하는 의미가 있다.

- 국가시책인 국민 체위(體位) 향상을 위하여 각급 학교의 입학고사에 국가 공동 출제에 의한 성적 외에 체능검사를 실시하여 이 성적과 학력고사 성적을 합산하여 입학자를 결정한다. 현재 우리 상황을 보면 의식주 여건이 원만치 않은 상태에서 청소년들의 체력이나 체격이 너무 약하고 왜소해 걱정이 많다. 이웃 일본의 청소년들에 비해 키나 몸무게, 체력이 많이 약하다. 초등 단계의 국민학교부터 체육 활동을 강화할 필요가 있다.

- 국가경제시책에 따르는 기술원 양성과 실업기술교육의 강화 육성을 위하여 실업계 학교의 졸업자가 동일계 대학에 진학할 경우 이들에 대하여 학교장의 추천에 따라 서류 전형 만으로서 진학할 특전을 부여한다. 실업계 학생의 경우에는 다른 일반계 학생에 비해서 국어, 영어, 수학 등 학과목 성적이 좋지 않을 수도 있다. 그래서 이들이 자신의 동일계 전공 대학 학과로 진학하기가 어렵다. 이런 문제를 해소하기 위하여 우수 실업계고 학생이 동일계 전공 대학으로 진학 시 특별 전형 혜택을 받을 수 있게 한 것이다.

- 각종 재질(才質, 예능 체육)이 특출한 자에게는 서류 전형만으로서 상

급학교에 진학할 수 있는 혜택을 준다. 엘리트 예능인이나 체육 특기자를 육성하기 위한 전략이다.

- 사학(私學)의 육성과 모든 수험자의 편의를 위하여 시험기를 전기, 후기로 구분하여 시행한다. 상급학교 진학 시험을 일시에 치르게 되면 원하는 학교에 진학하지 못한 학생들은 1년 동안 재수를 해야만 한다. 이런 문제를 해소하기 위하여 대학이나 고등학교를 전기와 후기로 시험을 치르게 함으로써 전기, 1차에 실패한 학생들이 후기에 2차로 상급학교로 진학할 수 있게 한 것이다. 재수로 인한 국력 낭비를 줄이는 효과가 있다.

- 상술한 국가 공동출제에 의한 자격고사 합격자만이 응시하게 함으로써 각급 학교 입학고사의 극심한 경쟁을 억제하고, 부정 입학을 근절한다.

의무교육에 필요한 교원을 육성하기 위하여 기존의 사범학교를 교육대학으로 개편하고 각 시도에 1개씩 설치하였다. 연간 1950명의 초등교원이 배출되게 되었다.

대학을 정비하여 '혁명 전에는 (국립) 9개 대학, 197개 학과, 2만 9,440명 정원, (공립) 5개 대학, 21학과, 5,240명 정원 (사립) 57개 대학(주간 42개, 야간 15개), 468개 학과, 5만 6,860명 정원, (총합계) 71 개 대학, 686학과, 9만 1,540명 정원이었던 것을 정비 후에는 (국립) 10개 대학, 179개 학과, 1만 9,320명 정원, (공립) 2개 대학, 9학과, 760명 정원 (사립) 32개 대학, 360개 학과, 4만 6,330명 정원 (총합계) 44개 대학, 548학과, 6만 6,410명 정원으로 만들었다.'

The Patriot : College reviews: University of Florida

Exploring the Oxford University Colleges - 2021 Travel Recommendations ...

College University: Oregon University College Search

향후 경제 발전과 소요 인재의 필요량에 발맞춰서 각 급 학교 숫자는 지속적으로 늘려가야만 할 것이다. 현재도 좋은 학교에 진학하고자 하는 학생 수에 비해서 입학 정원이 매우 적은 것으로 보고받고 있다. 물론 대학의 경우에는 졸업 후 취업 상황과 균형을 맞춰야만 한다. 자칫하면 고학력 실업자를 양산하게 될 수도 있기 때문이다.

이만하면 교육 100년 대계의 기초는 닦은 셈이 아닐까?

베이비 부머들이 한 해에도 100만씩 국민학교로 입학하고 있다. 의무 교육 덕택이기도 하지만 어린이들의 배우고자 하는 열정과 부모들의 교육열, 그리고 우리 혁명 정부의 강력한 교육 드라이브 정책이 잘 조화를 이룬 결과다. 부모님 세대가 일제 시대와 건국, 그리고 전쟁을 치르는 과정에서 제대로된 현대식 교육을 전혀 받지 못했던 것에 비하면 천지 개벽 수준이다. 코흘리개 어린이가 가슴니 손수건을 하나씩 매달고 운동장에 도열해 서 있는 모습을 보면서 우리 한국의 미래를 본다.

교육은 학교와 교육자, 학생과 학부모, 교육 내용과 방법, 그리고 학교 시설 및 학습 도구, 교과서, 교육 재정 등 모든 여건이 갖춰졌을 때 제대로 효과를 볼 수 있다. 지난 정부들에 이어서 혁명 정부도 교육이 곧 국가 발전의 원동력임을 감안하여 총력을 기울이고 있다.

지금 입학하는 어린이들이 몇 년 뒤에 중학교로 진학할 때쯤에는 교육 여건이 지금보다는 나아질 것이다. 의무 교육을 더욱 확대하고 학교 신축과 시설을 증가시키며, 우수한 교사들이 많아질 것이다. 더욱 나아가서 실업계 고등학교를 증설하고 좋은 전문 대학교를 많이 만이 설립할 것이다. 경제개발과 공업화에 필요한 인재 육성을 위해 분야별 전문가 양성에도 노력할 것이다.

정규 학교 교육과 병행해서 국민재건운동본부와 연계하여 성인 교육에도 정성을 다할 예정이다.

등잔불 켜 놓고, 뭔 산업화?

금년 초 아직은 겨울 추위가 남아있던 2월 말, 경기도 화성 지역을 지나는데 오후 5시를 넘자 어둑어둑해지고 있었다. 신작로를 끼고 있는 마을의 방앗간 앞에 사람들이 여럿 모여 있는 것을 보고 뭔 일인가 싶어서 차를 멈춰 섰다. 가볍게 인사를 나누고

"무슨 일이 있기에 이렇게 웅성거리고 있습니까?"

"방아가 또 고장이 났어요. 기계를 다룰 줄 아는 조씨가 발동기를 다시 돌리려고 애쓰고 있습니다."

방앗간 안으로 들어서니 컴컴하다. 방앗간 주인이 남포불을 켜서 벽에다 거니 조금 밝아진다. 커다란 피대가 걸려 있는 뒷편에 큼지막한 발동기가 있었고 한 사람은 발동기 스위치를 잡고 또 한 사람은 일어서서 손잡이를 잡고 바퀴를 돌리고 있었다. 애써 한번 돌리면 제대로 발동이 터져 걸리지 않고 '피시식' 꺼져 버린다. 그러기를 여러 번 해보지만 좀 체로 발동기가 돌지 않는다. 제 분에 못 이겨서 힘써 돌리던 젊은이가 '에이 씨 팔!' 돌아서 버린다.

"전기 발동기가 이런 석유 자가발전기보다 낳지 않은 가요?"

"그렇긴 하지만 우리 마을에는 전기가 들어오지 않습니다."

갑자기 프랑스혁명 당시에 마리 앙투와네트가 했던 말이 생각난다.

"빵이 없으면 케익을 먹으면 되잖아요."

빵이 없는 마당에 케익이 있을 리 없건만 세상 물정을 모르다 보니 헛소리를 한 것이다.

내가 꼭 그런 꼴이 된 셈이다.

방앗간 안에 겨우 호롱불 하나 켜서 불을 밝히고 안쪽 방에는 하얀 등잔

불 하나가 가물거리고 있다. 이런 판국에 석유를 넣어 돌리고 있는 자가 발동기를 생각 않고 불쑥 전기 발동기를 얘기했으니…

이런 개인 보유 자가 발전기가 전력 부족 문제를 조금이나마 해소시켜 주고 있는 중이다. 나라가 가난하고 전기 생산량이 부족하다 보니 이런 서울 주변 지역조차도 마을에 전기가 들어오질 않는다. 저 전라도, 강원도 시골은 말해 무엇 하랴!

거창하게 경제개발 5개년 계획을 세워 금년부터 몰아 부치고 있는 중이다. 농촌 발전도 힘에 벅찬데 나는 산업화, 과학화를 외치고 있는 중이다. 전기도 없어서 겨우겨우 자가 발전기를 돌리고 있는 마당에 뭔 산업화냐? 등잔불, 호롱불 켜기도 벅찬 우리 실정에 과연 경제 발전이 가능할까?

사실 5개년 계획 첫 해 사업 속에는 전기 증산이 최대의 목표 중 하나가 되어 있다. 영국에서 처음으로 산업혁명을 시작할 때는 지금 저 방앗간 속에 있는 자가 발동기가 큰 역할을 했다. 처음에는 끓는 물의 증기를 이용하여 터빈을 돌리다가 좀 더 발전해서 디젤 석유를 이용했다. 후에 전기 발명과 함께 전기 동력을 이용하게 되면서 공장 가동이 쉬워졌고 공장에서 상품 생산량이 급증을 하게 되었다.

우리 농촌에서는 얼마 전까지만 해도 물레방아나 소를 이용한 디딜방아를 이용해서 방아를 찧었다. 우리 농촌의 어머니, 할머니들은 최근까지도 절구통에 벼를 넣어 절구로 찧고 키로 까불러서 하얀 쌀을 만들어야 했다.

내가 구상하는 원대한 경제 개발 계획은 기존의 농업 경제를 공업 경제로, 상공업 경제로 바꾸는 일이다. 수천 년 지속되어 온 가난한 한국을 벗어나기 위해서는 '농촌 스타일' '소꿉장난 같은' 소규모 경제를 근본적으로 혁신해야만 한다. 그 첫 걸음에 전기가 있다. 선진국형 산업 국가는 엄청난 규모의 전기 에너지를 필요로 한다.

1945년 해방 당시에 우리나라 전력은 발전 설비용량 170만kw였으며 공급 가능 전력은 130만kw였다. 그 중 남한에는 불과 20만 kw의 설비 용량밖에 되지 않아서 약 5만kw의 전력을 북한으로부터 공급받아 남한의 부하(負荷)에 충당하였다. 그러나 그 마저도 1948년 5월 14일 김 일성이 돌연 단전을 시켰다. 남한은 전력난 대책으로 전원의 신규 개발 및 개보수 강화를 기도하였으나 겨우 12만 7천kw 개발을 완성하는 데 그쳤었다. 5.16 당시의 발전시설은 36만 6천 kw에 불과하고, 공급 가능 최대 전력은 26만 5천 kw로서 절대 전력 수요 48만 7천 kw에 응하지 못하는 실정이었다.

(「한국 군사혁명사」 1집. 1135-1136).

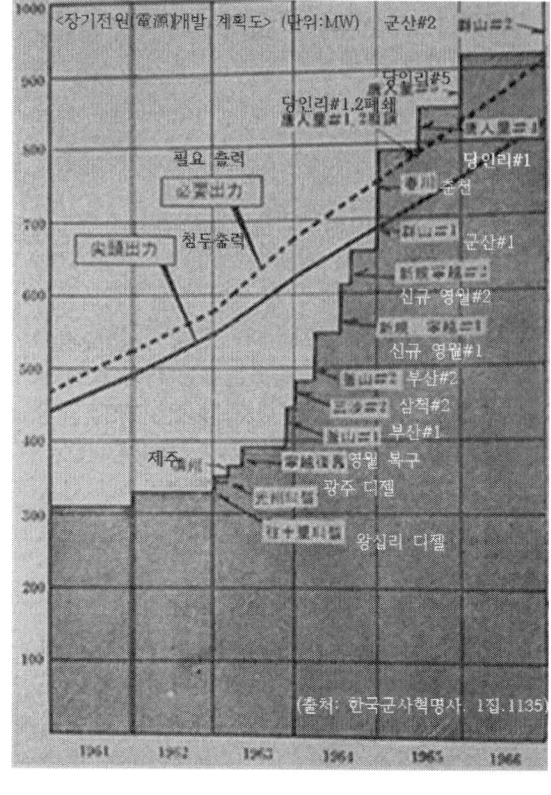

이 승만 정부에서도 전력 확충을 위해 많은 노력을 기울이긴 했었다. 하지만 선진국과의 원조 및 차관 협정 정도에 정성을 쏟는 수준에서 한걸음도 앞으로 나가지 못하고 있었다. 혁명정부에서는 이 문제를 최우선 과제의 하나로 삼고, 1차 년도 계획에서는 무엇보다도 전기 증산에 총력을 기울이기로 했다.

산업화의 기초인 에너지 확보는 물론 전국 농촌과 도시의 빈민 판자촌에 전기불을 켜야만 했다. 등잔불, 호롱불을 없애 가정을 밝혀야만 국민들의 시야를 밝게 할 수 있고 공부를 하든 일을 하든 할 수 있을 것이다. 공장을 가동하기 위해서는 손으로 발동기를 돌리는 수준이어서는 안 된다. 전기 스위치만 넣으면 발동기가 스스로 작동하는 정도는 되어야 한다.

기존 정부가 해오던 업무를 인수인계하여 더욱 적극적으로 전원 개발에 나섰다. 다음 <표 3>에 혁명 정부가 시행해 온 전력 개발 상황이 나타나 있다.

<표 3> 전원 개발 사업 추진 실적

사 업 명	시설 용량 (kw)	시 공 기 간		실적(%)
		시작	종료	
광주 디젤발전	11,790	1962년 1월	1962년 12월	100.0
왕십리 디젤발전	6,000	1962년 1월	1962년 12월	100.0
제주 디젤발전	1,310	1962년 1월	1963년 2월	56.4
삼척 화력 2호기 증설	30,000	1962년 11월	1963년 12월	77.3
부산 화력발전	132,000	1961년 4월	1964년 4월	36.5
신규 영월화력	100,000	1961년 11월	1964년 9월	25.0
군산 화력 건설	66,000	1963년	1964년	5.3
영월 화력건실	80,000	1961년 4월	1965년 7월	88.6
청평 수력 복구		1962년 6월	1965년 7월	16.0
춘천 수력 건설	57,000	1961년 9월	1964년 12월	38.5
섬진강 수력 건설	14,000	1961년 8월	1964년 12월	33.5
산탄(産炭) 송전 시설		1962년 1월	1964년 6월	47.3
송전배전시설확장,보수		1962년 1월	1964년 12월	20.8
(기준:1963년 3월 30일 현재)		(출처: 한국군사혁명사 제1집. 1142).		

가장 빠른 속도로 전기 생산량을 늘리는 방법은 디젤 화력 발전소를 전국 주요 지점에 건설하는 것이다. 표에서 보는 바와 같이 권역별로 화력 발전소를 하나씩 건설하여 권역의 공장과 가정에 필요한 전기를 공급하기로 목표를 정했다. 수력 발전소가 제일 좋은 방법이지만 건설 기간이 여러 해 걸리기 때문에 일단 1차 년도에 전국에 중소규모의 화력 발전소를 여러 개 착공하기로 하였다. 디젤 터빈과 이에 필요한 석유 수입을 위해서 정부 보유 외화를 우선적으로 사용하고 상공부를 앞세워 선진국 차관 도입에 총력을 기울이도록 지시하였다.

유 창순 상공부 장관과 관련 실무자가 참석하는 보고 회의가 있었다. 박임항 건설부 장관과 발전소 건설 책임자들이 동석하였다.

"광주와 왕십리 화력 발전소 건설이 어떻게 되어 갑니까?"

"계획대로 잘 진척되고 있습니다."

장관이다. 실무자를 돌아보면서 보고를 하라는 눈짓을 보인다. 미리 준비된 문건을 중심으로 실무 국장이 보고를 시작했다.

"금년도 한국 전력의 시설 용량은 17,000kw 정도 됩니다. 그래서 217,000kw 정도의 용량 부족 문제를 해소하기 위해서는 매년 12% 이상의 증설을 해야만 합니다. 단기적으로는 화력발전소를 계속 집약적으로 건설해야만 속성으로 목표 달성을 할 수 있습니다.

애초에 전력난이 가장 심한 호남 지방의 전력난을 완화하기 위하여 1962년도 월동대책으로 광주에 설치 예정이었던 20,000kw 발전설비 중 목포에 6,250kw, 또 제주에 1,310kw 분산 설치하기로 계획을 변경하였습니다. 공사는 순조롭게 진척되어 금년 말 이전에 완공될 예정으로 되어 있습니다. 또 왕십리 화력발전소도 추가 증설하여 금년 말에는 18,750kw 정도의 용량을 갖추게 될 겁니다."

"공사는 차질 없이 초스피드로 진행되어 공기를 10여일 앞당기게 되었습니다."

박 장관이 자신감 넘치는 얼굴로 끼어든다.

"삼척 화력 제2기 증설공사는 총 소요액 11억 2,00만원의 자금으로 작년 말에 착수하여 내년 말에 완공될 예정입니다. 동북지방의 활발한 산업개발을 예상하고, 또한 탄광과 가까이에 위치하고 있는 관계로 연료 사용의 용이성이라는 호조건을 배경으로 계획된 것입니다. 1956년도에 건설된 25,000kw 용량의 삼척화력발전소에 직접 연결되어 설치 예정입니다. 이 증설 공사는 국산 무연탄을 주연료로 하고 해군 중유(重油)를 보조연료로 사용하는 복합 시스템입니다."

"모두들 애 많이 쓰고 있군요. 감사합니다. 참 청평 수력발전소 보수 공사는 어떻게 되어 갑니까?"

건설부 담당 국장이 앞으로 나서서 보고를 한다.

"청평 수력 발전소는 1943년에 완공된 4만kw의 설비 용량으로서, 지금까지 20여 년 동안 발전(發電)해 오는 과정에서 제반 설비가 노후화되었고, 제언(堤堰) 및 기초공사에 사용된 일부 콘크리트가 침식되고 풍화되었습니다.

또 6·25 사변으로 인하여 일부 파손된 상태입니다. 완전 복구를 위하여 1962년 6월 4일 미국의 Stone & Webster와 계약을 체결하여 제1차 모형시험을 완료하고 전 공정의 19% 정도의 보수 실적을 나타내고 있습니다."

"경제개발 5개년계획 기간 동안에 이루어질 국토건설 목표 중에는 수력발전소 건설도 들어 있습니다. 계획 기간 중 150만kw 이상의 수력발전소 건설 계획이 잡혀 있습니다. 금년에 공사를 시작한 섬진강댐과 지난 해 착공한 충주댐에 이어서 영월이나 금강 등 유역도 검토 중에 있습니다. 우리의 경우에 수력이 좋지만, 현실적으로는 재정 여건 상 화력 발전이 유리하다는 지적도 있습니다. 예를 들면 12만kw 발전소 1개를 건설하는데 화력(火力)은 2,500만$ 정도로 수력의 1/2밖에 들지 않습니다."

전기는 생산량 자체를 늘리는 것을 가장 우선해야 할 일이지만, 생산된 전기를 잘 관리하고 낭비를 줄이는 일도 더 없이 중요하다.

최고회의에서는 지난 6월 22일 전기 3사를 하나로 통합시켜 한국전력주식회사로 만들었다. 그동안 극히 적은 37만kw의 시설 용량을 1개의 발전회사인 조선전기주식회사와 2개의 배전회사인 경성전기주식회사, 남선전기주식회사가 나누어 관장하고 있었다. 그래서 일관된 전력 정책(電力政策)을 수립하기 어려웠고, 경비 지출은 중복되었으며 적정 요금 산정도 어려웠었다. 혁명정부는 이 3사를 하나로 통합함으로써 불필요한 인원을 정리하고, 각종 부수적인 경비 절약을 꾀할 수 있게 되었다.

지난 해 초, 장 면 정부에서도 전기 3사 통합을 시도했지만 야당인 신민당의 극렬한 반대에 직면하여 무산된 적이 있었다. 당시 신민당측에서 내건 반대 이유로는 발전회사(發電會社)와 배전회사(配電會社)는 분리하는 것이 원칙이며, 통합함으로써 오는 독점 사업의 폐단을 방지할 수 없고, 통합에 따라 약 1,900명에 달하는 감원이 사회적 불안을 조장하게 될 것이며, 통합 대신에 요금을 49.9% 올리면 될 것이고, 신규 발전소는 별개의 사업체로 독립시키는 것이 타당하다는 논리를 내세웠다(조선일보,1962.3.22.). 도대체 경영의 논리는 고려하지 않고 오로지 정치 논리만을 내세워 장 면 민주당 정부를 괴롭혔다.

선진국에서도 100만kw~500만kw 규모는 발전(發電)과 배전(配電)을 한 회사가 통합하여 운영하고 있다. 우리는 기껏 37만kw 용량밖에 되지 않는 상황에서 발전회사와 배전회사가 다름으로써 업무의 중복, 인원의 낭비, 일원화된 자금 계획의 어려움, 기술 집약도 감소, 통제와 관리의 어려움이 있었다. 3사 통합으로 이런 문제점을 일시에 해소할 수 있게 되었다. 혁명 정부이기 때문에 가능한 일이었다.

"정부에서는 심야에 단전이 없도록 하기 위해 고열량의 적색 등(燈) 사용을 제한하고 332,000 등(燈)을 형광등으로 바꾸기로 하고, 일반 가정에 10개월 월부(月賦)로 달 수 있도록 7억 환의 예산을 책정해 놓았습니다." 상공부 담당 국장이다.

경제개발 5개년 계획과 농촌 발전을 위해 긴급하게 화력 발전소 건설에 치중하고 있지만 장기적 관점에서는 수력발전소 건설이 절실히 필요하다. 대규모 수력발전소 건설은 전력 생산을 넘어 가뭄과 홍수 피해 관리 차원에서도 필요하다. 지금까지 우리 국력으로는 수력발전소 하나 건설도 어려운 실정이다. 하지만 전력 문제 해결은 내가 추진하는 경제개발 5개년 계획의 첫 목표일 정도로 중요하다. 모든 역량을 총동원하여 화력발전소는 물론 장기적 관점에서 수력발전소 건설에 전력투구하기로 하였다.

지난 해 9월 21일에 춘천댐 기공식에 이어서 금년에는 전북 임실에서 섬진강댐 건설 기공식(8월 19일)을 가졌다. 섬진강댐은 167억원을 투입하여 35개월 만에 준공하기로 되어 있다. 춘천댐은 총공사비 226억 238만환을 들여 40개월 동안 건설하는데 기술자 82만 명, 일반 노무자 250만 명 등 335만 명이 투입된다. 18,500kw 용량의 발전기 3대가 설치되는데 완공되면 연평균 145,000kw의 전력이 생산될 것이다. 이 댐은 상류의 화천댐과 하류의 청평댐 사이에 위치한다.

기존에 건설되어 있는 청평댐이나 화천댐은 일제 총독부에 의해 건설된 것이다. 그 조차도 전쟁 기간 동안에 포탄과 어뢰 공격으로 파괴되었었다. 이제 겨우 보수 공사에 착수하여 전력 생산에 돌입하고 있는 중이다.

우리나라는 동고서저형(東高西低型) 지형 구조를 가지고 있는데 아무리 심한 장마가 지더라도 불과 1주일 정도면 물이 모두 서해 바다로 빠져 나가버린다. 숲에 잠시 머물렀다가는 금새 사라져 버리는 구조다. 1년 강수량 면에서 보면 영국이나 다른 국가들과 큰 차이가 나지 않는데도 불구하고 여름 장마철에만 집중되는 강수이기에 쓸모가 적은 것이다. 전국이 항상 물 부족에 시달리는 자연 조건을 가지고 있다. 지난 봄에 겪었던 농촌의 극심한 가뭄도 이런 지형적, 자연적 조건으로 인한 것이다.

이런 물부족 현상을 극복하기 위해서는 댐 건설이 정답이다. 다목적 종합 댐을 전국 곳곳에 건설하고 이를 이용하여 전력 생산을 하고, 가뭄과 홍수 피해를 줄여야 한다.

전기 문제는 향후 경제개발 일정에 맞춰서 선도적으로 해결해가야만 한다. 현 상황에서 단순히 부족분을 메꾸는 수준이 아니라 새롭게 시작될 공업화에 발맞춰서 극대화해가야만 한다. 임시방편식의 화력 발전소 건설은 가정용 전기 부족문제 해결에도 급급한 실정이다.

현재 상황에서는 국가 차원이나 기업 차원에서 적극적으로 차관과 기술 도입에 매달려야만 할 것이다. 기업 차원에서 외국 차관과 기술 도입을 수월하게 할 수 있도록 제반 법규와 행정 지원을 아끼지 않아야 한다.

청평 수력발전소

광주 디젤발전소 준공(1962.11.14.)

섬진강 수력발전소 공사 중

춘천 수력발전소 댐 공사

똥 밭에, 배추는 잘 자라지…

해마다 봄이 되면 농부들은 텃밭 가꾸기에 나선다. 가장 먼저 하는 일은 겨우내 모아 둔 인분(人糞), 똥을 똥장군에 퍼 담아 지고 나가서 밭에다 뿌리는 일이다. 상추며 쑥갓, 파, 마늘, 열무, 감자, 고구마를 잘 기르기 위해 인분을 밭 전체에 골고루 흩뿌린다. 부지런한 농부의 한 해 농사 시작이기도 하다.

겨울을 지내자마자 돋아난 냉이, 쑥은 벌써 캐어 국이며 개피떡으로 만들어 먹고 있는 중이다. 봄 철 춘궁기가 도래하면 뒷 광의 쌀독은 벌써 바닥을 드러낸다. 식구들 주린 배를 마음 아파하는 농부는 녹기 시작하는 텃밭을 바라보면서 희망에 부푼다. 풍성한 수확을 기대하면서 열심히 똥바가지를 움직인다.

여름 땡볕에 논의 벼가 쑥쑥 자라나는 때가 되면 가을 김장 배추와 무의 씨를 뿌리는데,그 때도 인분이나 두엄을 필요로 한다.

우리의 농촌에서 생산량을 늘리는 방법 중 가장 선호하는 것이 바로 똥과 오줌을 삭여서 밭에다 뿌려 주는 것이다. 분량을 늘리기 위해 농부들은 뒷간 옆에다 커다란 웅덩이를 만들고 그 곳에 똥 오줌을 볏짚과 풀들과 섞어서 숙성한다. 소나 돼지가 있는 집은 외양간에서 나온 두엄도 곁들인다.

똥 밭에서 상추며 배추는 제법 잘 자란다. 이런 농법으로 한국인은 수천 년을 버텨 왔다. 서울과 같은 대도시에서는 인분을 강가 둔덕에 커다란 웅덩이를 만들어 퍼다 붓고 숙성을 시킨다. 적당한 시기에 밭에다가 퍼다 뿌린다. 좋은 인분 비료가 된다.

일제 시대를 거치면서 우리 농부들 앞에 비료라는 것이 등장했다. 비료를 뿌리니 농작물이 쑥쑥 자라났다. 건강하고 싱싱한 농작물 수확량이 급증했다. 한국인들은 일본인이 전해준 비료의 성능에 눈이 확 트였다. 농부들 너도나도 비료 구매에 나섰다. 비료는 그야말로 금값이었다. 증산을 위해 비료를 구매해 사용하지만 생산량이 비료값을 충당하는 것도 사실 벅차다. 그래서 농부들은 여전히 가난하다.

해방 후 지금까지 미국과 유엔의 원조 자금을 들여서 미국이나 일본으로부터 비료를 사와야 했다. 해방이 되었다지만 우리는 여전히 일본의 지배하에 놓여 있었다.

이 승만 대통령의 자유당 정부에서는 비료 자급을 위해 충주 비료공장 건설에 나섰다. 1955년 10월 22일, 충주군 목향리에서 1954년도 FOA 자금 2300만$와 대충 자금 119억환을 재원으로 하는 충주 제일 비료공장 기공식이 거행되었다. 미국 Macgro Hydrocarbon 회사에서 턴키 방식으로 1959년 2월까지 완공하여 연간 8만 5천톤의 요소 비료(尿素肥料)를 생산하게 되었다. 유안(硫安)으로 환산하면 약 20만톤이나 된다. 하지만 충주비료공장 건설은 5차례에 걸친 공사비 증액(ICA 자금 3800만$와 28억환 추가 투입)과 공사 지연으로 인해 6년만인 1961년 4월 29일에서야 완공되었다. (「한국군사혁명사」 제1집. 1161-1162쪽)

충주비료공장 건설 기간 동안에도 추가적인 비료 공장 건설 논의가 시작되어 나주에 같은 규모의 제2 비료 공장을 건설하기로 하였다. 비료를 전량 일본 등 외국으로부터 구입해 들여오고 있던 상황에서 비료의 자급화는 시급한 과제였다. 1958년 1월 31일 서독의 루루기 열공업 주식회사를 대표로 하는 5개 회사 조합체 대표와 연간 요소 비료 85,000톤 생산 규모의 비료공장 건설 계약을 체결하였다.

당초 계약과 계획에 의하면 1958년 3월에 착공하여 1960년에 완공하고 1961년 3월까지는 시운전을 완료하여 계약 규정에 따라 정부에 공장을 인계하기로 되어 있었다. 그러나 자금 부족과 4.19 이후의 정치적 혼란 등으로 건설공사가 진척되지 못하고 사실상 중단 단계에 빠져 있었다. 5.16 당시 공사 총 진도는 35%에 불과하였다.

혁명정부는 공사 촉진을 위하여 1961년 6월 1일, 국가재건최고회의령 제31호 '호남비료 주식회사 주식 인수에 관한 법령'을 제정, 공포하여 주식을 인수하고, 두 차례에 걸쳐서 추가 투자를 단행하였다. 즉 1961년 6월 16일에 3억 5천만 원과 1962년 2월 1일에는 3억 3,800만원을 증자하여 자본금 총액이 10억 원으로 되었다. 또 공장 추가 기계 구매를 위하여 1961년 7월 11일에는 외화 180만$를 추가하는 한편 원 계약에 의한 1,703만 달러를 9월 9일에 추가하여 공장건설을 위한 총자금은 외화 2,700만$와 내자(內資) 총 10억원으로 증가되었다.(「한국군사혁명사」 제1집. 1161-1162쪽)

1962년 5월이 다 가도록 비가 내리지 않아 농촌이 가뭄에 시달렸다. 천수답 논을 가진 농부들은 하늘만 바라보고 있었다. 최고회의 내에서도 경제개발 5개년 계획 첫 해부터 불안한 징조로 여겨지고 있었다. 그만큼 농촌 봄 가뭄이 심각했다. 충주 비료 공장이 완공되어 금년부터는 국내산 비료를 농촌에 공급하기 시작했고 조만간 나주 비료 공장도 완공되면 농촌의 비료 걱정을 덜게 되었건만…

문제는 모내기도 못하는 실정이다. 모내기는 아무리 늦어도 6월 중순 이전에 끝내야만 한다. 그래야만 가을에 곡식이 여물 시간이 확보될 수 있다.

전국적으로 농촌 모내기 지원을 독려했다. 공무원과 군인, 학생들을 총동원하여 천수답 호미 모내기 지원에 나섰다. 마른 논에 호미로 구덩이를 파고 웅덩이에서 퍼 온 물을 조금 뿌리고 어린 모를 심었다. 이렇게 라도 심어 놓고 비가 내리기를 기다려야 한다.

서울 근교의 양평군 지평리로 최고회의와 농림부 관계자들과 함께 현장 시찰을 나갔다. 천수답이 많은 언덕배기 마른 논에 학생들과 공무원들이 가득했다. 국민학교 고학년과 중학생, 고등학생들이 총출동한 것 같았다. 손에 호미 하나씩 들고 길게 늘어서서 마른 논에 어린 벼 모를 심고 있었다.

그들을 방해할 것 같아서 가까이 가지 않고 먼발치에서 바라다보았다. 유월 땡볕이 제법 따가웠다. 얼굴로 줄줄 흐르는 땀을 손수건으로 연신 닦고 있는 나를 보고는 양평 군수가 산자락의 소나무 밑 그늘로 안내한다. 나무 밑으로 들어서니 서늘함이 느껴진다.

덕담이라도 해야만 했다.

"모두들 고생이 많습니다. 이렇게라도 해야만 쌀 한 톨이라도 더 건질 수 있으니. 비록 늦긴 하더라도 조만간 초여름이니 비가 내릴 겁니다. '지성이면 감천'이라고. 힘내고, 비를 기다려 봅시다."

"옛날에는 극심한 가뭄에 국가 차원에서 기우제를 지내는 것이 상례였다고 하는데 우리도 지내야 하는 게 아닐까요? 최고회의에서 '강우 촉진(降雨促進)에 관한 임시특례법(臨時特例法)' 같은 것을 만드는 것이 어떻겠습니까?"

이 후락 공보실장이 답답한 분위기를 바꿔보겠다면서 농담 반 진담 반으로 말을 꺼낸다. '피식' 웃음이 나온다.

"그나저나 나주 비료 공장 건설 일정은 어찌되어 갑니까?"

심각한 농촌 가뭄 대책을 걱정하는 와중에도 비료 문제는 중요한 화두 중 하나였다.

농림부 장관과 국장들을 돌아보면서 진행 상황에 대해 물었다.

“재원 부족분에 대한 추가 지원도 이루어져서 금년 말에는 완공될 예정입니다. 현재 최종 점검 중에 있습니다.

나주 비료 공장은 연말 이전에 완공한 뒤, 시운전을 거쳐 내년 봄에는 본격적으로 생산에 들어갈 수 있다. 하지만 이 두 공장이 풀 가동된다 하더라도 국내 비료 수요량의 약 40% 정도밖에 충당치 못한다. 나머지는 여전히 외국으로부터 수입해야만 한다. 저 지난 해 이 승만 정부에서는 1960년 3월에 개최된 제44회 부흥위원회에서 제3 비료공장을 추가로 건설하기로 의결하였다.

혁명 정부에서는 나주 비료 공장 건설 작업과 동시에 제3 비료 공장 건설 작업도 서둘러야 했다. 금년 초에 울산 공업단지 착공에 들어가면서 자연스럽게 제3비료 공장을 울산 산업 단지에 건설하기로 합의를 보았다.

나주 비료 공장

우선적으로 공장 건설에 필요한 자금 마련을 위해 1961년 11월, 상공부장관을 단장으로 하는 정부 경제사절단이 유럽의 서독과 이태리를 방문하여 차관 교섭에 나서도록 만들었다. 동시에 민간 경제사절단을 구성하여 일본과 미국, 캐나다 등으로 출발시켰다. 경제인협회 주최로 종합 공업지대 입지 가능성을 검토키 위하여 울산지구를 답사하고 1962년 1월 29일, 내각의 결의에 의하여 울산비료 공동투자체를 구성하게 되었으며, 1962년 3월 21일에는 경제기획원장으로부터 제3 비료의 비종(肥種)은 요소로 하고, 규모는 연산 25만 톤으로 하여 공장을 울산에 건설하기로 하였다(「한국군사혁명사」 제1집. 1161-1162쪽). 1962년 5월 4일, 공장 건설 실수요자로서 울산비료주식회사가 정식 발족하였다.

최종적으로 제3 비료공장의 비종과 규모는 요소 연산 165,000톤, 인산(燐酸) 연산 10만 톤, 염화가리(鹽化加里) 55,000톤으로 하되 염화가리를 수입하여 타 비료와 적합한 비율로 혼합하도록 하였다.

최근 10월 31일까지 일본의 신호제강, 서독의 루루기 사, 미국의 American Cyanimide, Vitro 및 Armour 사 등과 의미 있는 차관 교섭이 진행되고 있는 중이다.

"충주 비료 공장 시설 배가 작업도 순조롭게 추진 중에 있습니다."

충주비료공장운영 주식회사는 기존 시설과 동일한 규모인 요소 비료 연산 8만 5천톤의 비료공장을 배가 증설 시설코자 지난 해 11월 30일에 사업계획서를 작성하여 정부에 제출해 왔다. 최고회의에서는 상공부와 경제기획원에 사업계획서 검토를 지시하였고, 1차 5개년 계획에 포함시켰다.

그 후 1962년 8월 6일에는 USOM/K에서 본 사업 차관 신청서의 검토 및 정부와의 협조가 완료되어 단비(單肥)로 차관 신청서를 AID/W에 송부하였으며, 1962년 11월 17일 충주비료공장운영주식회사에서는 외국기술 개설단에 위촉할 기술용역 신청서를 경제기획원에 제출했다.

"최근에 고민 중인 것은 요소 비료 생산보다는 20만톤 규모의 복합비료 생산 공장으로 개조하면 어떨까 하는 겁니다. 질소 인산, 가리의 삼 요소를 복합하면 농민들이 비료 살포의 노력을 반감할 수 있을 겁니다."

농림부 장관과 담당 국장의 보고가 진지하다.

"일리 있는 얘기입니다. 요소 비료만 뿌리면 작물이 크게 자라기는 하지만 벼나 보리와 같은 곡식들이 알차게 영글게 하려면 가리 비료가 동시에 필요하지요. 그런데 공정 중에 세 요소가 화학 반응을 일으켜 버리면 안 되지 않나요?"

"그 부분은 기술적으로 해결이 가능하답니다."

갑자기 서쪽 편 논둑 가에서 학생들이 웅성거리는 소리가 들린다. 대수롭지 않게 넘기고 있는데 조금 있으니 지역 서기 한 사람이 군수에게 와서 보고를 하였다.

"학생 하나가 설사를 했는데 똥 속에 허연 회충 여러 마리가 나왔답니다.

아이들이 징그럽다고 하면서 수군거린 겁니다.”

알만 했다. 요즘 농촌에서 애 어른 상관없이 다수가 앓고 있는 배앓이. 똥 밭에서 자란 상추나 쑥갓 등을 먹고 회충, 촌충, 십이지장충에 오염된 사람이 많다. 전형적인 후진국 병이다. 비료를 쓰면 그래도 괜찮은데 아직까지는 전통적으로 인분 비료를 사용하기 때문에 이런 현상이 나타나고 있다. 또 봄철에 먹을 것이 없어서 밭의 냉이와 달래, 쑥, 질경이 등을 캐서 먹다 보니 각종 기생충에 오염된 것을 먹게 되어 있다. 국민재건운동을 통해 물 끓여 먹기, 채소를 잘 씻고 익혀서 먹기 운동을 벌리고 있지만 여전히 나아지질 않고 있다.

언젠가 보았던 농촌 기생충 관련 기사가 떠오른다.

“기생충은 우리가 대별해서 장내(腸內) 기생충과 소위 간 및 폐 디스토마로 나눌 수 있다. 장내 기생충에는 우리가 잘 알고 있는 회충(蛔虫), 십이지장충(十二指腸虫), 요충(蟯虫), 편충(鞭虫), 동양 모양 선충(東洋毛樣線虫), 촌충(寸虫) 등이 있다. 전 국민 중에서 이런 기생충에 감염된 사람 비율은 거의 90% 이상이다. 장내 기생충으로 인한 영양적 손실과 소화기 계통 장해가 심각하다. 이러한 기생충은 대부분 입을 통해 사람 몸속으로 들어가지만 어떤 것은 피부를 뚫고 들어가는 것도 있다.

이러한 소화기 계통의 기생충 외에 요즘 중대한 농촌 문제로 등장한 것이 소위 간 디스토마와 폐 디스토마다. 이것들은 아직도 그 치료법이 발견되지 않은 상태에서 점점 감염율이 높아지고 있다. 그 증상이 중하고 장기적이라는 점에서 결핵에 못지않은 큰 문제다.

농촌 보건 문제의 중요한 과제인 기생충 문제에 있어 장내 기생충도 인분의 적절한 처리와 변소의 개량, 그것도 간단히 파리가 드나드는 것을 막는 뚜껑을 만드는 것과 채소를 생으로 먹는 것을 삼가 하든 지, 내려가는 물에서 잘 씻는 것으로써 막을 수 있다. 그 중에서 제일 무서운 십이지장충은 인분을 준 논밭에 맨 발로 들어가지 않고 용변 후 식사 전에 손을 깨끗이 씻는 습관만으로써 충분히 예방할 수 있다. 간 디스토마나 폐 디스토마는 민물고기와 게, 가재 등을 충분히 익혀서 먹는 것만으로써 얼마든지 예방할 수 있다." (조선일보, 1960. 2.18.)

지금 현재 전 국민 특히 농촌 사람들 대부분이 기생충으로 감염되어 있다. 어린애들 중에는 횟배로 배앓이를 하는 이들이 많고 어른들 중에도 회충, 촌중은 물론 디스토마에 감염된 사람들이 적지 않다. 이런 문제는 날것으로 먹는 상추나 배추 등 채소 재배에 인분을 사용하기 때문이다.

혁명 정부에서 본격적으로 비료 생산에 돌입한 만큼 조만간 화학 비료를 사용한 농산물 재배가 늘어날 것이고 이런 부수적인 기생충 감염 문제도 해결될 수 있을 것으로 본다.

농작물이 잘 자라 풍년이 되어도 걱정이다. 값이 폭락하여 수입 소득이 늘지 않는다.

농작물 품종 선택을 잘 해서, 잘 재배해야 한다. 그리고 자급자족을 넘어 상품화를 꾀해야만 한다.

국토 건설, 도로와 철도

가뭄으로 흙먼지 풀풀 나는 여주 이천 강가 신작로를 달리면서 의문을 가졌던 적이 있다.

'조선 시대에는 왜 이런 신작로를 낼 생각을 하지 않았을까?'

'정조 대왕의 화성 행차도를 보더라도 그 많은 군대와 군중이 움직이는데 어째서 수레, 우마차가 한 대도 안 보일까?'

흙먼지를 뒤집어쓰면서도 묵묵히 서 있는 길가 미루나무들을 보면서 '도대체' 이해가 안 갔다.

결론은 그거다. 우리 민족은 수천 년 동안 내내 가난했었다. 산이 많다고 하더라도 수레를 이용해서 실어 옮길만한 쌀이나 물품이 없었다는 얘기다. 그냥 말 한 필에 짐을 실으면 될 정도의 물동량밖에 안되는 농촌의 삶. 일제 강점기를 지나면서 비로소 철도가 놓이고 전국적으로 신작로가 만들어졌다.

해방 후 지금의 국토 환경을 일별해 보면 경인선, 경부선, 호남선, 전라선, 충북선이 거의 모든 인구 이동과 상품 물동량을 실어 나르고 있다. 자동차를 이용한 인구 및 상품 이동은 한정된 지방 내에서만 이루어지고 있다.

도로와 철도, 교통은 인체로 말하면 혈관, 핏줄과 같다. 도로와 철도 교통이 원활해야만 인구 이동이 수월하고 상품 유통도 쉬워진다. 경제개발에 나서서 태백산 천연자원을 개발하고, 울산에 공업 단지를, 충주와 나주에 비료 공장을 건설한다지만 이것을 실어 나르는데 많은 시간과 비용이 든다면 그것도 문제다. 도시 주변에서 생산되는 생활 필수품들도 도로를 타고 전국으로 확산되어야 한다.

5·16 당시 총 도로 연장(延長)은 국도 5,743km, 지방도 10,542km, 시

군도 10,884km로서 총 연장이 27,169km에 불과하였다. 그러나 도로 대부분이 해방 전에 건설된 것으로 토사도(土沙道) 인데다가 로폭(路幅)이 협소하고 굴곡이 심했다(「한국군사혁명사」 제1집. 987). 교량을 위시한 각종 구조물이 불량하여 해방 후에도 지속적으로 개량과 정비에 치중해왔으나 여전히 교통기능면에서나 경제적 수송면으로 보아 후진성을 면치 못하고 있다. 해방 후 도로 건설은 기껏 사변 당시 군 작전상 필요에 의해서 군관민 합동으로 확장 개수를 강행한 정도다. 혁명정부에서는 주요 도로에 교량을 가설하고, 도로를 포장하고 개수(改修) 작업을 적극적으로 전개하고 있는 중이다.

국가재건최고회의에서는 지난 1961년 12월 2일, 경제개발 5개년계획의 성공적 수행과 병역 미필자의 처우 개선책의 일환으로 국토건설단법을 제정하였다. 현역 군인으로 징집하는 대신에 국토건설 현장에 투입하여 군복무를 대신할 수 있게 한 것이다. 현재도 군 병력 수가 지나치게 많은 실정임을 감안하여 취한 조치였다(「한국군사혁명사」 제1집. 1000-1001).

1962년 2월 10일 창단된 건설단은 기간요원(基幹要員)과 건설원(建設員)으로 구성되었으며, 4개 지단(支團) 2개 분단(分團)으로 편성 배치하였다. 건설 단원은 규정된 보수의 지급(支給) 및 보급(補給)을 받았으며, 건설원은 일반학, 전술학, 기타의 군사학 피교육도 겸했다. 기간 요원은 군사원호처의 주관 하에 선발하여 국가공무원 신분에 준하였고, 건설원은 징병 적령자 중 현역병으로 부적당하다고 국방부장관이 인정하는 자와 근로동원법에 의하여 동원된 자로 나누어 현역병의 신분에 준하게 하였다(「한국군사혁명사」 제1집. 1000-1001). 복무 연한은 18개월로 하되 지원한 자의 복무 연한은 12개월로 정하였다.

국토건설단이 투입된 공사는 다음과 같은 것들이었다.

- 제1지단 (경남 진주): 남강댐 이설도로 축조공사
- 제2지단 (강원 춘천): 소양강 춘천 댐 이설도로공사

- 제3지단 (강원 예미): 예미~정선 간 산업도로 확장공사
- 제5지단 (경북 영주): 점촌~예천 간의 철도 복구공사
- (독립) 제1분단 (전남): 섬진강 수몰지구 내 이설도로공사
- (독립) 제2분단 (경남 울산): 울산도시계획, 산업철로축조공사.

기간 요원 980명과 건설원 14,621명으로 구성되었던 국토 건설단은 겨울철 동결기 토목공사의 시공이 불가능한 상태에 임하여, 약 1개월간의 공기를 단축하여 1962년 12월 하순 건설원을 귀휴 조치하였고. 1962년 12월 31일로 해단하였다.

혁명 직후 1961년 7월 10일, 능곡 국민학교에서 능의선(陵議線) 개통식이 있었다. 윤 보선 대통령, 김 광옥 교통부 장관, 메이어 유솜 처장 대리 등과 함께 참석하여 축사를 하였다. 경의선 능곡과 경원선 의정부 사이를 잇는 총연장 31.9km 구간인데, 미군 부대 구간은 착공을 미뤄 일단 능곡에서 가능까지 26.5km 구간이 완공되었다. 원래는 광복 전에 노반 공사가 거의 완성되어 있었으나 건국과 전쟁을 치르느라고 방치되었었다. 한화 75,800만환과 유솜 차관 611,000$를 들여서 1959년 10월 14일 착공한 지 1년 9개월이 걸렸다.

능의선 기공식

능의선 개통식

국토건설과 도로 교통 기반 시설 구축은 국가 경제 발전의 기본 요건에 속한다. 또 국민재건운동의 효과가 금방 나타나는 것이 아닌데 비해서 도로나 철도, 상하수도 건설은 금방 가시적 효과를 낼 수 있는 정책들이다. 국민들에

게 혁명 정부의 활동 결과를 보여주기 위해서라도 '건설' 작업이 필요하다. 지난 번 능의선 건설도 서울과 경기도 주민들이 얼마나 환호했던 가. 주말이면 구파발과 송추로 놀러 나가는 나들이객이 인산인해를 이루고 있다.

혁명 정부는 국토건설 업무가 중요해서 기존의 부흥부를 없애고 건설부로 하였다가 새로 만든 경제기획원 산하의 국토건설청으로 만들었다. 그리고 정부조직법을 개정하여 내무부 토목국과 해무청을 흡수하였고, 국토계획국, 국토보전국, 수자원국, 관리국의 4국 체제로 증편하였다. 이어서 내무부 산하에 있었던 서울, 부산, 이리 등 3개 지방건설국과 국립건설연구소를 흡수하였고, 태백산 지역 국토건설국을 증설하였다. 금년 들어와서는 울산특별건설국을 설치하여 울산종합공업센터 건설사업을 전담케 하였고, 6월 18일에는 국토건설청을 해체하고 건설부를 만들었다.

건설부에서는 본격적으로 민정 이양 후까지 이어지는 중장기 국토건설종합계획 수립에 들어갔다. 전력과 수자원 개발을 위한 춘천댐과 섬진강 댐, 남강댐 건설 공사를 건설부가 주관하고 각종 항만 공사, 태백산 지구 종합계획 등 국력을 총동원하는 큰 사업들이 본격적으로 전개되었다.

7월 26일 수해를 입은 영주 지역을 방문한 것을 계기로 영주를 포함한 태백산 지구 종합 개발 계획을 건설부 장관과 경상북도 지사에게 강력하게 지시하였다. 수해 지구 복구 작업이 군관민의 강렬한 애국심의 발로 였음을 상기시켰다.

태백산 지역 종합 개발은 우리나라 주력 수출품인 무연탄, 철광석, 석회석, 흑연, 중석 등을 중심으로 금, 은, 동을 본격적으로 채굴, 가공하기 위한 것이다. 이런 천연자원 광물을 이용하여 시멘트, 소다, 카바이트를 제조하여 수출하고, 더 나아가서 충주 비료 공장, 영월 화력 발전소, 제천과 단양의 시멘트 공장, 제철소 등을 가동시킬 수 있다. 동해안의 묵호, 삼척 지역으로 연결하여 수출을 원활히 하게 된다.

건설부에서는 이 지역에 필요한 철도 건설, 산업 도로 건설에 총력을 기울였다.

핵심은 철도 건설인데 황지선, 정선선, 경북선, 동해북부선 건설이다. 유솜과 서독, 미국 등에 개발 계획을 작성하여 제출하면서 적극적으로 차관 지원을 이끌어냈다. 현재 한국의 입장에서 경제 발전, 수출 증진에 가장 큰 기여를 할 수 있는 사업이라는 점을 부각시켰다.

황지선은 1961년 8월 8일 기공식을 가졌는데, 태백산 권역 개발에서 가장 중요한 철로가 될 것이다. 황지선은 철암선 통리로부터 심포리까지 이르는 황지본선 8.5km와 철암선 백산~황지리 간에 이르는 황지지선 9km 도합 17.5km에 달한다. 황지지선은 황지리 지방의 탄전 개발과 무연탄 수송을 위하여 꼭 필요한 노선으로 1962년 12월 10일에 완공되었고, 본선은 내년 5월 말 완공 예정이다.

황지선은 삼척선(三陟線)의 암적 존재였던 통리(桶里)~심포리(深浦里)역 중간에 가로 놓인 「잉크·라인」을 없애고 직통으로 철도를 연결하였으며, 삼척 탄광 지대 심장부인 황지 지구의 석탄을 철로로 운송하게 됨으로써 수송량의 증대와 소송 시간과 비용 절감 효과가 엄청나다. 그동안은 「잉크·라인」 때문에 통리와 심포리역 간 약 700m 가량의 고갯길을 승객들이 걸어야 했다. 석탄 등 화물을 자동차를 이용하여 실어 오르고 내려야 하는 불편이 있었다. 황지선 건설을 통해 이런 문제를 깔끔하게 해소할 수 있게 되었다.

동해북부선은 옥계에서부터 강릉의 경포대까지 32.9km로서 기존 개통 구간인 북평~옥계 간 17.4km를 제외한 선이다. 동해북부선은 동해안 지구 경제적, 산업적, 국방 상 및 관광 상 중요한 선으로서 경제개발5개년계획 사업 중 일부로 1962년 4월 26일 착공하여 7개월 만인 11월 6일에 완공하였다. 국토건설단과 건설 노동자를 동원하여 '공격적으로' 철도 건설에 임한 결과다.

정선선은 함백선 예미에서 정선까지 42km 철로를

건설하는 사업이다. 이 철도는 함백 탄전과 정선 탄전 등 태백산 중심부의 여러 자원과 추정 매장량 4억 8천여 만 톤의 무연탄 채굴을 위한 목적에서 1962년 5월 9일에 착공하여 3개년 계획으로 시공 중에 있다. 경북선은 황지선 및 동해북부선 개통에 따르는 수송 수요에 대비하고 경부선과 중앙선을 직결하는 횡단철도의 형성으로 산업개발과 경제적 수송을 기하기 위하여 건설 중에 있다. 점촌서 영주에 이르는 58.6km 경북선 건설 공사는 경제개발5개년계획 사업으로 1962년 5월 3일 착공하여 3개년 계획으로 시공 중에 있다.

철도 공사는 단순히 새로운 철로를 개설하는 정도를 넘어서서 역사 건축, 노후 선로와 침목 개량, 디젤 기관차 구입과 운용, 교량 건설, 연관된 전기와 신호 체계 개선 등 수많은 일들이 복합적으로 요구된다. 아울러 철도 운송에 필요한 부대시설들이 많이 필요하다.

혁명 정부의 국토건설은 전방위적으로 진행되고 있다. 이 승만 행정부로부터 이어지는 국토 건설 작업에 더욱 박차를 가하여 곳곳에서 가시적인 성과를 내고 있는 중이다. 위에서 살펴본 철도 건설은 물론 신설 도로 개설 및 도로 확장과 포장, 댐 건설, 항만 건설, 행정기관 및 학교, 공공 시설과 건축물, 교량 건축 등을 총력을 기울여 추진하고 있다. 전에는 재정이 부족하여 엄두도 내지 못하던 것을 재정의 능률적 배분과 함께 외국으로부터 차관 도입을 통해 충실히 뒷받침하고 있다. 또 자유당 정권 말기로부터 지난 민주당 장 면 정부의 정치적 혼란 상황으로 지지부진하던 공사를 빠른 속도로 추진해가고 있다.

사실 빼놓을 수 없는 건축 공사 중에 정부가 들어 있는 중앙청 보수 공사도 들어 있다. 혁명 직후인 1961년 6월 8일 각의에서 2억 7천만환을 들여 3년간에 걸쳐 보수 공사를 진행하고 있다. 이 건물은 1926년에 완공한 조선총독부 건물로서 동양 굴지의 건축물이다. 그런데 6.25 전쟁 때 폭격을 받아 지붕과 내부 시설 일부가 파손된 채 10여년 동안 방치되어 왔었다. 1차 년도에는 1,340만환을 들여서 지붕 복구와 외부 창 보수 공사를 완료하였다.

현재 서울 전역의 주요 도로를 확장하여 포장하는 공사가 진행되고 있다. 봄철이나 비만 오면 질척거리던 도로가 이제는 말끔한 포장도로로 변모하고 있다. 전국 대도시에서도 도로 확장과 포장 공사가 지속적으로 추진되고 있다.

남산에 가을 단풍이 서서히 들어서기 시작하던 10월 초, 퇴근을 하면서 차를 타고 남산 팔각정에 올랐다. 장충단 공원에서부터 팔각정(八角亭)까지 이르는 1,286m 남산 관광 도로가 지난 6월 말에 착공하여 지난 달 말에 완공되었다. 비록 공사비가 더 들긴 했지만 도로 폭을 8m로 확장하고 시멘트로 포장하여 내구성을 좋게 한 도로다. 공사비로는 1,200만원이 들었다.

5~6분 만에 팔각정 바로 밑에까지 올랐다. 천천히 걸어서 팔각정으로 올라가 서울 시내를 내려다보았다. 한강 건너편으로 너른 들판에서 점점이 농부들이 일을 하고 있었다.

팔각정에는 현판이 사라지고 없었다. 아직도 우남정(雩南亭) 간판이 눈에 선하다. 건국의 아버지에서 독재자로 급전직하하신 이 승만 대통령이 아련하다. 지난 해 하와이 방문 때 직접 찾아뵈었어야 했다는 생각이 든다.

'이리저리 눈치 보기'는 어릴 적부터 생긴 못된 버릇인데, 아직도 내 체질 속에 단단히 자리하고 있는가 보다.

남산의 팔각정
(옛 우남정)

Little Boy 에서 '제3의 불'로

일본과 미국 방문 준비에 바쁘던 지난 해 11월 1일, 소련이 지하 핵실험을 시도했다는 중앙정보부 해외팀의 보고를 듣고 은근히 화가 났었다.

'도대체 어디에 쓸려고 핵폭탄 개발에 열을 올리나? 또 전쟁을 벌일 판인가?'

중공의 모 택동도 핵 실험을 강행하려 하고, 북한 김 일성조차도 측근을 소련으로 급파해서 정보 수집에 열중하고 있다고 했다. 우리만 가만히 있어서는 안 될 것 같은 분위기다.

이 참에 국민을 안심시키고 대 북한 메시지를 전달하는 특별 성명을 1961년 11월 2일, 발표하였다.

"친애하는 전 국민과 세계의 모든 자유와 평화 애호 인민 앞에 본인은 소련의 야만적이며 발광적인 핵폭발 실험의 감행을 규탄코자 한다. 지금 세계는 사상 일찍이 보지 못하였던 공포와 불안에 처해 있다. 적색 제국주의 소련이 입으로는 평화를 고창하고 공존을 주장하면서도 손으로 살육을 지휘하고 파괴를 자행함은… 초대형 핵폭발 실험으로 더욱 여실히 증명되고 있다.

우리가 그들의 저돌적 행위를 규탄하고 그 즉각 중지를 요구하는 이유는 '죽음의 재'가 공산권 내의 선량한 인민을 포함한 전 세계 인류의 건강과 후세 자손들 자체에 미치는 결정적인 불행에서부터 현 세대를 구제해야 한다는 데 있다. 본인은 전 인류를 멸망에 이끄는 소련의 무분별한 대기권 내의 초대형 핵폭발 실험에 항의한다.

또한 전 국민과 전 세계 인민이 이 항의와 호소에 참가하기를 바란다. 그리고 궁극적으로는 공산도배(共産徒輩)의 제거가 있어야만 우리가 안심하고 살 수 있기에 전 국민의 반공 의식을 새로이 하고 자유 세계의 단결을 공고히 할 것을 강조한다."

사실 지난 1961년 9월 15일에는 미국에서도 핵실험을 강행하였다는 보도가 있었다. 케네디 대통령이 직접 브리핑을 하여 네바다에 있는 핵실험 장소에서 저성능의 지하 핵무기 개발 실험을 하였다고 공개하였다. 이에 비해 소련은 비밀스럽게 핵실험을 지속하고 있었다.

마침 해병대의 인천상륙작전 참전 기념 행사를 위해 최고회의 각 분과 위원장들과 김 종필 중앙정보부장, 원 충연 공보실장 등을 대동하고 강화도를 방문하고 있던 와중에 소식을 들었다. 행사를 마치고 조개 칼국수로 오찬을 한 뒤, 커피와 담배 한 대를 피우는 휴식 시간에 자연스럽게 핵무기에 대한 얘기가 주제로 등장하였다.

"우리도 핵무기 하나 가져야 하는 게 아닐까?" 이 주일 장군이 지나가는 말처럼 원 실장을 바라보면서 한 마디 한다.

"지난 정부에서 원자력연구소를 만들고 미국 지원을 받아 원자력의 평화적 이용을 위한 연구에 노력을 기울이고 있긴 합니다. 현재 원자로 한 기를 건설 중에 있고 실험을 위해 추가적인 동위원소를 미국에 요청하고 있습니다."

핵의 평화적 이용에 관한 미국측 의도와 협력에 부합하여 우리도 조금씩 원자력 연구에 힘을 쏟고 있는 중이다. 하지만 아직 일천하고 막연한 감도 있다. 몇몇 연구진 박사들이 미국을 오가면서 개인 차원에서 관심을 갖기 시작한 것에 더해서 정부 차원에서도 조직을 만들고, 재정적 지원을 조금씩 늘려 가고 있다. 하지만 현재 우리의 역량으로는 재정도, 기술도 부족하기만 하다.

"지난 번 백림(伯林) 북대서양조약기구(北大西洋條約機構, NATO) 회의(1960년 12월 18일)에서 소련의 위협과 소란 전술 속에서 서백림과 유럽 국가들을 보호하기 위하여 나토가 여러 국가 군대로 구성되는 중거리 탄도 미사일 부대를 설치하는 집단 방위 동맹에 합의하였습니다. 중요한 것은 미국이 자국의 핵무기를 계속 유지하여 나토로 하여금 사용할 수 있도록 하는데 합의했다는 사실입니다. 우선 임시조치로서 폴라리스 미사일을 발사할 수 있는 미국 핵잠수함 5척을 1963년 말까지 지중해에 정박 중인 미 제6함대에 배속시키기로 했답니다." 김 종필 부장이다.

"서백림보다도 우리 실정이 더욱 절박합니다. 후루시쵸프나 모 택동, 김일성 모두 위험인물입니다. 지속적으로 미국측에 핵 잠수함의 한반도 주변 배치를 요청해야만 합니다." 위원장 몇이 이구동성으로 나선다.

"일단 원자력연구소 운영에 집중합시다. 원자력 기술을 발전시켜 가다 보면 우리도 어느 순간에는 핵무기 개발을 할 역량이 갖춰질 겁니다. 미국이 반대를 하면 우리가 핵무기 실험을 할 방법이 없어요."

12월 초, 원자력연구소 최 형섭 소장이 박사 한 명을 데리고 급히 내 방에 나타났다.

"의장님, 긴급히 보고 드릴 일이 있습니다. 원자로를 이용해 중성자 실험을 하는 도중에 누수 흔적이 발견되어 가동을 중단시켰습니다."

"그래요? 그러면 큰 일 아닙니까? 혹시 누구 오염된 사람은 없었습니까?"

"그렇게 심각하지는 않습니다. 다만 실험을 계속하기에는 문제가 있는 것 같습니다. 일단 제너럴 아토믹 회사측에 보고하고 대책을 강구토록 해 놓았습니다."

"내가 알기로는 원자로 공사가 늦어진 것도 판매 회사측에서 당초 설계를 잘못하여 A1 탱크를 추가로 설치하여 원자로 탱크를 보강하는 작업 때문이라고 알고 있습니다. 정식으로 문제 제기를 하고 완벽하게 보완하도록 해야 할 겁니다. 비용은 누가 부담하지요?"

"아직 보증 기간이라서 판매 회사측에서 전액 부담하도록 되어 있습니다."

"보강하려면 시간이 얼마나 걸립니까?"

"아마도 3-4 개월은 걸려야 할 겁니다."

우리의 원자력 연구는 다른 나라에 비해서 빠른 속도로 진행되고 있다. 원자력 관련 학자, 전문가들의 열정이 남다르기 때문이다.

"한창 신나게 연구하고 진도가 나가야 할 판에 일이 생겼군요. 우리가 너무 서둘러 건설하느라고 생긴 문제는 아니겠죠?"

"그러진 않습니다. 원자로 자체의 문제이기 때문입니다."

빠른 시일 내에 정상화할 것을 지시하고, 혹시라도 의욕이 상실되지 않도록 연구진들을 잘 다독거릴 것을 부탁했다.

지난 1956년 2월 3일, 한미원자력협정(韓美原子力協定)이 조인되었다. 이는 아이젠하워 대통령이 원자력(原子力)의 평화적 이용을 위해 자유 우방 30개 국가와 협약을 맺는 과정에서 이루어진 것으로 우리는 관련 지식과 함께 원자로 연료(原子爐燃料)로서 농축(濃縮) 우라늄 6kg을 대여받게 되었다. 이어서 문교부 원자력과에서는 38만 2천$와 2,900만원의 자금으로 원자로건설 계획을 세운 뒤 1958년 12월 4일에 미국 General Atomic 회사와 교육 훈련 및 학술적 연구와 함께 동위원소 생산용의 TRIGA MARK II 원자로의 구매 계약을 체결했다.

원자로 건설과 원자력 연구의 중요성에 부응하여 정부는 1959년 2월 대통령 직속기관으로 원자력원을 설치하고, 7월 14일 원자로 건설 기공식을 거행하고 연말까지 건설하기로 했었다. 하지만 건설 작업은 지지부진한 채 진도를 나가지 못했다. 혁명 정부에서는 여러 애로 사항을 해소시켜 1962년 2월 말에 건설을 완료하고 3월 30일 본격적인 가동에 들어갔다.

방사성 동위원소가 소량이나마 우리 국내에 도입되어 연구가 시작된 것은 1960년 4월쯤이다. 이때부터 우리도 의학, 농업, 공업 등 여러 분야에서 본격적으로 원자력 연구에 돌입하였다. 방사성 동위 원소 수입 상황을 보면 1960년도에는 13핵종(核種) 약 1430mc, 1961년에는 14핵종 약 2,360mc, 2,000cdfea, 1962년에는 19핵종 약 4,662mc에 이른다. 지난 3월 원자로 가동 이후에는 소량이나마 반감기(半減期)가 짧은 방사성 동위원소를 생산하여(18 핵종에 66만 952mc) 의학, 농학, 이공학 등의 연구개발에 이용할 수 있게 공급할 수 있었다(「한국군사혁명사」 제1집, 1401). 방사성 동위원소는 의학 분야 60%, 농업 분야 14%, 이학 분야 25%, 기타 1%로 사용되고 있다.

지난 7월 5일에는 원자력연구소의 최 형섭 소장과 강 웅기 박사 등이 경기도 용인군의 기흥 저수지에서 Na24 동위원소를 물속에 집어넣은 뒤 10일 만에 누수 구멍을 찾아내는 성과를 올렸다. 이 저수지는 용인과 평택 일대 4개 면에 농업 용수를 공급하는 큰 저수지인데, 착공 후 1년도 안 돼서 물이 줄줄 새는 현상이 나타났다. 금년 3월에도 시멘트 천 여 포대를 사용하여 보수 공사를 했지만 지속적으로 누수가 일어나고 있었다. 그래서 농림부에서 원자력원에 과학적인 누수구(漏水口) 탐지를 의뢰하기에 이르렀다. 7명의 원자력 연구소 연구원들이 파견되어 동위원소를 저수지 안의 제방 밑으로 집어넣어 반감기(半減期) 15시간 뒤에 제방 밖의 동위원소 반응을 측정기 카운터로 측정하여 물이 새어 나오는 곳을 정확히 찾아낸 것이다. 실제 구멍은 눈으로 보이는 누수 지점에서 무려 50m나 떨어진 곳에 있었다.

원자력은 경제개발5개년 계획에 절대적으로 필요한 전력 생산에도 절실히 필요하다. 국내 원자력 연구 역량을 발전시키고, 자력으로 방사성 동위원소를 생산하고 이용할 수 있는 역량을 키워 가야 한다. 그리하여 원자력 발전소를 건설하고 전기 생산을 해야만 한다. 석유 한 방울 나지 않는 우리 상황에서 무연탄을 활용한 화력발전이나 수력 발전에만 의지하고 있어서는 안 된다. 반드시 원자력발전소를 건설하여 이용해야만 한다.

원자력의 평화적 이용 부분에 대해서는 걱정할 것이 없어 보인다. 우리 전문가들의 열정과 능력을 보고 받으면서 더없이 든든함을 느낄 수 있었다. 문제는 핵무기에 대한 부분이다.

미국을 위시한 선진국에서는 가공할 정도의 파괴력을 가진 원자탄 무기 개발을 비밀리에 지속하고 있다. 미국에 이어 소련과 영국, 프랑스 등이 핵폭발 실험을 했다는 정보가 입수되고 있다. 조만간 모 택동의 중공도 핵무기 실험에 돌입할 것으로 보인다. 소련과 중공이 핵무기 개발에 나선 다면 북한의 김 일성도 가만히 보고만 있지는 않을 것이다.

정보부 보고에 따르면 전쟁 대치 중에 있는 인도와 파키스탄도 우라늄 확보에 열을 올리고 있고, 사방에 적을 두고 있는 이스라엘도 비밀스런 움직임을 보이고 있다.

고민이 깊어진다. 우리 한국이야 말로 중공과 소련, 북한, 그리고 일본 사이에 끼어 있는 처지에 핵무기가 절실하게 필요할 수 있다.

갑자기 '*Little Boy*' 생각이 난다.

그토록 막강하고 패할 것 같지 않던 일본 제국이 인류 최초로 개발되어 사용된 'Little Boy' 한 방에 기겁을 하고 손을 들었다. 1945년 8월 6일, 히로시마 상공에 나타난 미국 B-29 폭격기에서 원자폭탄 한 발이 투하되었다. 이어서 3일 뒤에 또 하나의 핵폭탄인 'Fat Man'이 나가사키에 투하되었다. 이 두 발의 원자탄으로 인해 20만 명 이상이 사망하였고 투하 지점 반경 수 km 이내가 초토화되었다. 지난 몇 개월간 본토 폭격을 당하면서도 항복을 거부하던 일제는 이 두 발의 원자탄 피해를 본 직후에 곧바로 항복하고 말았다.

Little Boy (출처:위키백과)

일제 35년 강압 통치를 당하면서 조선의 독립을 감히 꿈도 꾸지 못하고 살고 있던 내게, 우리 한민족에게 청천벽력 같은 '해방'이 나타난 것이다. 그만큼 강렬한 인상을 주었던 리틀 보이다.

지난 6·25 전쟁 당시에도 중공군의 침략을 막기 위해서 압록강 건너 중공에 핵무기를 사용할 것이 검토된 적이 있었다고 한다. 하지만 핵무기를 투하할 경우에 가장 치명적인 적의 심장부를 노려야만 했기 때문에 미국으로서는 감히 엄두를 못 냈다. 투하 목표 지점이 북경이나 상해가 될 수밖에 없었는데 그러면 미국과 중공의 전면전이 시작될 수도 있었다.

현재로서는 우리가 핵무기를 논할 처지가 되지 못한다. 원자력을 평화적으로 이용하여 경제 발전에 적절히 활용하는 것이 최선이다. 원자력발전소를 건설하여 원자력을 '제3의 불'로 이용할 수 있도록 총력을 기울여야 한다.

원자력원 관계자들의 말에 의하면 국내 학자들의 원자력 연구 역량은 세계적이라고 한다. 각종 원자력 관련 학회에 참석하여 연구 결과를 발표하고, 국제원자력기구 IAEA에도 가입하여 협력 관계를 구축하고 있다. 전문가 용역, 장학금 수혜, 각종 기기 및 자료 지원을 받는 등 성과를 내고 있다고 한다.

현 단계에서 원자 공학은 최고 수준의 과학 기술에 속한다. 우리 실정에는 겨우 관심 표명 수준에 머물러 있지만 언젠가는 따라 잡아야만 할 과학 수준이다. 지금 우리의 과학 기술은 도로 확장, 댐 건설, 비료 공장 신축 등에 필요한 기초적인 토목 공학 수준에서도 힘이 부친다. 비료 공장, 정유 공장, 자동차 생산, 라디오나 재봉틀 생산 등에 필요한 과학 기술이 거의 바닥 수준이다. 선진국의 기술자를 들여다가 공장을 짓고, 생산이 공장 가동 작업에도 도움을 받아야만 한다.

공업화와 그를 통한 경제 개발을 위해서는 전 방위적으로 모든 영역에 걸쳐 전문적인 과학 기술이 있어야 한다. 전문 과학자, 과학 기술자를 우리 스스로 교육하여 양성해 가지 않는다면 우리는 영원히 일본이나 미국, 독일 등 선진국의 하청업자에 머물러야만 한다.

고등학교나 대학교의 전공 영역을 이공계 위주로 만들고 지속적으로 우수한 과학자, 기술자를 육성해 내는 것이 경제개발을 위한 교육의 목표다. 전통적으로 농업 국가였던 우리 한국은 과학 기술보다는 '안빈낙도(安貧樂道)' 수준의 교양 교육에만 정성을 들였었다. 그 결과 지금 현재 우리는 전 세계에서 가장 가난한 나라에서 헤어나질 못하고 있다.

수출만이 살 길인데…

여 상원 대한상공회의소 부회장을 단장으로 하는 동남아 10개 지역 순방 민간 통상 사절단 일행 10명이 김포공항에서 대북(臺北)으로 출발했다(조선일보, 1962.3.3.). 사절단은 경제부흥과 통상 진흥을 위하여 36일 동안 동남아 10개국을 돌아보면서 시장 개척을 위해 노력할 것이다. 이들은 종래의 수입 중점 통상 방법을 시정하고 수출입이 대등한 통상 교섭을 하는 게 목적이다. 그래서 종래에 수출한 바 없는 수산물, 특수 농작물(예, 인삼, 약재), 직물 등을 소개하기 위해 「샘풀」을 갖고 간다. 대만, 홍콩, 태국, 월남은 물론 인도네시아 등 중립국도 방문하여 집중 공략할 예정이다.

수출과 수입 불균형 관점에서 보면 우리는 미국이나 일본 등 선진국과의 교역에서 마이너스가 많다. 또 기계류나 생산 원료, 석유 등 에너지 자원 수입 때문에 발생하는 무역 역조 현상이 너무나 크다. 수입 초과 선진국은 물론 동남아 국가에 대해서도 팔 수 있는 상품에 한계가 있다.

의욕적으로 시작한 경제개발 5개년계획 첫 해의 수출 실적이 만만치 않다. 1962년도 상반기 수출 실적이 2,226만$ 정도에 불과하다는 보고를 들으면서 속이 탔다. 누구 탓 할 것 없이 형편없는 우리 처지가 답답하기만 했다.

해방 후 지금까지 10 대 1의 비율로 모든 것을 수입에 의존해야만 했다. 자체 생산하는 물품이 적고, 밖으로 내다 팔 물건이 없으니 당연히 무역 역조. 미국 등 선진국과 유엔, 국제금융기구로부터 무상 원조와 차관 도입을 통해 땜질하면서 국가가 유지되고 있는 중이다.

군사 혁명이 그랬듯이 경제개발 5개년계획과 수출 목표만 그럴듯하게 세워 놓고 '내각에서 알아서 잘 하겠지' 해서는 안 될 것 같은 불안감. 최고회의와 내가 직접 앞서서 챙겨야만 한다. 지난 정부에서도 '계획'이라는 말만 그럴듯하게 내세우고는 '결과를 만들어 내는 일'에는 모두 나몰라라 하였었다. 우리 한국 수천 년 역사가 대개는 이런 식으로 흘러왔다고 생각된다.

수출을 기업이나 민간에만 맡겨 두어서는 안 된다. 민간 기업의 역량이 충분이 커질 때까지는 정부가 법적, 재정적, 정책적 뒷받침을 해주어야만 한다. 그런 게 정부고 행정이다.

신 정부에서는 1962년 3월 20일 자로 수출진흥법을 제정 공포하였다. 법에서는 수출용 원자재 수입에 대한 외화(外貨) 우선 배정, 수입 허가의 제한, 실적 상사(商社)에 내한 해외 시점 설치 허용 기준, 그리고 언내보증에 의한 무역자금 대출 등을 규정하고 있었다. 이어서 4월 24일자로 대한무역진흥공사법을 제정, 공포하고 20억 환의 예산을 지원하여 6월 21일자로 발족시켰다.

공사에서는 해외 시장조사 개척, 국내산업과 상품의 소개 및 선전, 무역거래에 관한 알선, 재외 무역관의 운영, 국제 박람회 참가, 전시회 개최 등의 업무를 담당하였다. 아울러 수출 물자의 포장, 의장(意匠)의 개량과 검사 등에 관한 조사 연구, 해외 공관 등에 수출물자의 견본이나 선전책자를 위탁 전시하는 사업을 하도록 하였다. 공사에서는 1962년도에 뉴욕, 로스엔젤러스, 홍콩, 방콕에 상설 무역관을 설치하고 상무관을 파견하였다.

"… 수출 진흥법에 의하여 수출품 제조용 원료의 수입에 필요한 외자의 우선 배정제와 은행 달러에 의한 수입에 있어서는 자동 승인 품목이나 허가 품목이나 연간 1만 달러 이상의 수출 대금 입금실적 업체에 한하여 이를 허용하는 규정과 종래의 수입 자격을 제한하지 아니하였던 실수요자의 수입을 이번에 정부와 정부관리기업체 및 외화 획득을 위한 원료 기자재 수입업자에 한하여 허용토록 하는 실수요자 수입 제한 규정을 만들었읍니다. 그리고 연간 35만 달러 이상의 수출 실적업자에게는 해외에 지사 설치를, 10만 달러 이상의 수출 실적업자에게는 출장소 설치를 허용하고, 이들로 하여금 상설 무역사절단을 구성케 하여 무역증진과 해외활동을 보장 장려하는 법적 근거를 규정하였읍니다...(수출진흥5개년 계획 목표 달성을 위한 담화. 상공부장관, 1962년 5월 10일.)"

하지만 이런 정부의 노력과 의도와는 달리 가시적인 수출 실적은 좀처럼 늘어나지 않고 있었다. 국가재건최고회의에서는 긴급 회의를 통해 수출진흥긴급대책위원회를 구성하고(1962년 6월 4일), 박 태준 최고위원을 위원장으로 하고 정 재봉 대령과 권 혁노 중령을 실무자로 정하였다. 이 소위원회 산하에 시장개척분과위원회, 수출상품분과위원회, 정책문제분과위원회를 두고 14명의 민간인 간사를 두었다. 위원회에서는 수출 상품 또는 수출 가능 상품에 대한 수출 계획 검토, 수출 실적의 파악, 수출 부진의 이유 규명, 수출 애로의 타개책 또는 수출 증진을 위한 진흥책의 수립에 나섰다.

8월 7일 오전, 수출진흥긴급대책위원회 보고 회의에 참석하였다, 분과별로 책임 간사가 업무 보고를 하였다.

"총력을 기울여 수출 증대에 애를 쓰고 있지만 좀처럼 실적이 늘지 않고 있어 걱정입니다. 수출 부진 요인 중에는 우리 기업들이 외국 기업이나 상인과 상품 교역을 함에 있어서 정보나 상술(商術)이 부족하고 상도덕(商道德)이나 신뢰 부족으로 인해 계약 체결을 못하는 경우도 많이 발생하고 있습니다."

임 광순 상임 간사가 총괄적 보고를 하면서 말미에 한 마디를 보탰다.

"뭔 소립니까? 상도덕, 신뢰 문제 때문이라니요?"

"기업들 중에는 정부 보조를 받기 위해서 부실한 상품을 어거지로 수출하기도 하고, 상품 중에 불량품이 끼어 있는 등의 문제가 몇 건 보고되었습니다. 가까운 지인에게서 들은 바로는 한국으로부터 안경테, 자수(刺繡) 스웨터, 메리야스, 가발(假髮), 왕골 등을 수입하는 미국인이 '제발 견본(見本)과 현품(現品)이 같도록 해달라'고 부탁하더랍니다."

"저런, 저런… 지금이 어떤 땐데. 무역 상거래에서는 양자 간의 신뢰가 바탕이 되어야 하는데 아직도 이런 식으로 수출을 하려고 하다니. 국가적으로 암적(癌的) 존재니 대한상의 차원에서 충분히 고찰하여 대책을 강구토록 하세요. 수출 증대가 필요하다지만 당장 눈앞의 이익만을 봐서는 안 됩니다. 장기적 관점에서 국가 간, 또 기업 간, 기업인 간 신뢰 구축이 우선입니다."

"곧바로 시정 조치하겠습니다."

박 태준 위원장이 진지한 표정으로 답을 한다.

"일본과 논의 중인 보세 가공 무역은 어떻게 되어 갑니까?"

"지난 연초에 다녀간 일본측 한국광공업보세가공조사단(韓國鑛工業保稅加工調査團) 단장 탕천강평씨(湯川康平氏) 주도로 어느 정도 진척을 보이고 있습니다. 일본측이 원했던 보세 공장(保稅工場) 희망 기업으로 서울에는 수도 부분품 공장(水道部分品工場), 텔레비전 조립 공장, 디젤·엔진 조립 공장을, 목포에는 어망 선구(漁網船具) 제조 공장과 자가 발전용 저유조(貯油槽)를, 여수에는 냉동공장, 통조림 공장을, 부산에는 시멘트 가공품 공장, 부탄올 공장, 수도(水道) 부분품 공장, 침선 인양(沈船引揚) 공장, 포경 기지(捕鯨基地)를, 대구에는 견방 직포(絹紡織布)를 생각하고 있습니다. 현재 활발하게 논의가 진행 중에 있습니다." 시장개척분과의 장 일강 간사다.

"현재 우리 입장에서는 찬 밥 더운 밥 가릴 처지가 아닙니다. 일단 그들이 원하는 조건을 최대한 충족시켜주고 사업이 잘 진행될 수 있도록 해야 합니다. 공장 운영에 관한 사항이나 관세, 상품의 국내 판매와 해외 수출 등에 대해 꼼꼼히 살펴 주세요. 처음 시작 단계에서는 투자를 하는 일본 기업들의 요구 조건을 최대한 존중해 주되 장기적으로는 단순 가공이나 조립, 보관 수준을 넘어 기술 습득과 국내 자체 생산 단계까지 갈 수 있도록 만들어야 합니다."

새나라자동차 공장 시찰

"지난 5월에 대한상의에서 보세 가공 관련 몇 가지 건의 사항이 있었습니다. 예를 들면, 해외 여행 제한의 완화, 금융지원의 강화, 하청(下請) 공장에 대한 감면세(減免稅) 조치, 관세 법규의 원활한 운영, 상표 편용(商票便用) 및 특허 도입(特許導入)의 자유화 등입니다. 이런 부분은 정부 차원에서 법규나 시행령, 정책을 전환해야만 가능한 일입니다."

"정책 분과 위원회에서 심도 있게 논의해 보세요. 그리고 상공부와 재경부를 거쳐 최고회의에 보고 하십시요. 그리고 수입과 수출 링크(link)제는 잘 시행되고 있습니까?"

링크제는 수입 실적과 수출 실적을 서로 연계시키기 위한 것으로 수출 촉진을 위해 일정한 량의 수출을 해야만 그에 비례해서 수입을 허가하려는 것이다. 그동안 일방적으로 수입만을 하여 돈을 벌고 있는 무역 상사들에 대해서 수입을 하려면 반드시 수출에도 실적을 내도록 만든 것이다.

"수출 진흥법 시행령 제3조 제2항에 의하여 1962년 11월에는, 1962년 1월부터 10월까지의 수출실적에 대하여는 30%, 11월과 12월 실적에 대하여는 50% 해당액, 1963년 1월부터 5월까지 실적에 대하여는 100% 해당 범위 내에서 수입을 할 수 있도록 조치하였습니다. 해당 업체측에서는 정부 의도에 맞춰서 최대한의 수출 실적을 내려고 동분서주하고 있습니다."

수출 증진에 괄목할만한 성과를 보이고 있는 수출업자에 대하여 수출 장려 보조금 교부제도를 시행하고 있다. 수출 원가고(原價高)로 인한 결손 품목이나 해외 시세 하락으로 수출이 부진해지고 있는 품목을 수출한 자, 해외 시장을 새로이 개척한 자, 국제 박람회 출품자 등에 대해 우선적으로 교부해주고 있다.

"군납(軍納) 부분은 어떻습니까?"

"지난 1월 15일자로 제정된 '군납 촉진에 관한 임시조치법'을 통하여 군납 추진 위원회를 설치하고, 군납업자의 등록과 군납 조합의 설치, 군납 장려 보조금 교부 그리고 군납 자재의 수입에 대한 우선권 제공 등 순조롭게 진행 중에 있습니다. 지난 번에 대한상의측에서 군납 진흥책으로 제시했던 대미 교섭(對美交涉)의 촉진, 군납업자의 자가용 시설 도입책 수립, 금융

지원, 군납 보상 제도의 확립, 기술 향상을 위한 조성책, 군납 통계의 완비 등에 대해서도 적극 조처하였습니다."

군납은 주한 미군에 필요한 물품을 국내 업체로 하여금 납품하도록 하는 것이다. 미국은 그동안 B.A.(Buy American) 정책을 시행하고 있어서 주한 미군에 필요한 대부분의 물품을 미국으로부터 수입해서 사용하고 있었다. 정부에서는 그동안 물이나 식료품 등과 함께 자동차 타이어나 밧데리 등 7개 품목에 대해서도 협상을 통해 미군측의 양해를 받아냈다.

미군측의 납품 심사 요건은 매우 까다롭다. 이를 제대로 맞추기 위해서는 미군측이 정해 놓은 물품 기준을 정확히 이해하고 우리측 업체의 물품 질을 높여야만 한다. 또 납품 업체들 사이의 무분별한 경쟁, 담합, 덤핑 행위도 금지시켜야만 했다. 일례로 지난 달에는 200만 달러에 해당하는 납품단가를 50만 달러로 하여 낙찰 받은 업체를 등록 취소한 경우도 있다.

10월 4일자로 수출검사법을 제정하여 수출 상품에 대한 검사 기관을 지정하고 시행에 들어갔다. 수출 검사 기관으로는 정부기관으로 재무부 양조시험소, 보건사회부 국립화학연구소가 지정되었고, 민간기관으로 대한광업회, 대한방직협회 방직시험검사소, 한국공예협동조합연합회, 한국돈모(豚毛)공업협회, 대한산림조합연합회가 지정되었다. 아울러 수출 검사를 받아야만 수출할 수 있는 품목이 현재는 53종이 있으나 향후 미지정된 수출상품 중 축산물, 고무제품, 유리제품, 목재제품 등 주요 상품 약 40 종을 추가 지정할 예정이다.

정부와 민간, 기업의 적극적인 노력에 의하여 수출 실적은 꾸준히 증가일로에 있다. 1960년도 수출 실적이 34,641천 달러였던 것이 1961년도에는 42,901천 달러로 증대하였다. 1962년도 연말까지 56,701천 달러에 도달할 것으로 예측하고 있다.

'수출만이 살 길이다'는 명제를 목표로 삼고 총력을 기울이는 중이다. 일반적인 국민 생필품은 물론 경제 개발에 필요한 공장 설비와 원자재, 농기

계와 비료 등 모든 공산품을 수입에 의존하고 있는 현실을 빠른 시일 내에 극복해야만 한다. 울산과 충주, 나주 공장과 같은 수입대체산업 시설을 건설하여 무역 불균형 현상을 극복해가야 한다.

'내다 팔 수 있는 모든 것'을 찾아내 수출해야만 한다. 우리가 수출로 달러를 벌어들이지 않는다면 항상 빚에 허덕여야만 한다. 애걸복걸하여 외국 차관, 무상 원조에 비참한 눈물을 흘려야 한다.

미군 군납과 함께 지금 한창 공사 중인 워커힐 호텔도 수출 전략의 일환이다. 6만 명 가까운 미군들이 주말이나 휴가 때면 모두 일본으로 날아가서 지내고 온다. 이들이 국내에서도 쉬고 즐길 수 있는 멋진 호텔과 카지노, 위락 시설이 있어야 하기에 최고회의에서 주도적으로 나서서 워커힐 공사를 추진하였다.

호텔 건설에 속도를 내기 위해서 김 종필 부장과 상의하여 석 정선 차장에게 책임을 맡겼다. 부지 매입에서부터 설계, 시공사 선정 및 공사 진행을 정보부에서 책임지고 추진토록 하였다. 부지는 이 승만 대통령 별장이 있던 아차산 자락 광나루 언덕으로 정했다. 설 경동 사장 소유인데 토지수용령을 발동하여 매입하고 건설사는 삼환건설로 정했다. 정부 예산 16억환을 포함한 56억원을 들여서 지난 2월 25일 착공하여 12월 말에 완공을 목표로 하고 있다. 설비와 자재를 모두 세계 최고급 수준의 호텔을 모델로 하였다. 대부분 수입에 의존해야만 했다. 호텔 명칭으로 6.25 참전 사령관인 워커 장군 이름을 땄고, 맥아더 장군 이름을 차용한 더글라스관도 명명했다.

내년 4월 개막식에는 재즈의 대가인 루이 암스트롱을 초대하여 공연을 펼치기로 계획을 세웠다. 워커힐 호텔은 많은 관광 수입을 올릴 것으로 기대되고 있다.

완공된 워커힐 호텔 (출처: 한국군사혁명사)

30대가 주류다

박 병권 국방부 장관이 이번 건군 제14주년 국군의 날 행사를 계기로 6·25 참전국과 동남아 자유 우방국가인 자유중국, 말레이시아, 월남 등 17개국 40여 명의 고위 군 관련 인사들이 내한할 것이라고 보고를 하였다. 방문단은 9월 28일에는 도착 환영 의장대 사열이 있고, 29일에는 청와대로 내각 수반실을 방문하고 이어서 유엔군사령부, 30일에는 전방 휴전선 6군단 OP와 판문점 방문, 10월 1일에는 효창운동장에서 거행되는 국군의 날 행사에 참석하게 되어 있었다.

"멜로이 가이(Meloy Jr. Guys) 유엔군 사령관과 터키의 알리 케스키너(Ali Keskiner) 지상군사령관, 필리핀의 산토스(Alfredo M. Santos) 육군참모총장, 콜롬비아의 가브리엘 레베이츠(Gabriel Rebeiz) 국군사령관 등이 주요 인사입니다. 29일날 의장님 방문 계획이 잡혀 있습니다."

"수고하셨습니다. 요즘 R.O.T.C. 학도 군사교육은 잘 되고 있나요? 제가 알고 있기로는 지난 여름에는 학생들이 모두 30사단 등 예비사단에 입교하여 한 달간 집중 훈련을 받은 것으로 알고 있는데."

"지난해에 이어서 올해는 3학년과 4학년생 총 6천여 명이 예비사단에 입교하여 제식훈련과 총검술, 전략 전술 교육, 정신 교육을 받았습니다. 비록 2년간의 군사 교육이지만 육사 생도 교육에 준하는 수준으로 엄격하고 실전을 방불하는 훈련을 받았습니다."

학군사관생도 교육은 미국의 예비역 초급장교 양성 과정인 ROTC (=Reserve Officer's Training Corps)를 우리 군의 실정에 맞게 도입한 것으로, 현재 16개 대학교 3, 4학년 학생을 대상으로 매년 3,000명 정도를 선발하여 교육 중에 있다. 이들은 2년간 702 시간의 군사교육을 마침과 동시에 군 소위로 임관되어 장교로 복무하게 된다. 미국의 경우에는 그야말로 '예비역 초급 장교' 교육이기에 교육훈련이 끝나면 예비역으로 임관되지만, 우리는 훈련 종료 및 대학 졸업과 동시에 소위로 임관된다.

ROTC 교육은 1959년 3월 11일부터 수산대학과 해양대학 학생 600명 전원에게 해군사관학교에 준하는 군사교육을 시켜 상선사관(商船仕官)으로 임명하기 위해서 시작되었다. 이들은 대학교 4년 동안 913시간 교육을 받고 졸업과 동시에 예비역 소위로서 선박을 운용할 수 있고 일부는 현역 해군 소위로 임관된다. 육군에서도 부족한 현역 및 예비역 초급 장교 충당을 위해 문교부와 국방부가 상의하여 4년 과정보다는 2년제 교육 과정안을 채택하여 군사혁명 직후부터 시작하였다. 애초에 국방부에서는 한국해양대학교 ROTC 처럼 4년 전 과정 동안 군사훈련을 하는 것으로 추진했지만 문교부에서 반발하여 3, 4학년 2년 동안 하는 것으로 결정되었다.

"예정대로 하면 1963년 3월부로 한훈단 1기생 2,700명 정도가 소위로 임용됩니다. 임관 후에는 보병학교에서 다시 4개월간 초등군사교육을 받은 뒤 각 부대로 배치되어 1년 6개월간 복무하게 됩니다."

"실제로 자격이나 전투 역량은 어떤가요?"

"서울대학교 등 전국 우수 대학교 학생들 중에서 체력과 정신력이 투철한 사람들이 선발되어 집중 훈련을 받고 있습니다. 육사에 비해 결코 뒤지지 않는 전투력을 기르고 있습니다. 육사와 다른 점이라면 육사는 전국 단위로 학생들이 선발되는데 비해서 한훈단은 권역별로 선발된다는 차이가 있고 육사 졸업생들은 장기간 군 복무를 해야 하는데 비해 학훈단 장교들은 단기 장교로 근무한 뒤 전역하여 예비역 장교 신분이 된다는 점에서 다릅니다."

"그래도 그 대학 내에서는 최고의 인재들이 지원한다고 보아야 할 겁니다. 잘만 육성하면 국방력 강화에 지대한 공헌을 하게 될 겁니다."

학훈단 훈련생도와 교육 후 임관된 장교들은 군사적인 면만이 아니라 국가 발전에 필요한 엘리트 인재 육성이라는 측면에서도 중요하다. 이들은 군과 대학간 교류의 핵심 연결고리가 될 것이다. 대학생들의 국가와 국방에 대한 관심을 촉발시키고 무분별하게 공산사회주의나 중립주의 사상에 물드는 것을 방지할 수 있다. 장기적으로는 고등학생, 대학생들을 대상으로 군사 교육을 받게 하는 것도 고려하고 있다. 재학 중 받게 되는 군사 훈련의 기간을 고려하여 군 의무 복무 기간을 단축시키면 될 것이다.

군에서는 6·25 전쟁 중 인천상륙작전을 통해 공산군에 반격을 시도하던 중, 3사단이 동해안에서 3.8선을 처음으로 돌파한 10월 1일을 국군의 날로 정했다. 창군일을 국군의 날로 하고자 하는 의견도 있었지만 공산 괴뢰군의 남침을 격퇴하고 자랑스럽게 북진 통일을 추구하던 그 날이 훨씬 더 의미가 있었다.

1962년 10월 1일 10시, 효창운동장. 수천 명의 국군이 도열하고 단상에는 김 현철 내각수반을 비롯한 삼부 요인, 주한 외교 사절단, 참전국 및 자유 우방국 군사 수뇌부들이 참석한 상황. 대통령권한대행 자격으로 훈시를 하고, 예포 21발을 쏘면서 우리의 국방력을 온 천하에 과시하였다.

훈시를 통해 '국토방위를 지고 지대(至高至大)한 사명으로 하는 군대가 혁명을 일으킨다는 것은 물론 본연(本然)의 자세는 아니지만, 누란의 위기에 처한 민족의 운명을 좌시하고만 있을 수 없었기 때문에 우리 군이 나서지 않을 수 없었다'는 사실을 설파하고 '우리 군은 혁명 과업 완수에 총력을 기울여야만 할 것'이라고 강조하였다.

식후에는 경축 리셉션이 있었다. 삼부 요인 및 외교 사절들과 일일이 악수를 하면서 환담을 나눴다.

혁명 과업의 완성 즉, 국가 발전의 원대한 꿈은 능력 있는 젊은 인재를 얼마나 확보하느냐에 달려 있다. 장기적 관점에서 인재 양성은 교육을 통해 이루어져야 한다. 그래서 서둘러 교육 시스템을 정비하고 대학 교육, 전문가 양성에 총력을 기울이고 있다. 앞으로 10여년쯤 뒤에는 경제개발과 국가 발전에 중추적 역할을 담당할 인재가 넘쳐날 것이다.

하지만 지금 당장 필요한 인재가 문제다. 우리의 혁명 정신에 부합하고,

우리가 추진하고 있는 위대한 국가 건설에 동참할 인재를 찾아내야 한다. 곳곳에 숨어 있는 한국 최고의 인재를 찾아내서 혁명 전선의 선두에 설 수 있도록 만들어야 한다. 지난 해 일본과 미국 순방 기간 동안에도 유학생과 현지 교포들을 많이 만났었다. 인재를 찾기 위해서였다.

현재 내가 눈 여겨 보고 있는 인재 집단은 크게 네 갈래로 나뉜다. 첫째는 5·16 혁명 동지들을 포함한 군 장교 집단이고, 둘째는 행정과 정책을 담당하는 정부의 관료 공무원들이며, 셋째는 국민재건운동을 앞서서 이끌어 갈 수 있는 지도자들이다. 마지막 네째는 민정 이양 후 정치와 행정을 담당할 미래의 지도자들이다. 대략 10만 명 정도의 정예 엘리트 한국인들이 필요하다. 국가와 민족 발전이라는 목표를 공유하고, 자유 민주주의 사상을 기반으로 뭉친, 정신과 육체가 젊고 열정적인 인재가 필요하다.

혁명 직후부터 국민 지도자가 될 수 있는 엘리트 젊은이들을 찾아 육성하는 노력을 해오고 있었지만, 경제 개발 5개년계획의 원년인 1962년 초부터 본격적으로 인재 발굴에 나섰다. 공식적으로 인재를 발굴하고 양성하는 것과 동시에 중앙정보부를 통해 내밀하게 인재를 찾는 작업도 병행하고 있다. 내년 초 정치 자유화와 함께 여름 민정 이양을 앞두고, 물밑에서 추진되고 있는 정당 결성 작업은 혁명 과업을 이어간다는 측면에서 매우 중요한 작업이다.

지금 현 시점에서 혁명 주체 세력은 30대 초반의 젊은 장교들이다. 위관급의 20대와 40 전후의 장성급이 있긴 하지만 혁명 주체는 모두 30대 초중반의 영관급 장교들이다. 이들은 젊고, 유능하며, 열정적이고, 두려움이 없다. 나는 이들과 함께 국가 발전의 목표를 공유하고 혁명을 하였으며, 지금 현재 총력을 기울여 국가 재건에 나서고 있는 중이다. 그동안 장 도영 반혁명 사건을 통해 뼈아픈 고통을 겪기도 했지만 혁명 주체는 하나로 똘똘 뭉쳐 있다.

우리 혁명 주체 세력은 조만간 군 복귀냐 아니면 군복을 벗고 민정에 참여 하느냐의 기로에 설 것이다. 혁명과는 관계없이 군 명예를 중시하는 이들은 꾸준히 군으로 복귀하고 있는 중이다. 장기적 혁명 과업이 성공적으로 이루어지기 위해서는 군 안정이 반드시 필요하기 때문에 혁명 주체 세력이 군을 확실하게 장악해야만 한다. 현재를 넘어 미래의 군 안정화를 위해서는 위관급 장교 수준도 고려 대상이다. '정신이 올바로 박힌' '군인 정신에 투철한' 젊은 장교 집단이 존재해야 한다.

한국인은 일제 강점기와 6.25 전쟁을 치르면서 국민 평균 연령이 20세 정도로 줄어든 것 같다. 어른이라고 해봐야 61세 환갑을 넘기기도 벅차고 50세만 되면 뒷짐 지고 노인 행세를 할 판이다. 노쇠해지고 무기력증에 빠진 한국 사회를 활기차게 만들기 위해서는 젊은 20대와 30대 청년층이 선두에 서야만 한다. 국가 발전을 논하고 경제개발 5개년계획을 세웠다지만 이를 적극적으로 '실천'하여 '목표 달성'을 하기 위해서는 오로지 젊은 활기를 필요로 한다. '계획에 이어지는 활기찬 실천'은 20대, 30대 젊은이의 몫이다.

현재 활약하고 있는 군사 정부, 신 정부는 30대가 최고위원이고, 장관이며, 국장이고 실무 주사와 서기다. 군 최고 사령관이 30대이고 젊은 장교들이 앞장을 서서 진두지휘를 하고 있다. 사관학교를 갓 졸업한 초급 장교들도 20대로서 군사 혁명은 물론 모든 영역에서 핵심 동력으로 작용하고 있다. 건국 이후 본격적으로 교육받기 시작한 우리의 젊은 대학생들은 또 어떤가?

세계 어느 나라든 활동하는 생산층, 물불을 안 가리고 조국을 위해 헌신하는 젊은 층 인구가 많아야 발전을 한다. 우리 한국은 전쟁 이후 폭발적으로 베이비들이 태어나고 있다. 이들이 국민학교를 넘어 중학교로 진학하고 있다. 엄청난 속도로 '미래의 인재'들이 성장하고 있다.

나와 같은 40대는 벌써 '고참'이 되어 있다. 50에 노인이 될 판이니 기껏해야 4~5년이다. 우리가 할 역할은 20대, 30대 젊은이들을 조국 근대화, 국가 발전의 첨병으로 잘 육성하고 이끄는 일이다.

불연 듯 지난주에 유 달영 재건국민운동 본부장과 임원들이 놓고 간 재건 청년 지도자, 부녀자 교육 내용이 떠올랐다. 국민 대부분이 제대로 배워본 적이 없는 자유 민주주의, 공산주의, 사회주의, 한민족 역사, 국민 경제

론 등에 대한 내용이 핵심이다. 농촌 가난한 농사꾼, 하루하루 입에 풀칠하

■ **1961년 청년 및 부녀 지도자 교육 내용**

(1) 민주정치의 원리: 정치학 개론, 민주화의 길
(2) 공산주의 비판: 이론과 실제, 죄악상, 한국경제와 공산주의
(3) 신생활 운동: 주택 개선, 표준 의례, 의복 간소화, 식생활, 보건위생
(4) 국사: 독립운동사
(5) 도의, 정서 및 윤리: 도의생활, 정서생활, 윤리생활
(6) 지도요령: 강연회, 회의 진행, 집단지도, 여론조사 및 조성
(7) 재건 운동론: 혁명기의 지도자, 독일 민족부흥사, 덴마크, 인도, 파키스탄. 이집트, 이스라엘의 재건운동
(8) 지역사회개발(농촌운동): 건의와 원리, 기구, 건설담(建設談), 실시내용과 전망
(9) 혁명 정신: 혁명 이전의 부패상, 혁명법령 해설 (출처:「한국군사혁명사」 제1집.1725)

기도 벅찬 거지같은 노동자들에게 이런 거대한 담론이 무슨 의미가 있을까? 인간 개조, 민족 개조론을 적극 주장하여 교육 내용에 포함시키도록 강권하고 있다.왜 이럴까?

재건국민운동을 앞서 이끌고 있는 이들은 대부분 30대 청년, 부녀들이다. 중앙의 일부 엘리트 인재들만이 아니라 국민 전체의 지식 수준, 자유 민주주의에 대한 지식 내용을 확장시키기 위함이다. 문맹인을 없앰과 동시에 국민 전체의 의식 수준, 지식 내용의 선진화를 꾀하고 있는 중이다.

누구는 말한다.

“국민 재건 운동? 그거 제대로 되겠어?”

“박 정희 혼자서 설치고 다니는데, 제대로 되는가 두고 봅시다.”

내가 지금 적극 추진하고 있는 재건국민운동은 하루 이틀 내에 완성될 일이 아니다. 우리 민족 수천 년 동안 형성되어 온 민족성, 관습, 생활 태도, 사고 방식, 한민족 문화 자체를 업그레이드 하는 일이다. 10년, 20년, 아니 한 세대를 넘어 지속적으로 추진해가야만 하는 일이다.

재건국민운동 청년, 부녀 지도자 교육 내용은 사실 국가 공무원, 군인, 기업

<표 4> 1963년 청년 및 부녀 지도자 교육 내용

단 원(單元)	과 목	시간(%)	범 위
민족사상 (15%)	한국사상사	40%	국사 개요, 민족운동 개관.
	한국민족론	40%	국민성 분석, 민족문화, 민족의 진로.
	현대사상론	20%	
정치사상 (20%)	민주주의론	50%	이념과 원리, 제도론, 선거론, 정당론.
	공산주의 비판	30%	개설, 세계관 비판, 경제론 비판, 정치론 비판, 전략 전술론, 지배 지역의 실태, 반공 방책.
	혁명론	20%	정치혁명, 문화혁명, 한국 사회와 혁명
국제 정세 (10%)	자유진영론	20%	역량분석, 세력 개황, 대공(對共)방책, 생활수준.
	공산진영론	20%	전략상으로 본 동향, 역량분석, 생활수준.
	중립진영론	20%	성격상으로 본 중립 국가군, 최근 동향, 생활수준
	국제 연합	20%	약사(略史), 목적, 원칙, 기구, 회원국
	국제정세와 한국	10%	시사(時事), 한국통일론 분석
한국경제론(5%)	한국 경제 사정	60%	한국 경제의 특징, 경제개발5개년계획, 농업경제
	사업 과제	40%	경영 합리론, 농어촌 진단, 협동론
국 민 운 동 론 (40%)	조직론	20%	조직 방법, 조직 운영, 군중 심리
	지도자론	5%	
	청년운동론	10%	각국 청년운동, 재건청년회/부녀회 육성 정책, 청소년 지도책
	선전 계몽	10%	일반적 의의, 국민운동 선전과 국민계몽, 선전 및 계몽 수단.
	향토개발론	55%	향토 개발 사업론, 집단지도론, 농촌과 도시 사회
실무 (5%)	시청각교육, 보건위생, 보안(방첩), 문서관리, 교수법, 강연법, 회의법, 사회 조사, 사회 교육.		
기타 (5%)	체육, 음악, 특강, 기타 (출처:「한국군사혁명사」 제1집.1726)		

체, 대학 등 교육 기관 전체를 대상으로도 교육이 진행되고 있는 것들이다.

가슴 속 깊은 곳에서부터 용솟움 치는 절절함.

'한번 해 보고 싶다.'

국민재건운동이 곧 국가재건운동이고, 한국인 모두를 깨어나게 하는 운동이었다.

미풍양속의 좋은 것은 더욱 발전시켜 가면서도 허례허식을 없애고 모든 것을 현대화해야 했다.

농어촌 방문은 혁명 정부의 일이 아무리 바쁘더라도 멈출 수 없었다. 농어민과 만나는 일 자체가 내게 안식을 주었다.

재건당? 이거 뭐야 ?

1962년 12월 22일 아침 10시. 국가재건 최고회의는 중앙국민투표관리위원회가 보고한 국민투표 결과를 정식 접수하고 헌법 개정안이 가결되었음을 선포하였다. 위원들은 온 국민과 함께 이제 새로운 나라가 펼쳐질 것을 확신하게 되었다. 이 승만 정권과 함께 출범한 대한민국이 이제는 혁명 정부와 함께 전혀 새로운 국가로 도약할 것이다.

26일 10시에는 개정 헌법 공포식을 거행하였다. 삼부 요인과 내외 귀빈들이 참석한 가운데 시민회관에서 성대하게 거행하였다. 이 갑성 국민투표관리위원장의 만세 삼창을 끝으로 식을 마치고, 11시 30분에 청와대로 들어와서 김 현철 내각수반과 이 석제 법사위원장이 배석한 가운데 개정 헌법에 대한 서명을 마쳤다.

점심 식사를 한 뒤 오후 2시에 지난 1년간 공사를 끝내고 마침내 모습을 드러낸 워커 힐 준공식에 대부분 참석하였다. 준공식은 가장 큰 홀인 나이트 클럽에서 국내외 인사 500여명이 참석한 가운데 열렸다. 김 현철 내각수반과 박 임항 건설부장관, 김 종필 중앙정보부장 등이 축하 인사말을 하였고 이어서 삼환기업 건설 담당 실무자가 나서서 워커힐 호텔을 건축하게 된 목적과 건축 과정, 건물과 공간 하나하나에 대한 설명이 이어졌다. 행사 후에는 서구식 칵테일 파티와 함께 뮤지컬 쇼 공연이 있었다. 나는 다른 일정이 있어서 준공식을 마치고 바로 자리를 떴다.

최고회의 위원들과 혁명 주체 세력들은 개관을 준비 중인 한국관에서 저녁을 먹었다.

같은 장소에서 3일 전 일요일, 저녁을 함께 먹으며 최고회의 위원들의 화합의 자리를 가졌었다. 최고회의에서 수출 증대와 미군 위락시설 마련을 위해 총력을 기울여 10개월 만에 완공한 워커힐 호텔이다. 자축 형식의 식사가 끝나고 간단한 과일과 커피 타임. 자유롭게 대담을 나누고 있는데, 갑자기 김 종필 부장이 장내를 정리하면서 일어섰다.

"헌법 개정안이 통과되어 감회가 새롭습니다. 이제 열흘 뒤면 정치 자유화 조치가 시행될 예정입니다. 아마도 엄청나게 시끄러워질 겁니다. 우리 혁명 정부에서도 차근차근 민정 이양을 위한 절차를 밟아 나가야 합니다. 그동안 의장 각하의 지시를 받아 우리 중정에서는 최고회의를 이어받아 혁명 과업을 충실히 이행할 조직 작업을 해 왔습니다. 보안 상 극소수의 인원만이 이 사실을 알고 있습니다. 오늘 최고회의 위원들과 혁명 동지들이 모두 모인 자리에서 지금까지 해 온 작업에 대해 브리핑을 하고자 합니다."

일순 장내가 조용해진다. 중정의 이 영근 차장, 강 성원 국장 등이 브리핑 준비를 시작한다.

"그동안 국내의 모든 정치 활동이 금지되어 있는 관계로 극비리에 움직일 수밖에 없었습니다. 모든 분들께 사전에 말씀을 드리지 못했던 점에 대해서 죄송하게 생각합니다. 내년 8월의 민정 이양을 앞두고 최고회의를 이어서 혁명 과업을 충실히 이행할 수 있는 조직이 필요합니다. 다른 군사혁명 국가들을 보면 민정 이양 대신에 군부가 지속적으로 정권을 장악하고 민정 이양을 하지 않는 경우가 대부분입니다. 하지만 우리는 5.16 혁명 공약 속에 민정 이양에 대해 대국민 약속을 하였습니다. 당연한 수순으로 민정 이양을 하여야 하는데 중요한 것은 군사정부가 그동안 벌려 놓은 혁명 과업, 국가 발전 전략을 어떻게 지속하여 목표를 달성케 할 것인가에 대한 고민입니다."

김 부장이 목이 마른 듯 물 한잔을 들이 킨다.

"국가재건최고회의를 이어받을 수 있는 강력한 인적 결합체, 즉 새로운 정당을 만들어야 합니다. 신 헌법에서는 정당 정치를 표방하고 있습니다. 이에 맞춰서 지금 한창 정당법 개정 작업이 진행 중에 있습니다. 새로운 민간 정부에서 대통령이나 국회의원이 되려면 반드시 정당 소속이 되어야 합니다. 연초에 정치 활동이 자유화되면 기존의 자유당이나 신민당, 민주당은 금방 정당 체제를 구축하여 정치 활동에 나설 것입니다. 그런데 우리 혁명 정부는 정치 문외한들뿐입니다. '어, 어~' 하다가는 국정 운영의 주도권을 상실하고 뒷전으로 물러나 앉아야만 합니다. 의장님께서는 이런 현실을 직시하시고 혁명 직후부터 민정 이양 이후를 생각해서 창당 작업을 준비토록 지시하셨습니다."

김 부장의 지시를 받아 이 영근 차장이 브리핑 차트를 한 장 한 장 넘기면서 그동안 진행되어 온 재건당(가칭) 준비 과정과 내용에 대해 설명을 시작했다.

"안녕하십니까? 이 영근 차장입니다. 지금까지 진행되어 온 창당 준비 작업에 대해 설명드리겠습니다. (가칭) 재건당은 먼저 사무국 조직을 완비하고 이를 토대로 100만 명 이상의 당원을 모집하여 대통령 선거와 국회의원 선거에 임하려고 합니다. 사무국 조직은 혁명 정신이 투철하고, 기존 정치에 물들지 않은 청장년들을 발탁하여 중앙당 조직과 함께 전국 도, 시, 군, 면 단위까지 조직화를 해 가고 있는 중입니다. 일단 현역 군인은 포함하지 않았습니다. 최고회의 위원들은 재건당을 발기하고, 공식적으로 발당(發黨)한 후에 군복을 벗고 민간인 신분으로 참여하는 것으로 방침을 정했습니다."

"벌써 사무국 조직이 만들어졌어요?" 김 동하 장군이 생경한 말투로 질문을 한다.

"대략적인 조직화는 되어 있습니다. 하지만 아직 유동적이고 공식적인 것은 아닙니다."

"최고회의 위원들이 아무도 모르는 사이에 정당 조직이 만들어지고 있다니 이게 말이 됩니까? 도대체 몇 명이나? 또 어떤 사람들입니까?"

유 양수 장군이 목소리를 높여 나선다.

"현재까지 약 천여 명 정도가 참여하고 있는데 중앙당 사무국은 물론 전국 각 지역별로 책임자급을 물색하는 중입니다."

웅성웅성 소리가 커지고 소란스러워진다. 이 차장은 차트를 한 장씩 넘겨 가면서 설명을 이어간다.

“사무국은 당 총재 직속으로 두어 총재의 지휘 감독을 받도록 합니다. 총재는 전체 당원대회에서 선출하고, 당을 대표하며 사무국을 총괄하고 당무협의회 위원을 지명합니다. 당무협의회는 총재 직속 기구로서 당의장, 실무 각 부장, 외부 저명 인사 등 10명 내외로 구성하여 당과 국회, 정부의 정책을 조율하는 기능을 수행합니다. 총재와 당무협의회를 지원하기 위해서 정책위원회, 선거대책위원회, 당기위원회, 원내 대책위원회를 두는 것으로 하려고 합니다. 대의기관(代議機關)으로는 중앙위원회와 평의위원회를 둡니다. 국회의원 선거구 단위 별로 지구당부를 두고 각각 지구 사무국이 있습니다.”

“그렇게 되면 당 총재와 당무협의회의 권한이 너무 막강해지는 것 아닙니까?” 오 정근 위원이 벌떡 일어서더니 우려 섞인 질문을 하고 나섰다.

“창당 초기에는 당 총재 중심으로 일사불란하게 움직이는 조직이어야 합니다. 당 사무국이 전국 조직화하고, 지구 사무국에서 지역 국회의원 후보자를 내서, 선거전을 치르며, 국회 활동을 지원합니다.”

“그러면 사무국 직원이 국회의원 후보자가 되는 것 아닙니까?” 강 상욱 위원이다.

“그렇지 않습니다. 사무국 직원은 정당 업무에만 종사할 뿐 직접 국회의원 후보자가 될 수 없도록 규정을 만들었습니다. 당 조직을 당 대표 조직, 정책 담당 조직, 사무국 조직으로 나누고, 중앙 및 각 도지구당에는 정치당원으로 구성된 위원회와 사무국 조직으로 이원화합니다.”

“그렇게 되면 장기 근속하는 직원들의 사무국이 국회의원이나 일반 당원보다 우위에 서서 통제력을 행사하게 되겠는데…”

여기저기서 수근 댄다. 옆에서 지켜보고 서 있던 김 종필 부장이 나선다.

“영국 등 선진국에서는 당 사무국이 든든하게 존재하면서 당을 이끌어 갑니다. 단순하게 국회의원 한 두 명만을 놓고 보면 사무국이 우위에 서는 것처럼 비치지만, 실제로 사무국은 국회의원을 지원하는 조직이라고 보시면 됩니다."

"그나저나 여기 있는 사람들 대부분은 재건당 얘기를 처음 듣는 것 같은데 도대체 어떤 인물들이 논의에 참여하고 있는 겁니까?"

"군복을 벗어야 하나 말아야 하나 고민하는 사람들도 많은데, 이렇게 되면 여기 있는 사람 모두 집에 가서 애들이나 봐야 하는 건가요? 지난 번 의장님 말씀이 최고위원들 대부분은 군 복귀를 해서는 안된다고 말씀하셨는데."

"중정에서 입맛에 맞는 사람들만을 골라서 조직화 하는 것 같은데, 이거 완전히 중정 세상이 되는 것 아니야?"

"그러게… 이거 뭐야? 재건당이라는 게?"

중구난방으로 의견이 쏟아져 나왔다. 김 부장이 나서서 수습을 하려 애쓴다.

"당 조직을 이원화하고 사무국에서 국회의원을 콘트롤한다는 건 말이 안 돼. 그리고 중정에서 제 맘대로 사람을 가려서 조직화한다니…"

잠잠하던 김 종오, 김 진위, 박 태준, 김 재춘, 유 양수 등이 모두 불만 섞인 목소리로 서로 수근 거린다.

"아직 공식적인 창당 작업과 당원 모집이 본격화한 것이 아니라 우리 최고위원들의 입당 여부는 결정된 것이 없습니다. 연초에 발기인 대회와 창립 총회를 하는 과정에서 자연스럽게 논의되고 해결될 문제라고 봅니다."

이 영근 차장이다.

한국관에서 벌어지고 있는 상황에 대해서 강 상원 국장이 전화를 해 왔다. 상황 설명을 하면서 '김 종필 부장과 중정팀이 코너로 몰리고 있다'고 하소연한다.

“걱정마. 언성 높이지 말고 여러 의견들을 잘 들어 보시게. 제기된 문제점들을 가지고 조만간 심도 있게 논의해 봅시다. 김 부장과 이 차장에게도 내 의견을 전하시게.”

“예, 알겠습니다.”

사실 창당 작업은 외부적으로는 비밀로 했지만 최고회의 위원들은 대부분 짐작하고 있는 일이다. 내가 이 주일 부의장이나 김 동하, 김 재춘, 박태준, 이 석제, 유 양수, 김 종오 위원 등에게는 아름 아름으로 힌트를 주고 의견을 묻기도 하였다.

혁명 동지들의 반발은 사실 나와 김 종필 중령이 최근에 발설한 ‘최고위원과 각원(閣員) 및 정부에 파견된 군인들은 군대 복귀 대신에 내년 2월경까지는 예편과 동시에 현직에서 물러나야 한다’는 선언 때문일 것이다. 민정 이양까지는 아직 10개월 이상의 기간이 남아있는 상황에서 모두가 자신의 위치를 선택해야만 하는 기로에 서게 된 것이다. 아직 마음의 결정을 하지 못하고 있는 상황에서 재건당 창당 얘기가 현실화하면서 ‘선택을 강요받는 상황’에 처하게 되었다.

최고위원 중에서 일부 위원은 민정 참여를 위해 군복을 벗어야만 한다. 그런데 현재 국가재건최고회의는 국군 현역 장교로만 구성하도록 되어 있어서 현재 국가재건비상조치법 제4조 1항의 내용을 개정 작업을 벌리고 있다.

이들의 불만요인 중 다른 하나는 창당 작업을 김 종필 부장과 중정에서 비밀리에 주도하고 있다는 사실 이다. 현재 상황에서 자신이 철저히 배제되고 있음을 감지하고는 군사 혁명 당시의 초조함 같은 것이 증폭되어 있을 것이다. 30대, 40대 초반의 젊은 군인이 품은 불만이 어디로 튈지 모른다.

혁명 직후 중앙정보부가 만들어진 때부터 김 종필 부장을 중심으로 중정 요원들, 그리고 이들과 연계된 육사 8기 혁명 주체 세력들은 실로 엄청난 일을 해내고 있는 중이다. 외면적으로 보이는 최고회의나 내각, 법원과 검찰, 재건국민운동, 기업이나 대국민 활동 이외에 겉으로 드러낼 수 없는

'치명적인' 일들을 잘 해내고 있다. 반혁명 세력이나 공산당 세력 척결, 한일회담, 미국 방문, 화폐 개혁, 유엔이나 국가 간 관계, 차관 교섭 등 전방위적으로 나를 지원하고 있다.

혁명 직후부터 내게 가장 절실한 숙제인 민정 이양 이후를 준비하는 작업이 바로 창당 작업이다. 내가 창당 준비 작업에 특별히 신경을 쓰는 이유는 이것이 단순하게 정당 하나를 만드는 작업이 아니기 때문이다. 내가 구상하고 있는 정당은 현재의 최고회의를 대신하여 입법권을 행사하여야 하며, 민간 정부를 이끌어갈 대통령과 국회의원을 뽑는 일을 관장해야 한다.

새로운 정당을 내가 원하는, 혁명 정부를 대체하여 혁명 과업을 완성해 갈 수 있는 형태로 만들어야 한다. 그래서 혁명 직후부터 민간 이양 이후를 생각하고 준비해 오고 있다.

새 정당이 반드시 피해야 할 일은 지난 민주당과 같은 모습이다. 민주당은 온갖 파벌이 난무했고, 국회의원 개개인이 목소리를 내는 구조였다. 내각책임제인 데도 불구하고 여당인 민주당이 분열되어 있어서 여론 수렴을 통한 국론 통일, 정부가 원하는 입법권 행사를 전혀 하지 못했었다. 정당의 분열이 국회 분열을 초래하고 종래는 정부 무질서와 무능을 초래하고 말았다.

내가 구상하는 새로운 정당은 정당이 올바른 이념과 정강(政綱)을 수립한 상태에서 국가 발전에 필요한 정책 개발을 하여 국회와 정부로 하여금 제대로 실천해 갈 수 있게 할 수 있을 정도의 역량을 갖춘 정당이다. 대통령을 배출하고, 국회 의석 다수를 확보한 여당이 되어 대통령을 비롯한 정부의 국가 발전, 경제개발 5개년계획 추진을 총력으로 지원할 수 있는 그런 정당이다.

그러기 위해서는 선출직인 대통령이나 국회의원 못지않게 정당 사무국이 튼실해야만 한다. 사무국이 안정적으로 정책 개발과 정치 안정화를 유지하는 상태라면 누가 대통령이 되고 국회의원이 될 지라도 국가와 정치가 안정된다.

이런 내 의도를 모르는 최고위원들이 '어찌하여 정당 사무국이 국회의원보다 상위에 서서, 이래라저래라 할 수 있는가?' 호통을 치고 있다. 이들 머리속에는 이 승만 대통령 시기를 지나면서 한국 사회에서 사라졌던 양반 귀족(兩班貴族)의 모습을 보이고 있는 국회의원이 들어 있다. 지난 자유당, 민주당 국회의원들의 그 '거만한 모습'이 은연중에 우리 혁명 동지들 머리속에도 들어 있었다.

숨은 인재를 찾아라

단기 4295년 1월 1일을 서기 1962년 1월 1일로 새롭게 출발하면서 시작된 경제개발5개년계획. 혁명 정부 기간 동안에 추진할 2년 짜리가 아니라 5년 짜리 계획을 내세운 상태에서 걱정이 많다. 조만간 추진 주체를 민간으로 넘겨야 한다. 민정 이양을 누구에게 어떤 방식으로 하여 우리가 계획하고 있는 원대한 중장기 국가 발전 계획을 이어가게 만들 것인가?

기존 자유당, 민주당 시절의 정치인이라면 희망이 없다. 그들은 여전히 정신을 못 차리고 있는 것 같다. 군사 정부 아래서 잠시 숨을 죽이고 있을 뿐이다. 3.15 부정선거, 중립주의자와 공산사회주의자들이 설치는 무정부 상태를 유발한 그들이다. 정치는 '사람'이 바뀌지 않는 한 자율적 혁신이 이루어지지 않는다. 고려와 조선 역사에서도 증명이 된 진리다. 한번 오른 자리에서 스스로 내려서는 정치인이 더없이 드물다.

5·16 혁명은 시작과 동시에 '끝'을 준비해야만 하는 사건이다. 군인이 본업이 아닌 정치와 행정 영역으로 들어섰으니, 빠른 시일 내에 정치와 행정을 민간 전문가에게 맡기고 우리는 군으로 복귀해야만 한다. 군사 혁명은 우리 한국인들에게 치명적인 극약 처방이다. 민간 스스로는 결코 해낼 수 없는 일을 군사혁명이라는 극단적인 행동으로 변화를 시도하고 있는 중이다.

한국인들의 고질적인 못된 관습, 정치인들의 - 자리보전이나 하면서 가난한 국민들 위에 군림하려는 - 나쁜 '양반 근성', 그런 그들을 어쩌지 못하고 '순종하는' 나약한 국민성을 근본적으로 바꿔야만 한다. 정치판, 정치와 행정이 펼쳐지고 있는 통치 체제 자체를 혁신적으로 변화시켜야 한다.

그래서 '참된 한국인'이 절실히 필요하다.

돈을 벌어 부자가 되는 방법에 대해서는 역량이 부족한 한국인들이지만, 무엇이 옳고 어떤 것이 좋은가에 대해서는 제법 잘 알고 있는 지식인들이 많다. 우리 군사 혁명 정부를 대하는 거의 모든 한국인들은 '가슴이 뻥 뚫리듯 통쾌해 하며' '뭔가 새로운 세상을 고대'하고 있는 중이다. 그들 중에서 전문성이 있고, 지혜로우며, 열정적인 추진력을 갖춘 숨어 있는 '참 한국인'을 찾아내야 한다. 또 그런 한국인 중에서 제법 지도력이 있는 이들을 발굴하여 앞장 세워야 한다.

지도력 있는, 참된 인재를 찾는 작업은 혁명 직후 민정 이양 약속을 재천명하면서부터 시작되었다고 보아야 한다. 최고회의 주변에 군인이 아닌 민간인들의 참여를 늘려오고 있는 것도 그런 과정 중 하나다.

중정에서는 기구 설립과 동시에 민간인 전문가들을 위한 정책 연구실을 가동하고 있다. 김 정렴, 윤 천주, 김 학렬, 김 운태, 최 규하, 정 범모, 김 성희, 윤 태림 등 인물들이 우리가 추진하고 있는 각종 정책과 법 개정 작업에 참여하고 있다. 경제개발 5개년계획도 경제기획원의 관료들은 물론 이런 인재들의 도움이 있었기에 가능했다.

급진적으로 추진하고 있는 재건 국민 운동을 통해서도 전국적으로 잠재해 있는 지도력 있는 젊은 인재를 발굴하고 있는 중이다. 이들은 지도자로서, 국민을 선도하여 국가 발전의 동력으로 승화시키는 임무를 맡고 있다.

이제는 시각을 달리하여 본격적으로 민정 이양 후에 '정치 영역'을 담당할 인재를 발굴해야 한다. 민정 이양은 곧 정치를 민간으로 넘긴다는 말이다. 우리의 군부는 설령 정치가 민간으로 이양이 된다고 하더라도 국방과 치안,

사회 안정 유지를 위해 적당한 선에서 영향력을 발휘해야만 한다. 그렇지 않으면 민주당 정권 시절의 혼란과 무질서가 되살아날 것이기 때문이다.

김 종필 부장을 비롯한 중정 요원들을 내 방으로 불러 진지하게 회의를 시작한 건 1, 2월 정부 각 부처와 공공기관, 지방 시도 초도순시를 마친 직후였다. 먼저 그동안 진행되어 온 창당 준비와 인재 영입 과정에 대한 보고를 들었다.

"조심스럽게 접촉하여 재건 동지로 포섭하는 사람 숫자를 늘려가고 있습니다. 이중 삼중으로 크로스 체크를 하여 실수가 없도록 최선을 다하고 있습니다."

특수팀을 책임 맡고 있는 것은 이 영근 차장을 중심으로 강 성원 중령, 정 지원 소령 등이다. 그들의 보고에 따르면 중정은 시내에 사무실을 두고 동지가 될 사람을 선발하여, 십여 명씩 모아서 집중 교육을 시키고 있었다. 서울대와 고려대 등 대학 교수들 중에서 국가론이나 정치학, 정당론, 행정학, 사상론, 역사학 등을 전공한 전문가들을 강사로 동원하고 있다. 공무원이나 군, 재건 국민운동 지도자들에게 하고 있는 정치 사상 교육, 민족 역사 교육, 경제 교육 내용에 더해서 정당론과 정치에 대해 특히 교육 심도를 높이고 있다.

강 성원 중령이 실무자로서 구두 보고를 하였다.

"접촉 대상자는 대학, 언론계, 변호사, 검찰, 정치인, 관료, 기업인, 농어촌 지도자 등 분야별 전문가들의 명단을 확보한 뒤 내부에서 여러 차례 토론을 거쳐 접촉대상자를 추렸습니다. 이와 병행해서 핵심 혁명 동지들이나 정책연구실 전문가들에게도 추천을 받고 있습니다. 이들 1차로 선발된 대상자들에 대해서 고등고시 합격자에 대한 신원 조회 수준으로 가족 관계, 학력, 직업, 경력, 병력, 범죄 여부 등을 철저하게 조사를 하여 최종 면접 대상자로 정합니다. 최종적으로 중요한 것은 본인의 재건동지회 참여 의사입니다. 지금까지 접촉한 사람들 중 90% 이상이 우리의 뜻에 적극 호응하여 동참해서 교육을 받고 있습니다. 10% 정도는 우리의 비밀스런 분위기나 진지함에 위축되거나 불안해하면서 몸을 사린 경우이거나 '정치'라는 것에 대한 거부 반응을 보이며 이탈한 경우입니다."

"접촉 후 이탈한 사람들에 대해서는 철저하게 입조심을 당부하고 있습니다."

이 영근 차장이 나서서 '우려되는 상황에 대해' 변호를 한다.

중정의 치밀한 일 처리 방식에 대해서는 이미 잘 알고 있는 바다

"수고가 많네. 지금처럼 하면 될 것 같아. 비밀을 유지하는 것은 좋은데 우리가 아무리 노력해도 말은 새어 나가게 되어 있어요. 우리가 나쁜 짓 하는 게 아닐 바 에야… 다만 소문이 나기 시작하면 너도나도, 자천 타천으로 끼어들려는 사람이 많아질 테니 조심하는 게 좋겠지."

실무팀의 노력을 칭찬해주고 지나치게 긴장되어 있는 마음을 풀어주었다.

"좋은 사람을 많이 모아 봅시다. 위대한 대한민국 건설은 우리 혁명군인 만으로는 안 돼. 모든 분야에 걸쳐서 인재가 필요해. 본격적으로 찾아보자고."

"지난 군사 정부 10개월 동안 일을 해 오면서 많은 사람들을 만나고 함께 일을 추진해 왔습니다. 그 중에는 진정으로 우리와 생각이 같은 사람들도 있고, 그냥 어정쩡하게 부탁을 하니까 들어주고 동참한 사람도 적지 않을 겁니다. 이제는 한 사람씩 따져보고 평가해서 '진정한 동지'가 누구인가를 가려야 할 때입니다."

김 부장이 나의 생각을 정확히 읽고 있다.

"주변을 보면 '성공한 군사 혁명'에 어떻게 든 이름을 걸고 동참하려는 이들이 적지 않습니다. 하지만 한 사람 한 사람의 속내나 진정성을 다 알 수가 없어서 고민입니다. 그저 말 잘하고, 술 잘 사며, 돈이나 찔러주려는 사람들은 아닐까 걱정이 되는 이들이 많습니다."

이 영근 차장이다. 그는 정보통으로 예리하고 지혜롭다.

"의장님, 참석자들에게는 교육 과정을 통해 우리가 하려는 일이 전국적인 동지 규합이고 종래는 정당 결성이라는 사실을 인지시키고 있습니다. 지역별로 물색하는 사람들에게는 지구 조직을 만들어 사무국을 책임져야 한다는 사실도 주입하고 있습니다."

"재건동지회의 전국 조직화는 내년 정치 재개에 대비하여 연말까지 작업을 끝내 보겠습니다."

"너무 서둘러서는 안 되지만 마지노선을 두고 일을 해야 할 겁니다."

"결국 군사 정부를 이어받는 수준의 정치 결사체를 전제로 움직여야만 합니다. 헌법이 개정되고 나면 공식적으로 정당으로 등록해서 곧바로 정치 활동을 시작해야 정치 주도권을 잡을 수 있습니다."

강 성원 중령이다.

"하여튼 최대한 비밀을 유지하시게. 일반인의 정치 활동을 금지해 놓은 상태에서 군사 정부에서 이런 일을 하고 있다고 소문이 나면 안 좋아. 사람을 만나고 설득을 하다 보면 말이 새나가게 되어 있는데, 항상 이중삼중으로 조심해요. 필요 재원은 일단 중정 예산을 최대한 활용하는 것으로 하고, 내각 쪽에도 추가 예산 지원이 가능한 지 알아봅시다."

"알겠습니다."

"최고회의 위원들에게는 내가 적당한 선에서 사정 설명을 하고 비밀 유지를 하도록 할 겁니다. 혹시라도 누가 구체적으로 묻고 나서면 내 핑계를 대시게. 내게 보내."

중정에서 비밀리에 작업을 진행하는 과정에도 여러 사람이 내게 다가와서 '뭔 일?' 인가 궁금해 하는 경우가 있었다. 가까이에 있는 이 석제 위원장은

"의장님, 중정에 특별하게 맡기신 일이라도 있습니까? 주변에서 이런저런 말로 수근 대고 있네요?"

"뭔 일은… 내가 사람 좀 챙겨보라고 했어요."

눈치가 빠른 이 대령은 무슨 일인가 금방 눈치를 챈다.

"짐작은 하고 있었습니다. 그런데 최고위원들 중에도 김 부장이 너무 앞서가는 게 아닌가 하고 의심스러운 눈초리를 보내고 있는 이들이 많습니다."

알만 했다.

어느 날, 바쁘게 일처리를 마치고 잠시 눈을 붙이고 있는데, 방첩대를 맡고 있는 김 재춘 장군이 들어오더니,

"각하, 중정에서 뭔 일을 꾸미고 있는 것 같습니다. 우리측 요원들 말에 의하면 시내 모처에 사무실을 내고는 여러 사람이 드나들면서 비밀스럽게 움직이고 있다고 합니다."

김 장군에게는 그간 돌아가는 사정 얘기를 해주었다. 민정 이양에 대비하여 사람 모으는 작업을 비밀리에 진행하고 있는데, 그 일을 중정 특수팀에서 주관하고 있다고 귀뜸을 해주었다. 그는 '알겠다는 듯' 고개를 끄덕였다.

"비밀 유지를 위해 최고회의에도 공식적으로 보고를 하지 않고 있어요. 방첩대에시도 최대한 지원을 해주시고 비밀 유지에 최선을 다해 주세요."

5월 초, 중정 이 영근 차장의 안내를 받아 재건동지 교육이 진행되고 있는 낙원동 춘추장을 찾았다. 마침 윤 천주 고려대 교수가 강의를 마치고 나오다가 나와 마주쳤다.

"윤 교수님, 수고가 많습니다. 도와 주셔서 감사합니다."

"아하, 안녕하십니까? 제가 영광이죠. 사명감을 가지고 열심히 교육하고 있습니다."

"교육생 분위기는 어떻습니까?"

"모두가 의욕에 넘쳐 있습니다. 혁명 정부에 대한 희망과 함께 뭔가 의미

있는 일을 해 보고 싶다는 눈빛이 형형합니다."

그의 안내를 받아서 교육장 내로 들어섰다. 30명 정도의 인원이 작은 강의실 내에 가득 차 있었다. 작은 책상과 의자를 맞대고 앉아 나를 반겼다. 몇 명과 악수를 하고 인사를 나누면서 앞쪽 칠판 쪽으로 나갔다.

"반갑습니다. 이렇게 좁은 공간에서 교육을 받으시느라고 고생이 많으신 것 같습니다. 공개적으로 환영식을 거쳐서 모셔야 하는데… 사정이 사정이니만큼 양해를 부탁드립니다."

현재 진행 중에 있는 교육이 어떤 의미가 있는 지에 대해 간단하게 얘기하고 자연스럽게 이런저런 대화를 나누었다. 주로 30대의 젊은이들로서 의욕이 넘쳐 보였다. 혁명 정부가 추진하고 있는 정책들에 대해 대체로 긍정적으로 이해하고 있으면서 어떤 임무라도 주어지면 최선을 다하겠다는 다짐을 보여주었다.

실무팀에서 그동안 교육에 참여했거나 향후 접촉을 하기로 예정하고 있는 인물들에 대해서 간략하게 보고를 해주었다. 언론계에서는 윤 주영 조선일보 국장, 소 두영 경향신문 논설위원, 서 인석 동양통신 편집부국장, 고명식 동양통신 기자, 장 용 경향신문 논설위원 등이 교육을 받았거나 섭외대상이고, 학계에서는 이 호범 국민대 교수, 황 성모 서울대 교수, 강 상운 중앙대 교수, 윤 일선 서울대 교수, 김 성진 박사, 이 용남 박사, 박 동윤 박사, 이 성수 박사 등이 적극적인 참여층에 속해 있다. 기존 정치인으로는 서 태원, 김 재순, 김 원전, 박 현숙, 이 원순, 박 준, 박 태익, 이 상용 등이 있다. 최 세황 변호사, 김 우경 동양화학 사장 등이 물망에 올라 있었다. 윤 주영 국장이나 서 인석 국장은 초기 단계부터 참여하여 주도적인 역할을 수행하고 있었다.

청조회 회원 중에서 정치적으로 해금된 전 휴상, 김 옥형, 장 익현, 홍 춘식, 박 준선, 이 교선, 서 태원, 백 남억 전의원 등은 재건 동지회 합류가 확실시 되고 있다.

접촉하는 인사 중 일부는 정치 활동에 대해 난색을 표하면서 정중히 거부를 하였지만 우리가 하려는 일에 대해서는 대체로 긍정적인 반응을 보였다고 전한다.

"여러분들은 위대한 대한민국 건설의 첨병이 되어야 합니다. 지금은 수십 명 정도에 불과하지만 여러분들이 나서서 천 명, 만 명, 십만 명으로 늘려 가셔야 합니다. 적극적으로 인재 발굴에 나서 주시면 좋겠습니다. '참된 인재' 10만 명 정도면 뭐든 해 볼 수 있을 것 같습니다. 북한의 김 일성은 물론 일본과도 해 볼만 합니다."

이들을 일당백의 전사로 육성하여 재건 동지회를 백만 명 수준의 정당으로 발전시켜 가려고 한다. 재건 동지회가 굳건하게 정치적 근간이 되어 준다면 어떤 형태의 민정 이양이라도 자신이 있다.

창당 작업은 물밑에서 꾸준히 진행되었다. 마침내 12월 26일 최고위원과 혁명 동지들에게 브리핑을 하면서 수면 위로 등장하게 되었다.

(가칭) 재건당 창당 작업은 좀 전에 전화 보고를 받은 대로 엄청난 파장을 불러일으키고 있었다.

내일 12월 27일은 내외신 기자 회견이 있다. 국내는 물론 전 세계의 주요 관심사는 정치 활동 자유화와 민정 이양에 대한 것이다.

새로운 전쟁의 시작

최고회의에서는 1962년 12월 31일자로 정당 및 사회단체의 정치 활동을 금지했던 군사혁명위원회 포고 제4호를 폐기하고, 정당법과 '집회 및 시위에 관한 법률'을 공포하였다. 이를 통해 명년 1월 1일부터 정치 활동을 자유화하였다. 이어서 국회의원선거법을 1월 16일에, 대통령선거법을 2월 1일에 제정하여 공포하였다, 민정으로 가는 정치의 계절이 시작되었다.

연초부터 본격적으로 정치 활동을 재개하고 민간 이양 작업에 착수하였다. 8월 정권 이양을 위해서 대통령 선거를 4월경에, 국회의원 선거를 5월 중에 실시하는 것으로 잠정적으로 일정을 정했다.

예상대로 재야 정치권에서는 활발한 움직임을 보이기 시작했다. 민간 정치계에서 변 영태 전 국무총리를 향후 대통령 후보로 옹립하려고 했는데 막상 본인이 사양을 하고 있다는 소문이 귀에 들려왔다. 윤 보선 전 대통령도 구 민주당계와 신민당계의 중진 및 간부들을 공공연하게 접촉하고 있다는 소문이 들렸다. 홍 익표, 김 병로, 이 인, 전 진한 등이 조심스럽게 만나고 있다고 한다.

아침 조간신문(1963.1.4. 조선일보)을 보니 어제 윤보선 전 대통령, 김 병로 전 대법원장, 이 인 전 참의원, 전 진한 전 민의원 등 4인이 기성 정파 연합이 아닌 개인 자격으로 모여서 회담을 한 뒤, 공동 성명을 발표하였다. '혁명 주체 세력이 만들 정당에 맞설 기성 정치 세력 중심의 새 정당을 범국민적인 대동 단결(大同團結)로 가급적 빨리 새 정당을 창설한다는 원칙에 합의하였다'는 것이 골자다

회담 후 김 병로씨는 회담 결과에 대해 간략하게 피력하였다.

"새로운 형태의 회합을 가져 조직 범위를 넓힌다는 데도 의견의 일치를 보았고, 당의 이념과 정강 정책 등은 이차적인 문제이며 우선 지난날의 각 정파

(政派)를 떠나 개인 자격으로 대동 단합하는 것이 선결 문제라는 데 의견을 같이 했습니다. 새 정당은 기존 정치의 연합체가 되어서는 절대 안 됩니다."

또 다른 신문 기사를 보니 같은 시각 설날 세배 겸 구 민주당 최고위원이었던 박 순천 여사의 합정동 집에서도 민주당계 정치인들이 몰려 담론을 벌렸다. 박 순천, 홍 익표, 이 상규, 송 원영 등 삼십여 명이 약 6시간 동안 회합을 갖고 '순수한 야당의 선명한 기치(旗幟)'를 내세우는 창당을 모색하였다. 이들도 조만간 4자 회담에 동참할 것이라고 전했다. 다만, 구 신민당계인 윤 보선씨를 대통령 후보로 내세우는 데는 반대하는 것으로 전해졌다.

지난 해 12월 27일 내외신 기자 회견 장에서도 첫 질문이 정치 일정에 관한 것이었다(출처: 한국군사혁명사. 제1집. 1963. 1812-1813).

(정 지용) "헌법도 확정되었으니 대통령 선거, 국회의원선거, 새 국회 소집, 민정 이양식 등 민정이양에 따르는 구체적 일정을 밝혀 주시기 바랍니다."

"대통령 선거는 명년 4월 초순에, 국회의원 선거는 5월 말경에 실시할 것이며 새 국회 소집과 민정 이양식 날짜 등은 아직 구체적으로 결정을 보지 못하고 있으나 공약한대로 8월 중순께로 희망하고 있습니다. 비용 절약이나 국민들의 번잡성을 피하기 위해서 대통령선거와 국회의원선거를 동시에 하는 것이 좋지 않겠느냐는 의견도 있으나 선거구가 과거 보다 배(倍) 이상으로 확장되고 지역구 대표제와 비례 대표제가 뒤섞여 있어 분리하기로 하였습니다. 경비가 조금 더 들더라도..."

(정 지용) "최고위원들은 행동을 통일하여 민정에 전원 참석하게 될 겁니까? 최고위원들의 민정 참여 방식에 대해서 알고 싶습니다."

"모든 정세를 종합적으로 검토해 볼 때, 최고위원들이 군복을 벗고 민간인 자격으로 민간 정부에 적극 참여하는 것이 국가를 위해 보다 충실히 봉사하는 길이라고 합의를 보았습니다. 물론 3군 참모총장과 해병대사령관, 이러한 분들은 제외될 것입니다. 이는 혁명 공약 위배가 아니고, 더욱 충실히 공약(公約)을 지키는 것이라고 생각합니다. 군복을 입고 자동적으로 참여하여 특혜를 받는다면 공약 위배의 비난을 받겠지만, 군복을 벗고 민간인과 같은 자격으로 나가 국민의 심판을 받을 것입니다. 정치 활동을 하기 위해서는 반드시 정당에 가입해야 합니다.”

최고회의 내에서도 격론을 벌인 부분이 바로 혁명 주도 세력들의 정치 참여 부분이다. 논쟁의 요점을 보면 첫째, 군사 혁명의 목적이 달성되었으니 정치는 민간에 맡기고 모든 군인들은 군으로 복귀하자는 강경론이다. 이들은 혁명 초기에 장 도영 장군이 어설프게 주장하던 내용의 연장선상에서 복귀론을 주장하고 있다. 비교적 군인 정신에 투철한 사람들이다. 복귀를 주장하는 사람들에 대해서는 그동안 지속적으로 본인의 희망에 따라 군으로 복귀시켜 오고 있다. 마지막 순간에 ‘다 같이 군으로 복귀해야 한다’는 의견을 피력하면서 나를 고민스럽게 만들고 있다.

둘째, 터키의 혁명 정부처럼 최고위원들을 종신직 상원 의원으로 재임케 하는 것을 주장하는 사람도 있다. 새로 출범하는 민간 정부가 미덥지 못하기 때문에 군사혁명위원회가 지속적으로 정치적 영도력을 발휘해야 한다는 입장이다. 이는 군사 정부를 지속하는 것으로 내가 바라는 자유 민주주의 정치와는 대립되는 것이다. 혁명 공약대로 ‘민간’ 정부로 가는 것이 옳기 때문에 처음부터 논외로 했다.

셋째, 최고위원들이 새로 출범하는 (가칭) 재건당의 비례대표가 되어 국회로 진출하자는 의견이다. 이는 창당 과정에서 구체적으로 논의해야 할 일이지만 자칫 ‘군인 정당’이라는 이미지가 될 수 있어 걱정이다.

최고회의 내에서의 갈등이 연말 (가칭) 재건당 준비 과정에 대한 브리핑을 계기로 표면화되었다. 가장 핵심은 당연히 창당 과정에서 또 창당 이후에 자신의 역할이나 위치가 어떻게 될 것인가에 대한 우려다. 5.16 혁명 과정에서 주도 세력으로 참여했던 동지들이 이번에 창당과 민정 이양을 계기로 또 한 번의 주도권 싸움에 들어서는 느낌이 든다.

본격적인 창당 작업을 위해 김 종필 중앙정보부장이 31일, 박 병권 국방부장관 앞으로 예비역 편입원을 제출하였다. 4일, 최고회의 시무식을 끝내고 점심 식사를 마친 뒤 김 부장을 방으로 불러 마주 앉았다.

"워커힐에서 한바탕 했다면서?"

"뭐, 별것 아닙니다. 예상했던 반응이죠."

"그래도 만만하게 봐서는 안 될 거야. 송 요찬, 김 재춘, 김 동하, 이 주일, 김 진위 장군 등이 내게도 강한 톤으로 이의를 제기하고 있어요. 김 부장을 중심으로 한 육사 8기들의 움직임에 매우 불쾌한 반응을 보이고 있어. 김 형욱, 석 정선, 이 영근, 강 성원 등의 이름을 직접 거론하면서 일전불사(一戰不辭)할 태도야."

김 부장이 씁쓸하게 입맛을 다신다.

"군인들을 배제하고 민간인 위주로 판을 짜다 보니까 아무래도 최고회의 멤버들이 불편해하고 있습니다. 지난 1년여 동안 치밀하게 조직해오고 있는 중이니까 일사천리로 창당 작업을 진행해 갈 겁니다. 2월말까지는 창당 작업을 끝내겠습니다."

"그나저나 김 부장 후임은 누가 좋을까?"

"지금까지 일을 함께 해 온 최고회의 정보 담당 책임자인 김 형욱 대령이 어떨까요?"

"나쁘지 않지. 생각해 보겠네."

1월 5일, 최고회의에서 1963년도 시정방침을 발표하였다. 회의가 끝난 후 내각 수반 실에서는 김 종필 대령의 장군 진급과 1등근무훈장 수여 및 전역식이 열렸다. 정군 항명 사건으로 옷을 벗었다가 혁명 후 복귀한 뒤 중앙정보부를 창설하여 지금까지 중책을 맡아 왔다. 이제는 민간인 신분이 되어 본격적으로 정치 활동을 전개하게 될 것이다.

재건당 창립이 숨 가쁘게 진행되는 것과 동시에 민간 정치계 쪽에서도 활발한 움직임이 보였다. 대동단결을 표명했던 주요 인사들이 다시 모여서 정치활동정화법 폐지와 모든 정치인들에 대한 해금 조치, 대통령 선거와 국회의원 선거의 동시 실시를 주장하고 나섰다.

야당계 대표로 전 진한, 김 법린, 김 대석 3인이 1월 14일 면담 요청을 하고 내 사무실로 들어섰다. 간단하게 인사를 나누고 차 한잔을 마시면서 대담을 나눴다(출처: 「한국군사혁명사. 제1집」. 1963. 1807-1808).

"최근 신문을 보니 범 야당적인 연합 정당을 구성하는 움직임이 있다는데 대단히 반갑습니다. 잘 되어가고 있습니까?"

(전 진한) "이번 의장님을 찾아 뵌 것은 정치활동정화법에 묶여 있는 사람들을 전원 풀어달라는 것과 그리고 선거 시기가 너무 촉박하다는 것을 말씀드리려는 것입니다."

(김 법린) "의장님의 수고에 대해서 감사를 드립니다. 혁명 후 질서가 확립되고 관기(官紀)가 바로 선 데 대하여 진심으로 경하해 마지않습니다."

"정당 정치를 위해 복수 정당의 출현은 꼭 필요합니다. 그러나 과거와 같은 반대를 위한 반대보다도 여야가 서로 협조해서 나라 걱정을 해나가야 합니다. 우리가 정정법을 만들고 선거 시기를 결정할 때도 이런 문제에 대하여 많은 염려를 했습니다. 그러므로 여러분도 이 법을 만든 뜻을 이해해 주실 줄 믿습니다. 다 풀어주는 것이 앞으로 야당을 만드는 데 좋다는 견해도 있으나 과거의 정계를 돌이켜 볼 때 그 부정, 그 독재, 그 부패를 일소하고 앞으로 참신한 정치 풍토를 이룩하기 위하여는 일부 구 정치인들에게 당분간 반성할 기회를 준다는 것은 꼭 필요합니다. 또 이미 정정법은 지난번 헌법 개정으로 그 존립과 계속 집행을 국민으로부터 승인받은 바 있으며, 국민이 이 법의 필요성을 인정하였습니다. 공민권(公民權) 제한법은 민주당이 만들었는데 이제 와서 그 사람들이 이 법을 반대한다는 것은 그 심사를 이해하기 어렵습니다. 공민권 제한법은 공민권을 완전 박탈했지만 정정법은 그렇지 않습니다."

(김 법린) "저는 자유당이었습니다. 당시에 저는 소급법을 반대했습니다."

"그러면 그 항의를 혁명정부에게 할 것이 아니라 민주당에 가서 해야겠군요? 저는 진정으로 야당 육성을 위해 도와주고 싶습니다. 그렇다고 정정법을 철폐하는 것은 어렵습니다."

(전 진한, 김 법린) "네, 정정법 철폐는 우리도 원하는 바가 아닙니다."

"조기 선거라고 하지만 4상(上), 5하(下)는 이미 8·12 성명에서 밝힌 공약으로 전 세계에 알려져 있습니다. 시간이 부족하다고 하지만 그렇지도 않습니다. 작년 1년은 8.12 성명에서 말한 대로 혁명과업 수행의 둔화를 방지하기 위해 일체 정치 활동을 금지했고, 금년 초부터 정치활동을 허용했는데 8월 민정이양 스케줄에 예정된 일자 속에서 볼 때 4, 5월 선거는 불가피한 것입니다.

시간이 부족하다는 것보다도 내부적으로 딴 문제가 있는 것이 아닙니까? 내부의 파벌을 떠나서 서로 합심한다면 충분히 그 시간 내에 정당조직이 가능하다고 봅니다.

저는 정말 야당에 관심이 많습니다. 야당이 여당을 공격하고 여당이 야당을 반대하는 무조건 투쟁을 버리고, 국가 공동목표를 위하여 여야가 상부상조해야 됩니다. 우리는 '근대화해야 한다'는 국가적 사명 속에 놓여 있습니다. 금년은 경제개발 5개년 계획의 제2차 년도로서 그 성패를 가름질 하는 결정적인 해 입이다.

이 중대한 해를 오래도록 선거 붐 속에서 들뜬 기분으로 보낼 수는 없으며 안정된 정국 속에서 경제 재건에 모든 힘을 기울여야 할 겁니다."

(김 법민) "인재도 적고 야당 활동에 문제가 많습니다. 최소한의 시간이 필요합니다."

"정당을 만드는데 머리가 너무 많아도 안 됩니다. 더 풀어주면 야당이 유리할 것 같지만 솔직히 말하자면 여당이 더 유리합니다. 주어진 조건은 여야가 다 같습니다. 오히려 우리가 여러 분 보다 정치적 경험이 적고 조건도 더 나쁩니다."

(전 진한) "정정법을 철폐한다는 것은 저도 반대합니다. 다만 의장 권한으로 묶인 사람들을 좀 더 많이 풀어달라는, 의장의 관용적 해제를 바랍니다. 제 경험에 비추어 정당 구성이란 1, 2년도 어려운데 현실적으로 여러 가지로 난관이 많습니다. 그러나 정부가 정해 놓은 것을 꼭 반대할 의사는 없습니다."

"정정법이나 선거 시기는 추호의 사심도 없이 결정한 문제입니다. 우리는 선거를 빨리 치르고 경제 건설에 힘을 기울여야 합니다. 지금은 여야가 없습니다. 여야는 앞으로 국민들이 결정할 것입니다.

선거는 절대 공명하게 치를 것을 보장하겠습니다. 여러분들을 정말 도와주고 싶습니다."

(전 진한) "저는 평소 박 의장님을 경모하고 있는 사람 중 하나입니다. 앞으로 최선을 다하겠는데 안 될 경우에는 잘 봐주십시오."

"처음부터 '안 되면 어떻게 하나?' 하고 일을 시작하면 되는 법이 없습니다. 된다고 믿고 한번 해보십시오."

(전 진한) "선거 후 민정이양 때까지 너무 공백 기간이 길지 않습니까? "

"그렇지 않습니다. 헌법도 바뀌었고 정부 기구도 달라질 것이므로 사무 인계, 기타 상당한 시일이 필요합니다. 앞으로 구 정치인을 더 풀어줄 계획이 었는데 사실상 국민에게 명분이 있어야 풀어줄 수 있습니다. 누가 앞으로 정치를 하든지 여가 야를 원수로, 야가 여를 물어뜯는 버릇을 고쳐야 합니다.

서로 좋은 의견을 내세우고 협조해야 할 것이며… 무조건 싸우는 것이 민주주의라면 그런 민주주의는 필요 없습니다."

(김 법린) "1년 7개월 전 한국의 실정은 정말 위험했습니다. 그래서 혁명 후 군사 정부의 공이 많은 데 대하여 온 국민이 칭송하고 있습니다."

한 시간 가까이 진행된 대담 과정에서 그들이 궁금해 하고 있는 사항들에 대해서 차분하게 내 의견을 피력했다. 헤어지는 인사를 나누는 그들의 표정이 그리 밝아 보이지는 않았다.

다음 날 신문에는 '박 의장이 꿈쩍도 안 했다'는 식으로 기사가 실렸다.

앞으로 펼쳐 질 정치의 시간이 조심스럽다.

군사 혁명은 정당한 명분이 있었고, 일치단결된 군대가 있었다. 횃불을 들고 앞장을 서니 모두가 나를 따라 주었다. 그래서 무혈 혁명을 이뤄냈다.

하지만 향후 펼쳐질 민정 이양은 만만치 않아 보인다. 다른 나라의 군사 혁명처럼 군사 정부 자체를 그대로 연장시키는 것이 가장 안전해 보인다. 하지만 이것은 결코 '국가 발전의 모습'이 아니다. 고려의 무단 통치나 일본의 막부 정치, 터키 케말 파샤의 군부 통치는 내가 구상하는 한국의 미래가 아니다. 정 도전의 조선이나 막부 정치를 끝내고 등장한 근대 일본의 관료 정치가 내 관심을 끌고 있다.

민정 이양을 앞두고 등장한 최고회의 동지들의 갈등을 봉합하여 안전하게 절차를 밟아 나가야 한다. 또 구태를 반복할 것 같은 기성 정치계를 정화하여 안정적이고 국가 발전에 긍정적인 건전한 정당을 만들 수 있도록 지원해주어야 한다. 건전한 복수 정당이 선의의 경쟁을 하는 정당 정치가 필요하다.

새로 전개될 정치판의 그 중심에 내가 있다.

모든 것을 내려놓고, 저 시골 상모리 시절로 돌아가고 싶은 마음도 굴뚝 같다.

하지만 지금까지 벌려 놓은 일, 한번 해 보고 싶은 경제 발전, 나를 믿고 함께 해 주고 있는 동지들의 뜻을 외면하기가 쉽지 않다. 그래서 긴장이 되고 목이 탄다.

군사 혁명과는 달리 이제는 명분과 함께 국민의 지지와 선택을 받아야만 한다. 나는 물론 뜻을 같이 하는 많은 재건 동지들이 당당하게 국회의원 후보가 되어 당선될 수 있어야 한다.

'그래 이것도 또 하나의 전쟁판이다. 전쟁에서 2등은 없다…'

제 3 부

내분과 함께 격랑 속으로...

내 분

1월 16일에는 핵심 최고위원들 중에서 해병 소장 김 동하를 중장으로, 육군 준장 김 재춘을 육군 소장으로, 육군 대령 강 상욱을 육군 준장으로, 육군 대령 이 석제를 육군 준장으로, 해병 대령 오 정근을 해병 준장으로 승진 임명함과 동시에 예비역으로 편입시켰다. 다음 날 이들에게 1등근무훈장을 수여하였다.

이들은 곧바로 창당 중인 재건당을 바로잡는 다는 명목 하에 민간인 신분으로 입당 원서를 제출하였다.

지난 해 12월 23일, 워커힐에서 처음으로 최고위원들에게 공개된 (가칭) 재건당이 정치 자유화와 동시에 발당(發黨) 작업을 서두르기로 일정을 세워두고 있었다. 그런데 신년 첫 날 아침에 최고위원들을 자극하는 기사가 신문에 보도되었다.

1963년 1월 1일자 조선일보 조간 1면에 5월 총선 출마 예정자 명단이 대문짝만 하게 실렸다. 바야흐로 기다리고 기다리던 정치의 계절이 도래한다는 첫 신호탄이었다. 그동안 목소리를 죽이고 기다리던 전국의 정치 지망생들이 공개적으로 모습을 드러내는 순간이었다.

기사 내용 속의 인물 면면을 보면서 중정에서 비밀리에 접촉하고 있던 사람들이 많이 포함되어 있음을 알 수 있었다. 어느 새 기자들이 냄새를 맡은 것 같았다.

1월 4일 최고회의시무식. '멸사봉공의 정신과 결의로써 새롭게 출발하자'고 간단한 신년사. 그리고 위원들과 함께 신년인사 차 간단한 다과 타임.

최고위원 중 몇몇이 신문을 펼쳐 보이며 국회의원 후보자 명단에 대해 수근거리기 시작했다.

"이거, 완전히 김 부장 사당(私黨) 조직 아니야?"

"최고위원들에 대한 배려가 전혀 없네. 후보자 명단에도 오르지 못하고 있는 사람들은 어쩌란 말이야?"

■ **국회의원 총선 입후보 예정자**

/서울중구: 강상욱(중령, 최고위원), 최덕신(장관) /성동구: 정봉중(재건운동촉진회장), 한태연, 박준규 /성북구: 조윤형 /용산구:박원빈(대령, 최고위원) /인천시: 유승원(대령), 박창원(준장), 김정렬, 김유택 /수원시: 이백일(대령) /양주군: 김종규,조윤형,오정근(대령) /이천군: 정범진(대령), 이명재(소장) /용인군: 박병호(중령) /화성군: 권오돈(중령), 신동우(준장) /김포군: 김재춘(준장) /춘천시: 김형곤(중령) /강릉시·명주군: 김진위(소장,최고위원) /철원군: 최석(대령), 우현(중령) /김화군: 최병순(대령) /화천군: 박기병(소장), 장호진(준장) /양구군: 임규호(대령) /인제군: 신현규(중령) /청주시·청원군: 유병현(소장) /충주시·중원군: 이종근(대령), 김기완(대령) /영동군: 김기형(대령), 송석하(소장) /음성군: 오원선(원자력원장) /대덕군: 김용태(중앙정보부고문) /공주군: 김세련(재무장관) /논산군: 박병권(중장), 양순직 /부여군:김종락(한일은행상무) /서천군: 신직수(최고회의전문위원) /청양군: 송요찬(중장, 전 내각수반) /홍성군: 이창규(최고회의 전문위원), 신우균(중령) /예산군: 최익렬, 박병선(중령), 서산군: 이풍우(대령) /당진군: 차의영(대령) /아산군: 강필선(촉진회장), 문희석(대령), 박내원(준장) /이리시: 손창규(최고위원) /익산군: 조원영(대령) /진안군: 전휴상 /김제군: 장경순(준장) /광주시: 유양수(소장) /장흥군: 박석교(대령) /강진군: 김현국(소령) /대구시: 이효상 /포항시·영일군: 김동하(소장) /월성군: 윤영모(대령) /안동군: 이지형(준장) /성주군: 신동욱, 도진희, 이규광(준장) /문경군: 채문식(국민운동본부 간부) /봉화군: 오한영(대령) /진주시: 이병문(중령) /진해시: 김성은(소장) /함안군: 방성출(대령) /양산군: 황용주, 박영홍(중령) /울산군: 이후락(최고회의 공보실장) /동래군: 박태준(준장), 양찬우(소장) /거제군: 윤충근(소장), 조형부(소령) /남해군: 유문식(중령) /하동군: 김용순(소장) /부산 서구: 조시형(준장) /산청군: 정우식(대령)

(출처:조선일보.1963.1.1.)

"함경도나 평안도 사람은 아무도 없네. 만군 출신도 없어요. 이거 이럴 수 있는 거야?"

시간이 흐를수록 수근 대는 소리가 커지고 나중에는 나를 들으라는 듯이 대놓고 언성을 높인다.

"의장님, 이 신문 기사 보셨습니까? 중정에서 비밀스럽게 재건당 창당 준비 작업을 한다고 하더니 이런 식으로 정보를 흘려서 공론화하려고 하는 게 아닙니까?"

이 주일, 이 석제, 김 동하, 오 치성 위원들의 목소리가 특히 크게 들렸다. 사람들이 웅성거리면서 김 종필 부장과 중정 작업팀을 비난하고 나서자 김 부장이 일어섰다.

"이 기사는 중정에서 추진해 온 재건당 작업 내용과는 무관합니다. 기자의 추측성 기사일 뿐입니다."

"딴 소리 마세요. 외부 기자가 어떻게 이렇게 정확하게 상황 파악을 할 수 있겠어요. 준비팀에서 사전 작업을 다 해 놓고 여론 조성을 위해 넌지시 흘렸지 않습니까?"

김 동하 장군이 정면으로 반박을 하고 나섰다.

"그렇지 않습니다. 최고위원과 핵심 혁명 동지들을 최대한 고려해서 창당 작업과 국회의원 선거에 임하려고 계획 중 입니다."

"현재 구상 중에 있는 사무국과 지구당 조직은 정당 운영과 국회의원 당선 가능성이 있는 사람들 위주로 조직화를 하고 있습니다. 최고위원들 중에서 지역구 다수대표제 선거를 통해 당선 가능한 사람은 지구당으로 내려 보내고 그렇지 않은 최고위원들은 비례대표제로 당선시키려고 작전을 펴고 있습니다."

강 성원 중령이 사정 설명을 하면서 끼어들었다.

"비례대표 숫자가 얼마나 된다고 여기 있는 모든 최고위원들을 다 당선시킵니까?"

"북한에서 온 사람들은 모두 출신 지역이 없는 실정입니다. 이들을 모두 비례대표로 국회의원을 만들어 줄 수 있습니까?"

듣고 있다 보니 원천적인 문제가 있는 듯싶다. 국회의원 지역구를 고려하여 인재를 영입하다 보니 북한에서 내려온 동지들은 대부분 고려 대상에서 제외되었다. 그렇다고 이들을 모두 비례대표로 하기도 어렵다. 내가 작업팀에게 들은 바로는 최고위원 중에서 이 주일 부의장, 이 석제, 오 치성, 길 재호, 김 형욱, 박 원빈, 옥 창호 위원 정도가 비례대표가 될 것 같다.

이 날 휴게 시간은 비교적 심각한 문제를 발견한 상태에서 마무리되었다. 재건당 창당 작업이 순조롭게 진행되지 않을 것 같다는 불안감이 엄습을 해 왔다.

연초부터 김 종필 부장이 옷을 벗고 본격적으로 창당 작업에 나서게 됨에 따라 그의 후임자 선정이 고민거리로 등장했다. 중앙정보부는 김 부장과 함께 육사 8기생이 중심이 되어 창설하고 운영해 왔다. 그래서 안정적으로 중정을 운영해 가기 위해서는 그들 중 누구 하나를 김 부장 후임으로 삼는 것이 좋아 보였다.

지난 연말, 종무식을 끝내고 이 후락 비서실장에게 넌지시 의견을 물었다.

"현재의 중정은 육사 8기생이 없으면 안 됩니다. 김 형욱 대령이나 이 영근, 석 정선 등 중에서 임명하시면 어떻겠습니까?"

"그러잖아도 김 부장이 김 형욱 대령이나 이 영근 차장을 염두에 두고 있는 듯해요."

이 주일 부의장에게도 상의를 해보았다.

"의장님, 저는 좀 생각이 다릅니다. 중정이 너무 특정 인맥 중심으로 구성되어 운영되는 것도 어느 순간에 문제가 될 수 있습니다. 그동안 중정이 김 종필 부장 중심으로 움직였기 때문에 온갖 권력형 비리에 관련되었다고 비난이 많습니다. 이번 기회에 변화를 주어야만 합니다."

이 장군의 생각에 공감이 간다. 혁명 직후부터 김 종필 부장 중심으로 중정이 중요한 역할을 해오고 있다. 하지만 중정의 권한이 너무 강력하고 비대해지면 어느 시점에서 나의 통제력을 벗어날 우려가 있다.

"변화를 준다면 방첩대를 맡고 있는 김 재춘 장군은 어때요?"

"적임자라고 생각합니다. 제가 알고 있기로는 그동안 방첩대에서 중정의 일탈 행위에 대해서 꾸준히 내사를 해오고 있습니다. 아마 잘 해 낼 겁니다."

김 종필 부장의 운영 방식에 조금이라도 발전적 변화를 준다면 중앙정보부의 무게에 비추어 김 재춘 장군이 적임자라는 생각이 든다. 최종적인 발령을 앞두고 본인은 물론 김 종필 부장, 이 후락 실장에게 귀뜸을 했다.

신년 구상을 하면서 공관에서 쉬고 있는데, 김 부장과 육사 8기 중정 임원들이 한꺼번에 들이닥쳤다.

"각하, 김 재춘 장군은 안 됩니다. 그동안 중정에서 하는 일에 대해 색안경을 쓰고 감시하듯 해 왔던 사람입니다. 우리가 하는 일에 대한 이해가 많이 부족합니다."

"걱정 말아요. 내가 김 장군을 잘 알아. 중정을 잘 이끌 적임자야."

"그렇지 않습니다. 김 종필 부장이나 저희 육사 8기생들에 대해서 적대감이 많아서 그가 중정을 맡으면 저희가 활동하기가 어려울 겁니다. 재고해 주십시요."

중정 현직자들의 반대가 만만치 않다. 다시 고민에 빠졌다. 민정 이양과 재건당 창당이 본격적으로 시작되는 시점에서 중정이 흔들려서도 안 된다. 일단 중도적인 인물을 세웠다가 창당과 민정 이양 작업이 순조롭게 되어가는 것을 보아서 변화를 주는 것이 좋아 보였다.

1월 7일자로 김 종필 부장 후임으로 김 용순 소장을 발령했다. 김 재춘 장군은 김 소장이 맡고 있던 최고회의 문교사회위원장으로 임명했다. 일단 한 박자 쉬어 가기로 하고 숨을 돌린 셈이다.

인사차 김 용순 신임 부장과 함께 중정 임원진들이 내 방을 찾았다. 간단한 인사와 함께 업무에 대한 개괄 보고에 이어서 이 영근 차장이 엊저녁에 워커 힐 한국관에서 있었던 전현직 최고위원들 모임 소식을 전해주었다. 저녁 5시부터 밤 10시까지 이어진 모임에서 재건당에 대해 격론이 벌어졌다고 한다.

새로운 정당 창당 과정을 처음부터 주도하고 있는 김 종필 전 부장과 김 동환 전 주미 참사관까지 참여한 속에서 재건당 창당 과정은 물론 구 자유당과 민주당계의 정당 구성 작업과 정치적 움직임에 대해서 심도 있게 논의를 하였다. 일단 기성 정치계의 움직임에 대해서는 관망하기로 하면서 최고회의 측에서는 당초 계획대로 발기인 대회와 이후 발당 대회를 추진해 가는 것으로 의견 조율을 하였다.

최고위원들은 김 종필 부장 위주로 추진되고 있는 창당 작업을 반대하기가 쉽지 않은 상황에서 겉으로는 말을 삼가했지만 내면적으로는 적지 않은 불만을 표출하고 있었다.

늦은 시간에 회의를 마치고도 불만이 있는 최고위원들이 따로 모여서 새벽까지 격론을 벌인 것으로 알려 졌다.

갑자기 김 동하 외무국방위원장이 사무실 문을 열고 나타났다.

"웬 일 이십니까?"

표정이 심각하다. 우락부락한 그의 얼굴이 한참 일그러져 있다.

"의장님, 조선일보 기사 보셨습니까? 저 보고 포항, 영일에 가서 출마를 하라네요. 그 곳을 떠난 지가 언젠데. 이건 말이 안 됩니다."

"그게 뭔 소립니까? 김 장군을 포항으로 가라고 누가 그럽디까?"

"신문에 난 것을 보니 김 종필 부장 솜씨 같던데요. 중정에서 이미 판을 다 짜 놓은 것 같은데. 재건당 창당 과정에서 최고위원들에 대한 배려가 전혀 없습니다. 모두 민간인 중심으로 판을 짜 놓고 군인들은 알아서 군복 벗고 참여하라는 거 아닙니까? 민간인도 김 부장이 모두 자기 사람으로 채워 놔서 군복을 벗고 참여한다고 해 봤자 찬밥 신세를 면치 못하게 되어 있습니다."

"그렇지 않아요. 신문 기사 내용은 기자들이 만들어 낸 얘기입니다. 아직 결정된 것은 아무 것도 없어요. 지금 골격을 드러낸 것은 정당 사무국 조직에 불과합니다. 일단 창당을 하고 난 뒤에 지구당과 국회의원 후보자를 물색해서 전국 조직을 완성해 갈 겁니다. 그리고 비례대표제라는 것이 있어서 얼마든지 최고위원들을 고려할 수가 있어요."

"최고위원들이 군복을 벗고 참여하면 모두 사무국의 지시를 받아야만 하는데, 이게 말이 됩니까? 설령 국회의원이 된다고 하더라도 국회의원이 사무 직원의 지시에 따라 국정 활동을 해야 하는 게 아닙니까?"

그동안 주변 동지들에게 누누이 얘기했던, 정당 조직의 이원화에 대한 인식이 부족한 탓에 이런 말을 하게 된다. 지금 김 장군의 불만은 정당 조직이나 제도에 대한 것보다도 김 종필 부장 중심으로 진행되고 있는 창당 작업에 대한 것이다. 자신을 포함한 최고회의 위원들 대부분이 배제된 상태에서 창당과 민정 이양 작업이 진행되고 있기 때문이다. 적당히 알아듣게 설명을 하고 돌려보내야 했다.

저녁 퇴근 직전에는 유 양수, 이 석제, 김 재춘, 오 정근 위원 등이 함께 나타났다.

"의장님, 재건당 창당 작업을 멈춰 주십시요. 이대로 가다가는 최고회의가 박살이 나고 위원들끼리 싸우게 되어 있습니다."

"중정에서 만들어 놓은 재건당 사전 조직을 없애고 원점에서부터 새롭게 시작해야 합니다. 기존 정치인들도 포함시켜서 범국민 정당을 만들어야만 민정 이양 정신에 맞습니다."

"사무국 중심의 정당 체제는 받아들일 수 없습니다. 국회의원 중심의 정당이 되어야만 합니다."

일일이 설명을 하고 질문에 답을 하기가 버거워진다. 창당 작업을 공개적으로 진행하기도 전에 최고회의 내부에서 벌써부터 분란이 일고 있다.

"자 자. 진정들 하십시다. 장당 작업은 지금부터 시작입니다. 그동안은 사람을 찾는 일에 치중했고 선진국의 앞선 정당 시스템을 토대로 초안을 만들어 본 것에 불과합니다. 발기인 대회를 해가면서 원점에서부터 차근차근 검토해 가십시다. 창당 까지는 아직 시간이 있어요. 그리고 우리끼리 만 얘기하는 것보다는 민간 전문가, 기존 정치인들의 의견도 들어가면서 좋은 정당을 만들어 봅시다."

바깥에서는 기존 정치인들이 활발하게 창당 작업에 나서고 있다. 민간 이양 후 정치를 이끌어 가야 할 여당을 만드는데 이렇게 초기부터 분란이 있어서야…

이 주일 부의장과 이 후락 공보실장이 창당 작업에 대한 최고위원들 사이의 불민이 민민치 않다는 사실을 진해주기에, 8일자 경협 주최 간담회 식상에서 그들의 의견을 청취하기로 하였다.

"재건당 창당 작업은 원점에서부터 새로 논의할 필요가 있습니다. 너무 비밀스럽게 이루어지다 보니 특정인 중심으로 판이 짜여 지는 것 같습니다. 이대로는 절대 승복하기가 어렵습니다."

김 동하, 김 종오, 오 정근 위원 등이 비슷한 톤으로 문제 제기를 한다.

"주변에서 재건당에 들어오고 싶어 하는 사람들이 있어서 제게 방법을 물어오곤 하는데 저도 어떻게 돌아가는 지 상황을 알 수가 없어서 안내를 못하고 있습니다. 입당 절차나 방법을 좀 더 오픈해서 많은 사람들이 참여할 수 있게 해야 하지 않을까요?"

김 윤근 장군이다. 그도 만군 출신 인사들이 배제되고 있는 상황에 대해서 섭섭해 하고 있는 눈치다.

"비밀스럽게 사람들을 접촉하다 보면 특정 인맥 중심으로 당원 모집이 이루어지게 됩니다. 좀 더 공개적으로 정당원을 모집해야만 국민 정당으로 발전해 갈 수 있습니다."

이 석제, 유 흥수 위원 등이 같은 목소리를 낸다.

간담회 정식 의제는 경제개발과 수출 증대, 기업 육성에 대한 것이었기에 창당 문제만을 가지고 길게 논의할 수는 없었다. 일단 마무리하고 창당 작업을 주도하는 사람들로 하여금 여러 의견을 들어 분란 소지를 없애 가는 것으로 하고 자리를 파했다.

불만이 많은 사람들에 대한 설득 작업은 별개로 하더라도 지난 해부터 꾸준히 추진해 오고 있는 재건당 창당 작업은 멈출 수가 없다. 창당 작업에 필요한 최고위원, 혁명 동지들을 적절한 시점에서 예비역으로 편입시켜야 했다.

1월 11일자로 육군 대령 정 문순, 윤 영모, 이 종근, 오 학진, 신 윤창, 서 상린, 장 동운, 정 치갑, 마 웅호 등을 육군 준장으로 승진 발령 냄과 동시에 예비역으로 편입시켰다. 이어서 15일자로 육군 준장 손 창규, 유 원식, 최 영두, 송 인명을 예비역으로 편입시켰다. 그리고 16일자로 최고위원 5명을 예편시킨 뒤 창당 작업을 함께 하도록 유도하였다.

김 동하, 적으로 나타나다

김 종필 부장 중심의 창당 작업은 흔들림 없이 지속되고 있었다. 1월 10일, 세종로 삼영빌딩 4층에 임시 사무실을 내고 김 용태, 이 영근, 김 동환, 김 재순, 김 정렬, 서 태원 등 핵심 요원들이 모였다. 이어서 11일에는 1차 창당 발기인 대회를 열었다. 이 자리에서 당명을 헌법 제1조 '대한민국은 민주 공화국이다'라는 조항에서 따 온 민주공화당(民主共和黨)으로 정했다. 윤 일선씨를 임시의장으로 하고, 김 종필 부장을 임시 당무회의 의장으로 선출하였다.

당의 행정을 총괄하게 되는 당무회의(黨務會議)는 당 의장(黨議長), 중앙 평의회 의장, 사무총장, 정책위원회 정 · 부의장, 원내 총무, 당 소속 국회 정 · 부의장, 당 소속 무임소장관, 당 총재가 지명하는 3명 정도를 포함하여 10여 명으로 구성된다. 빠른 시일 내에 중앙당 조직과 전국 지구당 사무국을 완성하기로 하고 2월 중순 창당대회까지 박차를 가하고 있었다.

1차 발기인으로 참석한 사람들은 다음과 같았다: 김 종필(전 중앙정보부장), 김 동환(주미공사), 윤 주영(전 조선일보 편집국장), 윤 일선(전 서울대학교총장), 김 성진(전 보건사회부장관), 서 태원(전 청조회원), 김 재순(전 외무차관, 민의원), 김 원전(전 민의원), 박 현숙(전 무임소장관, 민의원), 김 정렬(전 국방장관), 조 응천(예비역 준장), 이 원순(전 한미무역회사 사장). 현역 또는 예비역 군인 숫자가 많지 않게 적절한 인원 배분을 했다.

창당 실무 위원회는 연일 회의를 거듭하면서 창당 선언문 작성, 발기인 추가 모집, 창당대회 준비 작업에 들어갔다. 추가된 발기인으로는 다음과 같은 인물이 있었다. 소 두영(전 경향신문논설위원), 서 인석(전 동양통신 편집부국장), 고 명식(전 동양통신외신부차장), 강 상운(중앙대교수), 박 준(제헌의원), 박 태익(제헌의원), 이 상용(전 민의원, 전 경남도지사), 최 세황(전 국방차관), 이 성수(대한교육연합회 부회장), 김 우경(동양화학 취체역).

최고위원들이 격하게 반발하면서 문제 제기를 한 것들에 대해서는 적극적으로 개선책을 강구하되 기본 틀과 원칙을 크게 훼손시키지 않는 선에서 고려하기로 하였다. '군인 정당'이라는 색채를 띠지 않게끔 하다 보니 현역 군인인 최고위원들이 소외되었다는 느낌을 갖게 된 것 같아서 16일에는 최고위원 중 일부를 예편과 동시에 발기인으로 포함시켜 조정에 나섰다.

이 와중에도 불안감을 느낀 최고위원들의 반발은 지속되고 있었다. 이곳 저곳에서 끼리끼리 모여서 불만과 함께 자구책 마련에 나서고 있었다. 이들 중 몇몇은 개인적으로 또는 함께 내게 문제 제기를 하고 시정을 촉구하고 나섰다.

일일이 새 정당의 조직, 운영 방침, 향후 정치 일정, 그리고 나의 창당 의도를 설명해주면서 설득에 나섰다. 5·16 혁명 당시의 '긍정적 단합'을 호소하였다. 설명과 설득, 부정만 하지 말고 긍정적인 시각으로 봐 달라는 호소, 우리끼리 다투지 말고 외부의 거대한 기성 정치계를 의식하자는 각성, 모두가 힘이 들었다.

'내가 진심을 보이면 동지들도 당연히 공감할 것'이라는 믿음이 흔들리는 순간이 수시로 나타난다. 민정 이양을 앞두고 이해 관계가 첨예하게 대립되면서 이해와 설득이 잘 먹혀들지 않았다.

‘내 자리를 확실하게 보장해 주세요.’

‘최고위원들을 고려한 당직을 신설하고, 종신 상원의원으로 만들어 국정에 참여할 수 있는 장치를 만듭시다.’

내 말을 전혀 듣지 않고 본인 얘기만 반복하는 일부 최고위원에 대해서는 거의 벽창호(壁窓戶) 같은 막막함을 느꼈다.

갑자기 그 유명한 송 나라 혁신가 왕 안석이 했던 말이 생각이 났다.

“충성스러운 마음을 사람들이 믿어주지 않으니, 내가 나서서 일일이 설명해서 믿게 만들어야만 하는 구나. 올 곧은 행위를 해보지만 간사한 이들을 이기기 어려워서, 이 사람 저 사람 모두 나의 적이 되는구나. 忠不足以取信，故事事欲須自明。義不足以勝奸，故人人與之立敵”

바로 지금 내가 하고 싶은 말이다.

왕 안석은 망해 가는 조국을 혁신해서 새로운 국가로 만들기 위해 자기를 믿어 주던 신종과 함께 온 정성을 다했다. 하지만 사마 광, 문 언박, 증공량, 장 재, 소 식, 정 호, 정 이 등 당대의 유명한 성리학자들은 사사건건 반발을 하고 방해를 했다.

당시 송나라는 북방의 거대한 침략 국가였던 거란의 요나라와 대하(大夏)를 막기 위해 억만금의 배상금과 공물을 바치면서 힘에 부쳐 했었다. 김 일성 공산군의 침략을 막기 위해서 평화 유지비로 한 해에 수십 조 원을 북한에 갖다 주는 꼴이었다. 그 폐해는 엄청난 부담으로 국민을 괴롭히고 있었다. 혁신 정책을 통해 국민 부담을 줄이고 세수 증대를 시도했는데 기존 정치인들은 일치단결해서 반대하고 괴롭혔다.

문장이나 성리학으로 치면 그들은 왕 안석과 절친한 지음(知音)이었음에도 불구하고…

지금 나와 혁명 동지들의 관계가 비슷한 상황에 놓여 있다.

나의 진심을 믿어 줄 것도 같은데... 답답하다.

그들의 당 사무국이나 지구당 사무국에 대한 반발은 정의롭기보다는 개인적 이해관계 때문인 것으로 사료된다. '사무국 우위'라고 하는 비난도 사실 걱정할 것이 못된다. 선출된 국회의원이 사무직원의 통솔을 받게 될 것이라는 우려는 쓸데없는 걱정이다. 창당 작업에 흠집을 내기 위함 일뿐이다.

이 와중에 14일 찾아왔던 기성 정치인 대표 3인과 대담했던 내용이 이후락 공보실장을 통해 외부에 공개된 것을 두고서 야당 측에서 '매우 불쾌하다'는 반응을 보이고 나섰다. 야당 분열책이라고 반발을 하면서 통합의 명분론으로 삼고자 하는 인상을 풍긴다.

그러다가 22일 석간신문을 보고서 속이 뒤집어졌다. 가장 절친한 혁명 동지 김 동하가 나를 거부하고 나선 것이다.

"**최고위원직과 신당 발기위원 사퇴를 성명. 김 동하씨, 국민을 배신할 수 없다고**. 최고회의 김 동하 외무국방위원장은 21일 하오 최고위원직과 민주공화당 발기준비위원을 탈퇴한다고 성명 했다. 그는 서울 신당동 자택에서 기자와 회견, 박 정희 의장에게 최고위원직 사퇴원을 냈음을 밝히고 '당분간 야(野)에서 쉬겠다' 고 말했다. 예비역 해군중장인 그는 '민정에 적극 참여하기 위해 지난 17일 공화당에 참여 했었다'고 밝히고 '그러나 지금까지 생각했던 모든 문제가 해결될 여지가 없음을 발견하여 국민을 배신할 수 없다는 결론에서 이 직(職)에서 물러나기를 결정했다'고 말했다.

그는 자신이 예편된 후 민주공화당에 참여하기에 앞서 ① 당 기구의 전면 재검토 ② 중앙정보부 개편 ③ 당 준비과정에서 김 종필 씨가 손을 뗄 것 등을 17일 박 정희 의장에게 건의한 바 있다고 밝혔다. 그는 당 사무국을 두도록 한 김 종필 씨 구상이 '자유 민주주의 제도 하에서 찾아볼 수 없는 이중적 정당 조직이며, 당 우위 원칙으로 국회의원을 거수기화(擧手機化)하려 하고 있다'고 비난했다. 김 종필 씨 구상을 원내 중심으로 고쳐 대

의제(代議制)를 확립할 수 있도록 당 기구를 만들어야 한다고 주장한 그는 '누차 그같은 건의를 박 의장과 김씨에게 해왔었다'고 밝혔다. 그는 또 '최고위원들의 다수 의견인 당 기구 전면 재검토 문제를 실천에 옮기지 않는 김 씨를 총선거가 끝날 때까지 당 조직에서 손을 떼도록 해야 할 것'이라고 주장했다.

그는 '공화당 발기 때부터 전 최고위원이 예편되어 들어가 당 기구를 근본적으로 수정토록 최고회의에서 결의된 바 있었다'고 밝히고 '18일의 당 발기대회도 4~5일 뒤로 미룰 것을 박 의장에게 건의한 바 있으나 결과는 여러분이 보는 바와 같다'고 말했다.

그는 또 성명서를 통해 '혁명 주체 세력의 한 사람으로서 국민에게 맹세한 혁명공약을 다하지 못한 것을 죄송스럽게 생각한다'고 말하고 '남아있는 혁명동지들에게 민의(民意)가 무엇인지를 정확히 인식하고 현명한 처신이 있어 주기를 바란다'고 부탁했다." (조선일보 1963. 1.22.)

혈압이 오르는 것을 가까스로 참아낸다. 또 다시 줄담배…

혁명 직후, 장 도영이 우리 속을 뒤 집고 반혁명 전선을 펼치더니 민정 이양을 앞두고 김 동하가 똑 같은 짓을 하고 나섰다. 나를 궁지로 몰겠다고 공개적으로 적(敵)이 되어 나타났다.

그의 무뚝뚝한 인상대로 일을 저지르고야 말았다. 민정 이양을 위해 모든 혁명 동지들이 노심초사하고 있는데. 의견이 맞지 않는 부분이 있을 수밖에 없고, '하나로 일치되는 정답'을 찾기도 어려운 판에 나 혼자만 영웅 행세를 하고 나섰다.

긴급하게 이 주일 부의장과 김 종필 부장을 불렀다.

"신문 봤어요? 김 동하 장군 기사?"

"예, 봤습니다. 회의석상에서 자기 의견을 내면서 고집을 부리더니 그예 일을 내고 말았군요. 고집이 대단합디다."

김 부장이 아쉬워한다.

“저도 여러 번 말렸습니다. 할 얘기가 있으면 우리끼리 안에서 하고 풀어야 한다고 했는데...”

이 부의장도 혀를 찬다.

“잘 좀 이해시키고, 만족할 만한 자리를 마련해 볼 걸 그랬어요. 성격이 불같은 사람인데…”

“원래 지난번에 말씀 드린 대로 김 장군께는 인구가 가장 많은 경상북도 도당 위원장과 포항 지구 사무국을 맡기기로 했잖습니까? 김 종달 대령이 경북 도 기획조정관 김 호칠씨와 도 교육국장 임 승춘 씨까지 영입해서 조직을 거의 완비해 놓고 기다리고 있는 중입니다. 포항 해병대 사령관으로 오랫동안 근무하셨기 때문에 충분히 해 볼만 한 상황입니다.”

“나도 그렇게 생각해서 만날 때마다 부탁을 하곤 했는데, 들은 체도 안 합디다.”

“이런저런 명분을 대고 있지만 본인 생각은 다른 데 있습니다. 각하를 대통령 후보로 추대할 것이 거의 확실시되어 있는 상황에서 당의장이나 안정적인 비례대표 1순위 정도를 생각하고 있는 것 같아요. 지금 상황에서 포항까지 내려가서 선거를 치를 마음이 없는 거죠.”

“며칠 전 송 요찬 장군의 반발도 비슷하다고 생각해요. 자기를 대통령 후보 정도로 생각하고 있는 판에 재건당 추진팀에서 짜 놓은 틀에 맞춰 움직여야 하는 것이 마음에 들지 않는 거지.”

“그나저나 어떻게 대응하면 좋겠습니까?”

고민스러워진다. 큰 판을 짜는 거대한 흐름에서는 한두 사람의 이견이나 반발에 일일이 대응하기가 어렵다.

“일단 무시하고, 계획대로 밀고 나가시게. 김 동하나 그에 동조하는 사람들이 누군가를 잘 파악해서 창당 작업을 방해하지 못하도록 합시다. 하지만 조심해야 할 거요. 김 동하는 물론 그 뒤에 웅크리고 있는 '소외당하고 있다고 생각하는' 최고위원들이 적지 않아. 한번 혁명을 해 본 사람은 언제라도 또 다시 혁명을 하고자 하는 마음을 갖게 되지."

19일 저녁에 김 윤근, 박 원빈, 오 치성, 정 세웅, 오 정근 등 최고위원들이 김 동하 위원 집에 모였다 한다. 이들은 현재 진행 중인 민주공화당의 조직체계를 전면적으로 개편하여 위원 중심으로 바꾸고, 지역 공천 작업도 원점에서 새로 시작해야 한다는데 의견 일치를 보았다. 그리고 최고회의 위원 및 군인들과 민간 정치인이 공동으로 참여하는 국민 정당을 새로 추진하는 것으로 결정했다.

이들은 모두 혁명 핵심 멤버들이다. 다음 날부터 개별적으로 내게 찾아와서 그들의 논의 내용을 전해주면서 심각하게 개선책 마련을 독촉하고 나섰다. 박 원빈이나 오 치성은 창당 준비팀과도 자주 만나 이견이 없을 것으로 보았었는데 의외로 강경하게 반론을 펴고 나섰다. 나로서는 그들의 말을 결코 흘려들을 수 없어서 더욱더 고민이 깊어졌다.

김 종필 부장과 이 후락 실장을 공관으로 불러서 마주 앉았다.

"반발이 만만치 않은데 어쩌면 좋겠어요?"

"일단 계획대로 창당대회를 치르고 민주공화당 간판을 거는 것이 중요합니다. 지금 주춤거리면 야당측 창당보다도 늦어지고 5월의 선거도 어려워집니다. 큰 것을 얻기 위해 자잘한 것은 양보하는 것도 방법이라고 생각합니다."

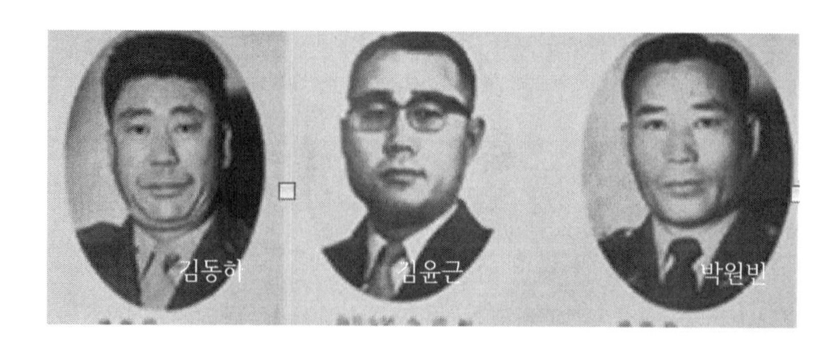
김동하 김윤근 박원빈

"저들이 요구하는 것이 사무국을 없애자는 것은 아니니까 일단 중앙당 조직을 총재 직속이 아닌 당무회의 산하에 두고 당의장이 관장하면 될 게요. 그리고 지구당 사무국도 도당위원회 소속으로 하고. 선거 때 까지 운영해 보고 나중에 새롭게 조직을 정비하면 되지 않겠소?"

"알겠습니다. 그러면 지시하신 대로 발기인 회의에 올려서 추인을 받도록 하겠습니다."

다음 날 접견 내용을 이 후락 공보실장에게 전달하고 당 쪽 결정에 맞춰서 공개하도록 조치하였다. 그런데 당 쪽에서는 지금까지 진행해 온 기본틀을 흔들어서는 안된다는 생각을 가지고 있었다. 발기인들 사이에서 왈가왈부하고 있는 사이에 조정 내용이 언론에 보도되는 지경에 이르렀다.

최고 회의와 공화당 측에서 합의하였다는 설명과 함께 '당 중앙사무국은 당무회의 소속으로 하고, 도당사무국은 도당 위원회의 산하에 두며 지구당 사무국은 두지 않고, 사무당원은 없애고 모두 일반 당원화한다'고 발표되었다.

하지만 김 동하 등 반발 세력의 관심은 이런 수준에 머물러 있지 않았다. 기존의 민주공화당 체제 자체를 근본적으로 없애고, 추진 주체인 김 종필 부장을 제거하며, 민정 이양을 주도할 창당 작업을 자기들 의도대로 새롭게 시작해야만 한다는 정도에 도달해 있었다.

탁자 위에 놓여 있는 신문에 눈이 간다. 공산국가인 중공과 소련이 서로 편가르기에 나섰다는 내용을 들려주고 있었다.(조선일보 1963.1.20.)

"소(蘇)·중공(中共)의 타협 없는 투쟁(鬪爭)으로. 흔들리는 공산세계. 「리더·쉽」을 싸고 혈전(血戰). 동독 공당대회(東獨共黨大會)는서막에 불과. 1958년 여름 중동위기(中東危機)를 계기로 표면화되기 시작한 중소분쟁은 바야흐로 '돌아올 수 없는' 막바지 지점에 도달한 것 같은 감이 짙어가고 있다..."

어디나 마찬가지로, 정치판은 온통 갈등 세상인가 보다.

격랑 속으로

출근하자마자 중앙정보부 김 용순 부장이 실무 국장을 대동하고 나타났다. 매일 이루어지던 보고가 이제는 주 2~3회 보고로 완화되어 있었다.

"각하, 공화당 출범과 민정 이양을 앞두고 혁명 동지 사이에도 심상치 않은 움직임이 포착되고 있습니다. 최근에 박 임항 건설부 장관실로 이 규광, 정 진, 이 종태 등 불만 세력이 자주 모이고 있는 정황이 포착되었습니다. 송 요찬, 박 창암 장군들도 모습을 보이곤 합니다."

"국토건설단 보좌관실이나 행당동 박 준호의 집, 남산옥 등을 오가면서 사람을 모으는 것도 포착되었습니다. 들리는 소문에 의하면 박 병권 국방부 장관을 중심으로 혁명공약 강행 실천 위원회라는 것이 만들어지고 있다고도 합1니다."

흘려들을 보고 내용이 아닌 것 같다. 이들 중에는 5‧16 군사 혁명 초기부터 반감을 가지고 있던 사람들이 섞여 있다. 최근에 혁명 핵심 동지들까지도 이런 세력과 말을 섞으려 한다는 점이 신경이 쓰인다.

"자연스러운 일상일 수도 있어요. 공화당 발기와 관련해서 적지 않은 전 현직 최고회의들이 불만을 표출하고 있어요. 지난주에는 송 요찬이나 유 원식, 김 재춘 장군조차도 목소리를 높여 내게 문제 제기를 했다오. 정치 자유화와 더불어 잠잠하던 불만 소리가 곳곳에서 등장하고 있는 만큼 예의 주시합시다."

최고회의 출신 발기인들이 창당 작업에 참여한 지 불과 며칠이 안돼서 김 종필 부장의 발기위원장 사퇴 의사 표명과 함께 김 동하 장군의 기자회견 내용이 불거졌다. 공화당 5개 부서 즉 기획, 선전, 조사, 조직, 총무 분과로 들어섰던 전직 최고위원들이 모두 고개를 내두르기에 이르렀고, 입을 꽉 다물고 있던 김 동하 장군이 사퇴를 선언하고 나선 것이다.

이미 공화당은 명백한 조직과 실체를 갖추고 있었다. 일 년여 동안 추진해 온 인재 발굴과 민정 이양 대비 작업이 체제를 갖춤으로써 웬만한 외부 충격에도 꿈쩍 않을 정도로 단단해져 있었다. 중정 출신의 군인들만이 아니라 이제는 민간인 발기인들조차도 확고한 신념으로 창당 작업에 임하고 있었다.

점령군처럼 등장한 최고회의 위원들과 기존 발기인들 사이에 한 치 양보도 없는 격론이 이어졌다. 김 동하, 김 재춘, 이 석제, 강 상욱, 오 정근이 '주인'처럼 등장하여 모든 것을 새롭게 논의해야 한다고 나서자 기존 발기인들이 '모멸감'을 느끼며 반발하고 나섰다.

"그동안 해 온 모든 작업을 무시하고 뭘 어쩌자는 겁니까? 도대체 당신들이 말하는 것이 최고회의 전체의 의사요, 아니면 당신들 몇몇이 지어낸 거요?"

민간인 출신 발기인 몇몇이 언성을 높인다.

"우리가 말한 내용은 박 의장이 주재하신 최고회의에서 결정된 사항입니다. 신당은 최고회의가 주도적으로 나서서 해야 한다는데 의견 일치를 보고, 우리들에게 발기인 회의에 들어가서 모든 것을 원점에서 새롭게 시작해보라고 했어요."

김 재춘 위원이 앞장서서 적극적이다.

"뭐가 원점입니까? 당신들이 정당을 만들어본 적이 있어요? 이게 그리 쉬운 줄 알아? 신당 창당이 어디 하루아침에 이루어질 수 있는 일이야?"

몇몇이 게거품을 물 정도로 흥분을 하고 나선다. 내용도 내용이지만 기존 작업팀을 '한 끗발 아래로 내려다보는 듯한' 태도에 발끈한 것이다.

"자, 자, 흥분하지 맙시다. 우리끼리 다투면 안 됩니다. 해결책을 찾아야지."

김 종필 장군이 진정을 시키며 나선다.

"현재까지 진행되어 온 창당 작업은 박 의장님 지시에 따라, 또 최고회의 위원들의 묵시적 동의와 지원 속에 이루어진 겁니다. 지금 섭섭해 하는 분들에게는 죄송스러운 이야기이지만 일의 순서 상 일단 초기 작업을 해 놓고 최고회의에 보고하는 형태로 일을 해 오고 있는 중입니다. 지금 나오는 얘기들도 새로운 논의 안건화 하여 다루면 됩니다."

이 영근, 석 정선, 강 성원 등도 적당히 언성이 높아졌다. 의견 조율은 커녕 최고회의 출신 발기인들의 발언이 씨알도 먹히지 않았다. 그로 인해 성질이 급한 김 동하 장군이 발끈하고 나선 것이다. 이 과정에서 김 종필 장군도 사태 수습을 위해 발기인 대표직 사퇴 의사를 밝혔다.

22일 하루 일정을 끝낸 저녁 시간에, 김 동하 장군의 사퇴 성명을 놓고 긴급하게 최고회의가 열렸다. 김 종필 장군과 최고회의 출신 발기 위원들이 참여하였다.

김 재춘 위원이 지난 며칠 동안 있었던 공화당 발기인 회의 상황을 보고 하였다. 이어서 김 종필 장군의 추가 설명이 보태졌다.

"혁명 정부의 공약을 제대로 실천하기 위해서는 최고회의가 중심이 된 창당 작업을 새롭게 시작해야만 합니다. 발기인도 새로 모집하여야 합니다. 현재의 발기인들을 그대로 두고는 우리가 원하는 창당 작업이 불가능합니다."

김 재춘 위원이 다소 과격한 의견을 피력한다.

"그건 말이 되지 않습니다. 어쨌든 지금까지의 창당 준비 작업은 박 의장님의 지시와 우리 최고회의의 묵시적 동의 속에 진행되어 온 것입니다. 최고회의가 나서서 현 창당 준비팀이나 발기인들과 의견 차이를 좁히는 작업이 필요하다고 생각합니다."

박 태준 위원이다. 길 재호, 옥 창호, 홍 종철 위원이 비슷한 의견을 내세운다.

"그렇지만 바깥의 여론도 무시해서는 안 됩니다. 기존 정치인들은 발을 묶어 놓은 상태에서 최고회의에서만 사전 작업을 해왔다고 비판의 언성이 높습니다."

김 진위, 김 종오 위원 등이 조심스럽게 반론을 제기한다.

"일단 가장 반발이 심한 사무국 중심 체제를 개편하여 당무회의 소속으로 하여 공화당이 '총재 - 중앙 당 사무국 - 지구당 사무국' 우위 체제로 가는 것을 수정하는 것이 좋겠습니다. 아울러 지구당 조직도 없애고 당내 의원 중심 체제로 개편해야 합니다."

법리에 밝은 이 석제 위원이다. 김 종필 장군이 잠잠히 의견을 듣고 있다. 내가 나서서 중심을 잡을 필요가 있었다.

"지금까지 진행되어 온 창당 작업을 원점에서 다시 논의하자는 견해는 받아들이기 어렵습니다. 민정 이양을 앞두고 군사 정부의 혁신 정책을 제대로 이어갈 정당을 만든다는 본질은 흔들려서는 안 됩니다. 다만 방법론적인 면에서 무엇이 최선인가에 대해서 얼마든지 논의를 할 필요가 있어요. 그리고 최고회의 위원들이 공화당 창당 준비팀이나 기존 발기인들을 무시하는 듯한 언사와 태도는 좋아 보이지 않아요."

"제가 발기위원장직을 내려놓겠습니다. 최고위원 중에서 어느 한 분이 맡아 주시면 좋겠습니다." 김 종필 장군이다.

"단순히 그런 차원의 문제만은 아닙니다. 얼른 갈등을 줄이고 앞으로 나가야만 합니다. 야당의 창당 작업도 빠른 속도로 진행되고 있습니다."

오 치성 위원의 의견에 이 석제 위원도 동조하고 나선다.

회의는 늦은 시각까지 지속되었다. 김 동하 위원의 사표는 수리하기로 결정하고, 김 종필 위원장의 사퇴 의견은 발기인 회의에 맡기기로 하였다. 논란의 중심에 있는 사무국은 당무회의 소속으로 변경하고 지구당 사무국은 설치하지 않는 것으로 의견 조율을 하였다.

마지막으로 못을 박았다.

"이후로 국가재건최고회의는 공식적으로 또는 위원 개인 자격으로 공화당 창당 작업에 관여해서는 안 됩니다."

결정 사항은 권고 형태로 공화당 발기인측에 전달되었다. 내용을 전해들은 윤 주영 대변인이 기자에게 밝힌 발언 속에 '뼈 있는' 한 마디가 들어 있었다.

"헌법과 정당법에서 정한대로 발기 작업을 하고 있는 국민의 정당에 대해서 국가의 최고 통치기관인 최고회의가 간섭하고 왈가왈부하는 것은 말이 안 된다. 공화당의 사무 조직이나 운영 체제에 대한 부분은 최고회의가 감 놔라 대추 놔라 할 일이 결코 아니다. 그런 문제는 우리 발기인 회의에서 논할 일이지 최고위원회에서 결정할 사안이 아니다."

다음 24일 오후 3시에 열린 공화당 창당 발기위원회 비공식 간담회는 처음부터 심각하게 전개되었다. 42명의 수도권 발기인이 참석한 회의에서는 무엇보다도 김 종필 발기위원장의 사표를 반려해야 하고, 최고회의 및 위원들의 창당 관여 행위를 즉각 중지해야 한다는데 의견을 모았다. 김 성진 운영분과위원장, 정 구영 연락분과위원장, 최 규남 정책분과위원장, 그리고 이 원순, 조 응천, 박 현숙 등 6인을 대표로 지정하여 김 위원장 사표 반려와 나를 방문하여 창당 작업이 흔들림 없이 진행될 수 있도록 지원해 줄 것을 요청하기에 이르렀다.

이들은 나를 찾아와 지금까지 진행되고 있는 창당 작업은 원칙이나 조직 체계의 변화 없이 계획대로 추진되어야만 한다고 주장하고 나섰다. 그들이 전해 준 회의 내용은 매우 강경한 모습을 띠고 있었다.

'공화당 발기인을 최고회의 전현직 위원으로 모두 채운다는 것은 말이 안 된다.'

'사무국 체제가 무너진다면 사무직원도 국회의원 후보가 될 수 있어야 하고, 전국의 지구당 설치 작업도 멈춰서는 안 된다.'

'군인들이 뭘 정치를 압니까? 군인 정당이 기성 자유당, 민주당, 신민당 출신들이 새로 만들 정당을 이겨낼 수 있을 것이라고 생각합니까? 어림도 없어요.'

‘최고위원들이 들어와서 판을 깬다면 우리 모두 자폭(自爆) 합시다.’

그들이 걱정하고 화를 내는 이유를 알만하다. 내가 혁명 직후부터 노심초사해서 진행시켜 온 창당과 미래의 정국 구상에 대해 알지 못하는 혁명 동지들은 현재 진행 중인 발기 작업을 정확히 제대로 바라보지를 못하고 있다.

그래서 안타깝다. 이들을 잘 이해시켜서 창당 작업에 동참시키는 것이 긴급하고도 절실한 현안 임무가 되었다.

공화당 창당 과정이 내분을 겪고 있는 와중에도 민간에서는 새로운 정당 결성이 착착 진행되고 있었다. 물론 야당 내에서도 갑론을박하면서 신경전을 펴고 있고, 적지 않은 갈등과 편가르기가 만연해 있었지만.

4 · 19 혁명을 주도했던 청년들이 중심이 되어 1월 22일 날자로 자유대중당(自由大衆黨)(가칭) 발기 선언을 했다. 발기 준비위원회의 대표로 선정된 백 기완은 ‘신문 지상에 오르내리고 있는 야당 연합 운동이란 기껏 기성 보수 세력의 야합 모의(野合謀議)에 불과하다’고 비난하고 참신한 6개 4.19 관련 단체만이 정국을 주도할 수 있다고 피력했다.

24일에는 민정당(民政黨) 발기인 150여명의 명단이 신문 지상에 발표되었다. 윤 보선 전 대통령과 김 병로 대법원장을 비롯한 전 참의원과 민의원들이 대거 포함되어 있었다. 전 통일당, 민주당계 정치인들의 이름이 많이 보였다.

“이들은 26일 발기 취지문을 통해 ‘5.16 군사 행동은 공산 간첩의 위기를 극복하였고 구악(舊惡)을 급속 퇴치함으로써 온 국민은 일시 쾌재(快哉)를 부르짖음에 이르렀으나 그 후 군사정부는 국민 혁명으로 승화되지 못한 채 독재와 독선(獨善)에 자취(自醉)하였다’고 규정했다. 이어서 ‘군정 주체 세력의 민정 참여는 공약 무시이며 민정 이양이란 말만의 것이고 민정은 과도적이거나 군정의 연장이라고 의아(疑訝)할 수 있다’고 비난하고 ‘자유와 민주를 소생시키기 위하여 대동단결의 신정당(新政黨)이 발족 한다’고 그 창당 이유를 밝혔다.

또한 취지문은 다음과 같은 6개 항목에 걸쳐 혁명정부의 실정(失政)을 지적했다. (조선일보, 1963.1.25.)

- 농어촌의 고리채 정리로 사금융(私金融)의 길이 완전 봉쇄되었다.
- 화폐 개혁으로 생산의 위축, 물가앙등, 국민생활의 불안을 초래했다.
- 증권 파동은 국민 경제의 기본적 토대를 붕괴시켰다.
- 헌법의 효력정지로 언론의 자유가 봉쇄되었는데 다시 언론기관을 통제한다.
- 교원의 60세 정년퇴직과 학사 시험제도는 부당하다.
- 법령이 번쇄(煩瑣)하고 세금을 가렴(苛斂)하고 있다."

조목조목 나의 아픈 곳을 자극하고 나섰다.

연초부터 나를 괴롭히던 송 요찬 전 내각 수반이 신문 지상을 통해 나와의 면담을 요청하고 나섰다.

"송 요찬 전 내각수반은 24일 하오 '박 정희 의장의 대통령 출마를 만류하기 위해 의장과의 공개 회담을 요청 한다'고 제의했다.

기자와 회견한 그는 '박 의장과 최고위원들은 이제라도 태도를 바꾸어 민정 참여를 단념해야 한다'고 주장하면서 '차기 대통령에는 민간인이 되어야 하며 기성 정치인이 때가 묻었는지의 여부는 국민이 판단할 것이므로 미리 특정 인물에 대해 왈가왈부하는 것은 잘못'이라고 말했다.

그는 '제주도를 빼놓은 남한 각지를 다녀 본 결과 정부의 중농 정책(重農政策) 실패로 농민들이 절망에 빠져 있음을 알게 되었으며 절량 농가(絶糧農家)가 속출하고 있다'고 주장하면서 '그렇기 때문에 박 의장과 최고위원들은 정당 문제로 분쟁을 일으킬 것이 아니라 농민과 도시의 실업자에 대한 구제에 전념하여야 한다'고 말하고 '만일 그들이 이 충고대로 행동한다면 국가를 위해 그들과 협조할 용의가 있다'고 말했다. 그러나 '야당에 대한 성원은 앞으로도 계속할 것이며 분열된 야당들이 다시 하나로 뭉치기를 바란다'고 말했다.

그는 또 김 종필씨의 민주공화당 발기위원장 사임 성명이 '넌센스'라고 평하고 '그것은 김씨의 정치적 제스쳐 일뿐 그만 둘 생각이 없는 사람으로 본다'고 말하고 '작년부터 중앙정보부를 동원하여 비밀 당원까지 만들어 놓은 그가 쉽사리 자리를 뜨겠느냐'고 했다." (조선일보 1963. 1. 25.)

공식적으로 야당 활동을 하겠다는 의사 표현이었다. 지난 해 증권 파동의 책임을 물어 내각 수반직에서 해임을 당한 것에 대한 '분노(?)'가 여전함을 느끼게 한다.

1월 26일 아침에는 국가재건최고회의와 내각 연석회의를 개최하고 현재 심각한 상태에 있는 쌀값 등 물가 안정 대책에 대해 논의하였다. 이어진 최고회의에서는 국가재건비상조치법을 개정하여 최고위원 정수를 25인 이상에서, 15인 이상으로 개정하고, 심계원과 감찰위원회를 통합하여 감사원을 설치하는 법을 통과시켰다.

민정 이양을 앞두고 최고회의에서 담당했던 업무 중 상당 부분을 점진적으로 내각으로 이양하기로 하고, 이와 동시에 각 분과위원회 별로 1명씩, 총 7명의 최고위원만을 최고회의 업무에 전담토록 하고 나머지는 형식적인 겸직자로 충원키로 결정하였다. 5월 선거와 민정에 참여하게 될 김 재춘, 이 석제, 조 시형, 박 태준, 오 정근, 강 상욱 위원 등은 사퇴 처리하였다. 이어서 법사위원장에 길 재호, 내무위원장에 김 형욱, 외무국방위원장에 김 윤근, 교체 위원장에 옥 창호, 문사위원장에 홍 종철 위원을 각각 선임하였다.

새해 1월 한 달이 너무나 길게 지나가고 있었다. 공식적인 업무 점검과 기관 시찰에 더해서 공화당 창당 작업이 나를 괴롭히고 있다. 이제부터 차분하고 일사불란한 군사 정부가 아니라 백가쟁명의 정치판으로 들어섰음을 실감하게 한다.

민정 이양이라는 호랑이등에 올라탔음을 실감한다.

거센 파도의 격랑 속으로 진입해 들어가고 있었다.

주도권을 놓지 마라

28일 오후 내각사무처 업무보고를 받고, 심각한 물가 대책의 일환으로 내각 수반 직속 하에 물가대책위원회를 신설하도록 하고, 정부 보유 양곡의 방출 가격을 인하토록 지시하였다. 다음 날 오후에는 유엔군사령관 멜로이 장군을 관저로 방문하여 현안 문제에 대해 논의하였다.

정치 자유화와 함께 정치 활동이 시작되면서 차기 대통령 선출과 국회 구성이 긴급한 현안으로 부상하였다. 선거에 대비하여 혁명 정부가 구상하는 공화당 창당 작업과 함께 재야의 보수 정당들도 속속 창당 일정을 소화해 가고 있었다.

내각 시찰과 함께 국정을 일일이 점검하는 동안에도 민정 이양에 대한 총체적인 조율을 해가야 한다. 공화당 창당 과정에서 나타난 갈등과 대립은 이제 표면으로 부상하여 회오리바람을 일으키려 하고 있다. 기존 보수 정치인들이 주도하는 창당 작업도 신경이 쓰인다. 이런 와중에 한 순간도 눈을 뗄 수 없는 최고회의와 내각 운영, 관료 행정과 세부적인 정책들이 나를 긴장하게 만든다.

그동안 2년 가까이 추진해 온 혁명 정부의 국가 발전 정책들은 대부분 조직 설립이나 법령 제정을 마치고 초기 추진 과정에 있다. 정책 추진을 위해 세원을 발굴하고 예산을 배정하느라고 총력을 기울여보지만 모든 여건이 만만치 않다. 재야 정치계와 언론에서는 벌써부터 혁명 정부와 나의 국정 운영을 폄하하면서 비판을 하기 시작했다.

'정치는 말 잔치'이고 더욱이 '선거전은 상대를 죽이기 위한 난투전' 임을 감안하면 나와 혁명 정부에 대한 비판은 점차 증폭되고 극에 달할 것이다.

송 요찬이나 김 동하는 물론 나와 아주 가까이 있는 혁명 동지들까지 틈새를 비집고 들어서고 있다.

몇 가지 잠을 설치게 하는 주제가 있다.

첫째는 새로 시작되는 제3공화국의 대통령이다. 대통령 권한대행이면서 국가재건최고회의 의장으로서 대통령 선거에 나설 것인가의 문제다. 일부 반발하는 이들이 있긴 하지만 현재의 혁명 정부 거의 모든 동지들은 나의 대통령 출마를 당연시하고 있다. 최고회의 전, 현직 위원들과 내각 및 국정에 참여하고 있는 군인들은 대부분 민정 이양 이후를 걱정하고 있다.

군부가 물러나면 자유당, 민주당 집권 시기의 혼란이 재현될 것임을 모두가 확신하고 있다. 조선 시대로부터 이어지는 정치 분열, 사색당파 싸움은 불을 보듯 훤한 미래다. 그래서 우리 군부의 통치 이념과 정신, 정책을 이어갈 민간 대통령이 필요하다. 군 출신 중에서, 당장 몇 달 뒤에 치르게 될 대통령 선거 후보자로서는 나 이외에 다른 대안을 찾기 어렵다. 내각 수반을 지냈던 송 요찬 장군이 나를 비난하면서 머리를 내밀고 있다지만 분위기로 봐서는 어림도 없다.

그래서 고민이 많다.

둘째는 나는 물론 군부 출신자 중 누군가가 대통령으로 당선된다고 하더라도 여당이 다수인 국회가 반드시 필요하다. 그래서 공화당 창당과 국회의원 선거가 중요하다. 정치 규제 상황에서 국정에 동참할 재건 동지를 발굴하는 움직임을 보였던 것도 기성 정치인들에 대항하여 다수 여당을 형성하기 위한 장기적 포석 작전이었다. 현재 노출되어 있는 지구당, 국회의원 후보자들은 혁명 군인들 중 민정 참여 희망자들은 물론 기존 자유당, 민주당, 신민당 정치인, 더 나아가서 4·19 혁명을 이끌었던 젊은 대학생들까지도 고려하여 발굴한 인재들이다. 혁명 정부의 이념과 정신을 공감하며 자유 대한민국의 경제 성장, 국가 발전에 충심으로 함께 할 우수한 인재들이다. 전략만 잘 짠다면 공화당을 창설하여 국회 다수를 장악할 수 있을 것이다.

셋째는 민정 이양에 대비한 기성 보수 재야 정치인들의 선거 전략에 대한 현실적 대응이다. 기성 정당에서 주요 보직을 가지고 있었거나 국회의원이나 장차관을 지낸 인물 등 중 핵심 인사들이 정정법으로 묶여 있는 상황에서 대통령 선거와 국회의원 선거를 앞두고 현재 창당 작업이 활발하게 진행되고 있다.

새 헌법과 정당법에 정한 대로 무소속 출마가 불가능하기 때문에 기존 정치인들 중에서 무소속으로 활동하던 사람들은 발 빠르게 창당 작업에 나서고 있다. 이 인, 전 진한 등이 주도적으로 대법원장을 지냈던 김 병로씨를 내세워 창당 작업을 서두르고 있다. 구 신민당계에서는 윤 보선 전 대통령이 정정법으로 묶여 있지 않다는 이점을 이용하여 대통령 후보 추대설과 함께 움직이고 있다. 이에 대하여 구 민주당계는 윤 보선씨의 대통령 후보 추대에는 반대하면서 재야 보수 연대 전략을 구사하려 한다.

이들이 '대동 단결'이라는 구호 아래 우리 공화당에 맞설 단일 정당을 모색하고 있다. 하지만 그들의 정치 성향과 돌아가는 판세를 보면 단일 정당은 어려울 것 같다. 그렇지만 여러 야당이 연합 전선을 펴게 되는 것도 우리로서는 버거운 상황이 될 수 있다. 구 민주당계가 5.16 당시의 세 영수(三領袖)였던 윤 보선, 장 면, 곽 상훈 등의 동시 퇴진을 요구하고 나선데 대하여 구 신민당계에서는 윤 보선 전 대통령을 포기할 생각이 전혀 없어 보인다. 그렇다면 구 민주당계에서는 범 단일 정당이라는 원칙 하에 윤 보선 슬하로 들어서는 것이 껄끄러울 것이다.

정치 전략 상 우리 공화당의 내분을 조기에 수습하고, 재야 정치계의 단일 정당이나 연합 전선 구축을 최대한 경계해야 한다.

넷째는 누가 대통령이 되고 어느 정당이 여당이 되더라도 현재 의욕적으로 추진하고 있는 경제개발 5개년계획과 제반 국가 발전 정책들을 안정적으로 추진해 갈 관료 체제의 완비다. 우리 한국이 제대로 발전하려면 똑똑하고 충성스러운 관료와 전문가들이 전면에 나서야만 한다. 우수한 인재 발굴을 위한 공무원 시험 제도, 안정적인 직업공무원제, 적절한 보수 체계와 연금제도, 관료 개개인의 국가에 대한 충성심 모두가 중요하다. 활발하고 의욕적인 관료 행정이 펼쳐져야만 우리에게 미래가 있다. 정치의 간섭을 최소화하고 능률적이고 합리적인 행정, 정책 집행이 유지되어야 한다.

퍼뜩 정신이 든다. 최고회의 업무를 내각으로 이전하고, 군인 출신 각료들을 군으로 복귀시키거나 옷을 벗게 하는 작업과 함께 관료 조직의 재정비가 시급하다.

이 석제 위원장을 방으로 불렀다.

"이 장군, 내각으로 가야겠어요. 늦어지면 안 되는데 내가 잠시 방심한 것 갔네."

뭔 소린 가 싶어, 이 장군이 뜨악하게 바라본다.

"누가 대통령이 되든 혁명 정부를 이어가기 위해서는 내각이 안정적으로 잘 돌아가도록 해야 하는데, 우리가 온통 공화당 창당에만 정신을 쏟고 있는 것 같아."

"특별히 생각하시는 부처가 있습니까?"

"내각사무처장을 맡아 줘요."

"내각사무처장이요?"

그가 떨떠름해 한다. 상위 서열의 부처 장관이 아니라 처장이라니 마음에 들지 않는 듯하다. 내각사무처는 그동안 그가 책임자로 있던 최고회의 법제사법위원회 지시를 받던 하위 부처다.

"조만간 내각의 모든 장관을 민간인으로 교체할 거요. 하지만 내각사무처는 행정부 모든 부처에 관련되는 인사와 조직 문제를 담당하고 있는 부서인데, 이 장군이 맡아 줘야 겠어. 이 장군, 국회의원이 되는 것보다는 나와 함께 행정부를 책임지고 이끌어 가 봅시다. 부탁해요."

은연중에 차기 대통령 선거에 나갈 결심을 내비치며 그를 설득하고 있다.

최고 회의에서는 2월 1일자로 정치정화법 해당자 268명을 제2차로 해제

조치하였다. 이어서 일부 각료를 경질했는데 법무부 장관에 장 영순, 체신부 장관에 김 장훈, 내각사무처장에 이 석제, 원호처장에 윤 영모, 검찰총장에 정 창운, 조폐공사 사장에 최 홍순을 각각 임명하였다. 이어서 6일자로 경제기획원 장관에 유 창순, 재무부 장관에 황 종률, 상공부 장관에 박 충훈, 교통부 장관에 김 윤기를 각각 임명하였다.

2월부터는 전국 각 시도 도정 시찰에 나섰다. 2월 7일 전주에 이어 다음날 광주에 도착했다. 도정 보고를 받고 나왔더니 기자들이 몰려 들면서 질문을 해댄다. 간단하게 답변. 당연한 수순으로 현안인 정치 문제가 등장한다.

"정치활동 재개 이후에 재야 정치계의 정당 활동을 보면 여전히 구태의연한 계보나 파벌 의식을 탈피하지 못하고 있는 것 같습니다. 이런 식의 정치가 재현된다는 것은 국가 발전에 결코 바람직스럽지 않다고 생각합니다."

공화당 창당 작업과 관련하여 진행 상황을 점검하기 위하여 2월 12일 정 구영, 오 정근, 김 성진 등 핵심 발기 인사들을 최고회의 의장실로 불렀다.

"창당 작업, 잘 되어 갑니까?"

"일단 발기인 숫자를 늘려가면서 2월 말 창당을 목표로 움직이고 있습니다. 지구당 창당 작업도 거의 마무리 단계에 접어들었습니다."

정 구영씨가 그간 진행되고 있는 상황에 대해 간략하게 브리핑을 해주었다.

"최고회의 위원들의 반발이 여전히 심각합니다. 지난 번 김 동하 장군의 사퇴 선언을 계기로 재창당 작업에 대한 요구가 빗발칩니다. 이대로 가서는 안 될 것 같습니다. 김 종필 장군이 주도하는 창당 작업은 단연코 받아들일 수 없다는 사람들이 많습니다."

오 정근 장군이 심각한 표정으로 나선다. 그의 말과 얼굴 표정 속에 공화당 창당 작업의 복잡한 속내가 배여 있다.

"일부 반발이 있긴 하지만 민간인 발기인들 중심으로 흔들림 없이 창당 작업에 임하고 있습니다. 다만 기성 정치계 쪽에서 선거 시기가 너무 촉박해서 창당과 후보자 선정에 어려움을 겪고 있다고 난리입니다. 묶여 있는 정치인들을 모두 풀어주고 선거 시기를 대폭 늦춰야 한다고 아우성입니다."

김 성진 씨다. 이어서 현재 돌아가고 있는 재야 정치인들의 움직임에 대해 소상하게 얘기를 해준다.

"모든 일정을 8월 민정 이양 약속에 맞춰서 짠 것인데, 그러면 민정 이양 시기를 다소 늦추더라도 선거 일정을 연기하는 게 좋겠어요?"

세 사람 모두가 긍정적으로 고개를 끄덕인다.

그들은 김 종필 장군의 임시 당의장직 사퇴 요구가 심각하다고 걱정이다.

"김 장군의 사퇴 요구는 단순히 공화당 창당 작업만이 아니라 중앙정보부 시절의 구원(舊怨)까지 보태져서 난리지… 김 장군이 당내 보직을 내려놓고 그냥 발기인 중 한 명으로 남으면 안 될까요?"

"일단 반발을 피하는 방법 중 하나입니다. 하지만 사퇴를 요구하는 측에서는 그 정도에 만족하지 않을 겁니다. 창당 작업의 주도권을 완전히 자기들 쪽으로 가져가겠다는 의도입니다. 그건 절대 안 됩니다."

정 구영씨다.

이들과 대화를 나누면서 민간 이양 일정 전반에 대해 재검토가 필요하다는 생각이 들었다. 공화당 내부 문제도 그렇지만 정상적인 정치 일정을 고려하더라도 창당, 대통령 선거, 국회의원 선거, 새로운 내각과 국회 구성까지 시간이 너무 촉박하다.

최고회의 위원들이 경기도 일대 농촌을 돌아보면서 절량 농가와 쌀값 동향에 대해 살폈다. 여전히 심각한 가난. 혁명 정부에서도 총력을 기울이고 있지만 춘궁기 고달픈 농민 실정은 하나도 나아진 것이 없다.

이래저래 가슴이 답답하다. 이런 판국을 그대로 두고 민정 이양에 골몰해야만 하다니… 혁명 당시의 원대한 목표가 제대로 달성된 것이 하나도 없어 보인다. 국민 개조, 가난 극복, 경제 개발. 어느 것 하나 쉬운 게 있겠는가?

저 가난한 농민, 노동자들은 우리 얼굴만 빤히 쳐다보고 있는데, 정치인들은 또 다시 '얼른 권좌에서 내려와라' '우리 것이니, 우리에게 돌려줘라' 난리다.

오후 일정이 없어서 비서실장을 통해서 핵심 혁명 동지들 중 시간이 되는 사람들을 몇몇 불러들였다. 이 주일, 이 후락, 박 태준, 이 석제, 김 종필, 김 형욱, 길 재호, 유 양수, 오 치성 등 10여명이 모여 앉았다.

내가 고민하고 있는 민정 이양 시기, 선거 일정, 공화당 문제 등에 대해 진지한 토론을 가졌다.

"일정 조정은 충분히 가능하다고 봅니다. 하지만 중요한 것은 정치 일정, 정국 주도권을 우리가 쥐고 있어야 합니다. 한번 밀리면 모든 것이 허사가 됩니다."

"창당 작업이나 선거 일정은 모두 혁명 정부가 민정 이양 이후에도 영향력을 유지하는 것을 목표로 움직여야만 합니다. 만사를 그냥 내려 놓을 것이라면 뭐든 가능하지만, 5.16 정신을 이어가기 위해서는 치밀한 전략이 필요합니다."

"저들이 가장 관심을 가지고 있는 사항은 아마도 의장님의 대통령 출마 여부일 겁니다. 언제, 어느 순간에 출마 선언을 하느냐가 하나의 전략이 될 수 있습니다."

"송 요찬, 김 동하 장군이 의장님의 민정 불참을 요구하고 나선 이후, 재야에서는 '혁명 정부가 분열되어 있고 박 정희라는 인물도 별 것 아니구나' 하는 생각을 갖게 된 것 같습니다."

그렇다. 기성 정치계에서는 혁명 정부의 분열을 기분 좋게 바라보고 있다. 나와 김 종필이 거세되는 것을 원하고, 재야 세력과 손을 잡을 듯 싶은 몇몇 장군들과 말을 섞고 있으리라.

"선수를 치십시다."

2월 18일자로 정국 수습을 위한 중대 성명을 발표하였다.

"친애하는 국민 여러분.

5 · 16 군사혁명의 직접적인 동기가 정치적 부패와 혼란에 있었음을 생각할 때 구태와 구악을 일소하고 새로운 정치 도의를 확립하는 정치적 체질개선은 군사혁명의 중요한 목표 중 하나입니다…

정치인들의 일대(一大) 반성 없이 이 상태 그대로 정국을 발전시켜 나간다면 이 정치 풍토를 터전으로 하여 탄생하게 될 제3공화국은 과연 어떤 민정이 되고 말 것인지 가히 짐작하고도 남음이 있습니다.

우리는 다시는 혁명이라는 수술을 필요로 하지 않는 건전한 민정을 탄생시켜야 할 역사적 사명 속에 놓여 있으며, 이를 위해 혁명정부와 정치인들의 서로 반목 없는 정치적 협조는 무엇보다 중요한 일이 아니라 할 수 없습니다... 경색된 현 정국을 타개하고 민정에로의 진일보의 계기를 마련하기 위하여 본인은 혁명 이념의 평화적 개선과 민정의 평화적 탄생을 기약하는 다음과 같은 몇 가지 정국 수습 방안을 모든 정치인에게 제안하는 바이며, 이를 국민 앞에 제시하는 바입니다.

(방안)

1) 군은 정치적 중립을 견지할 것이며, 민의에 의하여 선출된 정부를 지지 한다.
2) 다음에 수립된 정부는 4 · 19 정신과 5 · 16 정신을 받들어 혁명 과업을 계승할 것을 확약한다.
3) 혁명 주체세력은 그들의 개인 의사에 따라 군에 복귀 또는 민정에 참여할 수 있다.
4) 5 · 16 혁명의 정당성을 인정하고, 앞으로는 정치적 보복을 일체 하지 아니한다.
5) 혁명정부가 합법적으로 기용한 공무원에 대하여 그 신분을 보장한다.
6) 유능한 예비역 군인은 그들의 국가에 대한 공로를 인정하고 능력에 따라 가급적 우선적으로 기용한다.

7) 모든 정당은 중상 모략 등 구태적 정쟁을 지양하고 국민을 위하여 무엇을 하겠다는 뚜렷한 정책을 내세워 정책 대결의 신사적 경쟁으로서 국민의 신임을 묻는다.

8) 국민투표에 의하여 확정된 신헌법의 권위를 보전하고 앞으로 헌법 개정은 국민의 여론에 따라 합법적 절차를 밟아서 실시한다.

9) 한일 문제에 대하여는 초당적 입장에서 정부 방안에 협력한다.

10) 상기 제안이 수락된다면,

가. 본인은 민정에 참여하지 아니한다.

나. 자유민주주의의 기본질서를 부정하는 행위를 행한 자, 혁명행위를 방해한 자, 부정 축재자 중 환수금을 완납하지 아니한 자, 그리고 형사소추를 면할 목적으로 도피 중에 있는 자를 제외하고 정정법에 의한 정치활동 금지를 전면 해제한다.

다. 선거 시기를 5월 이후로 연기한다.

본 제안에 대하여 모든 정당은 그 수락 여부를 2월 23일까지 국민 앞에 밝힐 것을 제의한다.

본 제안을 수락할 때에는 본인은 지체 없이 각 정당 대표, 정치 지도자, 각 군 책임자를 한자리에 초치할 것이며, 그들은 각각 이 내용을 엄숙히 준수 이행할 것을 이 자리에서 재확인하고 국민 앞에 선사할 것을 제의한다.

혁명 정부는 남은 군정 기간 동안 일체의 정당에 초연할 것이며, 더욱 행정력을 강화하여 시국과 민생의 안정에 힘쓸 것이며, 절대 공명선거를 보장하여 자유민주주의의 토대를 확고히 함으로써 혁명의 유종의 미를 거두기에 최선의 노력을 다할 것을 국민 앞에 다짐하는 바입니다. 대통령 권한대행, 국가재건최고회의 의장 박 정 희" (1963년 2월 18일)

이어서 최고회의와 내각 연석회의를 개최하고,

"민정 이양을 앞두고, 혁명 말기의 이 시기야 말로 혁명 초기 못지않게 중대한 것이며, 우리는 혁명의 유종(有終)의 미를 거두기 위하여 있는 힘을 다해야 합니다." 고 강조하였다.

아, 김 종필 !

시국 수습방안을 내고 여론의 추이를 살피고자 결심한 이유는 여러 가지다.

무엇보다도 혁명 이전의 정치판이 재현되는 것을 막고 국가 발전에 긍정적인 젊고, 활력이 넘치는 정치를 출현시켜보겠다는 생각이다. 불의를 참지 못하고 나선 4 · 19의 젊은이들과 5 · 16의 유능한 젊은 군인들이 중심이 된 새로운 정치판을 기대함이다. 그런데 최근 전개되고 있는 창당 작업을 보니 완전히 구태의연한 모습 그대로다.

다음은 군사 정부가 구축해 놓은 신헌법과 법령 체제를 유지하고, 어렵게 펼쳐 놓은 혁신 정책, 경제개발 5개년계획을 새로운 민간 정부가 충실히 이어가게 해야겠다는 노파심이다. 누가 대통령이 되어 행정부를 이끌든, 어느 정당이 여당이 되어 국회를 장악하건 더 이상의 혁명이 없어야 한다는 절박함이다. 건국 후 지난 10여 년 간의 정치와 행정을 보면 수많은 시행착오와 단절, 부정과 보복으로 얼룩져 있다. 대한민국의 지속적 발전을 보장해 줄 것 같은 법이나 정책이 거의 없었다.

개인적으로는 극도로 분열되고 있는 혁명 주체 세력들의 말기적 증상에 대한 '자포자기와 같은 폭탄선언'이다. 혁명 후 지금까지 온 정성을 다해 국가 발전, 국민 개조를 위해 애를 써 왔는데 그 모든 것을 부정당하는 듯한 현실이 버거워지고 있다. 외부 여론이야 견뎌낼 수 있다지만 가장 가까이에 있는 혁명 동지들 중에도 내 가슴에 비수를 꽂는 경우가 있으니… 더욱더 견뎌내기가 어려워지고 있다. 몸과 마음이 모두 피폐해지고 있었다.

지금과 같은 상황에서 창당을 하고 대통령 후보가 되어 선거에 이긴다는 확신이 서질 않는다. 그래서는 안 된다고 생각하면서도 이 힘든 상황에서 벗어나고 싶어지는 마음이 나의 평정심을 무너뜨리려 한다.

이번 시국수습방안은 전략상 기성 정치계와 국민, 무엇보다도 창당 작업을 근본적으로 뒤흔들고 있는 혁명 동지들에게 충격파를 주고 주도권을 놓치지 않기 위함과 동시에 다른 한편으로는 '내려놓고 싶은 답답함'의 표현이다.

'나와 혁명 정부가 해 온 이 모든 노력을 인정해 준다면, 지금 이 자리에서 언제라도 물러나도 좋다'

그런, 그런 심정에서, 꿈틀거리고 있는 기성 정치계에 질문을 던진 것이다.

18일 정오에 짤막하게 시국수습방안을 발표하고, 최고회의 위원들과 함께 구내식당에서 오찬을 함께 했다. 박 병권 국방부 장관을 비롯한 육해공군 참모총장, 해병대사령관, 유 양수, 유 병현, 김 윤근, 이 후락 실장과 다른 최고회의 위원들도 대부분 참석을 하였다.

來23日까지各政黨贊否確答期待
受諾되면民政에不參
朴議長政局收拾
革命課業繼承·政爭
軍의中立政治不
政淨法解除·選擧는五
大體로受諾을表明
民政黨 公式으론 아무異議없다
民主黨 結果的으로 受諾不可避
脫

나의 폭탄선언 때문이었는지 모두들 표정이 무거워 보였다. 그들 중 몇몇은 자신들이 적극 권유했던 불출마 요구가 받아들여진 것으로 생각하는 듯 환한 얼굴을 하고 있었다.

신문과 방송, 정보부 보고를 통해 정치계와 국민들의 연론 동향을 주의 깊게 살폈다. 일반 국민들이야 논외로 치더라도 창당과 선거를 준비하던 정치계의 반응은 민감하게 움직이기 시작했다.

'박 정희가 정말로 물러날 결심을 했나 봐. 이제 어떻게 되는 거지?'

"저게 진심일까? 그냥 말장난 아니야?"

"모여서 시국 선언하는 게 뭐 어려워. 혁명 정부에서 한 것들 다 인정해 준다고 하면 되잖아?"

미국측에서는 '민정 이양을 위해 박 정희 의장이 큰 결심을 했다'고 조심스러운 반응을 보였다는데 일본측에서는 '고도의 정치 전략일 뿐'이라고 꼬집었다는 기사도 보였다. 9개 요구 조건을 정치계가 받아들이기 쉽지 않은 만큼 최고회의 측에서 주도권을 더욱 확실하게 장악하게 될 것이라고 보는 사람도 적지 않았다. 누군가가 전해주기를 김 동하와 송 요찬은 콧방귀를 꾸었다고 했다.

곳곳에서 수근대는 소리가 귓가에 들려온다. 모두가 이해 타산을 따지기에 바빠 보였다. 가장 강력한 대통령 후보 박 정희가 민정 불참을 선언했으니…

정국수습방안에 대해 고민하고 있던 지난 주말에 박 병권 국방부장관이 삼군 참모총장과 해병대사령관을 대동하고 면담을 요청해 왔다. 무슨 말을 할 것인지 대강 짐작이 갔지만 일단 들어 보기로 했었다. 대동한 장군들의 표정이 적당히 굳어 있었다.

"김 종필 장군이 주도하는 공화당 창당 작업에 대해 반감이 심각합니다. 이대로 가게 놔둔다면 공화당은 김 장군 중심의 사당(私黨)이 되고 의장님이나 최고회의에서도 컨트롤이 불가능해질 겁니다. 반드시 막아야 한다고 아우성입니다."

박 장관이 조심스럽게 말문을 텄다.

"민정 이양을 앞두고 군인당이 아닌 민간인이 참여하는 전 국민 정당을 모색하는 것에는 공감이 가는 부분도 있습니다. 하지만 소외된 많은 군인들이 반발을 하고 있습니다. 이대로 두면 자칫 불행한 상황도 만들어질 수 있습니다."

"일부 전, 현직 최고위원들 중에서 그런 생각을 하고 있는 이들이 있다는 것은 저도 잘 압니다. 하지만 현재의 공화당 창당 작업에 대해 그리 큰 염려를 하지 않아도 됩니다. 김 장군이 독단적으로 주도한다는 비판도 사실과 다릅니다. 처음부터 저나 핵심 혁명 동지들과 상의하면서 추진해 오고 있는 일입니다. 초기 단계부터 참여해 온 민간인 출신 발기인들이 김 장군 말 한마디에 좌지우지될 정도로 미미한 인물들이 아닙니다. 공화당 발기인 면면을 보세요."

확신에 찬 내 말에 금방 반발을 하고 나서지 못하며 뜸을 들인다. 탁자의 커피를 마시면서 고민스런 표정을 짓는 박 장관.

"그렇지만, 외부에서 보는 시각은 많이 다릅니다. 의장님, 내부 단합과 외부 충격을 피하는 방법의 일환으로 김 장군을 잠시 물러나게 하시죠. 저희들은 외부 정치계의 반발보다도 군 내부 혼란이 걱정이 되어 오늘 찾아뵌 겁니다."

박 장관은 답답하다는 말투로 나의 눈치를 살핀다. 시간이 흘러도 내가 만족스러운 답을 하지 않자, '다시 찾아뵙겠습니다'라는 말과 함께 모두 일어섰다.

이들이 다녀가고 난 후에도 최고회의 위원들 몇몇이 다녀갔다. 내게 상황보고를 하면서 최고회의 중심으로 새로운 군과 민이 참여하는 정당 결성이 필요하다는 의견, 내가 거국적 결단을 내려 줄 것을 권유하는 조언까지 해주었다.

고민에, 고민을 거듭하다가 월요일 날 '폭탄선언'을 하고 나선 것이다.

지금 내 위치에서는 말 한마디가 천금(千金)과 같이 무거워야 한다. 결단코 '헛소리'가 되어서는 안 된다.

긴급히 김 종필 장군을 불렀다.

"어쩌면 좋겠소?"

일단 당사자 의견을 들어 보기로 한다.

"공화당 창당 작업은 제가 없어도 이미 본 궤도에 올라있습니다. 저들이 제 이름을 거론하는 것은 향후 정국에서 소외될 것 같은 걱정 또는 불만과 함께 중앙정보부 활동에 대한 반감 때문일 겁니다. 혁명 동지들 사이의 내분을 막기 위해 최고위원들을 철저히 내사하고 단속했던 것에 대한 반격일 수 있습니다."

"일단 창당준비위원장에서 내려서고, 향후 당의장이 되는 것을 잠시 늦추면 어떻겠소? 당장 폭풍우는 피해야지?"

"어렵지 않습니다. 김 정렴이나 정 구영, 윤 일선씨 중에서 당의장을 모셔도 됩니다. 군인 정당이라는 이미지를 탈피할 수도 있고요."

"그러더라도 저들은 김 장군이 뒤에서 다 조종한다고 볼꺼요. 그런데 한 번 밀리기 시작하면 모든 게 엉망이 될 수 있어. 김 동하를 비롯한 함경도, 평안도 출신들의 움직임도 심상치가 않아."

"하다못해 김 재춘 장군이나 이 주일, 김 윤근 장군조차도 그들에 동조할 가능성이 높습니다. 제가 물러나는 것만이 정답이 아닐 수 있어요. 저와 의장님, 그리고 공화당 추진 체제 자체를 모두 무너뜨릴 겁니다."

생각이 깊어진다.

"창당 작업은 정면 돌파가 최선입니다. 걱정하실 것 없어요. 창당과 동시에 의장님을 총재로 모시고 이어서 대통령 후보로 지명하면 됩니다. 그러면 최고회의 내부 갈등도 사라지고 일치단결하여 선거전에 임할 수 있습니다."

나의 생각과 같다. 하지만 나를 압박하고 있는 주변의 반발을 해결하는 것도 중요한 현안이다.

"김 장군, 김 용순 부장은 어떤가? 최고회의 위원들 간에 갈등이 심하고, 그들 중에는 김 동하 장군처럼 내게 정면 도전하는 이들도 나타나고 있는데, 중정이 제대로 역할을 하지 못하는 것 같아."

정통 중정(中情) 맨인 김 장군. 내 말 뜻을 금방 알아차린다. 공화당 창당과 함께 정계로 진출하려던 계획이 동지들로부터 저지당하고 있는 상황에서도 자신이 키워온 중정의 무기력해짐을 걱정하고 있다.

"아무래도 지난번에 임명하려고 했던 김 재춘 장군을 다시 불러 앉혀야 할 것 같애. 그래야 저쪽을 단도리할 수 있겠어."

"그러기는 합니다만, 김 재춘 장군은 저나 8기들과는 거의 원수처럼 지내는 사이가 되어서… 중정이 많이 흔들릴 겁니다."

"칼자루를 한번 쥐어 줘 봅시다. 저쪽을 치려면 이쪽도 어느 정도 피해를 감수해야지. 김 장군은 일단 자리를 피하는 것이 좋겠어요."

"무슨 말씀이신 지 잘 알겠습니다. 창당준비위원장이나 발기인 직책을 내놓고 지방으로 내려가겠습니다."

말은 편하게 하고 있지만, 이래저래 표정이 밝지 않다. 김 장군은 나와 함께 5 · 16 군사 혁명을 계획하고 실천에 옮겨 지금까지 이끌어 오고 있는 중이다. 혁명 후에는 최고회의 위원으로 표면에 나서지 않은 채 중앙정보부를 창설해 운영하면서 국가 안보와 정책 안보, 혁명 세력의 분열 방지, 공산당 퇴치에 온 정성을 다했다. 장 도영 반혁명 사건과 같은 심각한 문제를 쾌도난마처럼 해결한 것도 그의 지략과 용기 덕분이다.

"공화당 창당 작업은 김 장군이 세워둔 계획대로 내가 잘 추진해 갈 거요. 이미 다 되었잖아? 김 장군은 국회보다는 나와 함께 행정부를 맡아 봅시다. 믿을만한 사람으로 국회를 맡기고."

김 장군이 못내 찜찜해한다. 지금까지 혁명 일등공신이면서도 최고회의 위원장이나 내각 장관이 되어 보지도 못한 채 가장 욕을 먹는 중앙정보부 부장에 머물렀었다. 이제 국회로 진출하여 공식적으로 모습을 드러내고 싶었는데 마지막 순간에 큰 벽에 부딪쳤다.

"지금은 모두가 '선거'에 매몰되어 있어요. 하지만 선거 이후 민간 정부가 구성되면 또 다른 세상이야. 우리 같이 신나는 제3공화국을 열어가 봅시다. 잠시 숨을 돌려요.”

김 장군에게는 대통령특명전권대사라는 직함을 주어 현재 활발하게 논의 중에 있는 한일회담을 마무리 짓는 일에 열중하게 하고, 아울러 월남 파병, 독일과 영국의 차관 교섭, 미국의 기술 원조 등 외교 업무를 맡기기로 한다.

‘내가 궂은일은 도맡아 시키면서 편안하고 각광을 받는 직책을 주지 못해 정말 미안합니다’는 말을 해야만 했다. ‘가장 편한 인척 관계라서 오히려 그에게 더 박하게 대하는 것은 아닐까’ 하는 자괴감이 든다.

김 장군은 20일자로 공화당 창당준비위원장직과 발기인 등 모든 자리에서 물러나고 일체의 공직을 맡지 않겠다고 선언을 하였다. 그리고 특명전권대사로 해외 출장을 준비하기 시작했다.

박 병권 장관이 찾아와 했던 말들 중에 ‘군 내부가 시끄럽다’는 말이 다시 신경에 거슬린다.

화요일 오후 늦은 시간, 김 용순 중정 부장, 이 주일 부의장, 이 후락 공보실장, 김 재춘 최고위원을 방으로 불러 마주 앉았다. 김 부장이 정국수습 방안 발표 이후의 정치계 움직임에 대해서 구두 보고를 해주었다.

“정치인 개개인은 물론 그룹 그룹별로 사태를 관망하는 분위기입니다. 선거 시기가 늦춰지고, 모든 정정법 규제자를 풀어주겠다는 부분에 대해서는 대환영입니다. 하지만, 가장 큰 관심사는 무엇보다도 의장님의 불참 선언일 겁니다.”

“미국측에서도 박 의장님 불참 선언이 민정 이양에 긍정적인 분위기를 조성할 것으로 보고 있습니다.”

정보통 이 실장이다.

“연초부터 박 창암, 이 규광 장군 등이 비밀리에 만나고 있고, 송 요찬, 김 동하 장군이 공개적으로 혁명 정부를 비난하고 있는데 이거 그대로 나

뒀다가는 뭔 일 나는 게 아닐까?”

담배 한 대를 피워 물면서 혼잣말처럼 중얼거렸다.

“그러잖아도 중정에서 잘 내사하고 있는 중입니다. 지난 연말부터 자주 만나는 모습이 포착되고 있지만, 아직까지는 별다른 움직임은 보이지 않습니다.”

김 용순 부장은 비교적 원만한 사람이다. 그가 갑자기 부장으로 취임한 이후에 중정을 제대로 장악하고 있는지 알 수 없다.

“그래도 방귀가 잦으면 똥이 나온다고… 불만이 불만을 낳고, 그러면서 불만 세력이 뭉치면 감당하기 어려워질 수 있지.”

“최근에 송 요찬 장군과 김 동하 장군이 공개적으로 적의를 품고 나선 이후에 최고회의 위원들 중에서도 그들과 빈번하게 접촉하는 모습이 보이고 있습니다.”

이 실장의 우려 섞인 말투다. 조심스럽게 김 용순 부장에게 양해를 구하고, 김 재춘 장군에게 중정을 맡아달라는 부탁을 하였다. 지난번에 한번 말을 꺼냈다고 번복한 예가 있어서 그런지 김 재춘 장군이 호의적 반응을 보인다. 모두를 내보내고 김 재춘 장군과 독대를 하였다.

“김 장군, 민정 이양을 앞두고 최고회의가 분열 조짐을 보이고 있어요. 장 도영 장군 때처럼 위태위태해요. 중정을 맡아서 국가 안보 차원에서 반혁명 분자를 정리해 줘야겠어요.”

“무슨 말씀이신 지 알겠습니다. 저도 심각한 문제라고 생각하고 있던 중입니다. 임무를 맡겨주시면 최선을 다하겠습니다. 그런데 사전에 미리 말씀드리고 싶은 게 있습니다. 이판에 중정 조직을 대폭 개편하고 부조리를 철저히 발본색원(拔本塞源) 하겠습니다.”

그의 눈빛이 형형하다.

“알았어요. 재량 것 마음대로 해봐요.”

21일 국가재건최고회의에서는 최고위원을 대폭 교체하였다.

중앙정보부장(1대 김종필, 2대 김용순, 3대 김재춘)

기존 최고위원이었던 김 윤근, 박 원빈, 오 치성, 정 세웅 위원의 사직을 허가하고, 신임 위원으로 김 용순, 김 희덕, 박 영석, 박 현식, 강 기천, 장 지수, 박 두선을 임명했다. 그리고 법사위원장 강 기천, 내무위원장 김 용순, 외무국방위원장 김 희덕, 교체위원장 박 두선, 운영기획위원장 김 형욱을 임명하였다. 국가재건최고회의 마지막 임무를 수행할 위원 구성이었다.

아울러 신임 중앙정보부장으로 김 재춘 준장, 감사원장으로 조 시형 준장을 임명 하였다.

김 재춘 부장은 다음 날로 새로운 보직자 명당을 들고 나타났다.

중앙정보부 차장으로 공군소장 박 원석, 차장보(정보)로 해군 준장 김 동배, 차장보(보안)로 부장검사 오 은상, 기획조정관으로 육군 준장 김 경옥을 임명하고 국장급으로 해군 준장 한 무협, 육군 준장 허 태영, 공군 준장 이 강하, 해병대령 김 혜영을 임명하였다.

김 종필 부장 체제의 육사 8기 중심의 임원들과 산하 요원들 30여명을 모두 교체 임명하였다. 그의 결연한 의지를 알만 했다.

“의장님, 지난해부터 논란이 되어 온 증권 파동, 새나라 자동차 사건, 워커힐 건설 건과 빠찡코 사건 등에 대해서도 철저하게 조사하겠습니다.”

“좋아요, 한번 잘 해보세요. 하지만 중정 자체가 너무 흔들려서는 안 될 거요. 그동안의 공에 대해서는 분명하게 인정해야 하고... 지금 예로 든 ‘사건이라는 것도 생각하기 나름이요. 무엇보다도 국가 안보와 공산당 불순분자 척결, 반혁명 세력에 대한 대비를 철저히 해 주세요.”

그의 결연한 태도와 새로운 인적 구성을 보면서 기존 김 종필 부장 체제의 중정이 어떻게 될까 걱정스러워진다. 그동안 음지(陰地)에서 양지(陽地)를 위해 온갖 궂은 일을 마다하지 않고 해 왔는데, 초기 중정 멤버들이 홀대를 받고 내쳐지는 꼴이 될까 걱정스럽다.

갑자기 김 종필이라는 인물이 안쓰러워진다.

입맛을 다시며 무심코 탁자 위 신문을 펼치니, 엊그제(2월 19일) 부산에서 짧게 한 마디 했던 내용이 눈에 들어 왔다.(조선일보 1963.2.22.)

"혁명정부가 집권한 이래 2년 동안에... 중농정책을 실시하여...성과를... 인정하는 바이지만... 지난 2월 19일, 박 의장이 부산에서 '혁명정부가 지금까지 중농정책에서 얼마간의 실패를 했다'고 시인... 유안 비료(硫安肥料) 한 가마 값은 1961년에 267원 50전 이던 것이 작년에는 385원 이었다. 이에 대하여 쌀값은 이등품(二等品) 기준으로 1961년 정부 매입 가격이 한 섬에 2,789원 80전이었는데 1962년도에는 2,978원 50전으로서 약 7%가 올랐다. 즉 비료값은 4할 이상이나 올랐는데 쌀값은그 1/6인 7% 밖에 오르지 못하였다...그래서 농민의 비료값 부담이 34%나 더 가중되었다."

농산물 증산을 위해 충주에 이어 나주와 울산에 비료 공장을 증설하고 생산된 비료를 전국 농촌에 배급하였다. 그런데 차관 도입과 함께 생산비가 추가되다 보니 저가로 비료 공급을 할 수가 없었다. 증산을 위한 비료 공급이 생산량 증대와 판매 수익 증대로 이어지는 선순환 구조를 보이지 못하고 있다.

혁명 정부가 추진하고 있는 정책들이 대개 이런 모습이다. 초기 투자 비용은 많이 들어가는데 결과로 나타나는 농촌 소득 증대는 아직 요원하기만 하다. 짧은 기간 동안에 정책 효과를 보여주는 일이 거의 불가능하다.

친애하는 정치 지도자 여러분 !

2·18 성명서 때문에 공보실이 몹시 바빠졌다. '시국 수습을 위한 선서식' 준비를 위해서 신문 공고를 내고 주요 정당과 명망 있는 정치 단체 및 정치인들의 참여를 유도시켜야만 했다. 의장의 민정 불참이라는 막중한 승부수를 띄웠는데 자칫 국민과 정치계로부터 외면을 당하거나 비웃음거리가 되어서는 곤란했다. 반대로 주요 정당과 단체 및 인사는 물론 온갖 잡다한 '정치 뜨내기들' 까지 덩달아 설쳐대게 해서도 안된다. 선서식을 주관하는 최고회의를 대표해서 공보실이 신청을 유도하면서 동시에 적절한 참여 정당, 단체, 정치인을 선별해야만 했다.

의외로 반응은 뜨거웠다. 의장 불참과 아울러 정정법 규제자들을 대거 풀어주기로 되어 있었기 때문이다. 그들로서는 현 상황에서 혁명 정부를 인정하는 것은 당연한 것이기에, 내심은 어떨지 모르지만, 의장 제안을 수락하고 선서식에 참여하겠다는 의사를 전달해 왔다. 연일 쇄도하는 의장 제안에 대한 수락 통고 처리와 발표에 이 후락 실장이 이끄는 공보실은 정신없이 움직였다. 참여 희망자가 많아짐에 따라 선서식 참가 대상자를 선정하여 초청장을 발급하는 일도 쉽지가 않아졌다.

공보실에서는 수시로 의장실로 상황 보고를 해 왔다. 엄청난 호응이 반가우면서도 다른 한편으로는 나의 민정 불참에 대해 이렇게 많은 정치인들이 환영을 하고 나서는 현실이 섭섭해지기 시작한다. 그들은 혁명 과업에 대해서는 별로 관심이 없어 보인다. 그저 향후 전개될 대통령과 국회의원 선거, 새로운 정치판에 대해서만 관심이 크다. 지금 이런 호응이 국민 전체의 여론일리는 없다. 하루하루 입에 풀칠하면서 먹고 살기에도 바쁜 이들에게는 내일은 커녕 오늘도 버겁다. 대개는 수도권 중심의 정치계 반응일 뿐이다.

이 와중에도 야당측에서는 선거 기일을 7월로 늦춰달라는 요구와 함께 대통령 선거와 국회의원 선거를 동시에 치를 것인가 아니면 어느 것을 먼저 치를 것인가 갑론을박하면서 최고회의와 나를 몰아세우고 있다. 이들은 벌써부터 민정 이양과 정치판이 자신들의 주도권 하로 들어 온 것 같은 착각에 빠져 있었다.

2월이면 각 급 학교의 졸업식이 거행된다. 지난 해 육사 졸업식 참가에 이어 이번에는 22일에 거행된 공군사관학교 제11기 졸업식에 참석하여 축사를 했다. 그동안 추진해 온 혁명 정부의 많은 정책들에 대한 내용과 함께

"… 이 나라 정치의 부패와 횡포를 막는 길은 국민이 정치인들을 감시하는 현명한 개성과 의식을 확립하는 데 있다…"고 강조하였다.

공화당 창당 하루 전날(2월 26일) 11시, 김 종필 장군이 중앙청 홀에서 출국 기자회견을 가졌다. 자의반 타의반(自意半半旅行動機)으로 대통령 특명순회대사로 출국하게 되는 불편한 심기를 드러냈다.

김 장군이 공화당 발기 관련 모든 직책을 내려놓고 출국을 하게 되는 이유는 공화당 창당에 대한 혁명 정부 내부의 알력 때문만은 아니다. 그동안 중정 중심으로 진행되어 온 인재 발굴과 공화당 창당 준비 과정에서 저질러졌다고 오해를 받고 있는 여러 의혹 사건에 대한 것도 포함되어 있다. 신임 김 재춘 부장은 이전 방첩부대장 시절부터 이 문제에 관심이 많았었다. 임명을 받자마자 기존 임원진 대부분을 교체하고 나선 것도 여러 의혹 사건에 대한 철저한 규명 의지의 표현이다.

내가 김 종필 장군과 중정 임원들의 활동 내용을 모두 알고 있는 상황에서 볼 때 내외부의 의심은 분명 지나친 것이다. 그동안 중정 활동에 대해 극도로 불편해 하고 의심하던 최고회의 내부 인사들과 외부 불만 세력이 이런저런 의혹 사건을 신문 지상에 드러나게 만든 것이다.

김 종필 장군이 없는 상황에서 믿을 수 있는, 또 4대 의혹 사건이 진실일 것이라고 의심하고 있는, 신임 김 재춘 중정부장을 통해 확실하게 조사토록 지시하였다. 공화당 창당은 물론 향후 공화당 중심의 전국 운영을 위해서라도 이런 의혹들은 선거 이전에 확실하게 조사하여 국민들에게 밝혀

야만 한다. 그래서 김 종필로 하여금 국내에 머물지 말고 '공개적으로' 해외로 출국토록 한 것이다.

4대 의혹 사건이라는 것은 대부분 '의심과 함께 증폭된 오해'로 인한 것이 명약관화(明若觀火)하다. 새나라 자동차 수입과 국내 조립 건은 경제 발전 전략의 일환으로 최고회의와 내각에서 적극 추진한 일이다. 이 과정에서 불법 자금이 창당 작업으로 흘러들어 갔을 것으로 오해를 받고 있다. 수입대체 산업 육성 차원에서 진행되고 있는 해외 기업의 국내 조립, 완성 정책을 모두 의심의 눈초리로 보려 하고 있다.

또 워커힐 공사나 빠찡꼬 사업 건도 비슷한 맥락이다. 이런 부정부패 척결은 군사 혁명의 목표 중 하나였던 만큼 최고회의 동지 모두가 극도로 경계해 오고 있는 것이다. 군 정화 작업의 최전선에서 활동해 왔던 나로서는 절대로 일어나서는 안 될 일이다. 이런 의혹이 생기지 않게 처음부터 철저하게 단속을 했었고, 의혹이 제기되기 시작하면서도 두 번 세 번 확인해서 사실이 아님을 확인하였다.

다만 지난 해 내각 수반과 재무부 장관의 경질을 불러 일으켰던 증권 파동은 어느 정도 최고회의와 내각이 책임을 질 부분이 있었다. 일부 인사가 창당 과정에서 필요한 경비를 충당한다는 목적 속에 증권 시장에 개입하여 주가 조작을 하려고 나섰던 것이다. 개인 비리 차원에서 저질러졌던 일인데 증권 시장이 요동치고 자금 흐름이 막히게 되자 부랴부랴 정부 돈을 투입하게 만들어 개인 비리를 정부가 나서서 막아 주는 우(愚)를 저질렀다. 외면적으로는 불법이 아닐 지 모르지만 엄연하게 부정부패 소지를 안고 있었다.

워커힐 호텔 건축에 대한 부정적 시각은 사실 '돈을 빼돌렸다'는 것보다는 최고회의에서 수출 증대를 촉진하기 위해 군 장비를 동원했다는 점 때문이다. 혁명 직후에 부정부패 척결 당시에 몇몇 군 장성들이 처벌을 받은 예가 있다. 하지만 그들은 군 장비와 인력을 동원하여 개인적인 사익을 위해 사용했기 때문이다. 하지만 워커힐 공사는 최고회의에서 공식적으로 군 장비를 동원하였었다.

어쨌든 대국민 의혹 해소 차원에서 김 재춘 중정 부장에게 철저한 조사를 맡겼다.

김 종필 장군의 출국 인사를 받는 자리에 이어서 오 정근 준장의 대통령 특별 사절 발령장 서명이 이어졌다. 오 정근 장군은 군사혁명 당시에 해병대 대대장으로서 선봉이 되어 한강 인도교를 정면 돌파했던 일등 공신이다. 그동안 그는 김 동하, 김 윤근 등 해병대, 함경도 인맥과 함께 반 김 종필 쪽에 서 있었다. 하지만 군복을 벗고 공화당 창당 작업에 참여하면서 김 종필은 물론 공화당 발기인들에게 긍정적인 입장으로 돌아섰다. 외부에서 보는 것과는 달리 인재 발굴과 공화당 발기 및 창당, 이후 정국 주도가 얼마나 중요한 사안인가를 알게 된 것이다.

지난 12일 공화당 인사들과의 만남에서 오 장군을 김 종필 장군과 함께 해외로 잠시 몸을 피하도록 하기로 의견을 모았었다. 북한 출신 장성들의 반혁명 움직임이 중정에 포착되어 내사에 들어가 있었기 때문이다.

김 종필과 오 정근은 시차를 두고 출국한 뒤, 며칠 뒤에 홍콩에서 합류하기로 했다. 이후에 동남아 각국과 터키, 이집트 등 군사 혁명을 통해 집권한 나라들을 돌아보면서 군정 연장 또는 민정 이양 실태를 파악하도록 임무를 주었다. 미국과 일본, 독일 등 선진국을 방문하여 현안 문제도 챙기기로 하였다.

2월 26일 드디어 민주공화당(民主共和黨)이 시민회관에서 창당대회를 열고 공식적으로 모습을 드러냈다. 당 총재에 정 구영씨, 당 의장에 김 정렬씨가 선임되었다. 중앙위원 300명, 11개 시도당부, 131개 지구당부, 23만 5천명의 당원으로 신헌법에 의해 발족한 첫 번째 정당이다.

2·18 성명서를 통해 현 정국의 실상을 다시 한번 정확히 파악하고 정국의 주도권을 장악하려던 계획은 전혀 색다른 양상으로 전개되고 있었다. 일주일 정도의 기간 동안 정치계와 언론의 반응을 최고회의 공보실, 내각, 중정과 방첩대, 경찰, 군 정보망을 통해 다각도로 살폈다.

기존 보수 정치계는 의장의 민정 불참과 정정법 규제자 해금 조치, 그 이후의 대통령 및 국회의원 선거에만 관심을 두고 있었다. 성명서를 통해 내가 내걸었던 전제 조건에 대해서는 외면적으로는 '당연히 수락하고 찬성한다'면서도 진정성이 보이질 않았다. 또 다시 기성 정치인들이 정치판을 좌우하면서 4·19를 이끌었던 젊은이들이나 5·16 젊은 군 엘리트 장교, 지난 1년간 애써 발굴했던 젊고 유능한 인재들의 존재감이 희석되고 있었다.

이 후락 공보실장은 최고회의 주도로 선서식을 준비하고 있었지만 속내를 들여다보면 '구색을 맞추고, 체면을 세우기 위한 몸부림'과 같은 모습을 보이고 있었다. 몇몇 정당과 정치인들이 이런저런 구실을 내세워 참여를 저울질하는 와중에 오히려 준비하는 최고회의 체면이 옹색해지는 순간이 연출되고 있었다.

외부 정치계의 반응은 어느 정도 예상할 수 있었다지만, 문제는 최고회의와 혁명 정부 내부에도 있었다. 군의 민정 참여를 앞두고 여전히 군대 복귀론과 민정 참여론이 갈등을 빚고 있었고, 공화당에 대한 적대감과 함께 새로운 국민 정당 창당론이 머리를 쳐들고 있었다. 핵심 혁명 동지인 김 윤근 장군도 고집을 꺾지 않고 군 복귀를 주장하고, 김 재춘 중정 부장조차도 새로운 국민 정당 결성이 필요하다면서 내 심기를 거스르고 있었다.

공화당이 거세되고, 최고회의 의장의 민정 불참과 함께 혁명 이전의 정치판이 재현되고 있었다. 혁명 공약과 그동안 추진했던 제반 혁신 정책들은 어쩌란 말인가? 새로운 제3공화국이 과연 신정부가 추진해오고 있는 경제개발 5개년 계획과 국가 발전 전략을 계승할 수 있을까?

머리가 아파온다.

선서식에 대한 기대감이 속절없이 무너지고 있었다.

긴급하게 3군 참모총장과 해병대사령관을 불러들였다.

"긴장을 하십시다. 겨우겨우 안정을 이뤘던 정치판이 요동을 치게 되었습니다. 민정 이양의 시기가 정해져 있는 만큼 약삭빠른 정치인들에게는 이제 우리 군이 안중에도 없습니다. 새로운 대통령이 선출되어 우리 군 앞에 섰다고 생각해 봅시다."

모두가 5·16 이전 장 면 민주당 정부 시절의 군 상황을 떠올렸다.

"지금 전개되고 있는 정치 상황을 보면 최고회의나 우리 군이 주도권을 잃게 되어 있습니다. 정국이 어디로 흘러 갈 지 알 수 없습니다."

나만의 걱정인가? 총장들은 말없이 책상 위 커피 잔만 바라보고 있다. 송 요찬이나 김 동하의 말처럼, '우리 군이 걱정할 일은 국방일 뿐이고 정치나 행정은 민간 정치인들에게 맡겨 둬야만 한다'고 생각하는 것일까?

"어쨌든 군을 확실하게 장악해주세요. 정치판이 요동을 치면 그에 덩달아 군도 흔들릴 수 있어요. 최고회의와 혁명 동지들의 분열 조짐도 무시할 수 없습니다."

의장이 내걸었던 조건에 대한 수락 통고 마감 시한은 애초에 23일로 정했었으나 몇몇 정당과 단체의 연기 요청에 따라 25일 오후 5시까지 연장되었다. 마감과 함께 참석 범위를 정했는데, 정당 중에서는 민주당을 비롯한 12개 정당, 8개 정치단체, 69명의 정치인 중 허 정(4·19 당시 과도 정부 수반), 곽 상훈(전 민의원 의장), 이 재학(전 민의원 부의장) 등 저명 인사 30명을 초청하기로 결정하였다. 공식적으로 참여를 하지 않겠다고 천명한 정당으로는 민화당과 자유대중당이 있었고 정치인으로는 변 영태, 서 민호 정도였다.

선서식은 27일 오전 10시, 시민회관에서 거행되었다. 각 정당 대표와 정치인, 최고회의 위원, 군 수뇌부들이 대거 참석하였다. 이 윤영씨의 선서와 함께 정당 및 단체 대표와 각군 참모총장들이 모두 서명을 하였다. 그리고 마지막에 의장 성명이 이어졌다.

초청받은 정당, 정치단체(團體, 정치인의 명단은 다음과 같다(조선일보,

1963. 2.27.)

◇ 정당(대표자): 민주당(노진설), 기독사회농민당(박태섭), 신흥당(장리석), 민정당(김병로), 자유당(이규갑), 자민당(이종윤), 통리당, 민주공화당(정구영), 삼일당(정인해), 자유국민당(오창욱), 조선민주당(오영진), 한국독립당(조각산)

◇ 정치단체(대표자): 사월혁명총연맹(김덕룡), 국민주권수호연맹(신현중), 청년한국연맹(현범주), 승공당(박시승), 전국사회단체연합회(김영민), 삼일정신선양회(남상철), 대한웅변협회(박양수), 대한농민회창립준비위원회(윤심원)

◇ 정치인: 곽상훈(전민의원의장), 김준연(전통일당당수), 백두진(전국무총리), 정중섭(전신민당중앙위의장), 윤석오(전이주당대표), 이영준(전민의원부의장), 장택상(전국무총리), 백남훈(전민주당최고위원), 함석희(전민족자주통일중앙협의회의장단), 김도연(전신민당위원장), 장건상(전혁신당위원장), 이범석(전국무총리), 황성수(전국회부의장), 조경규(전국회부의장), 성낙훈(전민족통일당최고위원), 백남신, 우문, 최달희, 이을규(전민주사회당최고위원), 오남기, 이윤영(전공화당최고위원대표), 김찬영(전대법관), 소선규(전참의원부의장), 김홍일, 김학규(전한국독립당최고위원), 이재학(전민의원부의장), 박대완(전한국청년단중앙당부위원장), 나재하(전한국독립당대표위원), 허정(전과도정부수반), 정형화(재일거류민단중앙총본부감찰위원장)

성명서를 다듬고 다듬어 단상에 올라섰다.

"친애하는 이 나라 정치 지도자 여러분, 그리고 각 군 책임자 여러분, 또 역사적 증인이 될 이 자리에 모인 애국시민 여러분 !

지난 2월 18일 본인이 정국을 염려한 나머지 제안한 정국 수습방안에 대하여 정당, 정치인 여러분이 전폭적으로 이를 수락하고 오늘 이 역사적인 선서의 대식전(大式典)을 가지게 된 것을 본인은 무한히 기쁘게 생각하며 이 나라 민주정치의 장래를 위하여 크게 다행스러운 일이라 아니할 수 없습니다... 오늘 이 역사적인 식전에 즈음하여 몇 마디 본인의 정치적 소신과, 그리고 지난번 제안에서 밝힌 바 있는 본인의 지킬 바를 다시 국민 앞에 천명할까 합니다…

본인은 오늘 혁명정부가 당초 기도했던 '세대의 교체'라는 정치목표에 있어서 완전히 실패하고 말았음을 솔직히 자인하지 않을 수 없습니다. 고루한 타성적 정치의식을 일소하고 참신한 정치적 새 기풍의 조성을 위하여 정치세대의 교체는 절실한 한국의 정치적 요청임을 직감한 혁명정부는 정신적으로는 국민운동을 통한 인간개조로, 제도적으로는 정당법과 정정법(政淨法)으로서 새로운 정치활동의 질서를 수립하고 새 인물의 등장을 기하여 새로운 정치 풍토를 마련할 세대의 교체를 계획했다는 것이 바로 혁명정부의 정치적 목표였던 것입니다.

이러한 혁명 정부의 노력은 이 나라 대다수 정치인들의 완고한 반대에 부딪히게 되어 일대 정치적 난국을 초래하게 되었으며, 급기야는 오늘 이와 같이 정부계획의 후퇴와 양보로서 이 정국을 수습하기에 이르른 것입니다."

순간 울컥했다.

지난 2년간의 업적을 모두 거부당하는 듯한 섭섭함, 정치를 혁신하여 전 국민을 국가 발전의 길로 나서게 하지 못할 것 같은 답답함, 절벽처럼 느껴지는 무능력감이 한꺼번에 몰려 왔다. 억제하기 어려운 감정에, 손이 가볍게 떨려왔다.

앞에서 나를 주시하고 있던 장내의 모든 인사들이 긴장을 하는 모습이 언뜻 눈에 들어온다.

잠시 감정 조절을 해야 했다.

"본인은 오늘 이 성스러운 자리에서 조국의 정치적 장래를 위하여 꼭 한마디 정치 지도자 여러분에게 남겨두고자 하는 말이 있으니, 그것은 세대교체를 이루지 못한 이 나라의 정정(政情)은 여러분들의 일대 각성과 노력 없이는 다시 정치적 위기를 초래할 가능성을 내포하고 있다는 그 사실입니다. 그것은 바로 우리가 뼈저리게 경험한 바 있는 부패의 가능성이며, 무능의 가능성이며, 또 혼란의 가능성인 것입니다. 세대의 교체를 실현치 못한 우리는 오로지 정치지도자 여러분들의 자발적 각성과 노력에 기대하는 길 이외에는 또 다른 길은 없을 것입니다.

이 나라 정치지도자 여러분 !

이 나라의 선량한 국민은 이제 힘 있는 민정 제3공화국의 출현을 고대하고 있습니다. 힘 있는 정부란 강력한 통치력의 발휘를 의미하는 것이며, 여러분들의 강력한 애국적 신념과 자신은 곧 그 힘을 뒷받침하는 것입니다. 또 다시 힘없는 정부 정국의 혼란이 재현될 때 그것은 바로 여러분들의 씻을 수 없는 책임으로 돌아가고 말 것을 명심하여야 할 것입니다.

친애하는 국민 여러분 !

본인은 지난번 제안에서 밝힌 바 있는 본인의 지킬 바를 여기에 다시 천명합니다. 본인은 민정에 참여하지 아니하겠습니다. 본인은 지난번 제안에서 밝힌 바대로 정정법에 의한 정치활동 금지를 오늘부로 전면 해제 조치할 것을 선언합니다. 아울러 선거 시기를 정당들의 의견과 국민의 여론에 따라 결정할 것을 약속합니다…

대통령 권한대행. 국가재건최고회의 의장 박 정 희 " (1963년 2월 27일)

자포자기의 심정으로 성명서 읽기를 마치고 나서 곧바로 문을 열고 밖으로 나왔다.

최고회의에서는 정정법 제재 대상자 중 268명을 제외한 전원에 대해 해금 조치를 단행하였다. 정정법을 통해 정치 활동이 금지되어 있던 2,322명의 정치인들이 풀려났다. 5·16 군사혁명을 초래했던 '구태의, 문제 있는' 사람들이 또 다시 활개를 치면서 정치 현장으로 복귀하는 순간이었다.

정치판이 요동을 치며 돌아가기 시작했다.

나의 민정 불참 선언에 대해 가장 먼저 섭섭한 마음을 표현하고 나선 것은 정 구영 공화당 총재였다. 나를 대통령 후보로 밀고 있던 공화당으로서는 모든 일정을 재조정하고 새로운 후보자를 찾아 나서야만 할 판이었다. 총재 취임 후 첫 기자회견을 가진 정 총재는 금명간 열기로 되어 있던 대통령 후보자 지명대회를 향후 대통령 선거 일정이 정해지는 것을 고려하여 추후에 열 계획이라고 기자들에게 알렸다.

그리고 김 재춘 부장과의 알력이나 당 체질 개선 외압 등에 대해서는 '당 체질 개선은 불필요하고, 대의(代議)와 사무당원의 이원제(二元制)는 우리나라의 여건으로 보아 꼭 필요하다'고 주장했다. 4대 의혹 사건과 관련되었다고 비판을 받고 있는 김 종필 전 당의장이나 논란을 일으켰던 김 동하 장군 등 일부 인사들은 본인들이 원하면 언제라도 다시 당으로 복귀할 수 있다는 의견을 피력했다.

이 와중에 공화당 중앙위원에서 탈락한 강 상욱 등 몇몇이 공화당에 탈당계를 냈다는 보고가 들어왔다. 이들은 김 재춘 부장과 최고회의 소속 일부 위원들이 추진하려는 범국민정당 쪽으로 시선을 돌리려는 것이다.

창당 작업 중인 민주당에서는 3월 1일 자로 상무위원회를 열어 발기인 숫자를 대폭 늘리고 허 정을 대통령 후보로 옹립할 것으로 전해졌다.

후회할 일, 만들지 맙시다

선서식에 참석한 박 병권 장관과 3군 참모총장, 최고회의와 내각에 진출해 근무하고 있는 군 장교들이 모두 함께 민정 이양과 군의 정치적 중립, 군 발전을 위해 총력을 기울일 것을 맹세하였다. 그리고 이어서 다음 날, 각 군에서도 주요 지휘관 회의를 열고 군의 정치적 중립을 선언하는 행사를 가졌다.

선서식에 이은 오후 회의에서 최고회의 법제사법위원회에서는 '특정범죄처벌에 관한 임시 특례법' 제3조를 개정하여 정당 및 정치인들의 일탈 행위에 대한 대비책을 마련하였다. 즉, '① 허위의 사실을 날조하여 타인에게 전하거나 그 정을 알고 이를 유포하여 정부를 비방하는 자 ② 국가재건비상조치법, 헌법에 의하여 설치된 국가기관을 부인하거나 5.16 혁명을 부인하는 언행을 한 자에 대하여는 10년 이하의 징역에 처한다'고 개정하였다.

3월 1일, 제44회 삼일절 기념식에서 독립 유공자들에게 포상을 하였다. 그리고 이어진 최고회의에서는 법제사법위원회에서 올린 법률 개정안을 원안대로 통과시켜 5·16 혁명을 부인하거나 국가재건비상조치법 또는 헌법에 의해 설치된 국가기관을 부인하는 언행에 대하여 강력한 조치를 취할 수 있게 만들었다.

예상했던 대로 정치판은 더욱더 달아올라 혼돈 속으로 치달았다. 정정법으로 묶여 있던 전 자유당, 신민당, 민주당 거물들이 모두 풀려나면서 허정과 윤 보선 등 유명 인사를 중심으로 또 다시 헤쳐 모여 상황이 전개되고 있었다.

민주당측과 전 자유당 온건파 및 무소속계에서 허 정 전 과도정부 총리를 중심으로 신당 창당을 모색하였으나 의견 충돌과 함께 금새 분열되고 말았다. 민주당측에서는 신민당측이 윤 보선을 대통령 후보로 추대할 속셈을 보이자 허 정을 중심으로 하여 주도권을 장악하려고 자유당계와 무소속계를 접촉한 것이다. 이 상철, 정 헌주, 한 통숙, 박 찬현 씨 등이 허 정측과 적극 교섭하였으나 끝내 불발하고 말았다.

가 관인 것은 '박 의장의 민정 불참' 때문에 야당이 하나로 똘똘 뭉칠 필요가 없어졌다는 '솔직한(?) 눈치보기' 였다.

"민정당서 집단 탈당. 전 자유당계 19명. 민정당(民政黨)에 참여했던 전 자유당계 인사 19명(전직 의원 8명 포함)은 4일 하오 민정당에서 집단 탈당을 선언하였다. 이들은 탈당성명에서 '박의장의 민정 불참 성명으로 범야 단일 정당의 존립 의의는 완전 소멸되었다' 고 지적하고 '자유로운 정당의 선택으로 보다 이념을 같이 할 수 있는 정당에서 일할 수 있는 기회를 갖기 위해 탈당한다'고 했다." (조선일보. 1963. 3.5.)

이들은 시내 아스토리아 호텔에서 모임을 갖고 자유당계 이 범석, 변 영태, 장 택상 등을 지도자로 추대하고, 당원 확대와 창당 작업에 나서기로 의견을 모았다.

공화당에 반대하여 민정당으로 들어갔던 조 재진 등 육사 8기 출신 20명도 '박 의장의 민정 불참 성명은 정계에 선풍적 변화를 초래하였고, 단일 정당보다는 오히려 건전한 몇몇 정당의 출현이 필요하게 되었다'고 탈당 성명서를 발표하였다.

최고회의와 박 정희가 밀리기 시작했다고 판단한 민주당에서도 당무위원회를 열어 김 상돈, 김 선태, 이 철승 등 '이유 없이' 정정법(政淨法)에서 해제되지 않은 사람을 해제해 줄 것과 정치범을 대량 석방할 것을 정부에 건의키로 결정하고 나섰다. 이들은 또 민정당, 민주당, 자유당 연명으로 정당법과 선거법, 선거관리위원회법 개정을 요구하고 나섰다. 요지는 무소속 출마를 허락하고, 비례대표제를 없앨 것이며, 선거관리위원회에 정당 추천인을 포함시켜 달라는 것이었다.

이런 사항들은 지난 해 말 헌법 개정과 정당법 제정 과정에서 이미 국민의 허락을 받은 사항인데 이제 와서 또 다시 개정을 요구하고 나선 것이다.

길 재호 법사위원 이름으로 정당법, 선거법, 헌법 개정은 불가능하다는 답변을 보냈다. 또 그들이 요구한 선거 시기 조정과 관련해서 '장마철인 7월에 선거를 실시하자는 것은 농촌의 실정을 모르고 하는 말이다. 6월 농번기가 시작되기 전인 5월이 적기다'고 선을 그었다.

선서식 후 돌아가는 상황을 보면서 적당히 속이 답답해져 왔다. 이미 예상했던 바이지만 나의 민정 불참 선언을 군사정부가 금방이라도 끝장이 나는 것처럼 여기려는 주변, 정치계 상황이 마음에 들지 않았다.

들리는 소문에 의하면 버거 미국 대사는 나와 김 종필이 없는 민정 이양에 대해 말을 흘리고 있다고 한다. 그는 일부 군부측 동지들의 김 종필 중심의 공화당 창당 방해 공작에 편승하여 내게도 미국 원조 물자 제공을 빌미로 김 종필 발기위원장의 사퇴를 촉구하고 나섰다. 더 나아가서 공화당을 해체하고 일부 동지들이 주장하는 '범국민정당을 새로 만들어야 하지 않는가' 하는 견해를 내비쳤다.

박 병권이나 김 종오 등도 은연중에 김 동하, 송 요찬 등과 오고가면서 나의 민정 불참 선언을 기정 사실화하기에 바빴다. 섭섭함과 함께 '괘씸하다'는 생각까지 들었다. 조금만 빈틈을 보여도 나를 제외시키고 올라서려는 의도가 보인다.

정치계는 또 어떤가?

5·16 혁명의 원인 제공자, 구태하고 부패한 정치인과 정당을 혁신하고, 국가 발전에 긍정적인 젊고 활기 넘치는 정치판을 열어 보겠다고 했던 나의 원대한 꿈이 참으로 허망하게 무산되고 있었다. 지난 2년간 그토록 정성을 들여 추진했던 많은 일들이 일장춘몽(一場春夢)으로 사라지고 있었다.

"비상계엄을 너무 일찍 풀어 버린 게 아닐까요?"

회의를 마치고 담배 한 대를 피워 맛보며 씁쓸함을 되새기고 있는데 김 형욱 위원장이 다가서며 한 마디 한다.

"그러게 말입니다."

홍 종철 위원이 맞장구를 친다. 지난해 12월 초, 헌법 개정안 국민투표를 앞두고 비상계엄령을 해제하였었다. 그리고 새해 첫날부터 정치 활동 자유화가 이루어졌다. 그러면서 모든 상황이 바뀌고 엉망진창으로 변해 가는 느낌이다.

3월 6일, 이 후락 실장을 불러 강원도 도정 시찰에 나섰다. 장 경순 농림부 장관과 동아일보 이 만섭 기자 등 몇몇을 비행기에 태우고 춘천으로 날아갔다. 공항으로 강원도지사와 민 기식 제1군 사령관이 영접하러 나와 있었다.

출발 전에 민 장군에게 통화를 하고 '술 한잔하기로' 약속을 정했다. 그는 민정 불참 선언 이후 돌아가는 정세를 수시로 전해 듣고 있었던지, 비행기에서 내리는 나의 표정이 유쾌하지 않음을 간파하고 조심스럽게 다가와 경례를 붙였다.

시원시원한 민 장군은 말이 통하는 몇 안 되는 나의 버팀목이다. 최고회의 안팎에 있는 혁명 동지들이 공화당 창당과 민정 이양을 앞두고 눈치를 보면서 얄궂게 구는데 비해서 그는 거침없는 말투로 언제나 나를 시원하게 만들어 준다.

일정 상 강원도청에 들려 도정 보고를 받고, 곧바로 민 장군 차에 동승하여 원주로 향했다.

"1군 사정은 어떻습니까?"

"전혀 이상 없이 철통 전투 태세를 유지하고 있습니다."

달리는 차창 밖으로 겨울 산을 바라본다. 푸른 기가 전혀 없는 앙상한 나무들이 위태롭게 비탈에 서 있다. 속살을 드러낸 채 묵묵히 차 옆을 지나친다. 깡마른 그들의 신세처럼 왜소해지는 느낌을 받는다. 민 장군도 이런 내 마음을 아는지 그냥 말없이 앞 만을 바라본다.

“혁명을 괜히 했나 봐. 우리가 너무 나이브하게 생각을 한 것 같애. 정치판도 국민도 뜻대로 되지가 않네…”

그냥 넋두리다.

“내가 다 내려놓는다고 하니까 다들 신나 하는 것 같아.”

또 다시 감정적으로 변해서, 울컥 한다.

“할 일이 태산 같은데… 우리가 벌려 놓은 일이 얼마나 많아. 이걸 그냥 내려놓는다고 ?”

가만히 듣고 있던 민 장군이 조심스럽게 끼어든다.

“내려놓긴 왜 내려 놓습니까? 목숨을 걸고 혁명을 한 것은 우리 대한민국의 발전을 위해, 끝까지 가보기로 한 게 아닙니까?”

“하지만, 헌법 개정하고, 경제개발계획을 추진하고, 새로운 대통령을 뽑는 것으로 우리 임무를 마쳐야만 할 것 같아요. 너무 힘이 드네…”

“그런 말씀 마십시오. 지금까지 최고회의를 잘 이끌어 오셨듯이 혁명 과업을 완성하는 일까지도 책임지셔야만 합니다. 지금 그만 두시면 모든 게 수포로 돌아갑니다. 아마도 민주당 정권이 다시 등장한다면 혁명에 참여했던 군인들 대부분이 보복을 당할 겁니다.”

“그걸 아는 사람들이 나를 이렇게 몰아세우나? 송 요찬, 김 동하, 김 종오, 박 병권, 김 윤근, 유 양수… 다 찜찜해졌어. 또 다시 내가 만만해 보이는 가 봐.”

몇 시간을 달리니 높다란 치악산이 눈에 들어온다.

사령관 관사에서 평상복으로 갈아입고, 식사. 민 사령관과 이 실장, 장 장관 등 넷이서 술상을 벌렸다.

"의장님, 이제 웃통 벗었으니까 솔직하게 물어보겠습니다. 정말로 그만두실 겁니까?"

역시 민 장군이다.

금방 답이 나오질 않는다. 생각이 많으니…

"아직 변수가 많습니다. 공화당 창당이나 야당의 움직임, 최고회의 내 강경파의 목소리, 군부의 움직임 등등…"

이 실장이 나의 고민을 공유하고 있다.

"아니 군부의 움직임이라니요? 어떤 놈들이 꿈틀댑니까?"

"다혈질인 김 동하가 해병대를 접촉한다는 소문도 있고, 최근에는 이 규광 쪽에서도 움직이는 것이 포착되었어요. 뭣보다도 박 병권 장관과 김 종오 총장이 야당편을 들어서 은근히 '민정 불참'을 강요하는 분위기입니다."

"그냥 다 잡아 넣읍시다."

모두가 답답증 해소 방법으로 이것이 최고일 것 같다는 생각을 해본다.

"일단 민정 이양을 공언한 마당에 되돌릴 수는 없을 것 같습니다. 다만 현 최고회의가 주도권을 가져가기 위해서 방법과 절차, 시기를 잘 조정해야 합니다. 그냥 기존 보수 야당들에게 정권을 넘긴다는 것은 생각조차도 하기 싫습니다."

장 장관도 언성이 높아진다.

"어떻게 하든 공화당을 정상화시켜야만 합니다. 김 재춘 부장 중심으로 몇몇이 구 자유당계와 구 민주당계를 아울러서 새로운 자민당 또는 범국민 정당을 만들어 보겠다고 움직이는 것 같지만, 택도 없습니다. 김 부장이 자신감을 보이지만 구 정치인들에 말려들지나 말라고 하세요."

"민정 불참 선언 이후에 돌아가는 판세를 보니 지난날의 민주당 정치판과 똑 같습니다. 사분오열, 이합집산, 여전 합디다. 우리가 이대로 물러나고 정권을 넘겨준다면 누군가는 또 다시 혁명하겠다고 나설 겁니다. 아, 암요."

"아니 우리도 군복을 벗으면 민간인이 아닙니까?"

모두가 멈칫한다. 그렇다 혁명 동지들 중에서 군으로 복귀한 일부 사람들을 제외하면 대부분이 전역을 하고 민간인 신분이 된다. 최고회의 위원 중에서도, 또 공화당에 참여하기로 한 장교들도 속속 전역을 하고 있는 중이다.

"의장님도 조만간 전역을 하셔야 하고, 그리 되면 민간인 아닙니까?"

술잔이 거듭될수록 언성이 높아지고, 속이 시원해진다. 시간이 흐르면서 모두의 의견이 같은 방향을 향해 가고 있었다.

"그래서, 정말로 그만두실 겁니까?"

민 장군이 다시 또 묻는다. 그의 말투는 그만 두면 안 된다는 엄포에 가깝다. 이쯤에서 나의 속내도 드러내 보일 필요가 있다.

"주변에서 하도 쪼아 대니까 나도 마지못해서 민정 불참이라는 극약 처방을 조건으로 내걸고 선서식을 한 겁니다. '불참 선언'을 그들은 나나 군부가 곧바로 사라지는 것으로 여기는 게 문제입니다. 민정 불참의 전제 조건들이 제대로 실천되는 가를 확인하기 위해서는 일정한 기간 동안 최고회의나 군부가 영향력을 유지해야만 합니다. 그래야 정치인들의 서약이나 나의 민정 불참 약속이 이행되는 겁니다."

"이 참에 군정을 연장하고, 그런 속에서 민정 이양을 위한 대통령 선거, 국회의원 선거를 실시하죠. 그리고 혁명 정부에서 추진했던 제반 혁신 정책들이 본 궤도에 오르는 시기를 봐서 점진적으로 정권을 넘겨주는 겁니다."

군정 기간을 향후 몇 년 동안 연장하는 것도 방법 중 하나라는 생각이 든다. 혁명 정부가 추진하고 있는 모든 정책들이 시행 초기 단계로서 원하는 효과가 거의 나타나지 못하고 있다. 지금 이대로 민정 이양을 한다면 혁명 정부에 대한 비판을 그렇다 치더라도 모든 정책들이 폐기되고 새롭게 정비한 제도들도 제대로 시행되지 못할 운명이다. 이런 상황 전개는 결코 바람직하지 않다.

용두사미(龍頭蛇尾).

시작 안 한 것만도 못한 상황이 초래될 수 있다는 불안감이 엄습한다.

"어쨌든 공화당을 제대로 세워야만 합니다. 김 종필 장군을 불러들여서 당을 재정비하고 곧바로 의장님을 총재와 대통령 후보로 추대하는 겁니다. 그래야 우리 쪽에서 이런저런 말이 나오지 않게 됩니다."

이 실장이나 장 장관 생각이 일치하고 있다.

"하여튼, 후회되는 일은 하지 마십시다. 민정 불참과 함께 정권을 이양하고 나서 3·15, 4·19, 5·16과 같은 국가 사회 혼란이 야기된다면, 그건 안 됩니다. 절대 용납할 수 없습니다."

모두의 마음이 하나로 합해지는 순간이다. 술잔을 들고

"건배! 후회하지 맙시다!"

새벽 2시가 넘어서 호텔 숙소로 들어왔다.

다음 날 아침, 민 사령관이 장병들을 연병장에 집합시켜 놓았다. 연병장으로 나오니, 시원한 아침 공기가 엊저녁 술기운을 산뜻하게 가시게 해준다. 단상에 올라서서 속내를 털어놓는 넋두리 같은 훈시를 시작했다.

"본인은 이 야전군에서 잔뼈가 굵었기 때문에 언제든지 이 자리에 오면 내가 살던 집에 다시 돌아오는 그런 감을 금할 수가 없습니다... 군에서 파견되어서 혁명 정부에 나가 있는 여러분들의 동료들도 여러분들처럼 맡은 바 소임을 다하고 있는 중입니다… 혁명정부가 국민들에게 약속한 2년 동안 이라는 제한된 시간은 불과 한 5, 6개월밖에 남지 않았습니다.

작년 연말, 최고회의가 앞으로 민정에 있어서 혁명정부에 나가있는 군인들 중에서 일부 인원은 민정이 이양될 시기에 군복을 벗고 민정에 참여하겠다는 의사를 표시한 바 있습니다. 그러나, 그 후 정치인들의 지대한 반발과 혁명정부에 대한 비난으로 말미암아 최근에 우리들이 민정에 참여하겠다는 기본 방침을 변경하고, 특히 '민정에 참여하지 않겠다'는 것을 국내 여러 정치 지도자들과 한자리에 모여서 국민들 앞에서 같이 공약을 하고 약속을 했던 것입니다…

이번에 구 정치인들에게, 그들이 국민들에게 약속한 그 모든 조건과 상황을 틀림없이 분명히 준수하고 실천할 것을 믿고, 그들에게 모든 것을 맡기기로 결정한 것입니다. 그러나 과거에 이 나라 정계에서 여러 가지 추태를 부리고, 국민들에게 좋지 못한 정치사회에 구악을 저지르고, 이 나라의 민주적인 발전에 해독을 끼친 그 얼굴, 그 인물들에게 또 다시 나와서 모든 것을 해달라고 하는 것은 절대 아닙니다.

이런 사람들은 이 기회에 제2선으로 물러나서, 새롭고 참신하며 양심적인 세대를... 육성하고 키우고, 그들에게 모든 것을 맡겨서, 이 나라에 새로운 정치 질서를 세우는 데 조금도 인색해서는 안 될 것입니다."

사전에 예약되어 있던 훈시가 아니었기에 두서없이 중언부언 길어졌다. 답답했던 속내를 장병들 앞에서 후련하게 털어버린 셈이었다.

민 사령관과 참모진으로부터 1군 사정에 대한 브리핑을 받고 이어서 원주 시청을 들렀다. 서울을 빠져 나온 김에 2박 3일 일정으로 휴식을 취하기로 하였다.

다음 날 저녁에 청와대에 도착을 하니 곧바로 김 재춘 부장이 연락을 해왔다.

"각하, 급히 보고 드릴 것이 있습니다."

그의 손아귀에 두툼한 서류 뭉치가 들려 있었다.

군의 정치적 중립

“각하, 4대 의혹 사건에 대한 조사 결과입니다. 어떻게 할까요?”

김 재춘 부장은 부임하자마자 3월 2일자로 특별조사위원회를 구성하고 곧바로 증권 파동과 관련되었던 윤 응상, 이 창규 등과 함께 석 정선, 강 성원, 정 지원 등 중정 임원들을 구속하였다. 이어서 당시 유 원식 전 최고회의 재경위원장, 천 병규 전 재무부 장관, 중정의 이 영근 차장보, 농협중앙회 부회장 권 병호, 증권거래소 이사장 서 재식과 이사 4명 등 13명을 추가로 구속해야 한다고 문건을 꺼내 놓았다.

중정 요원들 중에서 워커힐 호텔 건 및 새나라 자동차 의혹 사건과 관련해서 추가로 몇 명을 더 구속할 예정이라고 내 눈치를 살폈다.

“의혹을 확실하게 밝히기 위해서는 관련자 모두를 구속하거나 입건해서 조사를 해야겠죠. 철저하게 조사해 보세요.”

“알겠습니다.”

“그러나 조심해야 할 겁니다. 중정이 하는 일 중에는 국가 안보를 위한 일들이 많아요 정보부 일을 일반 부정부패처럼 다뤄서는 곤란한 경우가 있지요. 국가 안보에 치명적인 것들은 법 테두리를 넘어서야 하는 경우도 발생합니다. 그런 것들을 일반인의 시각에서 다루게 되면 정보부 자체가 필요 없어져요.”

“잘 알겠습니다. 이번 4대 의혹 사건은 정보부가 본연의 임무를 벗어나 공화당 창당과 관련해서 비리를 저지른 것이라고 생각합니다. 이번 기회에 확실하게 조사하여 더 이상 이런 비리가 중정 이름으로 저질러 지지 않도록 해야 합니다.”

그의 결연한 의지가 든든하면서도 자칫 양날의 칼을 휘두르는 게 되지나 않을까 조심스럽다.

"사실 오늘 보고드릴 일은 지난주에도 잠깐 말씀드렸던 바 있는 쿠데타 음모 건입니다."

설마 설마 했는데 그가 조심스럽게 꺼내는 말을 듣고 기가 찼다. 혁명 당시부터 우리에게 적대적이었던 일부 군 장교들과 함께 최근에 공개적으로 나를 비난하고 나선 김 동하, 유 원식에 더해서 김 윤근, 박 임항까지도 연루되어 있다는 보고였다.

그의 보고에 따르면 사건의 내막은 다음과 같이 전개되고 있었다.

지난 해 12월 초, 헌법 개정을 위한 국민투표를 앞두고 경비계엄을 해제하였다. 본격적인 정치 자유화를 앞두고 물밑에서 서서히 정치 활동이 일어날 즈음에 종로 태화관에서 이 규광 전 헌병감, 정 진, 이 종태 전 방첩대장이 만나기 시작했다. 이들은 현 최고회의에 대한 비판을 늘어놓으면서 입에 담아서는 안 될, 군사 쿠데타라는 용어를 사용하면서 모의를 시작하였다. 3인이 동지 포섭과 함께 이 종태가 계획을 세우고, 이 규광은 거사 자금을 준비하며, 정 진은 군 동원 문제를 책임지기로 하였다.

12월 13일에는 정 진의 집에 다시 모여 추진 계획을 재점검하고, 정 진은 자기 부하였던 3사단 23연대장 한 민석 대령과 육군사관학교 생도대장 박 준호 대령을 포섭하기로 하였다. 이 종태는 같이 근무했던 방 원철과 부하였던 육군본부 작전참모부 작전처장 김 명환 대령을 접선하기로 하였다. 이어서 21일 저녁에는 정 진의 집에 다시 모여 이 규광이 남한산성 밑에 있는 육군 서울교도소 재소자를 거사에 동원할 것을 제의하였지만, 정 진은 명분이 없다면서 반대 의사를 표명하였다.

새해에 들어서고 정치 활동이 자유화되자, 이 규광은 좀 더 적극적으로 동지 규합에 나서기 시작하면서 박 임항 건설부장관실로 찾아갔다. 이 규광은 박 장관에게 자신들이 계획하고 있던 거사 계획에 대해 설명하고, 동참과 함께 지도자가 되어 달라고 요청했다. 박 장관은 단호하게 거절하고 최고회의나 중정, 검찰로 신고를 하여야 했으나 오히려 동조하는 듯한 발언을 했다. 둘의 만남이 잦아지면서 어느 순간에 박 임항은 쿠데타 모의의 중심 인물이 되어 갔고, 김 재춘 중정 부장이 4대 의혹 사건을 발표하는 것을 계기로 군대를 동원하여 최고회의를 점령할 행동방안까지 함께 하게 되었다.

1월 중순경 박 병권 장관 중심으로 혁명공약강행실천투쟁위원회를 결성하여 최고회의와 박 정희, 김 종필을 몰아세우기로 한다는 정보를 입수하고는 이 규광, 양 한섭, 이 종태, 김 명환, 정 진 등은 더욱 적극적으로 포섭 대상자의 범위를 넓혀갔다. 이들은 지속적으로 박 준호 대령에게 육사 생도 동원을 촉구하고, 공군 제10전투비행단 이 종환 중령, 제11고사포 여단 김 병철 중령, 국방부의 강 계삼 대령 등을 포섭 대상으로 하여 접촉을 시도하였다. 포섭된 김 병철은 소공동 삼화다방에서 양 한섭으로부터 1만 원 짜리 보증수표 1장을 받고 고사포 1개 대대를 동원할 것을 약속하였다.

국토건설단 보좌관실에서 이 규광으로부터 쿠데타에 가담할 것을 권유 받은 김 재영은 이에 동조하여 구성원이 된 후 적극적으로 행동에 나섰다. 흥신소사무실을 차리고 2인 1조의 사무원을 고용하여 이들로 하여금 관구 사령부, 방첩부대, 중앙정보부, 수도방위사령부 및 각 군 부대의 위치 정보를 수집하게 시켰다. 1963년 2월 23일에는 이 종태로부터 검거 및 제거 대상으로 박 정희 의장을 비롯한 최고회의 각 분과위원장, 군 참모총장, 수도방위사령관, 해병대 사령관 등의 주소를 확인하였다.

한편 김 동하를 중심으로 한 만주 동명중학교 동창생 및 만주군관학교 출신, 해병대 인맥이 연초부터 활발하게 반 국가적 결사체를 만들어가고 있었다. 김 동하는 그의 전역과 공화당 발기인 참여와 사퇴, 공개적인 박 정희 민정 불참 요구를 계기로 불만 세력을 규합하고 나섰다. 최고회의 의장의 민정 불참을 '강권하다시피' 요구하여 관철시켰던 박 병권 장관과 김 종오 총장, 최 주종 6관구 사령관, 김 윤근 위원, 유 원식 위원 등이 직간접으로 동참하고 있었다. 5·16 당시 해병대 병력을 이끌고 한강 다리를 선두에서 돌파했던 오 정근 대령을 다시 충동시켜 김포 주둔 해병 여단과 서울지구 해병대 헌병을 동원하기로 모의한다.

이 종민, 방 원철, 오 정근, 박 준호, 정 진, 이 규광 등은 김 동하 집과 시내 남산옥 등에 모여서 거사 계획을 구체화하면서 논의를 거듭해 갔다.

김 동하와 박 창암 등은 예비역으로 편입되었음에도 불구하고 자기 집안에 권총과 칼빈 소총, 대검, 실탄 등을 무수히 많이 소지하고 있는 것으로 알려졌다.(이상의 보고 내용은 「한국군사혁명사」 1963. 375-385에 실려 있음)

김 부장의 보고를 들으면서 소름이 돋았다.

5·16 이전의 상황과 너무나 흡사하다. 곳곳에서 정부 전복, 군사 쿠데타 논의가 백화제방으로 일어났던 당시 상황이 그대로 재현되고 있었다.

정치 자유화와 민정 이양, 나 박정희의 민정 불참이 난분분한 쿠데타 논의의 토양을 제공하고 있었다.

"김 부장, 김 동하 장군도 그렇지만 만주 출신, 함경도와 평안도 출신 대부분이 거론되고 있는데 이들이 모두 다 관련되었다고 보기는 어려워요. 하다못해 이 주일 부의장, 김 윤근 장군, 이 석제 처장 이름까지도 들먹이니… 이건 말이 안돼요."

"그래서 고민입니다. 의장님의 판단이 필요합니다."

"오 정근 위원은 김 동하나 김 윤근 등 해병대 인맥과 절친한 사이이긴 하지만 최근에는 적극적으로 공화당 창당 작업에 참여하고 있지 않아요? 이 주일 부의장이나 김 윤근 장군, 오 정근 대령을 쿠데타 모의의 핵심인 양 처벌한다면 우리 혁명 동지 모두가 원천적으로 분열될 겁니다."

"핵심 인물 중심으로 몇몇만 손을 보는 것으로 마무리해야 할 겁니다. 4대 의혹 사건과 마찬가지로 지나치게 확대하지 마십시다."

구체적인 인물 하나하나에 대해서는 김 부장의 판단에 맡기기로 한다.

11일 출근하자마자 김 부장이 관계 조사관을 대동하고 나타났다. 쿠데타 음모 가담자 19명을 체포하고 달아난 2명을 전국에 비상 수배했다고 보고하였다. 이들이 자리를 뜬 몇 시간 뒤에 김 현철 내각 수반이 새파래진 얼굴로 나타났다.

김 수반은 사건 내막에 대해 궁금해 하면서 '현직 박 임항 건설부장관이 연루된 만큼 내각이 책임을 지고 총 사퇴를 해야 하지 않겠느냐'고 나의 생각을 물어 왔다.

"일단 지켜보십시다. 수사 상황을 봐 가면서 누가 책임을 질 것인가도 좀 더 논의해 봐야 할 겁니다."

김 수반(首班)은 오후 2시 반부터 긴급 각의를 소집하고 내각 총사직 문제에 대해 논의하였다. 내각은 쿠데타 음모 사건에 도의적 행정적 책임을 질뿐만 아니라 이 사건의 수사에 적극 협력하기로 결정하였다.

군 수뇌부도 발 빠르게 움직였다. 같은 날 오후 박 병권 국방부 장관은 긴급으로 각급 참모총장 회의를 개최하였다. 박 장관은 물론 김 종오 총장도 의심을 받고 있는 상황에 처해 있었다. 일부 장성은 군인 스스로 나서서 2.27 정치적 중립을 선언한 상태에서 이런 쿠데타 사건이 발생한 것에 대해 군 수뇌부는 진심으로 각성하고 '국민에 대한 사과를 행동으로 보여 주어야 한다'고 말했다. 박 장관도 사의를 표명하고 나섰다.

3월 12일자 신문에, '군 일부에서 쿠데타 음모(陰謀). 육군과 공군 장교 등 21명이 관련. 박 임항, 김 동하, 박 창암, 이 규광 등 20명을 검거, 한 명 수배 중. 박 의장 등 요인 살해를 기도.' 라는 기사가 대문짝만 하게 실렸다.(조선일보 1963. 3. 12.)

"거사(擧事)는 3월 15일… 2·18 전부터 계획. 수사에 따라 범위 확대. 김 동하 전 최고회의 외무국방위원장, 박 임항 건설부장관 및 박 창암 전 혁검부장(革檢部長)을 비롯한 21명의 육군과 공군 현역 또는 예비역 장교, 3명의 민간인이 박 의장과 최고위원, 각원(閣員), 기성 정치인들을 무력으로 살해, 기타 방법으로 제거, 유혈(流血)로써 정권을 장악하여 장기 집권을 기도한 음모 사건이 행동 직전에 발각되어 당국에 구속되었다. 이와 같은 군 일부의 「쿠데타」 음모는 오는 3·15를 계기로 거사할 작정으로 박 의장의 2·18 성명 발표 이전부터 계획되었던 것으로 전해지고 있다...

아직 체포되지 않은 1명을 포함한 관련자 전원을 국가보안법 제1조 및 특정범죄처벌에 관한 임시 특례법 제3조 2에 적용 조치할 것이라고 밝힌 김 부장은 '앞으로 조사 결과에 따라서는 구속범위가 확대될 른 지 모른다'고 말했다. 김 부장은 송 요찬 전 내각수반이 관련됐다는 일설에 대해서는 '관련되지 않았다'고 말했다."

비서실과 공보실은 하루 종일 외부 전화에 시달렸다. 내막을 구체적으로 알고 싶어 하는 최고회의 위원들은 물론 내각과 군 관계자, 신문 기자들이 찾아오거나 연신 전화를 걸어왔다.

마음과 몸이 편치 않아서 12일은 하루 종일 공관에 머물렀다.

늦은 오후에 최고회의 위원들과 몇몇 기관장들이 한꺼번에 몰려왔다.

"아니 이럴 수 있습니까? 민정 불참을 선언하고 나자마자 뒤집어 엎겠다니?"

"의장님, 비상계엄을 선포해야 하는 게 아닙니까?"

김 형욱 내무위원장, 길 재호 법제사법위원장, 홍 종철 문교사회위원장 등이 적극적이다.

"박 임항 장관은 물론 박 병권 장관이나 김 종오 총장까지 관련 되었다니 이해가 안 갑니다. 들리는 소문에는 만군 출신과 함경도, 평안도 장성들이 대부분 관련되었다고 하던데 사실입니까?"

박 영석 장군이 의외란 말투로 의문을 제기한다.

"그러게 말입니다. 김 동하 장군과 가까이 지내던 이 주일 부위원장은 물론 김 윤근, 오 정근, 김 종오 장군 등이 모두 연루된 겁니까?"

모두가 흥분 상태에서 언성이 높다.

이래저래 불편하고 화도 나서 담배만 연신 빨아댄다.

"자, 자, 흥분을 가라앉히고 향후 대책을 강구해 봅시다. 공식적인 자리는 아니지만 최고회의 위원들 다수가 이 자리에 있으니, 김 재춘 부장을 불러서 보고를 듣고, 대책회의를 개최하십시다."

냉정을 되찾은 박 태준 위원이 분위기를 잡는다. 비서실을 통해 김 부장을 긴급으로 호출하였다. 30여분 만에 나타난 김 부장은 사건 내막에 대해 간략하게 설명하였다.

"아직 수사가 진행 중에 있습니다. 이 규광 전 헌병감과 김 동하 전 최고위원, 박 임항 장관 등이 연루되어 있는 만큼 수사 대상의 확대는 불가피합니다. 다만 거사 모의와는 관계없이 개인적 교류 관계까지 의심을 받을 수 있기 때문에 매우 조심스럽습니다. 잘못하면 최고회의 자체가 풍비박산(風飛雹散)될 수도 있습니다."

김 재춘 부장이 신중한 자세를 취한다.

"5·16 군사 혁명을 하게 된 동기가 국가 정치 경제 상황의 극단적인 혼란이었는데, 지금은 그 때와 상황이 다르지 않습니까? 비록 정치를 자유화해서 정치 사회 혼란이 나타나고는 있습니다만 아직 최고회의가 엄연히 활동하고 있는데…"

"경비 계엄이 해제되었고, 의장님의 민정 불참 선언 상태라고 하지만 이건 아니지 않습니까?"

뭔가 근본적인 대책을 강구할 필요가 있음을 모두가 감지한다.

민정 이양을 통해 현재의 최고회의가 물러나면 어떻게 될까?

현재와 같은 군 쿠데타 음모가 만연해 있는 상황은 5·16 직전과 다를게 없다. 또 다시 군이 나서야 하는가?

민정 이양 후 혼란 상황이 충분히 예견되는 상태라면 민정 이양을 서둘러서는 안 된다. 혁명 정부에 의해서 현재 안정적으로 구축되어 있는 국가 시스템이 민정 이양 후에도 그대로 유지될 수 있어야 한다. 야당 정치계에서는 정권 인수만을 위해, 아니 개별적으로 정치적 진로만을 위해 갑론을박하고 있다. 장 면 정부처럼 여전히 군의 존재를 간과하고 있다.

"이 참에 민정 이양에 대해 근본적으로 재고를 해 볼 필요가 있다고 생각합니다. 이번 관련자들 중에는 김 동하 장군이나 박 병권 장관, 김 종오 총장처럼 박 의장의 민정 불참을 강요하면서 군의 정치적 중립을 명분으로 내세우는 사람들이 섞여 있습니다. 군이 정치에 관여치 않으면 우리나라가 잘 될 수 있다는 전제를 깔고 있습니다."

논리적인 길 재호 위원장이다.

"지금 상태로 라면 민정 이양은 너무 성급하다고 생각합니다. 군정을 연장하든지 아니면 비상계엄령이라도 발동하여 군이 국가 안정에 기여해야만 합니다."

김 형욱 위원장이다.

대부분 우리 군이 상당 기간 역할을 해야만 한다는데 의견 일치를 보고 있다. 다만 방법적인 면에서 조금씩 의견 차이가 있다.

"공화당 창당 작업도 민정 이양 이후에 안정적인 국가 운영을 위해 진행되었던 것입니다. 최고회의 위원들이 민정 이양 이후의 정국에서도 충분히 역할을 해야만 합니다."

긴급 상황에서 다양한 의견들이 쏟아져 나왔다.

혁명 정부와 민정 이양, 나나 최고회의 위원들의 민정 참여, 공화당 조직의 정국 주도 등은 모두 군의 정치 참여, 다른 관점에서 보면 군의 정치적 중립과 관련되어 있다.

군의 정치적 중립 ?

말하기 좋아하는 사람들은 '군은 정치적으로 중립이어야만 한다'고 톤을 높인다. 소위 정치인이라는 사람들은 '군의 정치적 중립'을 당연시하면서, 군의 존재를 종종 망각한다.

군의 정치적 중립이 중요하다지만 전제 조건이 있다. 군이 안정적으로 국토방위를 책임지는 상황에서 정치와 행정이 국가와 국민을 위해 제대로 역할을 할 수 있어야 한다. 3 · 15 부정 사건으로 인한 경찰과 시위대의 충돌, 그로 인한 국가 사회 혼란 상황에서는 정치나 행정이 제대로 역할을 해내지 못했다. 공산당과 사회주의자, 중립론자, 무분별하게 이에 동조하는 젊은 학생들이 국가 사회를 혼돈 상태로 만들어 정치와 행정이 전혀 역할을 하지 못하던 장 면의 민주당 정부를 생각해 보라.

제2차 세계 대전 이후에 독립한 거의 모든 국가들에서 나타나고 있던 정치 행정, 사회 혼란은 군부가 등장하면서 안정화되었다. 모 택동의 중공이나 김 일성의 북한은 아예 군부 독재국가다. 터키, 이집트, 파키스탄, 인도네시아, 중남미 국가들은 대부분 군부가 정치를 직접 관장하면서 국가 발전을 꾀하고 있는 중이다.

Idi Amin seized power in a military coup on 25 January 19...

Thailand Army Announces Coup d'etat, Takes Control of Government after ...

Pakistan Army Chief 'Overruled Generals Calling For Coup' | HuffPost

Men on horseback: A cen
DAWN.COM

우리나라도 5 · 16 이후에 혁명 정부가 안정적으로 체제를 유지하면서 경제 성장과 국가 발전을 추진하고 있다.

지금 우리 상황에서 군이 물러난다면 또 다시 대혼란이 야기될 것이 뻔하다. 군이 상당 기간 동안 정치와 행정에 관여해야만 경제 발전과 국가 발전, 그를 통한 대한민국의 역사적 진전을 기대할 수 있다.

'군의 정치적 중립'은 사실 정치꾼들에 의한 '무책임한 주장'일 뿐이다.

군은 적극적으로 정치와 행정에 참여하여 일정 기간 체제 안정과 지속적인 국가 발전에 기여해야만 한다.

민정 불참을 선언해 놓았다지만 고민이 많다.

소시적(少時的) 아버지께서 해주셨던 말씀이 불연듯 떠오른다.

"정희야. 힘들다고 쉽게 포기하지 마라."

자승자박의 딜레마

고민이 더욱 깊어지고 있다.

정치 활동 자유화와 함께 나타난 최고회의 내부의 분열과 나에 대한 민정 불참 요구, 김 종필 장군의 외유와 공화당 창당의 궤도 수정, 야당 정치인들의 거침없는 반발과 정치적 요구, 그리고 이어지는 군사 쿠데타 음모 등 나를 벼랑 끝으로 몰고 가는 분위기다. 아버지 말씀처럼 쉽게 포기하거나 절망하지 않으려고 마음을 모질게 먹어보지만 머리가 아픈 것은 어쩔 수 없다.

'이럴 때 쓰는 말이 자승자박(自繩自縛)이로구나!'

생각하면 할수록 나의 어리석음에 할 말이 없다. 너무나 자신 만만 했었다. 아니, 혁명을 위해 어쩔 수 없어서 선택한 길일 수도 있다. 하지만 이제 와서 생각해 보니 후회막급(後悔莫及)이다. 2년 만에 그 대단한 목표를 달성할 수 있으리라고 오판을 하다니...

혁명 공약 제6조 "이와 같은 우리의 과업이 성취되면 참신하고도 양심적인 정치인들에게 언제든지 정권을 이양하고 우리들 본연의 임무에 복귀할 준비를 갖추겠습니다"는 순전히 내가 고집하여 집어넣은 것이다. 처음 이것을 삽입할 때 김 종필 장군을 비롯한 혁명 주체들이 대부분 반대를 했었다. 공연히 사족을 달았다가 빼도 박도 못하는 상황에 처할 수도 있다면서 극력 반대를 했었다.

한 치 앞을 내다보지 못한 나의 어리석은 처사에, 할 말이 없다.

혁명 당시부터 쫓겨나던 장 면 민주당 정부, 민주당과 신민당 국회, 그리고 의심스러운 눈초리를 보냈던 미국 대사관이나 유엔군사령부 모두가 '정권을 이양하는' 부분에만 눈독을 들이며 우리를 주시하였다.

전제 조건인 '이와 같은 우리의 과업이 성취되면'에는 관심도 없었다. 또 '참신하고도 양심적인 정치인'의 등장에도 관심이 없었다.

오로지 '언제든지 정권을 이양하고' '우리들 본연의 임무에 복귀할 것'에만 치중했다.

계엄령을 해제하고 정치 자유화를 하자마자, 나와 최고회의, 군사정부는 안중에도 없어지고 있다.

'이건 아닌데…"

혁명 직후에 장 도영 장군은 매그루더나 미군측에 우리의 군사 혁명의 정당성을 인정받기 위해 '정권을 금방 이양할 것'이라면서 설득에 나섰다. 그러다 보니 그는 3개월 만에 정권을 이양하고 군으로 복귀하겠다고 우리를 괴롭혔다.

바톤을 이어받은 나도 '2년 뒤 8월쯤에 정권을 민간에 이양하고 물러 날 것'이라고 '사려 깊지 못한' 실책(1961년 8월 12일 성명서)을 저질렀다.

서슬 퍼런 군대를 앞에 두고 모두가 눈치를 보는 듯 했지만 혁명에 반대를 하던 기존 보수 정치인들이나 미국측은 교묘하게 나나 최고회의의 '실수(?)'를 유도해 내고 있었다. 끝없는 압박을 통해 장 도영의 석 달, 박 정희의 2년 식으로 혁명 정부가 스스로 마지노선을 긋도록 만들었다.

지난달에는 드디어 나의 '민정 불참' 선언까지 만들어냈다.

'누구를 탓하랴 !'

모두 나의 잘못이다.

혁명 과업의 완성 ? 어디 쉬운 일이었던가?

'이 나라 사회의 모든 부패와 구악을 일소하고 퇴폐한 국민도의와 민족정기를 다시 바로잡기 위하여 청신한 기풍을 진작할 것입니다.'

'절망과 기아선상에서 허덕이는 민생고를 시급히 해결하고 국가 자주 경제재건에 총력을 경주 할 것입니다.'

'민족적 숙원인 국토통일을 위하여 공산주의와 대결할 수 있는 실력의 배양에 전력을 집중할 것입니다.'

지난 2년 가까이 총력을 기울여 많은 일을 해 왔다. 하지만 우리가 선언한 혁명 과업과 비교하면 아직 '새 발의 피'에 불과하다. 부패와 구악 해소 차원에서 부정한 정치인들의 활동을 규제하고, 부정축재자를 처벌했으며, 깡패나 공산당과 사회주의 불순분자들을 영창으로 보냈다. 3·15 부정 선거의 원흉들을 군사재판에 회부하여 처벌하였다.

이런 부분은 분명히 성과를 보였다.

하지만 국민 도의와 민족정기, 청신한 기풍 조성을 위해 시도한 국민재건운동은 하루아침에 효과를 볼 수가 없는 일이다. 수천 년 지속되어 온 가난 극복, 민생고 해결, 국가 자주 경제 재건은 한 세대 30년 이상은 걸려야 겨우겨우 턱거리 할 수 있는 일이다. 국토 통일이나 공산당을 능가하는 일은 또 어떤 가?

어느 군사 정부가 우리처럼 정권 이양 시기를 정해 놓고 스스로 초조해 했던가?

갑자기 프랑스대혁명이 생각난다. 극심한 혼란, 국가 존폐의 난국은 나폴레옹이라는 걸출한 군인이 등장하면서 정돈이 될 수 있었다. 삼부회나 노동자와 농민의 정치, 국왕이나 봉건 제후들의 정치는 모두 실패를 하고 말았었다. 나폴레옹은 종신 통령이 되었다가 급기야 황제의 자리에까지 올랐다. 군사 정부의 장기 집권, 정국 안정이 이루어졌다. 그러면서 세계 일등국가 프랑스가 만들어졌다.

5·16 군사 혁명도 장 면 민주당 정부와 국회의 무능력 때문에 비롯되었다. 최고회의가 국정을 담당하던 지난 2년 가까운 기간 동안 우리 사회는 안정을 되찾았었다.

그런데 지금 눈앞의 현실은 또 다시 참담해지고 있다. 이런 판국에 민정 이양만을 부르짖고 있다.

정치 활동이 시작되자마자 기존 보수 정치인들은 우리 군사 정부의 업적을 깎아 내리면서 부정하기 시작했다.

'경제개발의 효과가 전혀 없다.'

'국민재건운동도 말 뿐이고 보여주기에 불과하다.'

'부정부패 척결이라고 내세우지만 4대 의혹 사건을 보면 이전 정부와 다를 게 없다.'

'비료 공장을 세우고, 경제 개발계획을 세웠다고 자랑하지만, 자유당, 민주당 정부에서 하던 일에 불과하다.'

이런 와중에 혁명 동지들 사이에 내분이 일어나 서로 물어뜯기 시작하고 있다. 이제 민정 이양이 아니고, 겁이 나기 시작한다.

프랑스대혁명기의 보복과 살상이 눈에 선하다. 민주당 국회가 새로 등장하면 그들에 의해 최고회의에서 해 놓은 변법(變法)이 모두 원위치 할 것이다. 민주당 정부가 다시 등장하면 지금까지 추진했던 모든 혁신 정책이 손바닥 뒤집듯 사라질 것이다.

정신을 차려야 한다.

자유민주주의와 군사 정부는 양립하기가 어렵다. 정치 자유와 계엄령은 극과 극이다. 지독하게 가난한 절량농가에게, 여전히 세계 최빈국인 우리 한국에서 자유로운 민주주의가 꽃피기는 어렵다. 이런 상태에서 자유 민주

정치는 공산 사회주의의 먹잇감이 되기 십상이다.

혁명 과업이 2년 동안에 완성될 수 없듯이, 혁명 정신과 목표를 위해서는 '성급한 민정 이양'은 금물이다.

우리 혁명 정부, 그 정신과 정책을 이어받는 정부는 10년 이상 지속되어야만 한다. 경제개발계획의 성과가 나타나려면 5년 이상 10년, 30년은 걸려야 한다.

갑자기 최고회의 밖이 시끄럽다.

최고회의와 내각에 파견되어 근무하고 있는 젊은 군 장교들이 모두 바깥에 도열하여 구호를 외치고 있었다.

"군정을 연장하라!" "계엄령을 선포하라."

"군정을 연장하라!" "민정 이양을 늦춰라!"

그들의 함성을 들으면서 퍼뜩 정신을 차린다.

'그래, 내가 욕을 먹자. 이대로는 안 된다.'

강원도 시찰을 다녀오고, 김 재춘 부장의 쿠데타 보고를 듣고 난 이후로 며칠 동안 공관에 머물면서 많은 생각을 하고 있다. 오늘도 이 주일, 김 용순, 김 희덕, 김 형욱, 길 재호, 홍 종철, 옥 창호, 박 태준 등 최고회의 위원과 김 현철 내각 수반 및 장관들을 만났다. 이 후락 실장, 김 재춘 부장, 장경순 장관, 이 석제 처장과도 진지하게 민정 이양에 대한 고민을 얘기했다.

'결론을 내야 한다.'

이 꼬이고 꼬인 '민정 이양의 난맥(亂脈), 내 스스로 초래했던 자승자박의 딜레마를 푸는 방법으로는 쾌도난마(快刀亂麻), 정면 돌파가 최선이다.

3월 15일 공보실을 통해 배포한 쿠데타 음모 사건에 대한 특별 담화문에는 '민정 이양이 왜 불가능한가'에 대한 설명을 곁들여야 했다.

"… 민정 이양은 불법 데모나 군 쿠데타가 발생할 소지를 원천적으로 해소한 상태에서 이루어져야 한다… 동기나 목적 여하를 불문(不問)하고 국가에 해를 끼칠 화근을 발본색원(拔本塞源) 하여 철저하고도 강력한 조치를 취할 것이다… 최고회의와 군사 정부를 음모론으로 비판하는 불법 데모도 국가 사회 혼란을 유도하는 만큼 엄단하겠다."

15일 저녁, 미국 대사관 만찬에 참석하기로 되어 있었다.

새뮤엘 버거 대사와 멜로이 사령관, 킬렌 유솜(USOM) 처장, 하비브 참사관 등 미국측 인사가 대부분 참석한 만찬으로 우리측에서도 최고회의 위원장들과 김 현철 내각 수반, 김 종오 총장, 김 재춘 부장 등 여럿이 얼굴을 보였다. 형식적인 인사말과 함께 만찬이 시작되었다. 탁자 위의 음식을 먹는 둥 마는 둥 하다가 칵테일 한 잔을 들고 버거 대사를 불러 그의 방으로 들어갔다. 이 후락 실장을 대동하고.

단도직입적으로 말을 꺼냈다.

"민정 이양 일정을 좀 늦춰야겠습니다. 아직 여건이 조성돼 있지를 않아요."

"예에~?"

그가 깜짝 놀라며 입을 다물지 못한다.

"쿠데타 음모 사건을 보셨지 않습니까? 민정 이양을 서두르다가는 또 다시 5·16과 같은 군사 혁명이 일어나게 되어 있어요. 어제 오늘도 최고회의와 군사 정부를 비난하는 민간인 데모가 벌어졌는데, 4.19 이후의 난장판이 금방 또 다시 펼쳐질 판입니다."

"그래도 의장님 스스로 한 대국민 약속인데 이런 식으로 번복하셔서는 안 됩니다. 우리 케네디 대통령께서도 의장님의 발언을 기정사실로 받아들이시고 있는 중입니다. 잘 아시잖아요?"

"제가 혁명 공약이나 담화를 통해 밝힌 민정 이양 시기나 지난번의 민정 불참 선언은 모두 민정 이양을 위한 전제 조건이 충분히 충족된 것을 바탕으로 가능한 일입니다. 군부의 안정, 정치와 사회의 정화, 구태 정치인이 아닌 새로운 참신한 젊은이들의 등장, 군사 정부 2년간의 혁신 정책을 안정적으로 지속할 수 있는 민간 정부 등이 먼저 이루어져야만 합니다."

버거 대사의 표정이 굳어진다. 당황스럽고 불쾌한 감정을 숨기느라고 애를 쓴다.

"지금 상황에서는 8월까지 민정 이양을 하는 것은 불가능해 보입니다. 그렇다면 일정을 늦춰야 하는데…"

"야당 창당 일정과 선거 시기를 고려한다면 여름철을 피해서 가을이나 연말쯤으로 기한을 연장하는 것은 가능할지도 모르겠습니다. 하지만 의장님 말씀은 민정 이양 자체에 대해 부정적인 생각을 하시는 것 같은데요?"

"대사께서는 지난 2년 동안에 한국의 정치 여건이 개선되고 경제 사회 발전이 충분히 이루어졌다고 보십니까?"

"경제 발전이야 아직 아니지만 정치 사회 안정은 충분히 이루어졌다고 생각합니다. 민정 이양을 위한 준비는 충분하다고 봅니다."

"대사님, 대사님께서는 나나 군사 정부가 한 일에 대해 어떻게 생각하십니까? 요즈음 민간 정치인들이 우리를 향해 쏟아 붓기 시작하고 있는 비난에 대해 옳다고 생각하십니까?"

버거 대사가 눈만 껌뻑 인다.

"대사께서는 내게 케네디 대통령과 국무부 견해라면서 공화당 창당 작업을 비판하고 끝내 김 종필 장군을 물러나게 권유하셨죠? 최고회의가 그렇게 공을 들이고 추진 중인 구태 정치인의 퇴출과 젊은 신진 정치인의 등장을 불가능하게 막은 겁니다. 이게 우리 대한민국을 위한 일입니까 아니면 이전의 민주당 정치인들과 합작하여 우리 군사 정부를 일찍 끝장내려는 의도입니까?"

내가 논리적으로 몰아세우자 말문이 막힌 버거 대사는 잠시 일어나 밖으로 나가더니 멜로이 장군과 하비브 참사관을 대동하고 다시 들어왔다. 나도 이 실장을 시켜 김 현철 수반을 불러들였다.

버거 대사가 그동안 나와 나눴던 대화 내용을 그들에게 간략하게 설명을 해주었다.

"민정 이양은 기존 정치인들에게 정권을 다시 이전해 주는 일이 아닙니다. 혁명 정부가 추진하고 있는 국가 정책을 안정적으로 이어받아 추진해 갈 수 있는 그런 민간 정부의 등장을 말합니다. 이전 민주당, 자유당 정권에서 중책을 맡았던 사람들을 배제한 새로운 인물들로 구성된 정부여야 합니다. 무능력한 구태 관료와 정치인들을 물러나게 해야만 새로운 정치 신인, 젊은 군 장교들도 참여하는 민간 정부가 만들어질 수 있습니다."

하비브 참사관이나 멜로이 사령관도 버거 대사처럼 기가 막힌 지 듣고만 있다.

"의장님, 민정 이양은 이미 대세로 굳어져서 진행 과정에 있지 않습니까? 이제는 되돌릴 수 없습니다. 이런 논의 자체가 저는 이해가 되지 않습니다."

하비브 참사관이다. 그는 누구보다도 적극적으로 한국 정치에 관여하고 있는 사람이다.

"일정이 빠듯해서 연말 정도로 이전 시기를 늦추는 것은 생각해 볼 수 있을 겁니다. 하지만…"

그가 하고 싶어 하는 말이 무엇인지 알고 있기에 말을 끊고 나섰다.

"지금 최고회의가 국민들, 아니 일부 정치인들에 의해서 공개적으로 반박을 당하고 있습니다. 아무런 공적도 없고, 불필요한 군사 쿠데타만을 저질렀다고 비난을 퍼붓고 있습니다. 저나 최고회의에서는 이런 견해를 도저히 용납할 수 없습니다. 우리가 추진한 각종 혁신 정책들이 효과를 나타내려면 수십 년은 걸려야 합니다. 예를 들어 경제 개발에 활용할 수 있는 전문 인재 양성을 위해 이제 대학교에 학과를 개설하고 학생들을 뽑아 교육을 시작했습니다. 이들을 제대로 써먹으려면 적어도 5년 이상을 기다려야만 합니다. 경제개발 5개년 계획도 성과를 보려면 적어도 5년이 지나봐야 하지 않습니까?”

지난 일주일 내내 머리를 썩이며 고민했던 생각을 한꺼번에 토해내고 있다.

마음속에 이미 생각을 굳힌 상태에서 그들이 무슨 말을 하든 받아들이기가 어렵다. 그들로서는 강한 톤의 내 말을 그냥 듣고 있을 수밖에 없었을 것이다.

칵테일 한 잔 들이킬 수도 없는 분위기 속에서 몇 시간 동안 신경전을 폈다. 모두가 답답한 마음을 간직한 채 건성으로 악수를 하고 헤어졌다.

차에 오르면서 이 후락 실장에게 부탁을 했다.

“이 실장님, 내일 담화문 잘 챙겨 주세요.

민정 이양, 엎치락뒤치락…

3월 16일 오전에 제5차 최고회의를 소집하였다.

핵심 의제는 신임 장관 임명과 함께 민정 이양을 위한 4년 군정 연장에 대한 논의였다. 아울러 국민투표에 관한 ‘비상사태 수습을 위한 임시조치법’ 의결 건이었다. 법안 내용과 이후 발표할 담화문 작성은 이 후락 실장과 신 직수 법률 고문, 문 홍주 법제처장 주도로 만들어졌다. 개정된 헌법을 재개정 하면서 동시에 비상조치법을 제정해야 했다.

한일협약에 이의를 제기하던 최 덕신 외무부 장관 대신에 김 용식 장관을 임명하고, 쿠데타 음모와 관련해서 박 병권 국방부 장관을 경질하고 김 성은 장관을 임명했다. 아울러 건설부 장관 조 성근, 무임소장관 조 시형, 문교부 장관 이 종우를 발령 내었다.

최고회의 분위기는 무겁게 시작되었다. 일부 위원의 경우에는 사전에 정보를 입수하여 알고 있었겠지만 대다수는 나의 폭탄 선언을 처음 듣는 얘기일 수 있다.

"이대로는 민정 이양 절차를 지속하기 어렵게 되었습니다. 5.16 군사 혁명과 최고회의의 활동 내용이 모두 부정당할 것 같은 분위기에서 새로운 대통령을 뽑고 국회를 구성하여 정권을 넘겨준다는 것은 대의명분은 고사하고 위험천만입니다.

우리가 너무 이상적으로 헌법 개정을 하고 민정 이양을 준비해 왔다고 생각합니다. 이 자리에 계신 최고위원들은 물론 혁명 정부에 참여하고 있는 수많은 동지들, 그리고 현 군 수뇌부들 중에는 민정 이양에 대해 거부 반응을 보이고 있는 사람들이 많습니다. 정치 활동 자유화 이후에 나타나고 있는 상황을 보면, 도저히 우리가 이대로 물러앉아서는 안 될 것 같습니다."

"맞습니다. 어제 최고회의 앞에서 벌어졌던 젊은 장교들의 군정 연장 목소리는 사실 우리 모두의 생각을 대변한 겁니다. 2년 동안 열심히 해 왔지만, 목소리 큰 민간 정치인들에게 이렇게 모멸감을 받을 줄은 정말로 몰랐습니다."

"혁명을 하면서 처음부터 정권을 민간 정부에게 물려준다고 선언한 것 자체가 너무 성급한 판단이었습니다. 전 세계 어느 군사 혁명이 우리처럼 서두른 답니까?"

은연중에 나의 판단 착오를 비난하고 있다.

"민주당이나 신민당 정부가 들어서면 반드시 우리에게 보복을 할 겁니다. 아직은 우리 눈치를 보는 것 같지만 윤 보선이나 장 면, 허 정 모두가 벼르고 있을 게 뻔합니다."

"이 참에 헌법을 재개정하여 군정을 연장하고, 최고회의를 영국이나 미국의 상원처럼 개편하는 게 좋겠습니다. 그래야만 정국이 안정되고 국가 발전, 경제개발 5개년 계획을 차질 없이 추진해 갈 수 있습니다."

젊은 위원들의 목소리가 회의장 분위기를 압도하고 있었다.

"일단 제1차 경제개발 5개년 계획이 끝나는 1967년 말까지 군정을 연장하는 게 좋겠습니다. 그 때가 되면 어느 정도 최고회의가 노력한 결과가 나오지 않겠어요?"

오랜 시간 갑론을박할 필요가 없었다. 대부분 상황 인식을 공유하고 있었기 때문이다.

혁명정부가 1967년 8월 15일까지 군정(軍政)을 연장할 수 있는 권한을 국민으로부터 위임 받기 위한 법적 조치로서 '개정 헌법의 개정의 건'을 제안하기로 의결했다. 아울러 법률 제1307호 '비상사태 수습을 위한 임시조치법'을 통해 정치 활동을 일체 금지하고 기본권 중 일부를 제한하기로 하였다.

특별 성명서는 오후 4시에 본회의장으로 기자 100여명을 불러 모은 뒤, 내가 직접 발표하였다.

"친애하는 국민 여러 분! … 군정에서 민정으로 옮긴다는 것은 단순한 민정에서 민정으로의 정권 교체와는 또 다른 특별한 용의와 준비를 수반하여야 한다는 것이며, 그것은 바로 다시는 군정을 필요로 하지 않을 건전한 민정에로의 정치적 체질 개선을 수반하여야 한다는 것입니다. 이 정치적 체질 개선은 비단 인위적 노력에만 기대할 뿐 아니라 특정한 기간의 시간적 부여가 또한 불가피하게 요구됨을 말하지 않을 수 없읍니다…

우리는 체질개선을 이룩하기는커녕 오히려 혁명 이전의 옛 모습으로 환원하고 있다는 사실들을 인정하지 않을 수 없을 것입니다. 우후죽순(雨後竹筍) 격의 정당의 난립, 그리고 그를 둘러싼 정치인의 무상한 이합집산, 추잡한 파쟁 등 정계의 혼란은 이루 말할 수 없거니와 그 틈을 탄 일부 군인을 포함한 극렬분자의 반국가적 음모 등은 민심에 극심한 불안과 공포를 자아내고 있습니다. 이런 무질서하고 불안한 분위기 속에서 선거를 치르고 또 정권 인수의 태세를 갖추지 못한 정치인들에게 정권을 이양한다는 것은 너무나 국가 장래가 염려되고, 일방 우리 스스로 혁명 당국의 무책임성을 자책하지 않을 수 없습니다.

본인은 오늘 이 나라의 비극적 모습을 깊이 인식하고 다시는 혁명이 없는 건전한 민정 탄생을 기약하기 위하여 민정 이양을 위한 과도적 군정 기간의 설정이 필요하다는 것을 말하지 않을 수 없습니다.

따라서 본인은 앞으로 약 4년 간 군정기간의 연장에 대하여 그 가부(可否)를 국민투표에 부(附)하여 국민의 의사를 묻기로 결심하였습니다.

이 국민투표는 가능한 한 최단 시일 내에 실시할 것이며 국민의 올바른 판단을 장애할 염려가 있는 모든 정치활동을 일시 중지하는 조치를 취할 것을 이 자리에서 밝히는 바입니다.

혁명정부가 이 국민투표에서 신임을 얻게 될 때에는 앞으로 4년 간 국민의 대권(大權)을 위임받아 사회 안정을 회복하고 경제개발 5개년 계획의 결실을 거두어 민생을 안정케 할 것이며, 민정이양을 위한 확고한 민족 만년(萬年)의 터전을 마련함에 전력을 다할 것 입니다.

이를 위하여 다음과 같은 시책을 강구할 것입니다.

1. 혁명정치의 광장을 넓혀 과거의 당파나 계보에 구애됨이 없이 광범위하게 인재를 등용하여 혁정(革政)에 참여케 한다.

2. 직능 대표, 지역 대표 등 민간인이 참여한 입법기관으로 최고회의를 전면 개편 보강한다.

3. 초당파적 정계의 중진(重鎭)으로 구성한 자문기관을 둔다.

4. 민정이양을 위한 초당파적 구성의 연구기관을 둔다.

5. 과거의 일체의 당파나 계보를 청산하고 건전한 새로운 양당 제도의 발전을 위한 의견을 들어 정치 분위기 조성을 위하여 노력한다.

만일 군정 연장에 대한 국민의 신임을 얻지 못할 때는 정부는 즉각 정치활동의 재개를 선언하고 계획된 대로 또 2 · 18, 2 · 27의 성명 선서대로 민정 이양을 실시할 것이며, 우리는 일체 민정에 참여하지 않고 정치인들에 전적으로 이 정권을 이양할 것입니다….

1963년 3월 16일

대통령권한대행, 국가재건최고회의 의장 박 정 희 ”

3월 19일 화요일 오후 3시에 야당 정치인들이 면담을 요청해 와서 상황실에서 그들과 함께 마주 앉았다. 윤 보선, 이 범석, 장 택상, 김 준연, 김 도연이 적당히 흥분된 채로 나타났다. 한 목소리로 톤을 높였다.

“이건 말이 안 됩니다. 2·27 선서를 왜 한 겁니까? 국민을 우롱해도 유분수지, 어찌 이럴 수가 있습니까?”

“도대체 의장님을 믿어야 합니까? 사람이 어떻게 이렇게 신용이 없습니까?”

할 말이 없다. 이렇게 상황을 꼬이게 만든 원흉이 나니까. 처음부터 장 개석이나 모 택동, 김 일성이처럼 ‘민정 이양’ 같은 얘기를 하지 않았다면 좋았겠지만…

자유민주주의를 원칙으로 삼고 일을 추진해 오다 보니까 이런 ‘정치적 난국’이 자주 등장한다.

‘견뎌내야 한다.’

“누가 약속을 어겼다고 그러십니까? 어긴 것은 바로 당신네들 아닙니까? 5·16 혁명과 최고회의의 활동에 대해서 군말 없이 모두 인정하기로 한 것이 누굽니까?”

일순 그들도 당황해 한다. 2·27 선서의 기본은 혁명 정부의 모든 활동을 인정하는 것을 전제로 합의에 의한 민정 이양이었다. 그런데 야당에서는 입만 열면 군사 정부와 최고회의를 비난하고 나섰다.

“그리고, 정권 이양이 구 정치인들에게 정권을 넘겨주는 것이 되어서는 안 된다는 게 저나 최고회의의 생각입니다. 3·15 부정 선거나 혁명 전 민주당 국회와 정부의 혼란을 유발했던 무능력하고 구태의연하며 싸움질만 하던 정치인들은 모두 물러나야만 합니다. 지금 이 자리에 계신 여러분들부터 뒤로 물러나고 새롭고 참신한 젊은 정치인들이 나와야 합니다. 정치 활동 재개를 하자마자 사색당파보다도 더 극심한 파벌 경쟁이 벌어지는 게 다 누구 책임입니까? 여기 계신 여러 분들이 바로 각 계파의 우두머리 아닙니까?”

의정 단상을 점령한 청년 시위대(1960년)

단호한 목소리로, 흥분하지 말고, 내 의사를 전달해야만 한다. 말로는 이들을 당할 재간이 없다. 뚝심으로 밀어붙여야 한다.

지난 주말 최고회의 분위기를 생각하면 이들에게 밀리면 안 된다. 이들의 반발을 넘어서야만 한다.

내 대신에, 동석했던 홍 종철, 유 양수, 김 희덕, 이 후락, 김 형욱, 길 재호 등이 군정 연장의 불가피성에 대해 설명하면서 그들을 달래야 했다.

다음 날 윤 보선과 허 정이 최고회의, 시청, 미 대사관 앞을 어슬렁거리면서 무언의 항의를 하고 나섰다. 사람 여럿이 그들을 따르고, 기자들이 나타나 취재를 하면서 ‘산책 시위’라는 명칭이 붙었다.

피식 웃음이 나왔지만 그들로서는 그게 최선의 방법이었을 것이다. 윤 보선이나 허 정, 이 범석 등은 그들 나름대로 고민을 하면서 사후 대책에 골몰하고 있었다.

22일 오전에 신임 김 성은 국방부 장관은 전군 지휘관 회의를 국방부에서 열었다. 160여 명이 참석한 상태에서 군정 연장안을 지지한다는 결의문을 채택하였다. 회의 후에는 김 장관을 필두로 모두가 군 찝차에 올라타고 삼각지로부터 청와대까지 시위를 하였다.

비슷한 시각에 윤 보선, 변 영태, 이 범석, 김 도연, 박 순천 등이 이끄는 200여 명의 야당 인사들은 서린동에서 만나 '민주 구국 전선'을 결성하기로 하고 이어서 가두시위에 나섰다.

정보팀의 보고에 의하면 버거 대사도 본국 케네디대통령과 국무부로 연락을 취하면서 당황해하고 있다고 한다. 기자들의 질문에 대해 버거 대사는

"사전에 상의한 바가 전혀 없었다. 당황스럽다. 본국에서도 이런 박 의장의 성명서에 대해 놀라고 불편해하고 있다."

고 응대했다. 케네디대통령도 한국의 정치 안정을 바라면서 민주 정치로의 복귀에 대해 관심을 표명하였다. 이어서 26일에는 국무부가 공식적으로 군정 종식과 민정 이양을 권유하는 담화문을 발표하고 나섰다.

미 국무부 담화를 놓고 긴급히 최고회의 회의를 개최하여 의견을 들었다. 위원들은 강경한 태도로 군정 연장을 위한 국민투표 실시를 주장하고 나섰다.

내각에서도 최고회의와 야당 사이에서 의견 조율을 하고자 내각과 야당 인사의 연석회의를 추진하기로 하고, 참석자 물색에 나섰다. 하지만 야당 측에서는 2·27 선서식 때와는 달리 냉랭한 반응을 보였다. 허 정과 윤 보선이 공개적으로 내각이 주도하는 수습회의에 참석치 않겠다고 선언하고 나섰다. 27일 내각 주도의 수습회의는 주요 4개 정당이 빠진 채 진행되었다.

공화당의 정 구영 총재와 김 정렬 당의장이 의장실로 긴급히 찾아왔다. 최고회의와 야당 사이에서 중재 역할을 할 겸 내 의사를 들어보고자 나타난 것이다.

"의장님, 많이 힘드시죠? 민정 이양 일정을 멈추고, 군정 연장안을 내신 의도를 좀 더 정확히 알고 싶어 들렸습니다."

"어서 오세요. 지난 번 쿠데타 사건과 정당 창당 과정, 정치인들의 최고회의에 대한 발언, 언론 추세를 지켜보면서 이대로 가다가는 큰 일 날 것 같아서 제동을 걸게 되었습니다. 군정 기간이 너무 짧아서 문제입니다."

"하지만 국민 대다수가 민정 이양을 기정 사실로 받아들이고 있는 상황에서 국민 투표로 의견을 물을 경우에 결과를 낙관할 수 없습니다. 오히려 반대표가 많이 나올 수도 있어요."

갑자기 정신이 확 든다. 지난 연말 개정 헌법에 대한 국민투표에서 나타났던 높은 찬성 비율을 염두에 두고 있다 보니, 결과를 너무 낙관하고 있었다.

"으음, 그럴 수도 있겠네요."

"의장님, 이번 성명서는 정국의 주도권을 장악하는 정도로 활용하시면 좋을 겁니다. 급한 것은 저 쪽이니까 일단 지켜보면서 적당한 시점에서 중재안을 받아들이시는 겁니다. 중재안이라면 결국 민정 이양 기한과 선거 시기를 늦추는 정도겠죠."

내 의도를 정확히 꿰뚫어 보고 있었다.

"그나저나 공화당에 대한 반발이 극심해서 걱정입니다. 최고회의 내에서도 공화당 가지고는 안 되니까 새롭게 뭉치고 있는 구 자유당이나 신민당, 민주당 계파 중 정강이나 이념을 공유할 수 있는 쪽과 합당하는 것이 어떨까 하는 의견도 나옵니다."

"무슨 말씀인 줄 잘 압니다. 하지만 그런 정치 집단이나 계파들은 대부분 자기네 보스를 대통령 후보로 옹립하려고 합니다. 공화당 창당 이념과는 전혀 다릅니다. 기존 정치인들 중에서 참신한 젊은이, 최고회의 이념에 투철한 중진들은 이미 우리 조직에 들어와 있습니다."

"생각 좀 더 해 봅시다. 김 재춘 부장이나 유 양수, 박 태준, 유 병현 위원 등은 공화당을 해체하고 군과 민이 공동으로 참여하는 범국민정당을 만들어보자고 의견을 냅니다."

둘의 반응이 미묘하게 나타난다.

"한번 해 보라고 하시죠. 창당이 그렇게 쉬운 거라면 누가 못하겠습니까? 의장님, 절대 흔들리셔서는 안 됩니다. 조만간 선거 국면에 들어서면 의장님은 반드시 우리 공화당 대표로 대통령 후보가 되셔야만 합니다. 그래야만 승리할 수 있습니다."

"공화당을 해체하면 선거를 통한 민정 이양은 물 건너갑니다. 그냥 군정 연장이 최선의 방인일 겁니다."

그들의 공화당에 대한 믿음, 자신감이 든든하게 다가온다.

목요일에는 버거 미국대사가 청와대로 찾아왔다. 군정 연장과 관련하여 미국측 의견을 들었다. 그는 미국 케네디대통령과 국무부를 내세우면서 과도 정부 수립과 군정 단축 안에 대해 의견을 냈다. 나는 최고회의 분위기를 전하고 군정 연장의 불가피함을 설명했다. 헤어지기 직전에 정국 수습을 위해 야당 대표를 만나 협의를 하는 것을 요구하기에 흔쾌히 받아들였다.

주말과 월요일까지 연속 3일 동안 윤 보선 전 대통령과 허 정 전 대통령 권한대행을 청와대에서 만나 군정 연장과 관련한 요담을 하였다. 가볍게 차 한 잔을 하면서 또는 오찬을 겸하기도 하면서 의견 조율에 나섰다. 하지만 의견 조율은 원천적으로 불가능한 상태의 만남이었다.

내가 원하는 민정 이양은 마주 앉은 두 사람 자체가 정권 인수에 참여하지 않는 것이고, 그들이 원하는 것은 내가 이끄는 군정이 '두 손 들고 사라져주는 것' 이었기에.

국민 전체가 기대를 하면서 바라보고 있는 3일 동안의 만남이기에 뭔가 합의문을 내야만 했다. 과정안(過政案) 검토를 위한 실무자 회의를 하기로 합의했다.

최고회의의 강 기천 법사위원장과 민정당측 소 선규와 박 한상, 신정당측 조 재천과 박 세경 등이 마주 앉아 실무자 회의를 시도하였다. 그리고는 '박 의장이 제시한 군정 연장안에 대한 국민투표를 취소한다면 민정 이양의 시기를 연말까지 늦추는 것'으로 합의하였다.

4월 8일, 또 다시 성명서를 내야만 했다.

"… 정부는 다음과 같은 긴급조치를 단행하여 우선 정국의 안정을 도모하고, 화급한 민생문제를 해결하여 민의의 소재에 부응코자 하오니 국민 여러분은 정부의 충정을 십분 양찰하시고 전폭적인 협력이 있기를 바라는 바입니다.

(조치 내용)

1) 3·16 성명에서 제의된 개정 헌법의 개정을 위한 국민투표는 9월 말까지 보류한다.

2) 정부는 9월 중에 각 정당대표들과 모든 정치 정세를 종합 검토하여 공고된 개헌 국민투표를 실시하던가 또는 개정 헌법에 의한 대통령 및 국회의원 선거를 실시하던가를 협의 결정한다.

3) 이 기간 중 정부는 행정기능의 강화를 기하고, 민생 문제 해결에 전력을 집주(集注)한다.

4) 정치활동을 다시 허용한다. 이 기간 중 모든 정당은 정계의 개편, 재정비를 단행하여 체질 개선과 정계 정화를 기함으로써 새로운 정치풍토를 조성하고, 건전한 민정 이양의 토대를 구축할 수 있게끔 과감한 조치 있기를 권고한다.

(비상사태 수습을 위한 임시조치법을 폐지한다.)

1963년 4월 8일

대통령 권한대행, 최고회의 의장 박 정 희 "

일단 숨을 돌렸다.

이제는 본격적으로 창당과 선거 준비에 임하기로 마음을 굳힌다.

충무공을 넘어 징기스칸, 나폴레옹

주말 3일 동안 윤 보선 전 대통령과 허 정 전 내각 수반을 만나 정국에 대해 논의를 하였다. 그 와중에 민정당 청년 대표들이 면담을 요청해 와서 함께 자리를 했다. 4월 1일 오후 3시 45분부터 약 1시간 동안 민정당 청년 당원 대표인 김 제만, 박 의정, 임 창수 3인을 만났다.

청년들은 앉자마자 단도직입적으로 내게 질문을 해 왔다.

"의장님께서 주장하시는 것이 정치인들의 물갈이 즉 세대교체인데 그게 가능하다고 생각하십니까? 지금 보면 만나는 분들이 대부분 청년보다는 윤 보선이나 허 정과 같은 노 정치인들인 데요…"

"사실 세대교체의 방법이 막연하긴 합니다. 각 정당 내에서 자발적으로 이루어져야 하지 않을까요? 이번 삼자 회담은 저쪽에서 강력하게 요청해 와서 만난 겁니다."

"2·27 선서의 진의는 무엇입니까? 그리고 또 3·16 성명서는 왜 나온 겁니까?"

숨 가쁘게 나를 몰아세우는 느낌이다.

"2·27 선서는 기성 정치인들에게 반성을 촉구하기 위한 것이었는데, 그들은 오히려 군정이 끝난 것처럼 받아들이고 정권 장악에만 눈독을 들이더군요. 그래서 보다 못해 3·16 성명서가 나오게 된 겁니다. 3·16 성명서 이후에 미국에서 뭐라고 한 마디 하니까 야당 정치인들이 쌍수를 들고 환영의 뜻을 표하는 것을 보면서 문득 자괴감이 듭디다. 기회주의적이고 사대주의적(事大主義的)인 조선 시대 정치인들을 보는 느낌이었어요."

"지금까지 혁명 정부가 정말로 제대로 일을 해 왔다고 생각하십니까?"

"당연하죠. 우리는 새로운 국가 건설과 같은 각오로 혁명을 하고 일을 추진해 왔습니다. 지금 당장 가시적 효과가 없는 것 같지만 두고 보세요. 차차 효과가 나타날 겁니다. 기성 정치계에서 우리의 업적을 너무 폄하하고 깎아 내려서 걱정입니다."

그들은 시위하다가 잡혀 들어 간 청년들을 석방해달라는 청원을 해왔다. 노 정치인들과의 대화가 지리한 신경전인데 비해서 이들과의 대화는 짧지만 강렬하게 진행되었다.

기성 정치계를 대표하는 민정당과 신정당에서는 나의 4·8 선언에 대해 극렬하게 반발을 하고 나섰다. 그들은 오로지 2·27 선서의 준수, 3·16 성명서 철회, 군정 연장 반대 투쟁을 주장하고 나섰다.

윤 보선 전 대통령은 '박 의장의 정국 수습 방안이란 것은 군정 연장에 대한 미국 등 외국과 국내 정치계의 극단적인 반발을 무마하기 위한 임시 방편책에 불과한 것이다. 그는 민정 이양에 성의를 보이지 않으면서 정당 체질 개선 요구라는 교묘한 술책으로 민족 진영이나 민주 진영 중심의 야당 정치계를 교란시키려고 한다'고 주장하고 나섰다.

장 택상이나 박 순천 등은 '돈키호테식 행동' '꼭두각시 놀음'이라는 극단적인 용어까지 동원하면서 불쾌한 반응을 보였다. 반면에 변 영태나 김 병로, 이 범석 등은 향후 새로운 민정 이양의 진로가 열릴 수 있다는 희망을 표시하기도 하였다.

김 재순씨는 '진정으로 안정된 민주 정치를 구현하기 위해서는 군부(軍部)의 강력한 뒷받침이 필요하다. 민간 우위의 정치 원칙이 확보되기 위해서는 민간 지도자들이 군인보다 우월한 정치 경륜을 갖춰야만 한다. 박 의장 성명대로 범민주정당을 결성하여 인도(印度)의 국민의회와 같은 안정된 정치 기반이 만들어지는 것도 기대해볼 만하다'고 긍정적 반응을 보였다.

연초부터 시작된 정치판이 나를 중심으로 요동을 치고 있는 중이다. 2·27, 3·16에 이은 4·8 성명서와 함께 재야 정치계의 반응도 복잡다단하게 전개되고 있었다. 민정당과 신정당 중심의 정치인들은 구 민주계와 구 신민계, 민주당 고수파와 신당 참여파, 구 자유당계와 족청계로 이합집산을 지속하고 있다. 윤 보선, 허 정, 이 범석, 김 병로, 이 인, 김 도연, 전 진한, 박 순천, 장 택상, 홍 익표, 서 민호 등 거물 정치인들을 중심으로 계파 정치가 다채롭게 전개되고 있었다.

청와대 앞뜰에 하얀 목련과 벚꽃이 활짝 피었다. 목련은 백옥 같고 우아한 부인 영수 모습을 담고 있어 특히 내가 좋아한다.

영수의 제안에 따라서 4월 20일, 청와대 뜰로 어린아이와 최고회의 및 내각, 재건운동본부 요인, 주요 재야 인사들의 가족을 초청해 간단하게 잔치를 벌였다. 모두가 화창한 봄기운을 즐기면서 여유로운 시간을 즐겼다.

충무공 이 순신 장군 탄신 418회 기념 행사가 4월 28일 일요일 아침 10시부터 현충사가 있는, 충무공의 출생지인 충남 아산군 염치면 백암리에서 열렸다. 문교부와 충남도청에 특별 지시를 내려 지난 해 부터 국가적 차원에서 문화 행사로 추진하고 있는 중이다. 김 현철 수반, 마지스트레 미국 대리대사, 윤 태호 충남도지사와 함께 참석하여 분향하고 추모사를 하였다.

식후에는 최고회의 의장기 쟁탈 전국 궁술(弓術) 대회가 충무공의 집 뜰에서 의장 시궁(始弓)과 함께 시작되었고, 충무 정신 선양 전국 웅변대회와 백일장(白日場) 대회가 열렸다. 이웃 곡교천(曲橋川) 백사장에서 온양 남녀 중·고등학교 학생들의 합창과 가무 봉찬(奉贊) 연예가 있었으며 하오 3시부터는 온양읍 방축리(防築里)에 있는 신정호(神井湖)에서 경로회 및 수상 가장 행렬 등 다채로운 행사가 있었다.(조선일보 1963.4.28.)

행사 참관을 위해 토요일인 전날 오후에 도고온천에 들려 온천욕을 하고 하룻밤을 묵었다. 최근 민정 이양 문제로 골머리를 앓고 있는 중이라서 흔쾌하게 서울을 떠나 이곳으로 주말 나들이를 왔다.

충무공만 생각하면 최고의 성웅으로 존경하면서도 안타깝기 그지없다. 통치를 담당하는 국왕과 중앙 고위 관료들이 정치와 행정을 잘못하여 외침을 받게 만들었고, 침략군을 물리치기 위해 수많은 군인과 백성들이 죽거나 다쳐야만 했다. 전쟁 과정에서 수십만 한국인이 일본군에게 죽임을 당하거나 포로로 끌려가서 고역을 치러야 했다.

동인과 서인, 노론과 소론으로 나누어 당파 싸움을 일삼던 통치 집단은 일본군의 침략을 예상할 수 있던 상황에서도 국토방위를 위해 의견 통일을 보지 못했다. 외침 대비를 위해 병조판서 이 이(李珥)의 십만 양병설 주장도 등장했지만 권력욕과 상대방 죽이기에만 몰두해 있던 정치인들은 아랑곳하지 않았다. 결과는 어땠는가?

충무공 이 순신은 일본군의 침략을 예견하고 나름대로 전쟁 대비에 힘써 거북선을 만들고, 군사 조련에 힘썼다. 이렇게 준비한 충무공은 일본군과의 수전(水戰)에서 연전연승을 거뒀고, 마침내 위태로운 조국 조선을 구해냈다. 하지만 그는 전쟁 와중에도 사색당파 싸움의 희생자가 되어 백의종군(白衣從軍) 해야 했고 전쟁 와중에 목숨을 잃어야 했다.

그의 대단한 업적에 비해 그의 삶은 결코 평탄치 못했다. 무능력한 국왕 등 통치자들, 사색당파의 정치꾼들 때문에 목숨을 바쳐야만 했다.

"군사를 출발시킬 날이 언제로 정해졌습니까? 단지 이 지방의 민심이 무너져 흩어졌으며 징병한다는 소식만 듣고도 바삐 달아나 피하려고만 한다니, 통분함을 이길 길 없습니다. 이 뿐만 아니라, 어깨뼈를 깊이 다쳐 아직도 활시위를 당길 수 없어 버린 몸이 되었습니다. 팔을 쓸 수가 없고 또 활시위를 당길 수 없고 민망스럽습니다. 임금에게 충성하는 일에는 생각만 바쁘며, 몸의 병이 예까지 이르렀으니, 북쪽을 바라보며 길이 탄식할 따름입니다." (난중일기 중에서).

충무공이 대단하다지만, 나는 이런 식의 충무공에만 머물고 싶지 않다. 망해가는 나라의 일시적 승장(勝將)이 아니라 승승장구하는 위대한 국가의 명장이 되고 싶다. 아니 강력하고 힘 있는 통치자가 되어 '옹색한 국왕의 지시만을 기다려야 하는' 충무공을 넘어서고 싶다. 능동적으로 나서서, 위대한 대한민국을 만들어 보고 싶다.

그래서 징기스칸과 나폴레옹이 항상 머리속에 들어있다.

그 대단한 충무공 이 순신은 중앙의 과장, 계장급 '정치꾼'의 참언(讒言)도 이겨내지 못했다. 수만의 군대를 호령하면서도 국왕과 간신배 관료의 판단에 놀아나야 했다. 이 순신이 직접 태조 이 성계처럼 국가를 바로잡았다면 어땠을까? 풍신 수길이 그리 만만하게 보지 못했을 것이다.

그래서 강한 파워를 갖춘 지도자가 되어야 한다. 군인이 되겠다고 결심한 이유도 망한 나라 한국의 '독립을 위한 힘'을 기르기 위함이었다. 5 · 16 이후 2년간 나는 강한 지도력으로 국가를 이끌고 있는 중이다.

자유 민주주의 국가이고, 우리 한국 전통이 언로(言路)가 활성화된 나라임을 고려한다고 하더라도 강한 지도자, 지혜와 덕성을 갖춘 파워풀 한 대통령이 필요하다. 윤 보선과 허 정, 이 범석, 이 인, 김 병로, 변 영태, 그들과 함께 하는 민정당과 신정당, 옛 자유당과 족청계 인사들을 대면하면서 대화를 하다 보면 많은 생각을 하게 된다.

'어디까지 이들의 말을 들어주고, 동조해야만 할까?'

'이들이 말하는 자유 민주주의는 과연 정의로운 것이고, 우리의 군사 정부는 그들의 말대로 형편없는 존재인가?'

징기스칸은 자그만 몽골 부족을 단단하게 결집시켜 주변국을 통합하고, 인류 역사상 가장 크고 위대한 국가를 만들었다. 정예병 5만을 이끌고 주변 강대국이었던 돌궐, 서요, 금, 송을 연전 연파(連戰連破)시켰다. 학교를 다닌 적도 없고, 대단한 가문도 아니었지만 오로지 개인적 지도력과 포용력, 넘쳐나는 열정으로 국토와 인구를 늘려 최고로 위대한 통치자로 성장했다. 그의 후손들이 대를 이어 원(元) 나라를 세웠고 중앙 아시아를 넘어 유럽과 로마까지 도달하는 대국을 건설했다.

나는 그런 징기스칸을 존경한다.

이 작은 대한민국을 일본과 중국, 소련을 넘어 세계 속에 우뚝 선 큰 나라로 만들고 싶다. 기성 정치인들과 '주도권 싸움이나 하고' '네가 옳으니 내가 옳으니' 하는 조선 시대의 사색당쟁을 하고 싶지는 않다. 정치인은 물론 국민 모두를 하나로 아울러서 경제개발, 국가 발전의 길로 이끌어 가고 싶다. 세계 속에 당당히 올라선 그런 일등국가 대한민국을 만들어 보고 싶다. 우리라고 언제까지 이 좁은 한반도에 갇혀서 만 살아야 하나?

나폴레옹은 또 어떤 가?

젊은 시절부터, 사관학교로 진출하기 훨씬 이전부터 나는 나폴레옹을 흠모해 왔다. 어쩌면 그런 작은 덩치에서 세계 최강의 결단력, 지도력, 전략과 전술이 나올 수 있었을까? 신성로마제국이나 영국, 스페인에게 시달리던 프랑스를, 민주 혁명 과정에서 극도로 대립했던 왕정과 민주정을 모두 잠재우고 세계 일등국으로 우뚝 솟아오르게 만들었다. 현대 프랑스가 세계에서 손꼽히는 일등 국가로 군림하게 된 것은 오로지 그의 통치력 덕분이다.
나는 그런 나폴레옹을 닮고 싶다.

온천욕을 하고 홀로 방에 누웠지만 쉽게 잠이 오질 않는다. 내일 충무공 탄신 추모사 글귀를 생각하면서 적당히 흥분됨을 느낀다.

민정 이양은 나의 이러한 '야심' '꿈'과 관련이 되어 있다.

그래서 쉽지가 않다.

월요일(4월 29일)에는 충북 도정을 시찰하고 예정보다 하루 앞당겨 오후 4시 35분 특별 기동차편으로 귀경했다.

공화당으로 간다 !

4·8 조치를 통해 국민투표를 연기하고 정치 활동을 재개하자 기성 정치계가 또 다시 소란스러워지기 시작했다. 성명서를 통해 던져진 숙제는 정계 개편과 정당 체질 개선이었기에 어떤 형태로든 반응을 보여야만 했다.

"연말까지는 정권을 민간으로 이양하는 작업이 마무리될 수 있을 겁니다. 그렇지만 지금 정치계 상태로는 어려울 수도 있습니다. 정국 안정을 위해서는 범국민정당이 반드시 필요합니다."

전국 지방장관 회의를 중앙청 제1회의실에서, 최고회의와 내각 인사들이 대부분 참석한 가운데 열렸다. 문 밖에서 기다리던 기자들 몇몇이 회의를 마치고 나오는 내게 마이크를 들이대기에 한 마디 하였다.

하지만 민정당과 신정당 등 기성 정치계는 나의 성명서에 대해 코웃음을 치면서 그동안 해오던 이합집산의 창당 활동을 지속하고 있었다. 공화당과 범국민정당 결성에 나선 정치인들만이 나의 진정성을 인정하고 정치계 통합과 정화 작업을 위해 움직여주고 있었다.

"… 공화당의 김 정렬 의장은 '공화당이 박 정희 의장의 4.8 성명을 전폭적으로 지지하고 그 실천 방법으로 체질 개선 문제가 논의되고 있다'고 말했다. 그 방법으로는 ① 당(黨)을 발전적으로 해체하고 새로운 정계 개편 운동에 호응하는 것 ② 당 자체 내에서 체질 개선을 이룩하는 것이다. 정계를 개편하여 건전한 정당정치의 토대를 이룩할 수 있다면 국가적인 견지에서 당을 해체할 수 있다고 밝혔다.

박 준규, 김 재순씨 등 전 청조회원들이 중심이 된 소장(少壯) 정치인들은 전면적인 정계 개편을 내세워 기성 정파의 소장 정치인들에게 광범위하게 손을 뻗치고 있다. 이들의 주장은 '다시는 정쟁의 씨를 남기지 않기 위해 박 정희, 윤 보선, 허 정 씨 등을 공동의 지도자로 하는 강력한 정부를 만들고 이끌어 나가려는 데 목표를 두고 있으며, 그 최선의 방법으로는 하나의 강력한 정당을 만드는 것이다. 이것이 이루어지지 않는다면 인도(印度)의 국민회의(國民會議)와 같은 민족 전선을 형성한다. 이 두 가지가 다 이루어 지지 않을 경우에는 소장년층을 광범위하게 망라하여 민족 주체세력(民族主體勢力)을 형성한다'는 것이다. 이들은 '이같은 목표를 달성키 위해 기성 정파를 전면적으로 해체하고 새로운 정치 분위기를 형성하자'고 주장하고 있다." (조선일보 1963.4.10.)

여야나 정치 파벌이 존재하지 않는 범국민정당을 출범시켜 이를 기반으로 국민 총의를 이끌어 낼 수 있는 국회 구성이 가능할 것인가? 인도의 국민의회나 공산국가에서 그토록 '자랑하는' 인민대표회의 같은 의회가 우리 한국에도 존재할 수 있을까?

영국이나 미국의 양당제 국회를 보면 파벌보다는 정책을 중심으로 국회가 움직이고 있다. 물론 여당과 야당의 첨예한 대립이 존재하긴 하지만 수만 갈래로 분열된 국회, 정치판은 없다. 지금 김 재춘 부장이나 박 준규, 김 재순씨 등이 앞장서 추진하고 있는 범국민정당 창당 작업은 보기에 따라서는 매우 이상적이다. 공화당 창당 과정에 대해 색안경을 쓰고 있는 혁명 동지나 최고회의 위원들 입장에서는 한번 해볼 만한 작업이다.

정략적으로 윤 보선, 허 정 등을 끌어들이고 기존 공화당 조직을 흡수하면 제법 그럴듯한 범국민정당이 될 수도 있을 것 같다. 그러면 혁명 동지들의 분열을 막고 극단적인 반정부적 야당의 출현을 막을 수도 있다. 김 종필 장군과 8기 중심으로 추진되어 온 공화당 조직에 대해 극도로 거부 반응을 보이고 있는 김 재춘 부장의 5기를 하나로 묶는 작업이 필요해 보인다. 그래야만 최고회의가 분열되지 않고 대통령 선거와 국회의원 선거에서 우위를 점할 수 있다.

그런데 지난 달 말 3일 동안 윤 보선, 허 정과 정치 난국을 풀기 위한 논의를 해보았지만 이들은 결코 범국민정당으로 들어올 것 같지 않다. 그들에게는 이미 많은 추종자와 가시권에 들어선 정당이 존재하고 있기 때문이다. 그들은 '자기들 권력'을 내가 강탈했다고 보고, '이제는 돌려줄 때'라고 생각하고 있었다.

하지만 정계 개편의 핵심은 이런 구 정치인들이 물러나고, 새로운 청장년들이 중심이 되어 만든 정당의 출현이다. 이들을 제외하고라도 다양한 젊은 정치인, 전문 분야의 인재들을 하나로 엮는 작업은 필요하다.

4월 20일 벚꽃 모임을 마치고, 다음 날 일요일 내내 고민에 고민을 거듭하다가, 범국민정당 추진을 일단 적극 시원해보기로 한다. 공화당, 더 나아가서 기존 자유당과 민주당, 신민당, 족청계 등에서 우리의 뜻에 공감하는 사람들을 찾아내서 번듯한 통합 정당을 만들어보도록 했다.

일단 최고회의 상임위원회 아래 상설 기구로 정책소위원회를 설치하기로 하였다. 민정 이양과 민정 참여, 대통령 출마 여부와 함께 범국민정당 창당 작업을 주도하는 임무를 맡겼다. 유 양수 위원장을 중심으로 박 태준, 유 병현, 홍 종철, 길 재호 위원이 참여하고 김 재춘 부장과 중정에서 지원하도록 하였다. 창당 작업은 당연히 나의 대통령 선거 참여와도 관련되어 있다. 진지한 논의를 부탁했다.

범국민정당 추진위원들과 함께 워커힐 한국관에서 저녁 식사를 가졌다.

"어때요, 상황이? 가능 하겠어요?"

유 양수 위원장과 김 재춘 부장을 바라보면서 말을 꺼냈다.

"아직 시간은 충분합니다. 민정 이양 시기를 연말로 늦춘다면 그 사이에 새로운 정당을 만들 수 있습니다. 걱정 마십시오."

김 부장의 목소리에 힘이 실려 있다.

그는 부임하자마자 공화당 창당 주역이었던 중정 요원들과 김 용태 등 핵심 인사들을 집요하게 추적하여 잡아들였다. 명목은 4대 의혹 사건에 대한 발본색원이었지만 내심으로는 김 종필 등 육사 8기 중심의 공화당 창당 주역들에 대한 '보복 수준'의 처단이었다. 공화당 조직을 그대로 두고는 향후 정국에서 주도권을 잡기가 어렵다는 판단을 하고 있었다.

"기존 정치인들 중 옛 자유당이나 민주당, 신민당에 몸담았던 사람들 중에서 특정 계파에 깊숙이 관여하고 있지 않은 사람들과 신진 젊은 엘리트들을 발굴하여 하나로 엮으면 됩니다. 중정과 내각, 재건국민운동 조직을 통해 이미 전국적인 인재 발굴에 나선 상태입니다."

"그래요? 얼마나 진도가 나갔습니까?"

"아직 가시적 조직화는 안 되었지만 한 달 이내로 창당 발기인 대회를 치르고 모습을 보일 수 있습니다."

유 양수 위원장도 긍정적이다.

"기존 공화당 조직을 모체로 활용하는 방법도 있습니다. 그래야만 야당측보다도 먼저 창당을 할 수 있습니다."

홍 종철, 길 재호 위원은 공화당과 연대하고 그 인맥을 활용할 필요가 있다고 주장하고 나섰다.

"저는 생각이 다릅니다. 정치계나 국민들 중에는 공화당에 대한 거부감을 가지고 있는 사람들이 제법 많습니다. 공화당을 그대로 둔 상태로 가면 당내에 파벌이 생겨날 게 분명합니다. 공화당을 해체하고 전국의 지구당을 범국민정당으로 흡수해야만 합니다. 의장님께서 결단을 내리셔야 합니다."

범국민정당을 적극 옹호하는 김 부장 등의 생각은 내가 보는 상황 판단과 사뭇 다르다. 김 부장이 너무 쉽게 말을 하고 있다. 공화당은 이미 창당과 전국 조직화를 완료하고 금방이라도 선거를 치를 수 있을 정도로 완벽해져 있다. 김 종필 전 중정부장을 밖으로 내몰고, 의혹 사건과 관련해서 창당 주역들을 잡아들였다지만, 그런 정도로 무너질 상태는 아니다.

"새로운 정당을 만든다고 하더라도 기존 공화당 조직을 근간으로 영역을 넓히는 것이 좋아 보여요. 공화당 창당 주역들을 색안경을 쓰고 보지 말고 설득해서 함께 가도록 해보세요."

"일부 정치인 중에 '박 의장을 비롯한 혁명 주체의 신분을 보장하겠다' '절대 군사 정부 요인들에 대해서 정치적 보복을 하지 않겠다'고 떠들고 다니는 작자들이 있읍디다. 정말로 기가 찹니다. 이런 작자들에게 정권을 이양한다는 것이 말이 안 됩니다."

길 의원이 불쾌한 반응을 보인다.

"그러게 말입니다. 2·27 선서를 완전히 자기들 마음대로 해석하면서 우리 최고회의를 마치 투명 유리로 간주하는 듯합니다."

홍 위원의 말에 유 병현, 박 태준 위원이 머리를 끄덕인다.

범국민정당 창당 작업이 최고회의 차원에서 공식적으로 추진되기 시작하면서 공화당이 애매해졌다. 최고회의 의장이 눈치를 보며 이쪽저쪽으로 왔다 갔다 하는 것처럼 비치고 있었다. 나로서도 무엇이 더 나은 방법인지 확신을 하기가 어려웠다.

공화당은 이미 1년 전부터 인재 발굴과 지구당 조직화에 나서서 발기인 대회와 창당 작업까지 진행되었다. 공식적으로 등록 절차만 남겨둔 상태에 있다. 그런데 김 재춘 부장이 중정을 개편함과 동시에 중정 핵심 인사는 물론 공화당 창당 관련자들을 해외로 방출하거나 의혹 사건 조사를 빌미로 대거 검거해 하옥시킴으로서 매우 위태한 지경에 도달해 있었다. 그런 와중에 의장 지시로 최고회의 내에 범국민정당 창당을 위한 소위원회까지 출범한 것이다.

4월 29일 저녁 7시, 5·16 혁명 주체들이 워커·힐 한국관에서 회합을 가졌다. 정책소위원회 유 양수 위원장이 마련한 자리였다. 전현직 최고위원, 공화당 인사, 오월 혁명 동지 모임 간부 등 50 여명이 함께 식사를 하였다. 창당 작업과 관련해서, 또 그 이후의 대통령 선거와 국회의원 선거, 그리고 이를 통한 민정 이양에 대해 결의를 다지고, 필승을 기약했다.

"그동안 창당 작업이 공화당과 범국민정당 두 축으로 이루어져 왔습니다.

공화당이 지난 창당 과정에서 많은 비난을 받고 있어서 그 대안으로 범국민정당을 만들기로 했습니다. 그리고 그 일을 전적으로 지원하기 위해서 최고회의 내에 정책소위원회를 가동하고 있구요. 그런데 진행 상황을 보니 범국민정당은 아직 명확한 진로와 조직화를 꾀하고 있지 못한 것 같습니다. 이렇게 시간을 끌 건 아니라고 봅니다. 우리의 창당 작업과 연계되어 선거, 민정 이양 시기가 정해질 수 있어요.

공화당이 지리멸렬하고 무기력해지고 있는 상황에서 범국민정당이 얼른 실체를 갖추고 공화당 조직을 흡수하든가 야당 정치계와 통합을 하든가 해야 할 겁니다."

"어쨌든 혁명 주체 세력이 하나로 통합되어야만 합니다. 재야 정치인들 몇몇을 더 포섭하는 것보다도 우리 쪽이 분열되지 않고 굳게 뭉쳐야 합니다. 그래야 의장님을 대통령으로 당선시킬 수 있어요."

"그렇습니다. 똘똘 뭉쳐서 만들어봅시다."

모두가 의기투합하여 승리를 다짐한다. 술기운과 함께 모두의 목소리가 합쳐져 실내를 쩌렁쩌렁 울렸다.

5월 1일, 정 구영 총재가 김 동환 사무총장과 함께 면담 요청을 해왔다. 엄 민영 고문과 이 후락 실장을 배석하게 했다.

"김 정렬 당의장을 갑자기 미국 대사로 발령을 내셔서 깜빡 놀랐습니다. 김 종필 부장도 없는 마당에 또 다시 걱정거리가 생겼습니다. 그건 그렇다 치더라도 최고회의 차원에서 소위원회를 출범시키고 범국민정당 지지를 표명하셨는데, 이건 아니라고 생각합니다. 그동안 입장대로 범국민정당 창당 작업은 의장님께서 관여치 마시고 지금처럼 그대로 가도록 놔두셨어야 합니다."

정 총재의 눈빛이 매섭게 빛나고 있었다.

"미안하게 되었습니다. 최고회의 내에서 창당 작업을 주도해야 한다고 주장하는 사람들이 많습디다. 김 부장과 주변 인물들이 공화당을 해체하고 범국민정당을 새롭게 만들자고 하는 것에 대해 일단 중도적인 유 양수 위원장과 박 태준, 유 병현 위원, 그리고 공화당에 호의적인 홍 종철, 길 재호 위원 등을 엮어서 일단 '잘 해보라'고 한 겁니다. 창당 작업이 뜻대로 잘 된다면 더 바랄 것이 없어요. 하지만 내가 예측하기에는 공화당처럼 단단한 조직을 만들기가 쉽지 않아 보입니다."

"공식적으로는 재야 주요 정치인들을 끌어들여 거국적인 정당을 만들고 이를 근간으로 국민 총화의 국회 구성, 더 나아가서 힘 있게 일할 수 있는 행정부를 만든다는 것인데, 저는 거의 불가능하다고 생각합니다. 그리고 의장님께도 일전에 보고 드린 바와 같이 김 재춘 부장의 중정에 의한 공화당 파괴 작업이 도를 넘고 있습니다. 전직 중정 요원은 물론 윤 주영, 서 인석, 노 명우 부장들에게도 엄청난 협박을 가해오고 있습니다. 재정 담당인 민간인 김 용태 사장까지도 서대문 형무소에 가둬두고 있습니다."

김 동환 사무총장이다. 순간, 뜨끔했다. 김 부장의 보고에 의해 어느 정도 알고는 있었다지만 당하는 공화당 측에서 보면 치명적인 일이 전개되고 있는 중이다. 김 부장과 중정의 공화당 파괴 작업을 더 이상 용납해서는 안 될 것 같은 느낌이 든다.

듣고 있던 엄 고문이 끼어든다.

"저도 그렇게 봅니다. 공화당을 더 이상 망가지게 보고 계셔서는 안 됩니다. 윤 보선, 허 정, 박 순천, 이 범석, 장 택상 등은 절대로 군사 정부가 추진하는 정당에 참여하지 않을 겁니다. 그들 중에는 이미 창당 작업의 8부 능선을 넘은 그룹들도 있습니다. 그렇다면 범국민정당이란 것은 어느 쪽에도 발을 붙이지 못한 뜨내기 정치인들 만을 이삭줍기하여 구색을 맞추는 정도에 그치게 됩니다. 두고 보시면 아시게 될 겁니다만, 공화당 조직을 잘 정비하셔서 대통령 출마는 공화당으로 가야 합니다."

참석자 대부분이 공감을 하는 분위기다.

"어찌 됐든 공화당에는 큰 충격으로 다가와 있습니다. 벌써부터 눈치를 보고 범국민정당으로 옮겨 가려는 사람들이 나타나고 있습니다. 조직이 와해될 지경입니다. 이런 사태에 대해 누군가는 책임을 져야 한다고 생각합니다. 오늘 이 순간부터 저는 총재직을 내려놓겠습니다."

정 구영 총재의 사의 표명은 헛말이 아니었다. 이미 지난 3·16 직후인 3월 17일 날자로 창당의 의미가 사라졌다고 하면서 사의 표명을 한 바가 있었다. 이번에 김 정렬 의장의 주미대사 임용과 함께 다시 사임을 원하고 나섰다. 적극적으로 만류를 해야 했다.

며칠 뒤 공화당 지도층 간부가 모두 퇴진한다는 소문이 떠돌기 시작했다. 최고회의와 의장의 관심이 떠난 공화당은 자연 해체의 길을 걸을 수밖에 없는 처지가 되어버렸다. 민주공화당의 총재, 의장(부재), 상위 의장, 당무위원, 사무국 부장 등 당내 고위 간부들의 사임설이 파다하게 퍼졌다. 공화당 당 기구가 전면 마비되고 자유당계의 최 용근, 손 석두, 박 덕영, 김 종신 씨 등이 이미 지난 18일자로 탈당계를 냈다.

저녁에 해외에 나가 있는 김 종필 장군으로부터 전화가 걸려 왔다. 긴 시간 통화를 하면서 공화당 정비에 대해 의견을 나눴다. 그의 요지는 처음부터 변함이 없었다. 더 이상 주저하지 말고 공화당을 재정비하고 공화당 총재와 공화당 대통령 후보가 되어야 한다고 나를 설득해 왔다.

범국민정당 창당 작업을 지시한 마당에 결론을 내리기는 어려웠지만, 심정적으로는 두 사람의 의견이 일치하고 있었다.

갑자기 5·16 동지회가 창립대회를 개최할 것이라는 소식이 전해졌다.

"**혁명 주체(革命主體), 오늘부터 지방 조직 착수. - 어제 3차 회의에서 위원 30명 선출. 창립 대회는 5월 15일에** - 혁명주체 세력 및 그 동조자 82명은 5월 7일 하오 7시. 시내 「코리아·하우스」에서 제3차 회의를 갖고 오는 15, 16 양일로 예정된 창립대회를 위한 30명의 준비위원회를 구성하였다…가칭 「오월동지회(五月同志會)」… 전문 32조의 회칙 안과 창립 계획서를 검토했으며, 8일부터 중앙과 지방 조직에 착수하기로 했다… 준비위원회의 연락 책임자로 조 시형 무임소장관을 뽑았다.

발기인은 ①현·전직 최고위원 및 각료 ②혁명주체 세력(군에 근무하는 자 제외) ③현·전직 최고회의 고문, 자문전문위원, 기획위원 ④혁명정부에 참여한 요원 ⑤독립 투사 ⑥4·19 혁명 인사 ⑦기타 혁명이념에 투철한 각계 인사로 구성하고 우선은 약 천명 정도의 회원으로 발기대회를 생략하고, 창립대회를 열기로 하였다." (조선일보 1963. 5. 8.)

오찬을 위원장들과 함께 하면서 5·16 동지회 모임에 대한 얘기를 전해 들었다. 김 형욱, 이 석제 위원 등의 설명에 따르면 민정 이양을 앞두고 혁명 동지들이 사분오열되어 제각각 다른 목소리를 내지 않도록 하고, 민정 이양 이후에 전개될 가능성이 있는 상황 전개에 능동적으로 대처하기 위한 목적에서 만들기로 했다고 한다. 공화당과 범국민정당 간의 갈등을 보면서 이 둘을 아우르는 또 다른 조직을 만들기로 한 것이다.

정책소위원회에서 고민 끝에 만들어낸 고육지책이란 느낌이 든다. 단순한 혁명 동지들의 친목 모임이라면 얼마든지 가능하다. 하지만 어정쩡하게 중앙과 지방 조직을 만들고 창립대회를 한다는 것을 보면 공화당이나 범국민정당과 비슷한 '창당 움직임'일 수 있다.

자칫 공화당과 범국민정당의 갈등 사이에 또 다른 조직이 나타나 갈등 상황을 더욱 복잡한 구도로 몰고 갈 우려가 있다. 그들의 말을 들으면서, 기성 정치계처럼 또 다른 정파, 파벌이 등장하는 것은 아닐까 걱정이 된다.

정 구영 총재의 사퇴 표명을 계기로 공화당이 잠시 흔들리는 모습을 보였지만, 김 동환 사무총장을 중심으로 지도층 전면 개편과 당무위원 재구성, 지구당 활성화에 총력을 기울이기 시작했다. 당연히 외유 중인 김 종필과 오 정근 등의 의견과 당내 강경파 주도로 공화당이 재정비에 돌입했다. 윤 치영을 당의장으로 추대하고, 중앙과 지방 조직을 재정비하였다. 야당 인사의 추가 영입과 범민주정당과의 합당을 고려하여 중앙 위원석 100명,

중앙 상임위원석 38개를 비워두었다.

민주공화당(民主共和黨)은 5월 6일 자로 중앙선거관리위원회에 창당 등록을 했다. 최초로 정당 등록을 마친 공화당은 8개 시도당, 78개 지구당 결성을 완료하였다. 곧바로 지방 조직을 확대 강화하기 위해 전국 지방 당부(地方黨部)에 순회반을 파견하였다.

/서울: 김 병섭 /경기: 이 백일, 유 승원, 서 상린, 이 원영 /충남: 홍 춘식, 박 준선 /충북: 오 원선, 신 범식, 송 석하, 이 종근 /전남: 홍 광표, 김 옥형 /전북: 김 용택, 이 용남 /경남: 박 동윤 /경북: 박 준 /제주: 김 창근, 이 호범

4·8 성명을 계기로 잠시 주춤했던 범국민정당 추진 세력도 정책소위원회의 지지와 공화당의 움직임에 자극을 받아 또 다시 활발해졌다. 이 운동은 그동안 여러 갈래로 움직여 왔는데 조만간 당명을 정하고 발기위원회와 창당 작업에 나설 것으로 전해졌다. 이 운동을 추진해 온 집단으로는 공화당에서 이탈해 온 구 자유당계인 정국수습협의회(政局收拾協議會), 전 민주당 소속 일부 인사의 민정이양촉진회(民政移讓促進會), 혁명 주체세력 중 오월동지회나 공화당 및 육사 5기생 중 일부 예비역 군인들, 전 민의원 부의장 서 민호 씨 등이 있다. 정국수습협의회 소속의 문 종두, 이 형모, 김 원태, 강 선명, 양 영주, 김 종신 씨는 지난 토요일 늦은 시간에도 나를 찾아와 향후 일정을 상의하고 갔다.

그러나 정책소위원회와 김 재춘 중정에서 적극적으로 지지하고 있다지만 여전히 지리멸렬하고 갈 길이 멀다.

혁명 2주년 기념식 행사를 계기로 확실한 민정 이양 일정을 국민들 앞에 제시해야 한다는 견해를 내는 사람들이 많아졌다. 최고회의가 명확한 일정 제시를 하지 않은 채 시간만 끌고 있다는 비난이 연일 쇄도하고 있다. 더 이상 미뤄서는 안 될 것 같다.

공화당과 범민주정당, 둘 중 하나를 선택해야만 한다. 정국수습협의회 임

원들과 공화당 임원들을 차례로 불러 그동안의 진척 상황과 향후 일정에 대해 보고를 받았다. 그리고 결심을 해야 했다.

'판세를 보면 공화당 중심으로 범국민정당 추진팀을 통합하는 것이 정답이다.'

범국민정당의 출발 자체가 공화당 해체를 전제로 했던 만큼 김 재춘 부장이나 그에 동조하고 있는 5기생들이 어떤 반응을 보일까 걱정이다. 분명히 반발하고 이의를 제기할 것이다.

5월 14일 정 구영 총재를 다시 불러, 공화당 중심으로 범국민정당을 흡수통합 가능한 가에 대해 의견을 나눴다. 그는 공화당에 돌아가자마자 당무위원 및 사무국의 부장급 전원을 서울 교외 우이동의 '북한장(北漢莊)'에 초청하여 이런 나의 뜻을 전하고 향후 일정 논의에 들어갔다. 그는 다음 22일, 윤 치영 의장, 김 성진 상위 의장, 백 남억 정책위 의장, 성 인기 당무위원, 김 동환 사무총장 등을 대동하고 다시 나타났다. 정책소위원회 유 양수, 길 재호, 홍 종철 위원이 합석하여 구체적인 일정에 대해 논의하였다.

'일단 공화당 중심으로 갑니다.'

'범국민정당과 통합을 서두르되, 최대한 시너지 효과를 만들어 내야 합니다.'

이후 5월 27일, 공화당 전당대회에서는

'박 정희 의장을 공화당 대통령 후보로 추대 한다'는 결정을 하고 대외적으로 선언을 하고 나섰다.

제 4 부

혁명을 통한 재건, 그 대단한 성과

(출처: 구글 이미지)

혁명 정부, 그동안 뭐 했나?

민주공화당은 5월 27일 일요일 아침 8시 30분부터 시민회관에서 제2차 전당대회를 열었다. 그 자리에서 서울시 홍 헌표 대의원의 긴급 제안으로 박 정희 대통령권한대행, 최고회의 의장을 공화당 대통령 후보로 공천하기로 결의를 하였다.

10시에 정 구영 당 총재와 윤 치영 당의장, 김 동환 사무총장이 긴급히 청와대로 나타나 결의 내용을 전달해 주었다.

"감사합니다. 어차피 가야 할 길이라고 생각합니다. 하지만 아직은 제가 군복을 입고 있기 때문에 공식적인 수락 여부는 잠시 미뤄둡시다. 또 범국민정당측 사정도 있구요."

"잘 알겠습니다. 이제부터는 좌고우면(左顧右眄) 하시지 말고 민주공화당과 함께 대통령 선거와 민정 이양의 길을 가십시다. 우리가 앞장서겠습니다."

기분 좋게 그들을 돌려보내고 담배를 한 대 피워 물었다. 식은 밥 먹다가 체한 듯했던 가슴 답답증에서 조금은 벗어나는 느낌이 든다.

공화당 대통령 후보?

이제는 대통령 선거와 민정 참여가 현실로 나타나고 있다. 더 이상, 애매한 말 돌리기나 눈치보기가 허락될 수 없다. 정면 돌파만이 갈 길이다.

점심 식사 후 오후 2시에 긴급 간담회를 열었다. 최고회의 위원들과 내각의 조 시형 장관, 범국민정당 관계자, 각 군 수뇌부, 김 재춘 부장 등이 참석했다.

"이제는 공화당 중심으로 뭉쳐야 합니다. 범국민정당측 인사들도 현실을 직시하여 창당 작업을 접고 공화당으로 입당해서 하나로 합쳐야 합니다. 더 이상 늦춰서는 안 됩니다. 최고회의 측이 공화당을 중심으로 하나가 되면

저 쪽에서도 단일 야당으로 대동단결 움직임이 나타날 겁니다."

범국민정당 창당 작업에 깊숙이 관계하고 있는 유 양수 위원장이나 김 재춘 부장도 말없이 듣고 있었다. 하지만 속내는 편치 않아 보였다.

"현실적으로 범국민정당이 혁명 이념을 그대로 이어받기가 어려워 보입니다. 너무나 다양한 사람들이 뒤섞여 있고 창당 작업도 아직 불투명해 보입니다."

이 후락 실장이 거든다. 조 시형 무임소장관도 고개를 끄덕인다.

어쨌든 '박 정희가 공화당 대통령 후보직을 수락했다'는 소식은 매체를 타고 전국으로 공론화되고 있었다.

민정 이양을 눈앞에 두고 전개될 대통령 선거는 '국민 선택이라는 치열한 전쟁판'이 될 것이다. 군대를 동원하여 힘으로 밀어붙이는 혁명과는 사뭇 다른 국민 개개인의 마음을 얻는 과정이다. 5·16과 최고회의, 그동안의 활동, 나의 노력이 국민 선택을 받는 단계다.

차분하게, 국민의 눈높이에서 혁명 후 지금까지, 지난 2년간 나와 혁명 정부가 어떤 일을 해왔는가를 재점검해볼 필요가 생겼다.

온 정성을 다해 국가 재건과 발전을 위해 매진해 왔다. 우리 끼리 모여서는 기분 좋게 자화자찬(自畵自讚) 하면서 가슴 뿌듯했다. 웬만한 주변 인사들이나 전국 순회 과정에서 만나는 국민들은 들어서 좋은 말들을 해주었다. 이런 분위기와 칭찬이 대세인 줄 알고 지내왔다.

하지만 지난 연초부터 시작된 기성 정치인의 최고회의 비난은 전혀 예상 밖이다. 극단적인 폄하는 우리 모두를 어리둥절하게 만들고 있다. 과연 무엇이 진실일까?

지난달에 만났던 김 팔봉씨나 가끔 술 한 잔 나누는 문인들, 언론계 친구들은 허심탄회하게 항간의 얘기들을 들려주었다. 그들은 듣기 좋은 말로 나를 칭찬해주면서도 가슴이 저리도록 뜨끔한 말을 하는 것을 주저하지 않았다.

그 결론은

"혁명 정부, 그동안 뭐 했나?" 였다.

연초부터 신문과 방송, 잡지에는 온통 민정 이양과 함께 혁명 정부에 대한 부정적인 기사가 톱기사로 다뤄지기 시작했다. 특히 속박에서 풀려난 정치인들은 작심을 하고서 혁명 정부 비난에 나섰다. 그들의 말을 듣다 보면 5.16 군사 혁명은 '일어나서는 안 될 군사 쿠데타, 하극상'이었고 혁명 정부에서 '제대로 해 놓은 일이 한 가지도 없다'는 식이었다.

듣고 보고 있자면 혈압이 올라가지 않을 수 없다. 나는 물론 최고회의 관계자 모두가 '모욕감을 느낄 정도로' 비판적이다. 모두가 '달린 입'이라고 한 마디씩 해대는데 기가 차고 한숨이 저절로 나왔다.

혁명 정부가 해 놓은 업적에 대해서는 대충 '그럴 수도 있지' 정도에 그치지만 몇 가지 실책이나 과오에 대해서는 수십 배, 수백 배 증폭시켜서 비난을 해댔다. 공과를 대칭으로 두고 비교하지 않고 일방적인 비판이다.

정치인들의 경우에는 자신들을 내친 혁명 정부가 폄하되면 될수록 자신들이 컴백할 명분을 갖게 되기 때문에서 라도 극단적인 비난을 해야만 했을 것이다. 그런 판세가 지금 현재 언론의 '비판적 기사 성향'과 만나 증폭되어 국민 여론에 영향을 주고 있다.

우리가 무슨 일을 했는가를 논하기 전에 그들이 톤을 높여 비난하고 있는 것들에 대한 논리적 대응도 중요하다. 어떤 것들이 있었던가?

퇴근도 못하고 사무실에 앉아서 커피와 함께 연신 담배를 피워 문다.

무엇보다도 5·16 군사 혁명 자체에 대한 비난이 있다. 정치인들이나 장 면 내각에서 주요 보직을 가지고 있던 사람들로부터 나오는 얘기다. 그들에게 5·16의 당위성, 군사 혁명이 왜 일어나야만 했는가를 제대로 설명해야 한다.

3·15에 이어 나타난 4·19는 수많은 사상자를 낳으며 자유당 이 승만 정권을 무너뜨렸다. 그 이후 민주당 장 면 정부가 온 국민의 기대감 속에

등장하여 몇 개월 국정을 책임지는 동안 국가 상황이 어떠했는가?

5·16 직전의 국가 상황은 그야말로 무법천지에 가까웠다. 정상적인 정치가 실종되고 장 면 행정부가 우왕좌왕하는 사이에 청년, 학생, 좌파, 불순분자, 그 뒤의 사회주의자, 중립론자, 더 나아가서 공산주의자까지 합세한 시위와 데모가 전국을 휩쓸고 있었다. 4·19의 원죄 때문에 경찰이 제대로 역할을 하지 못하는 상황에서 한국 사회는 거의 무정부 상태 수준까지 이르르고 있었다. 법과 정책이 먹혀들지 않는 상태에서 민주당 국회의 참의원, 민의원은 물로 장 면 총리와 내각 모두가 무기력해져 있었다.

신생 독립 국가들의 공산화 도미노 현상은 동남아시아와 중동을 넘어 남아메리카까지 걷잡을 수 없을 정도로 대세를 이루고 있었다. 우리 한국의 경우에는 김 일성 공산당이 6·25 남침을 단행했다가 패퇴한 이후에도 지속적으로 간첩을 남파하면서 공산화를 시도하고 있던 와중이었다. 우리 대한민국이 자유 민주주의 국가를 유지하기 위해서는 이런 국가 사회 혼란을 그대로 방치할 수는 없었다.

군사 혁명은 한반도의 공산화 방지를 위해 '반드시' 필요했다. 우리의 군사 혁명을 부정하려는 자들은 오로지 공산화를 원하는 불순분자임이 틀림없다. 좀 더 순화된 표현을 쓰자면 국가 발전, 경제 성장은 아랑곳없이 정치와 행정 권력을 소유하고자 하는 '몰염치한 정치꾼'이거나 세상 물정을 모르거나 역사의식이 없는 '불평 불만자'일 것이다.

정치꾼들 중에는 장 면 정부도 충분한 능력을 가지고 있었다는 주장을 하는 이들이 제법 있다. 하지만 당시의 국회 참의원, 민의원, 민주당과 신민당, 기존 자유당 정치인들의 활동상을 보면 결코 그런 말을 할 수가 없다. 같은 당 소속의 국회의원과 대통령, 국무총리, 내각의 장관들이 사분오열되어 서로 싸우기에 바빴다. 이런 민주당 정부를 바라보는 국민들은 어떤 생각을 했겠는가?

"왜놈들이 지배하던 세상보다도 못하다."

"이게 나라야? 독립은 뭣 하러 했어?"

5·16 군사 혁명은 군인들이 정권 탈취를 위해 움직인 것이 아니다. 오히려 민주당 정부가 빌미를 제공했고, 국민들이 절실히 원하던 것이다. 5월 16일 아침 윤 보선 대통령의 언사나 기대는 국가 안보와 치안 확보를 위해 '군대가 잘 나섰다' 였다.

우리의 군사혁명은 무혈혁명이었다. 아무도 우리의 혁명을 막으려 하지 않았다. 모두가 쌍수를 들고 환영했다. 시민들은 박수로 혁명군을 환영했고, 곳곳에서 음료수를 날라주면서 환희 했다. 사관생도들이 거리 행진을 하면서 군사혁명을 지지하던 순간의 시민들 반응은 참으로 뜨거웠다. 이런 군사 혁명이었다.

5·16 이후에 거리의 질서가 잡혔고 법과 규칙이 지켜지는 사회가 되었다. 공산화를 노리던 불순분자들의 시위와 데모를 원천 차단했고, 사회주의자나 공산주의자, 깡패들을 발본색원하여 처단을 했다. 말끔하게 정화된 사회 질서와 거리 풍경을 보면서 전 국민이 안심을 하고 우리 군사 정부를 지지하고 있다.

군사 혁명의 정당성은 이것만으로도 충분하다.

민정 이양을 앞두고 기성 정치인들은 군사 정부, 최고회의의 약점 잡기에 나서고 있다. 그 중 하나가 공화당 창당 과정에서 벌여졌다고 하는 속칭 4대 의혹 사건이다. 이런 의혹 사건은 직접 당사자가 아니면 누구라도 의심을 가질 수 있는 것들이다. 하지만 내가 직접 챙긴 바에 의하면 결코 이전 자유당 정권이나 장 면 민주당 정권 시기의 부정부패와는 성격이 사뭇 다르다.

새나라 자동차와 관련된 것은 차량 도입과 일본 기업의 국내 유치 과정에서 비롯된 '로열티 의혹'이다. 이 부분에 대해서는 현재 중앙정보부에서 직접 나서서 의심이 가는 관계자들을 구속하여 재판에 회부하고 있는 중이다. 사실 여부는 곧 밝혀질 것이다.

증권 가격 조작 사건은 지난해에 이미 송 요찬 수반과 천 병규 장관 등 관계자가 책임을 지고 물러나는 선에서 마무리된 사건이다. 최고회의 차원에서 저질러진 사건이 아니라 극히 일부 민간인이 벌린 것으로 최고회의에도 엄청난 부담을 주었다. 최고회의 차원에서 엄정한 대처를 하여 피해자 구제에 만전을 기하고자 했었다.

워커힐 호텔 건축과 빠찡코 사건은 국내 주둔 미군을 위한 시설 마련 차원에서 시도된 것이다. 미군들이 주말이나 휴가를 국내가 아닌 일본이나 오키나와로 가서 지내고 오는 것을 국내에 머무르도록 하기 위해서 호텔과 유락 시설을 설립하였다. 이것도 외화 획득 정책의 일환으로 추진되었다.

그런데 아직은 호텔 이용객 숫자가 적고 외화 획득이라는 목표 달성도 제대로 하지 못하고 있는 중이다. 쏟아 부은 돈에 비해 수입이 적어서 '예산 낭비 사례로' 여전히 골치를 썩이고는 있는 중이다. 하지만 부정부패와는 거리가 멀다.

6월 1일 외신 기자들과의 간담회 석상에서도 질문이 나왔다.

"혁명 정부는 어떠한 부정부패에 대해서도 용서를 하지 않는다. 내부에서 저질러지는 부정 부패는 아무리 작은 것이라도 발본색원하여 척결하고 있다. 전 정권처럼 은폐하거나 유야무야하지 않을 것이다. 젊은 장교들이 짧은 시간에 많은 일을 하다 보니까 의욕이 지나쳤거나 경험이 부족하여 나타난 의혹 사건들이 있는 것 같다. 새나라 택시를 구입한 사건이나 증권 파동은 조만간 자세한 내용이 밝혀질 것이다. 500만 불의 공사비가 든 워커힐 오락장은 조만간 미군의 정식 승인을 받아 수입을 보게 될 것 같지만, 현재는 파리를 날리고 있다."(조선일보 1963.6.2.)

최고회의 혁명 동지들 사이에 벌어졌던 반혁명 사건에 대한 해명도 중요하다. 누가 뭐라도 변명할 처지가 못 된다. 그토록 조심하고 만류하여 내분이 일지 않게 하려고 노력했지만 결과가 좋지 않았다. 장 도영 반혁명 사건 때나 김 동하 반혁명 사건 때 모두 핵심 혁명 동지들이 관련되었다. 너무나 가슴 아프고 자존심 상하는 일이었다. 국민들 앞에 진심으로 용서를 비는 방법 밖에 없다.

민정 이양 과정의 우여곡절이나 최고회의 위원들의 민정 참여 문제는 떳떳하게 정면 돌파하면 될 것이다. 군으로 복귀하거나 군복을 벗고 민간인 신분이 되어 민정에 참여하거나 모두 당당할 필요가 있다. 이집트나 터키, 남미의 군사 혁명 정부 요원들이 군복을 입은 채 대통령 선거에 나서는 것과는 다르게 우리는 모두 군복을 벗고 민간인 신분으로 대통령 선거, 국회의원 선거전에 임할 것이다. 특별대우가 아니라 '같은 국민 입장'에서 선택을 받는다.

혁명을 통해 정치 정화를 시도하여 정치 활동 규제와 해금(解禁), 정치 자유화에 따른 창당 작업과 선거 준비가 현재 진행형으로 전개되고 있다. 사색당쟁의 무질서한 정치판을 선진화된 정당 정치로 변화시키고자 노력 중이다. 이런 정치 정화 작업은 결코 비난받을 일이 아니다.

공화당 창당 과정에서 일부 오해를 살만한 일들이 있었다지만 이제는 충분히 해명되었다고 생각한다. 어차피 군사 정부가 일을 하는 과정에서 필요한 인재 발굴 작업의 일환으로 시도되었다. 그것이 민정 이양 후를 생각하여 정당 형태로 모습을 드러내게 된 것 뿐이다.

공화당에 대응하여 하나로 통합된 거대 야당을 유도하고 있다. 기성 정치인들의 사분오열은 우리 군사 정부가 유도한 것이 아니지 않는가? 미국이나 영국과 같이 선진화된 자유민주주의 국가처럼 우리도 바람직한 양당 체제가 되어야 한다.

최고회의 출신 군 장교들의 민간 정부 참여에 대해서도 불편해하는 정치인들이 적지 않다.

'군인은 총들고 국토방위 업무에나 힘써야지, 왜 정치판에 끼어들려고 하나?'

말이 안 된다. 지금 현재 대한민국에서 가장 정갈하고 국가 경영 능력을 갖춘 인재나 집단은 군인, 군대뿐이라고 해도 과언이 아니다. 국가에 대한 충성심이나 법규를 준수하는 역량, 행정 업무 처리 능력은 군부가 최고다. 현재의 행정부 관료들도 대부분 일제 시대 말단 직원 출신이거나 건국 후 정치적으로 임명된 사람들로서 전문성이 결여되어 있다. 그에 비해 군 장교들은 전투는 물론 행정, 군수, 정보, 작전, 대민 관계들을 체계적으로 교육 받았다. 미국의 우수한 행정 공무원 연수 교육을 받은 사람도 적지 않다.
지난 2년간의 군사 정부가 해 놓은 실적이 말해 준다. 이전 10여년 동안의 민간 정부가 갈팡질팡하고 있던 행정 업무들을 거의 완벽할 정도로 처리해 놓았다. 이것이 최고회의 위원들이 민정에 참여할 수 있고, 해야만 하는 당위성을 말해 준다.

박 정희가 공화당 대통령 후보로 지명되었다는 소식이 전해지자 분열되어 있던 기성 정치계측에서도 또 다시 '통합 필요성'을 들고 나왔다.

"재야 각 당(在野各黨), 집중적인 대여 공세(對與攻勢). 의혹 사건 등 철저 규명. 12인 지도자 회의 계기로. 여·야 선거 전초전(前哨戰)에 진입…

정계는 박 정희 의장이 공화당의 대통령 후보 지명을 사실상 수락한 지난 27일 이후 여야 양대 진영으로 갈려 박 의장의 출마를 에워 싼 논란을 비롯해 선거관리내각의 구성 여부, 선거법 개정문제 및 4대 의혹사건의 진상규명 등을 중심으로 연달아 성명전(聲明戰)을 벌림으로써 사실상 선거 전초전의 양상을 짙게 하고 있다…

김 병로씨 댁에 모인 재야 12인 정치 지도자는 박 의장의 출마가 실질적인 군정 연장이라고 단정, 이를 막기 위해 '재야세력이 일치단결 할 것'에 합의를 보았다… 김 병로씨의 초청으로 열린 회의에는 허 정, 김 도연, 장택상, 이 범석, 백 두진, 박 순천, 이 윤영, 이 인, 정 일형, 전 진한, 이 규갑 씨 등 12명이 참석했으며 윤 보선, 변 영태 양씨는 나오지 않았다…

민주당은 대정부공동투쟁을 위해 마련된 민정-신정 양당 연락위원회에 참여키로 결정하고 그 대표로 김 대중, 김 기철, 성 태경, 김 준섭, 박 민기 등 오씨(五氏)를 결정했다." (조선일보 1963.6.4.)

야당이 단일 정당으로 통합되는 것은 내가 그토록 원하는 바다. 하지만 민주당과 신정당의 대립 구도는 결코 쉽사리 해소되지 않을 것이다. 그 중간에서 눈치를 보고 있는 거물 정치인과 추종자들도 쉽사리 단일 대오로 들어서지 않을 것이다.

기존 정당과 정치인들의 속성상 어느 누구도 다른 사람 밑으로 굽히고 들어가길 꺼린다. 그것이 우리 정치인의 고질적인 못된 습성이다.

그래서 해볼 만 하다.

'적의 반격'에 대비를 한 이후에는 '공격'이다.

지난 2년간 군사 정부, 최고회의에서 추진해 온 정책의 결과를 차분히 정리하여 국민들에게 적극적으로 알릴 필요가 있다.

첫째, 우리는 국가 시스템을 재건하였다.(체 體)

둘째, 우리는 정치 순화를 목표로 하였다.(치 治)

셋째, 우리는 법치 사회를 구현하였다.(법 法)

넷째, 우리는 치안과 강력한 국방을 확립하였다.(안 安)

다섯째, 우리는 실천 행정 국가를 만들었다.(행 行)

여섯째, 우리는 경제 중심의 산업 국가로 방향을 잡았다.(산 産)

일곱째, 우리는 수출과 세계화를 추구하였다.(세 世)

여덟째, 우리는 젊은 한국으로 변신하였다.(청 靑)

이 후락 공보실장을 방으로 불렀다.

"이 실장, 군사혁명위원회 활동 내역을 총정리 해보십시다."

체(體): 국가 시스템 재건

1960년 당시, 장 면 민주당 정부는 국가 통치력을 상실하고 있었다. 정부는 국민을 대표하여 국가를 통치하는 책임을 지는데 이 정부 속에는 국회와 대통령, 관료제가 모두 포함된다. 당시 헌법이 내각책임제 정부 구조를 가지고 있었기 때문에 통치의 책임은 전적으로 국회에 부여되어 있었다. 국회에서 행정부 책임자인 국무총리를 선출하고 장관 등 내각 조직에 직, 간접으로 참여하고 관여한다.

정부의 통치(統治, ruling) 행위 속에는 국민에 대한 강제, 보호, 전쟁, 문화 작용이 모두 포함된다. 그 중에서 가장 힘이 드는 부분이 국민을 향한 강제(및 규제, 처벌) 행위다. 이런 경우에 정부는 경찰력과 법규를 이용하여 국민들을 강제로 제어할 수 있어야 한다. 일부 또는 전체 국민에 대한 강제는 국가나 다른 국민들의 안전과 경제 발전을 위해 반드시 필요한 권력 행위다.

3·15에 이은 4·19 의거, 그 이후 연중 내내 지속된 시위와 데모 앞에 장 면 정부는 절절 매면서 통치력을 발휘하지 못하고 있었다. '국가'와 '전체 국민의 안전과 행복'을 위해 강력한 통치력을 행사해야만 했지만 무기력하게 세월을 보내고 있었다.

장 면 민주당 정부의 통치력 상실 원인으로는 양원제 국회, 내각 책임제, 사분오열된 정치판 등 다양한 변수가 존재하고 있었다.

군사 정부는 정부의 통치력을 회복하기 위해 정치 규제, 헌법 개정, 이념 교육 등 모든 노력을 경주하였다. 2년 이란 짧은 기간 동안에 마침내 국가 시스템 자체를 재건하여 통치력 회복을 이루었다.

- **국회를 단원제로**:

국민 투표를 통해 국회를 단원제(單院制, unitary system)로 하는 신헌법을 제정하였다. 원래 양원제(兩院制, bicameral system) 국회는 국민

대표를 이원적으로 하여 하나는 상원을, 하나는 하원을 구성하는 방식이다. 미국이나 영국처럼 상원(上院)은 귀족이나 지역, 주 정부나 영연방 국가를 대표하는 의원으로 구성하는 반면에 하원(下院)은 인구 비례로 선출된 의원으로 구성한다.

우리의 경우에 건국 당시의 단원제 국회가 1952년 7월 4일 대통령직선제와 함께 양원제를 채택했었다. 하지만 참의원 구성은 이루어지지 않다가 2공화국 헌법을 통해 참의원과 민의원의 양원제 국회가 등장하였다. 민의원은 소선구제를 통해 선거구마다 1명을, 참의원은 중선거구에서 한 명씩 선발하였다. 영국이나 미국의 상원처럼 특별한 이유가 없이 의원만 중복으로 선출한 셈에 불과하였다.

민주당 정부 시절의 참의원과 민의원의 양원제 국회는 국회 본연의 입법, 예산 승인, 국정 감시 기능을 제대로 수행하기보다는 오히려 서로 간의 정쟁만을 일삼았다는 비난을 받고 있었다. 민주당은 당내 계파로 나뉘어 정쟁을 일삼았고 끝내는 분당까지 초래하면서 국회를 혼란스럽게 만들었다.

국민의 자유 민주적인 정치의식이나 행태도 문제였지만 정치인들 자신도 계파 분열과 이합집산, 극단적 비판과 비난, 군소 정당의 난립 등으로 수준 낮은 행태를 보였다. 이런 질 낮은 정치는 자유당 시절의 단원제 국회에서도 이미 드러났던 병폐였는데 양원제를 채택함으로써 두 배 이상 기하급수적으로 혼란을 유발하였다. 양원제는 국회의원 즉 정치인들에게만 여러 종류의 감투를 제공하는데 지나지 않았다.

일본이나 영국은 국왕이라는 권위자가 있어서 상원과 하원의 갈등을 최종적으로 조율할 수 있다. 정치 수준이 높아서 마지막 순간에는 국왕의 중재와 함께 타협의 길을 선택한다. 그런 장치가 우리에게는 존재하지 않는다. 또 미국의 상원은 독립성이 높은 주 정부를 대변하기 때문에 원천적으로 존재 필요성을 갖고 있다.

양원제 국회의 정치 난맥상, 복잡성은 내각 책임제 하의 민주당 정부를 힘들게 만들었고 마침내 통치력 상실 지경에까지 도달케 하였다. 장 면 정부가 추진하고자 하는 정책들은 거의 대부분 국회 논의 과정에서 변질, 제지, 지체, 폐기의 고통을 겪어야만 했다.

민주주의 정치 역사가 짧은 우리 현실에서는 복잡성이 높은 양원제보다는 단원제가 바람직하다. 그래서 혁명 정부는 과감하게 양원제를 포기하고 단원제로 개편하였다.

"헌법 제36조. ①국회는 국민의 보통, 평등, 직접, 비밀 선거에 의하여 선출된 의원으로 구성한다. ②국회의원의 수는 150인 이상 200인 이하의 범위 안에서 법률로 정한다. ③국회의원 후보가 되려 하는 자는 소속 정당의 추천을 받아야 한다."

단원제 국회는 인구 비례로 국민 대표를 선출하여 구성된다. 우리와 같은 균질화된 국가에서는 특별히 국회 구성을 중층으로 할 필요가 없다. 국회의원의 감투가 줄어 능률적이며, 정쟁도 완화될 수 있고, 그만큼 국회의 국민대표 기능 수행에 유리하다.

- 대통령 중심제 행정부:

혁명 정부에서는 우리 현실에 맞는 강력한 대통령중심제 행정부를 만들었다.

"제63조. 행정권은 대통령을 수반으로 하는 정부에 속한다.

제64조 ①대통령은 국민의 보통, 평등, 직접, 비밀 선거에 의하여 선출한다. ③대통령 후보가 되려는 자는 소속 정당의 추천을 받아야 한다."

제2공화국 헌법에서는 영국이나 일본과 같은 내각 책임제 행정부를 채택하였다. 내각 책임제의 경우에는 국회 민의원에서 선출된 국무총리가 행정부를 총괄한다. 장관들도 상당수가 국회의원으로 임명된다. 여당의 총재가 참의원이나 민의원 의장을, 또는 국무총리를 겸직함으로써 정치와 행정이 하나로 융합할 수 있는 구조다.

내각 책임제의 장점으로 들고 있는 것은 입법권을 가지고 있는 국회의 다수당이 행정부까지도 장악하여 국정을 담당한다. 긍정적으로 보면 입법과 행정, 예산 편성과 집행, 국회의원과 장차관, 정당 인사가 긴밀하게 상호 연계되어 있어 국가 운영, 통치권 행사가 잘 될 것이라는 전제가 깔려 있다.

하지만 이 보다 더 중요한 전제 조건은 '수준 높은 정치'에 대한 것이다. 수준 높은 정치란 정당과 정치인, 국민 대표로 선출되는 대통령과 국회의원, 자치단체장의 자질과 행태, 국가에 대한 충성심, 국민에 대한 책임감, 국회 운영의 효율성, 행정부의 제반 정책과 사무에 대한 합리적인 지원과 감시가 '최고 수준으로 질 좋은 것'이어야 한다는 말이다.

그런데 2공화국 당시의 국회, 그로부터 이어진 행정부의 국무총리와 장차관, 관료제 모두가 난맥상을 보였다. 노장과 소장, 민주당과 신민당, 구파와 신파로 사분오열된 국회는 '정갈한 의사'로 행정부를 지원하거나 감시하지를 못했다. 국민 대표기관인 국회의 '의사(意思)'가 사분오열되어 있고 번복되기 일상이었으며, 제각각으로 행정부 관료들에게 전달되고 있었다.

구파와 신파 민주당 세력의 어정쩡한 타협으로 만들어진 2공화국 헌법 속에서는 대통령과 국무총리의 권한 관계도 애매모호하게 되어 있었다. 그래서 구파는 윤 보선 대통령을 끼고서 신파의 장 면 국무총리를 견제하고 핍박을 해댔다. 국무총리가 소신껏 통치권을 행사할 수 없게 만들었다.

매우 부정적인 시각으로 내각 책임제를 볼 경우에는 정치인들이 국회는 물론 행정부의 국무총리나 장차관 자리까지도 차지하려는 '욕심의 발로'로 이런 제도를 채택한다. 최종적인 정책 하나하나에 까지도 '정치'를 개입시키려 한다. 온 세상이 '정치판'이 된다.

우리 한국의 경제 수준이나 민주주의 역사를 고려하면 내각 책임제 행정부보다는 대통령 중심제가 더 유용하다. 국가 건설기나 경제 발전 초기 단계에서는 대통령이 우수한 관료들과 함께 아이디어를 내고 계획을 세운 뒤 앞장서서 강력하게 이끌어가야만 한다. 6.25 전쟁에 임하여 공산당을 격퇴시키기 위해서는 장병들을 강제로 동원하고 국민들의 재산이나 물자에 대해서도 통치권을 발휘해야만 한다. 국민 의식 개조, 의식주 생활 개선을 유도하려면 자발적인 재건국민운동과 함께 강력한 대통령이 나서서 지원하고 독려하며 법규로 처벌하고 선도할 수 있어야만 한다.

민주당 정부가 내각 책임제를 선택하게 된 이유 중에는 이 승만 대통령이 여러 차례 개헌을 하면서 장기 집권하고자 했던 역사적 사례에 대한 반발심이 들어 있다. 이와 함께 소수 특권층의 정치인, 국회의원들이 국가 통치의 모든 영역을 장악하고자 하는 의도도 없지 않았을 것이다.

국회의원들은 번갈아 가면서 장관이나 차관을 할 수 있다. 양원제 국회와 함께 내각책임제는 정치인들만 신나는 정치 구조다.

대통령 중심제 행정부는 국회의 행정부 영향력이 제한적이다. 그리고 국회의원들이 국회와 행정부 보직을 넘나들지 못하게 되어 있다. 행정에 대한 국회 영향력을 최소화한다.

대통령은 국민대표로 선출되기 때문에 국회에 책임을 지지 않고 직접 국민에게 책임을 진다. 국회에 대해서 소신껏 국정을 이끌어 갈 수 있다. 대통령의 국회에 대한 자율성, 국정 운영의 정치 독립성이 대통령 중심제의 가장 큰 장점이다.

우리 현실을 보면 6·25 전쟁 이후의 재건과 부흥, 그 이후의 경제개발계획 추진, 총체적인 국가 발전을 위해서 대통령의 강력한 리더십이 요구된다. '자유로운 민주정치'보다도 빈곤 탈출과 경제 발전을 위해 '지혜로우면서도' '강력한' 지도자로서의 대통령이 필요하다.

대통령이 강력한 통치력을 발휘해야만 경제 발전을 이루고 국가 발전을 만들어 갈 수 있다. 지난 2년간 대통령 권한대행을 하면서 혁명 정부가 추진하고자 했던 수많은 일들을 원활하게 해낼 수 있었다. 내각 책임제로 최고회의에서 파벌 대립을 했다면 불가능했을 것이다.

나는 강력한 대통령의 등장을 기대하고 있다.

- **통치력 확립:**

혁명 정부는 국가재건최고회의를 두고 삼권을 통합한 형태의 국정 운영을 단행하였다. 그러나 정권의 민정 이양을 앞두고 개정된 새 헌법에서는 삼권이 분리된 통치 기구를 확립하였다. 즉 입법권, 사법권, 행정권을 엄격하게 구분하여 각각 독립된 국회, 대통령, 법원이 관장하게 함으로써 선진 민주주의 통치 시스템을 구축하였다. 그리하여 군사 혁명 정부처럼 최고회의가 삼권을 모두 행사하는 국가 시스템이 아니고, 또 내각 책임제 국가처럼 국회가 행정부까지 관장하는 시스템도 아닌 엄정한 견제와 균형 원리에 입각한 삼권 분립 시스템을 완성하였다.

행정부의 경우에는 대통령이 지휘하고 통솔하게 되어 있지만 국무회의와 행정 각 부처, 감사원은 고유 위임업무를 처리할 수 있도록 하여 어느 정도의 독립성과 책임성을 부여하였다.

삼권 이외에 선거 관리는 독립된 선거관리위원회를 두어 관장케 하였다.

통치력 확립은 헌법 규정이나 법률만을 가지고 이루어지는 것은 아니다. 헌법과 법률 규정을 토대로 국회, 대통령의 행정부, 법원이 맡은 바 임무를 책임감 있게 수행할 때 얻어진다. 국회가 국회답지 못하고 계파와 정당 별로 나뉘어져 파벌 싸움만을 일삼을 때 국회의 입법권 행사가 어려워진다. 혁명 직전의 민주당 국회가 바로 그런 모습을 띠고 있었다. 자유, 민주란 미명 하에 사분오열되어 싸움만 일삼는 국회는 진정으로 통치력 발휘를 하기 곤란하다.

내각 책임제 하의 장 면 국무총리도 행정에 관한 통치권 행사를 제대로 할 수 없었다. 계파로 나뉘어져 국회가 합리적이고 효율적인 입법권을 행사하지 못하고 있는 상황에서 총리나 내각의 장차관 역시 행정 행위를 제대로 하기 어려웠다.

혁명 직전에는 법규를 어긴 시위와 데모가 전국 곳곳에서 벌어지고 있었지만 정부는 이에 대해 강력한 경찰 제지, 재판 회부와 처벌을 꾀하지 못했다. 무질서가 판을 쳤지만 이에 대한 법적 제재가 이루어지지 않았다.

군사 혁명 정부는 정권을 인수한 그 즉시부터 부정부패 척결, 깡패나 시위대에 의한 불법 행위를 철저히 근절했다. 경찰과 검찰, 방첩대, 중앙정보부, 행정 관료들을 동원하여 강력하게 단속하고 체포하여 재판에 넘겼다.

통치 행위 중 가장 중요한, 또 핵심적인 부분이 바로 국민의 부정이나 불법 행위를 엄단하는 것이다.

이제 새롭게 전개될 제3공화국의 민간 정부는 대통령의 강력한 리더십과 함께 국가 발전, 경제개발 5개년계획을 적극적으로 추진해갈 수 있다.

- 자유 민주주의 체제와 이념 재정립:

군사 정부는 혁명의 빌미를 제공했던 정치 사회 혼란 상황을 극복하고 안정적인 자유 민주주의 발전을 위한 체제와 이념 확립에 최선을 다하였다. 자유와 민주, 평화와 통일, 혁신이라는 '이상적인 가치추구'를 가장한 사회주의자, 중립주의자, 공산주의자의 정치사회 혼란 유발 행위를 철저하게 차단하였다.

해방과 건국 전후로부터 자행되어 온 공산 사회주의자들의 국가 전복, 정치 사회 혼란 조장 행위를 원천적으로 차단하기 위해 법규를 정비하고 중앙정보부, 경찰, 검찰, 사법부를 재정비하였다. 이를 통해 국가 전복이나 정치 사회 혼란 행위자들을 초기에 검거하여 법정에 세웠다. 대학생, 청년들의 무분별한 시위 행위를 원천적으로 차단하였다.

이와 아울러 국민들의 자유 민주주의 가치나 이념, 정치 원리에 대한 교육을 강화하고 공산 사회주의자들의 현혹에 넘어가지 않도록 농민과 노동자들의 가난 극복, 근로 환경 개선에 총력을 기울였다. 아직은 물질적 발전이 눈에 띄게 나타나지는 않고 있지만 경제 호전과 자유 민주주의와 공산 사회주의에 대한 지식 교육, 사회 문화적 위생 요인 개선을 통해 조금씩 효과를 보고 있는 중이다.

대한민국의 자유 민주주의가 북한의 공산사회주의에 비해서 확실한 우위에 설 수 있도록 정치, 경제, 사회, 문화 전반에 걸쳐서 교육과 계몽, 현실개선 노력을 기울였다. 아울러 새로운 헌법 속에 자유 민주주의 기본권 보장, 엄정한 삼권 분립, 정당 정치의 구현, 경제개발을 위한 조직 체계를 포함시켰다.

대한민국의 국가 시스템을 건국 수준으로 재건하였다. 1948년 대한민국 건국 초기의 '의욕에 넘쳤던' '이상적인' 자유 민주주의 국가 시스템을 완벽하게 보완한 새로운 헌법을 국민 투표로 완성하였다.

치(治): 정치 순화

현재 우리 한국의 상황에서 볼 때 가장 심각한 문제를 유발하고 있는 영역이 바로 정치다. 정치는 주권자인 국민에 의해 부여되는 통치권력의 획득, 유지, 행사와 관련된 활동이다. 헌법과 각종 법률, 대통령이나 국회의원과 같은 통치 행위자의 선출, 주요 정책에 대한 판단이 정치 영역에서 일어난다. 온 국민이 바라는 정치의 핵심 명제(命題)는 올바르고 반듯한(=正), 다스림(=治)이다. 정치가 지향해야 할 목표는 정의로운 통치 행위다.

정치로부터 행정이 나오고, 행정에서 정책이 구현되어 국민을 향한다. 정치가 올발라야만 그에 이어지는 행정과 정책, 정책의 결과가 올바른 것이 된다. 정치가 왜곡되고 잘못되면 그 이후의 모든 과정이 실패로 노정된다.

정치는 잘못되면 안 된다. 항상 건전하게 살아있어야 하고 올바른 방향성을 띠어야만 한다. 그런데 현실은 결코 그렇지 못하다. 정치를 주업(主業)으로 한다는 정치인은 국회의원이나 대통령, 국무총리, 장차관이라는 '높은 자리'에 만 연연하면서 온갖 권모술수와 부정을 일삼는다. 눈앞의 선거와 당선에만 목숨을 걸고 집착한다. 일단 당선되면 주어진 임기동안 '권세를 누린다.’ 그래서 대부분의 정치인과 정치는 국가와 국민에 대한 충성심을 잃고 만다.

제2공화국 헌법에서는 양원제 국회와 내각 책임제 정부로 인해서 ‘정치’가 행정과 사법은 물론 통치 전역에 걸쳐서 맹위를 떨치고 있었다. 국회에서 대통령과 국무총리를 선출하고, 국회의원이 장관과 차관으로 등장하여 행정부를 장악하였다. 정치인들은 정부 행정, 정책의 모든 과정에 관여를 하고 자신들의 권위를 마음껏 뽐내고 있었다.

그런 정치가 정당과 파벌, 소수 국회의원들의 독단적 행태로 인해 사분오열되어 있었다. 그 영향을 받은 행정과 사법, 세부 정책들은 또 어떠했겠는가? 온 국민은 먹고 사는 문제도 해결을 못해 굶주리고 있는데 ‘조선 시대의 양반과 같은 특권층’ 정치인, 국회의원들은 최고의 권세를 누리고자 하였다.

‘나라가 나라가 아니라’는 한탄이 모든 국민들 입에서 나왔다.

2공화국 당시의 대한민국에서 오로지 정치인만 신나고 있었다. 아니 참된 의미의 정치인(政治人, politician)이 아니라 그저 말만 번드러지게 하는 ‘정치꾼(political human)’이 모든 영역에서 권세를 부리고 있었다.

군사 정부가 가장 먼저 착수한 일이 바로 이런 정치꾼들에게 재갈을 물리는 일이었다. 그리고 정치를 참 정치로 순화하는 일을 추진하였다.

정치의 순화는 두 방향으로 추진되었다. 하나는 정치의 긍정적인 역할과 기능을 촉진시키는 것이고 다른 하나는 정치의 부정적인 부분을 수정하고 차단하는 것이었다. 전자에 속하는 것이 정당 정치의 활성화, 젊은 새로운 인재의 발굴 등이었다면 후자에 속하는 것은 부정부패 척결, 정치 정화위원회를 통한 정치인 적격 심사, 무소속 입후보의 금지, 양원제 국회와 내각 책임제 정부 형태 폐지였다.

- 부정 정치인의 규제, 순차적 해금:

정치를 바로잡기 위해서는 무엇보다도 ‘사람’을 바꿔야만 한다. 자유당 정치와 3·15 부정 선거, 민주당 장 면 정부의 난맥상을 바로잡기 위해서 부정(不正)하고 오만한 정치인들을 모두 교체하는 것을 최우선 목표로 정했다. 소크라테스가 주장했다는 철인정치(哲人政治), 요순 임금의 성인통치(聖人統治)를 구현하기 위해서는 기본적으로 '좋은 인물'을 골라서 정치를 담당케 해야만 한다.

국가의 통치력을 확립하고 국정을 바로잡기 위해서 군사혁명위원회는 혁명 직후 가장 우선적으로 포고령을 발령하여 모든 정치 활동을 금지시켰다.

"군사혁명위원회 포고 제4호. 조국의 현실적인 위기를 극복하고 국민의 열망에 호응키 위하여 다음 사항을 포고한다. ①군사혁명위원회는...일체의 장면 정권을 인수한다. ②현 민의원, 참의원, 지방의회는... 5월 16일 오후 여덟시를 기하여 해산한다. ③일체의 정당 및 사회단체의 정치활동을 금지한다."

장 면 행정부 각료들을 모두 체포하고 싸움질만 해대던 국회의 참의원과 민의원, 지방의회를 모두 해체하고 의원들을 구금하였다. 정치인 모두의 정치 활동을 금지시켜 일시적으로 '정치가 없는' 국가를 만들었다. 통치 행위 중에 오로지 행정만이 최고회의를 통해 구현되도록 하였다.

하지만 통치 행위 속에 정치는 당연히 내포되어 있기에 빠른 시일 내에 정치 규제를 풀고, 순화된 정치를 새롭게 구축하고자 노력하였다.

기성 정치인 중에서 국가 발전에 필요한, 비교적 건전한 정치인들을 선별하는 작업을 시도하였다. 1962년 3월 16일자로 정치활동정화법을 제정하고, 법 규정에 따라 정치정화위원회를 구성하였다. 법에 의하여 확보한 정치 적격 심사 대상자는 총 4,363명이었다. 그 중에서 적격 심판 신청을 접수하여 1차로 2,336명을 적격으로, 1,622명을 부적격자로 판정하였으며, 1,405명은 자동 제한자가 되었다. 총 3,027명이 정치활동 제한자가 되었다. 이후 1962년 12월 31일부로 171명을 해제하였고, 1963년 2월 1일자로 또다시 265명을 해제하였으며, 최종적으로 1963년 2월 27일부로 2,322명을 전면적으로 해제하고 269 명만 불해금자로 두었다.

전면 해제 조치는 연초부터 허락된 정치 활동 자유화에 힘입어 야당측에서 강력하게 요청함으로써 취해진 조치였다. 혁명 정부가 약속했던 민정 이양 절차에 반발하여 막무가내로 요청해 온 야당측 요구를 전격 수용하였다.

최종적인 불해금자(不解禁者)로서 정치활동 제한을 받게 된 자는 부정선거관련자 처리법, 특수범죄 처벌에 관한 특별법, 부정축재처리법 등에 관련되어 처벌을 받았거나 공소 중, 또는 도피 중에 있는 자였다.

최고회의는 기성 정치인들에 대한 적격 판정 과정을 통해 부정한 정치인을 걸러내고자 하였다. 아울러 기성 정치인들을 대오 각성케 하는 부수적 효과를 얻을 수 있었다. 처음 법 제정 당시에는 정치계가 심히 불쾌한 반응을 보였지만, 시간이 흐르면서 의외로 많은 정치인들이 당당하게 판정을 받는데 앞장을 섰다. 이는 끝까지 해금이 되지 않은 일부 정치인을 제외하면 대부분의 정치인들은 스스로 떳떳하다고 생각하고 있었고, 현실적으로 특별히 부정부패나 불법 행위가 발견되지 않았기 때문이기도 하다.

- 부정 부패자 척결:

혁명의 명분 중 하나였던 부정부패 척결, 부정축재자 처벌도 신속하게 이루어졌다.

1961년 5월 27일에 부정축재처리 기본요강을 공포하고, 이전 민주당 국회에서 제정했던 부정축재 특별처리법의 효력을 정지시켰다. 이어서 5월 28일에는 부정축재처리위원회 및 부정축재조사단을 구성하였고, 6월 14일에 부정축재처리법의 공포를 계기로 본격적으로 부정부패 척결에 나섰다.

부정축재 처리법 적용 대상자는 1953년 7월 1일 이후 1961년 5월 15일까지 사이에 부정한 방법으로 재산을 축적한 공무원, 정당인, 국가 요직에 있던 자, 기업인, 개인으로서 그 지위나 권력을 이용하여 국가 재산의 횡취(橫取), 기타 부정한 방법으로 총액 5천만 원 상당 이상의 재산을 취득 축적한 자로 한정하였다. 국가 재산의 횡취나 부정한 방법 속에는 국공유 재산이나 귀속재산의 매매계약이나 임대차 계약 과정의 부정 행위, 금융기관의 융자를 통해 정치 자금으로 사용한 경우, 공사 도급이나 물품 매매의 입찰 담합, 외국환이나 외자 구매 외환 부정 사용, 외자 배정 과정의 부정 행위, 조세 포탈자, 학원 운영이나 설립을 계기로 재산을 부정 축적한 경우 등이 포함되었다.

8월 2일, 부정축재 일반기업주 58명에 대해 조사하였고, 아울러 부정 축재 공무원 37명에 대해서 조사하였다. 이들에 대해서는 법적 제재와 함께 재산 환수 조치를 단행하였다.

부정부패자 처벌과 재산 환수 조치는 이전 민주당 정권에서도 시도하였었지만 집행이 제대로 이루어지지 못하고 있었다. 혁명 정부가 나서서 가장 먼저 깔끔하게 처리함으로써 정치계는 물론 관계, 업계 순화에 기여할 수 있었다.

정치적 부정부패의 척결 작업은 극소수 정치인이나 관련자를 처벌하는 일이었지만 그것이 주는 상징적 의미는 대단한 것이다. 정치인들에게 경고를 하여 전과 같은 부정과 비리 행위를 하지 못하게 만들었다. 드러나지 않은 정치적 비리와 부정을 바로잡는 계기로 삼기 위한 것이기도 하였다.

정치의 영향력이 크면 클수록 정치인들에 의해 저질러 질 수 있는 부정과 부패, 비리 행위가 많아지고 그 여파가 크게 된다. 권력을 가진 국회의원이나 정당인들은 국회의 입법이나 예산 편성 과정에 관여하고 정부의 정책 과정 전반에 걸쳐서 이권 개입을 할 가능성이 있다. 은밀하게 불법 행위가 자행될 수도 있고, 불법은 아니지만 유리한 행정 행위의 유도, 선호하는 정책의 형성과 집행, 정책 변동을 시도하기도 한다.

지난 1948년 건국 후 10여 년 간의 한국 정치에서는 각종 부정과 비리가 판을 쳤다. 경제 개발이 되지 않고 국가 발전이 더디게 된 원인 중 하나가 바로 정치 영역의 혼돈이었다.

정치 순화 작업은 잘못된 정치를 바로잡아 정치가 본연의 임무에 충실하도록 하는 것이다. 정치는 국민 여론을 취합하여 법과 정책으로 전환되도록 해야만 한다. 올바른 정치로부터 올바른 정책이 나오도록 할 수 있어야 한다. 그러기 위해서는 국회의원, 대통령, 국무총리, 장관과 차관, 행정 관료들이 모두 올바른 국가관과 국가 발전에 대한 책임감을 가지고 멸사봉공의 자세로 통치 행위에 임해야만 한다.

- **정당 정치 유도:**

자유당, 민주당 시기의 정치계 혼란 원인 중에는 정당 설립의 자유화로 인한 군소 정당 난립과 함께 무소속 출마를 허락함으로써 국회 내에 다수의 무소속 국회의원들이 있었다는 점이다. 유명 정치인이나 각종 사회단체, 이념 단체 중심으로 정당이 만들어질 수 있었는데 이런 군소정당들이 정치계 혼탁에 크게 영향을 미치고 있었다. 또 정당이 없이 국회의원 후보로 입후보하여 당선된 무소속 의원들도 정치 판세에 따라 이리저리 쏠려 다니면서 문제를 유발시키고 있었다.

혁명 정부에서는 정치 순화를 위해서 건전한 정당 제도를 만들도록 유도하였다. 정당법을 제정하여 새로 등장하는 3공화국에서는 선진국형 정당들이 등장하여 정치를 주도하도록 만들었다. 또 일반 시민단체 수준의 군소정당을 넘어서 거대한 여당과 야당이 비판과 협조를 하면서 국가 발전을 위해 노력하는 양당 제도를 추구하고자 하였다. 신 헌법을 제정하는 과정에서 관련 조항을 포함시켰고 이어서 정당법을 제정하여 향후 정치를 순화시키고자 하였다.

“헌법 제36조 ③국회의원 후보가 되려 하는 자는 소속 정당의 추천을 받아야 한다. 제38조 국회의원은 임기 중 당적을 이탈하거나 변경한 때 또는 소속 정당이 해산된 때에는 그 자격이 상실된다. 다만 합당 또는 제명으로 소속이 달라지는 경우에는 예외로 한다. 제64조 ③대통령 후보가 되려 하는 자는 소속 정당의 추천을 받아야 한다.”

정당법은 헌법 개정 직후에 제정되었다(1962.12.31.공포). 선진국형의 정당 창당 후 이를 근거로 한 정치 활동을 법으로 규정한 것이다. 주요 내용을 들어 보면 다음과 같다.

- 제1조 (목적) 정당이 국민의 정치적 의사 형성에 참여하는 데 필요한 조직을 확보하고 정당의 민주적인 조직과 활동을 보장함으로써 민주정치의 건전한 발달에 기여함을 목적으로 한다.

- 제3조 (구성) ①정당은 수도에 소재하는 중앙당과 국회의원 지역 선거구를 단위로 하는 지구당으로 구성한다. ②서울특별시, 부산시, 도, 시, 구, 군에 한하여 당 지부를 둘 수 있다.

- 제4조 (성립) 정당은 중앙당이 중앙선거관리위원회에 등록함으로써 성립한다.

- 제5조 (발기인) 정당의 창당 준비에는 30인 이상의 발기인이 있어야 한다.

- 제10조 (지구당의 창당) ①지구당의 창당 준비에는 10인 이상의 발기인이 있어야 한다. ②지구당의 창당에는 중앙당 또는 그 창당준비위원회의 승인이 있어야 한다.

- 제17조 (당원의 자격) 국회의원 선거권이 있는 자는 누구든지 당원이 될 수 있다. 그러나 각령으로 정하는 공무원과 국영기업체 및 정부가 주식의 과반수를 소유하는 기업체의 임원과 다른 법률에 의하여 정치활동이 금지된 자는 예외로 한다.

- 제18조 대한민국 국민이 아닌 자는 당원이 될 수 없다.

- 제25조 (법정 지구당 수) 정당은 국회의원 선거법에 의한 지역선거구 총수의 1/3 이상에 해당하는 지구당을 가져야 한다.

- 제27조 (지구당의 법정 당원 수) 지구당은 50인 이상의 당원을 가져야 한다.

- 제34조 (기부금품 모금 금지법의 적용배제) 정당은 기부금품 모집금지법의 규정에도 불과하고 기부를 받을 수 있다.

- 제35조 (기부 수령의 금지) 정당은 다음 각 호에 해당하는 자로부터 기부, 찬조 기타 재산상의 출연을 받지 못한다. ①외국인 및 외국의 단체. 그러나 대한민국 국민의 주도하에 있는 외국법인 및 외국의 단체는 예외로 한다. ②국가 또는 공공단체 ③국영기업체, 정부직할 또는 감독하의 단체, 정부가 주식의 과반수를 소유하는 기업체 ④금융기관 또는 금융단체 ⑤노동단체 ⑥학교 재단 ⑦종교 재단.

무소속 출마 규제에 대해서는 연초 정치 자유화 조치가 시작되자마자 정치인들의 반발이 극심하게 나타났다. 정당이라는 굴레를 받지 않고 자유롭게 국회의원 출마를 하고자 했던 기존 무소속 정치인들이 가장 심하게 반발을 하였다.

하지만 기존 자유당, 민주당, 신민당 등 정당 출신 정치인들은 새로운 헌법에 맞는 창당 작업에 돌입하여 '대동단결' 등의 구호와 함께 적극적으로 창당 작업에 돌입하였다. 법 시행을 앞두고 무소속 정치인들은 몇몇이 모여서 창당을 준비하거나 아니면 실체를 드러내고 있는 민정당이나 신정당 등을 기웃거릴 수밖에 없게 되었다.

- **국민투표법, 국회의원선거법**:

최고회의에서는 기존의 국민투표법과 국회의원선거법을 완벽하게 만들었다. 3.15 부정 선거에서 드러났던 자금 살포를 통한 매표 행위, 대리 투표, 공개 투표, 투표함 바꿔치기 등 부정 선거가 근본적으로 불가능하도록 하였다. 국회의원으로 입후보 하고자 하는 사람은 반드시 정당 소속이어야만 하도록 규정하였다.

선거나 투표 과정에서 일어날 수 있는 불법 행위를 막기 위해서 꼼꼼한 감시 장치를 두었고 정치계 순화를 위해 군소 정당의 난립과 무소속 후보가 설치는 것을 차단하였다.

'자유'가 보장되어 있는 대한민국에서 최고회의 차원에서 시도하려는 정치 순화는 일정한 한계가 있었다. 제도나 법규를 마련하고 내용을 개정하는 정도에 그칠 수밖에 없었다. '정치는 기본적으로 자유'로부터 나오는 것이고 언론과 집회, 결사의 자유가 기본권으로 보장되어 있는 상태에서 어느 누구도 강제로 이를 규제할 수 없다. 정치 순화는 오로지 정치인 자신의 각성과 정화 노력에 의해서만 가능한 일이었다. 정치 순화 분위기 조성을 위해서 최고회의와 함께 국민 모두가 나서야만 했지만 여전히 우리의 정치 문화는 '낮은 수준'에 머물러 있었다.

군소 정당의 난립을 막기 위해 정당법을 제정하고, 무소속 후보와 국회의원의 출현을 막기 위해 후보자의 정당 추천 조항을 두어 그나마 혼탁한 정치계를 다소 순화시킬 수 있었다. 하지만 정치 자유화 조치와 동시에 정당법 재개정과 무소속 출마 요구가 야당측에서 강력하게 제기되었다. 이들은 정치 순화를 위한 최고회의의 노력을 무시하고 오로지 자신의 이해 관계만을 따지고 들었다. 선진형 거대 양당 체계를 구축해보려는 나와 최고회의의 노력은 여전히 기대난망이고 불투명했다.

일단 정치가 국민 여론을 주도하고 헌법과 법률에 따라 행정부의 국정 운영을 지원하는 본래의 임무를 다할 수 있도록 하기 위해서 '건전한 여당 역할을 수행할 수 있는' 공화당을 만들었다. 물론 민정 이양을 전제로 치러지는 대통령 선거에서 혁명 정부와 최고회의 국정 이념을 계승하는 대통령이 당선된다는 것을 전제로 하지만. 기성 정치 문화에 물들지 않은 신인, 청년 엘리트, 각 분야 전문가, 군복을 벗은 장교들을 발굴하여 정당 조직화하였다.

건전한 여당은 헌법과 법률, 예산 승인, 국정 감사를 통해 행정부를 지원하면서 다른 한편으로는 대통령과 관료제 전체를 철저하게 감시해야 한다.

국가 통치는 국회 여당과 대통령이 이끄는 행정부가 합심 협력하면서 주도한다. 이에 대하여 야당은 제3자 입장에 서서 더욱 치밀하게 여당과 행정부의 국정 활동을 비판적으로 감독해야 한다. 여당과 야당은 팽팽하게 견제하면서 경쟁을 하지만 근본적으로 국민의 대리인임을 감안하여 총체적인 국가 발전을 위해 '거시적으로 협력하고 하나가 되어야' 한다.

여당과 야당이 극단적으로 대치하는 정치, 정당이 계파와 파벌, 유명 정치인 중심으로 이합집산을 하는 혼탁한 정치, 정치인이 오로지 자신의 당선과 신분 유지, 특권 유지와 행세, 권위주의에 물든 정치는 사라져야만 한다.

매일매일 배달되는 신문과 방송을 보고 듣다 보면 우리의 정치 순화는 요원해 보이기만 한다. 민정당과 신정당, 그 외 군소 정치 집단의 창당 과정을 보면서 많은 생각이 든다.

내 마음대로, 최고회의의 뜻대로 할 수 없는 '정치 순화'.

민정 이양, 대통령 선거, 국회의원 선거를 앞두고 시름이 깊어진다.

법(法): 법치 사회 구현

자유 민주 사회에서 국가가 유지되기 위해서는 반드시 엄정한 법률이 필요하다. 우리는 1948년 건국을 하면서 헌법을 제정하고 그를 토대로 정부를 조직하여 운영해 왔다. 그런데 큰 틀의 국가 법은 정해져 있었다지만 구체적인 행정, 정책 분야로 들어가면 여전히 옛 조선 시대 말 제국 법령, 일제 시대의 일본법과 총독부령, 미군정청의 규칙, 그리고 건국 이후의 법령들이 혼재되어 시행되고 있었다.

이 석제 법제사법위원장과 함께 법령 실태를 챙겨보다가 깜짝 놀랐었다. 여전히 한문, 일본어, 영어, 한글로 된 법령들이 뒤죽박죽 상태에서 공무원들의 행정 지침으로 사용되고 있었기 때문이다. 혁명 정부가 법령 정비 작업만 반듯하게 할 수 있다면 그것만으로도 국가 발전에 지대한 공헌을 했다고 할 판이었다.

그래서 작심하고 법령 정비에 나섰다.

"자유 민주가 보장되려면 법령이 제대로 있어야 합니다. 통치자나 관료들이 제멋대로 하는 인치(人治)를 막고 선진국형의 법치(法治)를 하기 위해서는 이 잡다한 법령들을 정비하고 새롭게 시대에 맞는 법령으로 개정하거나 제정해야만 합니다. 도대체 일제시대의 법령이 아직도 시행되고 있다니 말이 안 됩니다. 일제를 극복하겠다고 그토록 큰소리를 쳐댔는 데도 불구하고 그들의 식민 지배를 위한 법령으로 행정을 하고 있다니…"

최고회의와 내각 연석회의에서 불편한 심정을 내비쳤다. 그리고 최고회의와 내각 전 부처에게 지시하여 법령 정비에 나섰다.

- **신규 입법과 구 법령 정비**:

혁명정부는 법적 기초를 확립하기 위하여 '국가재건비상조치법'을 1961년 6월 6일 제정 공포하고 이어서 '국가재건최고회의법'을 6월 10일 제정했다. 이를 토대로 하여 '특수범죄 처벌에 관한 특례법' '특정범죄 처벌에 관한 임시조치법' '반공법' '폭력행위 등 처벌에 관한 법률' '혁명재판소 및 혁명검찰부 조직법' 등을 제정하였다.

혁명 정부 2년(1961.5.16.~1963.5.15.) 동안 제정한 법령은 무려 2,706건에 해당했다. 법률 734, 조약 41, 각령(閣令) 1300, 부령(部令) 560, 기타 71건에 달한다.

대한민국 헌법 제정 당시에 법령의 공백 상태를 방지하기 위한 경과 조치로서, 헌법 제100조 규정을 두어 '구 헌법, 왜정, 미군정, 과도정부의 법령을 계속 사용할 수 있도록' 했었다. 그 후 이 승만 정부에서 법령 정비를 시도하여 1951년 5월 12일자 대통령령 제499호로 '법령정리간행위원회 규정'을 공포하였으나 기본적인 계획과 예산 조치가 없어서 방치 상태에 있었다. 5·16 혁명 직전까지 불과 19건 정비에 그쳤을 뿐이다. 이렇게 지지부진했던 이유는 부처 장관의 잦은 교체와 함께 국회가 태만하고 정쟁으로 일관했기 때문이다.

혁명정부에서는 1961년 7월 15일자 법률 제659호로 '구법령 정리에 관한 특별조치법'을 제정하고, 대법원에 설치되어 있던 법전편찬위원회를 폐지하여 소관 사무를 위원회로 일원화하였다. 혁명 정부는 1962년 1월 12일자로 법령을 완전 정비하였다. 이는 이전 장 면 민주당 정부에서 편성해 놓은 작은 예산과 극소수 인원을 가지고서 단 시일 내에 완수한 것이다.

건국 후 14년 동안 해내지 못했던 일을 혁명 정부가 불과 6개월 만에 완성하였다. 이게 바로 군사 정부의 역량이다.

<표 5> 법령 정비 현황

	법률로 대치		각령으로 대치		부령으로 대치		계	
	폐지	대치	폐지	대치	폐지	대치	폐지	대치
법률	76(8)						76	
칙령(勅令)	73(1)		7				80	
제령(制令)	92(8)		(3)				92	
총령(總令, 統領 포함)	75(3)		168(8)		3		246	
도령(道令)	20(1)						20	
군정(軍政) 법령	25(3)		1				26	
과정(過政)법령	9						9	
기타	26(5)		35		3		64	
계	396(29)	213(19)	211(11)		6	100	613	533

*( )는 5.16혁명 이전에 정리된 수치. /출처:한국군사혁명사편찬위원회.1963.「한국군사혁명사,제1집 상」.

대표적으로 산림법과 전기통신법 정비 상황을 보면 다음과 같다.

(1)산림법(1961.12.27.): 산림보호 임시조치법(법률218.1951.9.28.), 국유토석채취규칙(칙령58.1908.8.) 조선국유 삼림 미간지 및 임산물특별처분령(칙령6.1912.8.15.) 조선 특별연고림 양여령(칙령7.1926.4.5.). 국유 임야법

을조선에 시행하는데 관한 건(칙령726.1943.9.16.), 조선국유임야 부분림령(칙령727.1943.9.18.) 삼림령(제령40.1911.6.20.), 사유임야 시업 제한 규칙(도령35.1939.9.2.), 송충 구제 예방규칙(도령7.1913.6.)을 모두 통합하여 새로 제정.

(2) 전기통신법(1961.12.30.): 전신선 전화선 건설조례(법률50.1890.8.), 전신법(법률59. 1900.3.), 국제 전기통신 주식회사법(법률30.1925.3.20.), 전신 전화시설에 관하여 기부를 받는 건(칙령123.1909.5.), 전기통신법을 조선에 시행하는 건(칙령412.1910.9.), 청원에 의한 통신 시설에 관한 건(칙령215. 1915.12.), 국제전기통신주식회사법의 일부를 조선에 시행하는 건(칙령132. 1940.3.30.), 국제 전기통신 주식회사법 시행령(칙령133.1940.3.30.), 조선 전신선 전화선 건설령(제령16.1918.7.) 청원 통신시설규칙(총령11.1923.1.), 국제전기통신주식회사법 제12조의3의 규정에 의한 기술자 선임에 관한 건(총령192.1940.8.17.) 을 통합하여 제정함.

- **법무 행정 개선:**

행정 관련 법령 자문을 원활하게 하기 위해 법령을 정비하고 법령 질의 대상 기준을 만들어 자문을 쉽게 하였다. 혁명 전에는 월 7.5건 자문에 불과하던 것을 월 55건으로 대폭 늘렸다. 아울러 변호사의 부정불법 행위를 막기 위해서 징계제도를 합리화하고 특별교육을 실시하였으며, 정도가 심한 경우에는 공소 제기와 징계조치를 취하였다.

소송 행정을 합리화하기 위하여 첫째, 1961년 12월 13일 법률 제832호로 '인지 첨부 및 공탁 제공에 관한 특례법'을 제정하여 국가가 제소 또는 응소할 경우에는 인지를 첨부하지 않고 또 국가가 가압류나 가처분을 할 경우에도 공탁금을 제공하지 않아도 소송을 수행할 수 있도록 하여 소송의 신속화를 도모하였다.

둘째, 종전에 국가를 당사자로 하는 소송이 연간 약 1만 5천이 있었는데 이 업무를 전담하는 법무부 송무과 직원은 불과 6, 7명밖에 안 되어서 각 부처 일반직 공무원이 소송 업무를 담당했었다. 이를 개선하기 위하여 소송 비용을 법무부 예산에 일괄 계상하고, 법무부 송무과를 국으로 격상하고, 지방법원 소재지에 전문적인 소송 수행 기관으로 지방민사국을 설치하였다.

셋째, 국가배상금이 각 부처에 산재되어 있었던 것을 재무부에 1천만원, 국방부에 2049만원을 각각 책정하여 일원화하고, 배상금 심의회를 설치하여 국가배상금 청구권이 있는 국민과 국가 간에 화해하는 형식으로 장기간의 시간과 막대한 소송 비용을 들이지 않고 간편하게 국가배상금을 지급받을 수 있게 하였다.

넷째, 기존 3개 출입국 관리사무소를 늘려 전국 10개 개항구에 출장소를 설치하였다.

- **검찰 업무의 합리화:**

3 · 15와 4 · 19를 거치면서 사건과 사고가 급증하였지만 검찰의 수사와 기소가 지지부진하였고 후속 재판도 신속하게 이루어지지 않고 있었다. 혁명 정부에서는 사건의 신속 처리와 적정한 공소권의 행사를 위하여 검찰 기구를 개편하고 검찰 기강을 확립 하였다.

'검찰청법'을 개정하고 '검찰청 사무기구에 관한 규정'을 제정하여 대검찰청 편제에 있어서 검찰총장 직속 하에 총무과를 두었고 중앙수사국을 수사국으로 개칭하여 감찰, 경제, 강력, 사찰 등 수사와 정보 업무를 수행토록 하였다. 또 고등검찰청과 지방검찰청에 사무국을 신설하여 사무 계통의 일원적인 지휘 통솔을 꾀할 수 있도록 하였다.

혁명 전에는 1961년 5월 15일까지 미제 사건이 월평균 1만 4,944 건(그중 장기 미제사건이 402건)이었는데 군사혁명 정부에서는 신속한 사건 처

리에 임하여 1961년 말까지 월평균 9,112건(장기 미제는 54건)으로 대폭 줄어들었다. 기존의 검찰 통계가 일제시의 통계 방법을 답습해 왔었는데 1962년 8월 1일자로 새롭게 범죄자 신상카드제를 실시하였다. 범죄의 원인, 범죄 수단, 범죄환경 등을 면밀히 관찰하여 과학적으로 통계 자료를 만들도록 하였다. 또 기소중지 사건을 신속하게 파악하여 재기(再起) 수사 또는 종국(終局) 처분을 하였다.

검사 기강 확립을 위하여 '검사징계법'을 개정하고 검찰 감찰부를 설치했으며, 입회 서기(立會書記)에 의한 감독을 강화하였다. 아울러 검사 인사관리 기준을 수립하여 엄격하게 관리하고 교육 훈련을 실시하였다.

- 인권 옹호 및 부당한 형집행 방지, 교도 행정 개선:

1962년 5월 21일 법무부 직제를 개정하고 검찰국 내에 인권옹호과를 신설하였다. 인권 옹호과에서는 인권침해 사건에 대한 조사 및 정보 수집, 인권 옹호단체의 감독과 조성, 민간의 인권옹호운동의 조성, 빈곤자의 소송원조, 기타 인권옹호에 관한 사항을 관장하게 하였다.

교정 당국은 과거의 구금을 위주로 하는 응보형주의(應報刑主義)에 입각한 형벌 관념을 탈피하고 수형자의 교정 교화를 위주로 하는 민주적 교정을 구현코자 하였다.

명 정부의 법무, 검찰 업무 처리를 두고 이전 민주당 정부와 비교한 기사가 눈길을 끌었다.

"◇민주당 정권과 특별재판: ▲손발 안 맞은 특검(特檢)=1월 14일 김 용식씨를 특검부장으로 내세워 새로이 발족한 특별검찰부는 처음부터 손발이 안 맞아 난색을 보였다... 실무에 캄캄한 변호사출신의 일부 검찰관이 말썽만 일으키고 있는 가 하면 일반 검찰에서 온 유능한 검찰관들은 일반 검찰에서 정했던 선을 가급적 유지해가며 기소 간주사건(起訴看做事件)의 공소유지에만 주력하는 경향이었다. 게다가 특검공소시효가 2월 28일로 끝났으니 그들이 집무한 기간이 퍽 짧아 결국은 용두사미격(龍頭蛇尾格)으로 되고 말았으며 각종 잡음마저 생겼던 것이다. ▲지지부진한 특별재판= 특재(特裁)는 4월 17일 최 인규 등 내무부 간부 4명에게 판결을 선고했을 뿐 나머지 3대 사건 25명에 대해서는 지지부진한 심리만 거듭해 왔다.

◇군사혁명정부와 혁명재판: ▲혁재 공판(革裁公判)은 연일 속행(連日續行)= 7월 11일 발족한 혁재(革裁)·혁검(革檢)은 그 구성체의 2/3가 현역 군인이어서 공판 또한 속결주의(速決主義)를 목표로 연일 속행해온 형편이었다. 7월 29일, 그들은 내무부 간부, 국무위원, 자유당 기획위원 등을 포함한 7건 64명에 대한 첫 공판을 5개 법정에서 일제히 개정하였다. 8월 21일엔 국책은행간부들의 부정 선거사건 첫 공판을 열었다. 9월 6일 최 인규 등 4명에 구형을 했고 9월 11일엔 나머지 3건 24명을 일괄하여 구형했다. 구형한 지 9일만인 동월 20일엔 4건 28명에게 판결을 선고하였다... 혁재는 이들을 단죄하기까지 연 40여 회의 공판을 열고 100여명의 증인을 신문하였음은 속결과 병행하여 사실 파악에 신중을 기했다 할 것이고 혁검이 이를 뒷받침하는 데 박력을 가해 왔기 때문일 것이다.” (조선일보. 1961.12.6.)

- **사법 행정**:

“혁명재판소와 혁명 검찰부 발족에 즈음하여, 우리는 무능하고 무책임한 기성 정치인에 의하여 3천만 동포에게 뿌리 깊이 감염된 부정, 부패, 빈곤과 적색분자로부터의 간접 침략을 일소하고, 진정한 민주주의를 재건하고… 4·19 당시 설치되었던 특별 재판소와 동 검찰부가 권력, 금력 등의 마수에 좌우되어 신념 없는 재판업무를 수행하였음으로 인하여 재판관과 피고인에 따라 법률 해석과 형량을 달리하였고, 동 검찰에 이르러서는 고의로 범인과 범죄사실을 묵인 은닉하는 등 실로 천인공로할 죄를 범함으로써 신성한 혁명정신과 혁명재판정신을 모독하였다…” (혁명재판소 및 혁명검찰부 합동 시무식 치사. 1961.7.12.)

혁명 정부는 1961년 6월 20일 ‘혁명재판소 및 혁명검찰부 조직법’을 공포하여 민주당 치하에서 제정되었던 특별재판소 및 특별검찰부 조직을 해체하고, 계류 중에 있던 부정선거 관련자 처벌법 위반 사건과 모든 피고인을 넘겨받아 처리하였다.

혁명검찰부는 부장에 박 창암 육군대령을 임명하고 현직 검사 10명과 현역 법무장교 20명 합계 30명의 검찰관으로 구성되었다. 혁명검찰부는 3·15 부정선거사건, 7·29 선거 난동 사건, 특수 반국가 행위사건, 반혁명 사건, 단체적 폭력 행위 사건, 특수 밀수사건, 국사(國事) 및 군사(軍事)에 관한 독직사건, 부정축재 사건 등 전 분야에 걸쳐 철저하고도 엄정한 수사로 사건 해결에 나섰다.

최 영규 혁명재판소장은 7월 21일 전 재판관을 모아 놓고 몇 가지 지침을 하달하였다. 지시를 통해 '1개의 대법정과 4개의 소법정으로, 심판관의 건강을 해하지 않는 한도 내에서 연일 계속 재판이 진행되도록 할 것이며, 법정이 부족할 경우에는 일반 법원의 법정도 사용'토록 하였다. 7월 29일 부정선거 원흉인 내무부 사건을 비롯한 7대 사건의 심리로부터 시작된 혁명재판은 일벌백계(一罰百戒), 신속 공정, 사법권의 독립, 피고인의 인권 존중을 대 원칙으로 삼아 1962년 5월 9일까지 총 250건, 697명에 대한 재판을 단행하였다. 상소 심판부에서 판결한 건수는 총 105건 324명으로써 판결 확정자는 심판부 판결 확정피고인 121명과 상소 심판부 확정피고인 325명 도합 446 명에 달하였다(「한국군사혁명사. 1집. 상」 1828-1833).

1962년 4월 3일 법원조직법 개정을 통하여 3급 3심제를 4급 3심제로 개정하였다. 이는 상소 사건의 격증과 상급심의 인원 부족으로 사건 처리에 상당한 시일이 걸리고 또 지연으로 인해 당사자 및 피고인의 불이익이 막심한 현상을 과감히 시정코자한 것이다. 상고심인 대법원은 합의사건의 상고심만을 담당케 만들었다.

국민 개인과 개인 간의 인사 문제, 즉 가정 및 친족 간의 분쟁 또는 기타 가정에 관한 일반적인 사건을 해소하기 위하여 재판 절차에 의하지 아니하고 도의적으로 원만히 해결토록 하기 위해서 1961년 12월 27일자로 인사조정법을 새로 만들었다.

재판처리기간 단축을 위해 민사소송법 제184조를 신설하여 1심은 5월 이내에, 2심은 4월 이내에, 3심은 3월 이내에 처리하도록 규정하였다. 양형의 통일을 기하기 위하여 1962년 6월부터 정기적으로 월 1회씩 뇌물 수수, 공무집행 방해 등 주요 사건 12개에 대하여 범죄 사실의 개요와 판결 결과를 정리하여 '죄명 별 양형 연구 자료'를 발간토록 하였다.

안정된 국가를 위해서는 법치 사회 구현이 반드시 이루어져야만 한다. 그리고 그런 법치 사회를 만들기 위해서는 엄정하고 반듯한 법령이 국회에서 만들어져야 하고, 행정 관료들이 책임 있게 합법적으로 시행해야만 한다. 최종적으로 법을 어기는 사람, 행위에 대해서 경찰과 검찰, 사법부가 냉정하게 감시하고 처벌에 임해야만 한다.

그동안 한국 사회는 '법보다도 정치가 우선하는 사회'가 되어 있어서 부정과 불법이 판을 치고 있었다. 법을 제정하는 국회의원들은 눈앞에서 불법행위를 저지르면서도, '그 법이 잘못된 것이니, 지키지 않아도 돼, 우리가 국회에서 법을 다시 만들면 돼' 하는 식이었다. 정치가 우선인 사회, 법보다도 요령이 판을 치는 사회가 현재의 우리 한국을 병들게 만들고 있었다.

혁명 정부에서는 법치주의, 법치 국가를 만들기 위해 온 정성을 다했다.

안(安): 치안과 국방력 강화

건국 후 10여년. 참으로 어렵고 힘든 한국이었다.

경찰, 치안과 국방이 부실하여 사회 혼란이 지속되고 공산당과 북괴군의 침략을 받아 국가 패망 직전까지 갔었다. 건국 직후부터 경찰력을 보강하고 군대를 정비하였지만 건국을 부정하는 좌파, 불순분자, 공산사회주의자들의 준동은 집요했다. 이 승만 대통령 정부도, 장 면 민주당 정부도 국가를 부정하고, 사회 혼란을 조장하는 '반국가주의자들의 시위와 데모, 언론 플레이'에 정상적인 국가 운영이 불가능했다.

5 · 16 군사 혁명은 이런 반국가주의자들에 대한 전쟁이었다.

- 시위와 데모 근절, 깡패 소탕:

군사 정부는 가장 먼저 시위와 데모 금지령을 내렸다. 그리고 불법을 자행하면서 국가 부정, 사회 혼란을 조장하던 깡패, 사회주의자, 공산당과 간첩, 중립주의자, 극단적인 불평 불만자들을 잡아들였다.

"군사혁명위원회 포고령 제1호. ①일체의 옥내외 집회를 금한다. 단 종교 관계는 제외한다."

국민 대부분이 쌍수를 들어 우리 군을 환영하였다. 경찰과 검찰, 사법부에 의한 치안 확보가 불가능해진 상황에서 희망은 오로지 우리 혁명군뿐이었다. 그리고 지난 2년간 치안이 확보되면서 국가 사회가 안정되고 최고회의와 내각은 국민에게 필요한 국가 발전 전략을 충실하게 추진할 수 있었다.

혁명 직후로부터 1963년 3월 31일까지 사이에 5만 1,194명의 폭력배를 검거하여 3만 806명을 입건 송치하였으며, 1만 1,698명을 즉심에 회부하고, 3,244명을 국토건설사업장에 취역케 하였다. 도범(盜犯)의 경우 혁명 전 22개월 동안에 10만 646건이 발생, 4만 36,79건을 검거한 데 비하여 혁명 후 22개월 동안에는 17만 3,730건이 발생, 10만 2251건을 검거하는 성과를 올렸다. 건수가 증가한 것은 그동안 방치되었던 사건들을 강력하게 단속하는 과정에서 증가한 수치다. 강력범의 경우에는 혁명 전 22개월간 3,710건 발생, 2,798건을 검거한데 비하여 혁명 후 22개월 동안에는 3,454건 발생에 2,999건을 검거하였다. 도박이나 마약, 밀수, 위폐(僞幣) 사범 단속도 강력하게 이루어졌다.

- 경찰 관기(官紀)의 확립:

혁명 전 경찰은 일제 시대로부터 이어져 내려오고 있던 관료적 권위주의와 독재 정권의 사병화, 자유 민주주의 생활 습성의 결여, 지나친 인적 비대화로 인해 많은 문제를 유발하고 있었다. 혁명 정부에서는 법령 정비와 함께 인사행정 쇄신, 기구 개편, 업무 간소화, 기획 행정, 경찰 업무 진단 평가 등을 거쳐 현대화 하였다. 시설과 장비, 차량, 무기의 현대화도 적극 추진하였다. 경찰 기마대 창설, 해양경찰 강화와 경비정 현대화도 추진하였다.

일단 구 정권하에서 정치적 압력과 정실로 특채된 무능력 경찰관 129명을 정리하고, 각종 부정으로 민원(民怨)의 대상이 되었던 경찰관 3,255명을 퇴출시켰다. 그리고 날로 증가하는 각종 범죄를 예방하기 위하여 기존의 진압 중점주의를 지양하고, 예방 활동을 강화하기 위하여 1963년 1월 1일자로 치안국과 각 시도 경찰국에 방범소년계를 신설하였으며, 특별시 및 도청 소재지 경찰서에 방범전담 직원을 배치하였다. 각급 경찰관서에 주민 자치 조직으로 방범위원회를 설치하여. 자율경비를 강화하였다.

- **대공사찰(對共 査察)의 강화:**

북괴(北傀)는 6·25 무력 남침 실패 이후 전략을 수정하여 간접 침략과 함께 남한 사회 교란, 또 다른 적화 통일을 기하기 위한 자체 군비 증강 정책을 꾀하고 있었다. 3·15 부정 선거와 4·19 학생 의거, 그로 인한 이승만 정권의 몰락을 계기로 적화 통일의 호기가 도래했다는 판단과 함께 극단적으로 간첩을 남파하고 시위와 데모를 선동하고 있었다. 간첩을 통해 붕괴된 남로당 잔당과 6·25 당시의 부역자, 월북자 가족 등을 접선하면서 정치, 경제, 사회, 문화, 국방, 경찰, 교육 등 모든 분야에 걸쳐서 반미, 반정부적 여론 조성에 열을 올렸다. 혁명 정부는 이들에게 가차 없는 철퇴를 가하여 국민의 심판을 받게 했고 용공단체 일소와 용공불순분자들의 섬멸에 불철주야 노력을 하였다.

남파된 간첩들은 수단과 방법을 가리지 않고 정계나 언론계, 교육계, 노동계에 침투하여 여론을 호도하고 민심을 자극하며 반정부적 시위와 투쟁을 촉발시켰다. 그 중 민족자주 통일연맹, 혁신당, 전국학생연맹, 혁신연맹, 남북통일추진회, 교원노조, 실업자 투쟁위원회 등 수십 개의 유령 불순 단체가 정국을 어지럽히고 있었다.

최고회의에서는 군, 경, 검 합동수사본부를 설치하여 1961년 말까지 운영하였고 어느 정도 성과를 보게 되면서 경찰로 업무를 이관하였다. 치밀하고 발 빠른 수사과정을 통해 장 면 정부 시기에 준동하던 간첩과 불순분자, 용공 혁신 세력들을 척결하였다. 용공 불순 분자 처리에 있어서 그들의 죄과의 경중에 따라 A급은 혁명검찰부에 송치하였고, B급은 군법회의 검찰부에, C급은 민간 검찰에 송치했으며, D급은 중앙 심사결과 처리 석방되었고, E급은 지방 심사결과 처리 석방하였다. 혁명 후 용공혐의자의 검거대상자 수는 3,365명이었는데 그 중에서 검거 처리된 인원은 3,333명이며, 미검거자는 32명으로 계속 검거 진행 중에 있다. 1963년 5월 9일 현재, 북한 노동당 중앙당 연락부 소속 대남간첩 공 규근(44세) 외 123명의 간첩을 검거하였다(출처: 「한국군사혁명사 1권 상」 830-831).

- **반공법 제정:**

혁명정부에서는 국가의 안전을 위태롭게 하는 공산계열의 활동을 봉쇄하고 국가의 안전과 국민의 자유를 확보하기 위하여 1961년 7월 3일 법률 제643호로 반공법(反共法)을 제정, 공포하였다. 이는 지속적으로 자행되고 있는 공산사회주의자들의 반국가 행위, 국가 전복을 위한 시위나 여론 호도 행위를 근절시키기 위한 목적으로 제정된 것이다. 국가보안법 제1조에 규정된 단체들 중에서 특별히 공산계열 노선에 따라서 활동하는 단체만을 대상으로 한 것이다.

몇 가지 주요 내용을 들어 보면, 반국가 단체에 가입하거나 가입을 권유한 자는 7년 이하의 징역에 처하고(제3조), 반국가단체나 그 구성원의 활동을 찬양, 고무 또는 이에 동조하거나 기타의 방법으로 이롭게 하는 행위를 한자도 7년 이하의 징역에 처하며(제4조), 반국가단체나 국외의 공산계열의 이익이 된다는 정(情)을 알면서 그 구성원 또는 그 지령을 받은 자와 회합 또는 통신 기타 방법으로 연락을 하거나 금품의 제공을 받은 자는 7년 이하의 징역에 처한다(제5조). 반국가단체의 지배하에 있는 지역으로 탈출한 자는 10년 이하의 징역에 처한다(제6조). 반공법 또는 국가보안법의 죄를 범한 자라는 것을 알면서 총포, 탄약, 금품, 기타 재산상의 이익을 제공하거나 잠복, 회합, 연락을 위한 장소를 제공하거나 기타의 방법으로 편의를 제공한 자는 10년 이하의 징역에 처한다(제7조).

해방 정국이나 건국 전후, 6·25 전쟁 기간 동안 벌어졌던 노동자나 학생 시위, 여순 반란 사건, 제주 4·3 사건, 대구 폭동 등은 외면적으로는 선량한 자유 민주 시민들에 의해 주도된 것이지만, 이를 호기로 하여 국가 사회 혼란을 꾀하고자 하는 공산사회주의자나 불순 분자들에게는 더없이 좋은 활동 공간을 제공할 소지가 있었다. 지난 4·19 학생 의거도 불순분자들에게 이용당할 가능성이 높았다. 그래서 혁명 정부에서는 별 생각 없이 이런 부류에게 동조하거나 편의를 제공하며, 오히려 불만 여론 조성에 앞장설 수도 있는 일반인들을 격리, 보호하기 위해서 반공법을 제정하고 철저하게 집행하기로 하였다.

- **중앙정보부 설립, 운영**:

혁명 정부는 국가 안보에 관련된 정보의 수집, 분석, 평가, 종합, 수사, 정보 제공 업무를 총괄하는 기관으로 최고회의 직속으로 중앙정보부를 창설하여 운영하였다. 신헌법에서는 대통령 직속기관으로 하였다.

그동안 국가 정보는 경찰, 검찰, 군 방첩대, 각급 보안담당관들이 중복적으로 수집하고 분석해 활용해 오고 있었다. 그러다보니 정보 내용이 서로 다르고 무엇이 옳은 것인가에 대한 판단을 하기 어려웠고, 적재적소에서 적절한 정보를 활용하는데 효과적이지 못했다. 이런 문제를 해소하고 국가 정보력을 높이기 위한 방도로 중앙정보부를 창설하여 운영하였다.

법 내용을 보면, 국가안전보장에 관련된 국내외 정보 사항 및 범죄수사와 군을 포함한 정부 각 정보 수사 활동을 조정 감독하기 위하여 국가재건최고회의 직속 하에 중앙정보부를 두고(제1조), 중앙정보부장, 지부장 및 수사관은 소관 업무에 관련된 범죄에 관하여 수사권을 갖도록 하였으며, 이 수사에 있어서는 검사의 지휘를 받지 않도록 하였다(제6조). 그리고 중앙정보부의 직원은 그 업무 수행에 있어서 필요한 협조와 지원을 전 국가기관으로부터 받을 수 있도록 하였다(제7조).

중앙정보부의 2년 간 업적을 보면 반혁명·반국가 음모사건에 있어서 육군 중장 장 도영 일파 반혁명사건(1961.7.5) 22명, 김 동복 반혁명사건(1961.7.15.) 4명, 신흥의열단 반혁명사건 (1961.12.20.) 417명, 구 민주당계 반혁명사건(1962.5.8.) 27명, 이주당 반혁명 사건(1962. 5.8.) 22명, 전 건설부장관 박 임항 일파 반혁명사건(1963.3.9.) 24명, 전 최고위원 김 동하 일파 반혁명사건(1963.3.9.) 10명, 4월혁명단 반혁명사건(1963.5.14.) 5명, 기타 반혁명 및 반국가 음모사건(1963.5.14.) 6명을 검거하였다.

중앙정보부에서는 비위 공무원 적발, 각종 사회악 단속, 간첩 및 간첩 방조자 검거에도 많은 실적을 올렸다.

<표 6> 비위공무원 적발 통계

죄과(罪科)	적발 인원	죄과	적발 인원
공금 횡령	853	폭행	155
수뢰(收賂)	704	과실 치사	83
배임(背任)	350	상해	177
공문서 위조	357	축첩	135
직무 유기	345	근무태만	264
관기 문란	179	기타	2309
(출처: 「한국군사혁명사 1권 상」 1743-1746)			

사회악 단속 실적을 보면 지난 2년간 폭력배 단속 28,554건에 41,800명 검거, 마약범 단속 5,079건에 5,370명 검거, 밀수품 및 외래품 단속 6,528건에 6,931명 검거, 풍기 단속에 12,832명 검거 실적을 올렸다. 아울러 간첩 252명, 간첩방조자 193명, 월북기도자 125명을 검거하는 실적을 올렸다.

중앙정보부가 담당하는 국가 안보 속에는 단순히 간첩과 비리 공무원을 잡는 수준을 넘어 국가 존망에 관련된 중요한 사건이나 사고, 정책에 관한 활동도 포함되어 있다. 혁명 직후 반혁명 세력에 대한 척결과 함께 혁명군 내부의 분파 행동에 대한 정보활동도 중요했었다. 북한 김 일성 집단의 움직임이나 그 배후에 있는 중공이나 소련, 일본이나 미국 등에 관한 정보활동도 큰 비중을 차지하였다.

혁명 정부가 적극적으로 추진했던 일본과의 협상 작업도 중정이 주도했고, 차관 도입 협상과 세계 각국과의 외교관계 수립도 중정을 앞세워야 했다. 국가 발전, 경제개발에 필요한 각종 정책 정보도 중정의 도움이 절실하였다.

중정의 활동은 현행법이나 국토 한계를 넘어선다. 국가 전복을 위해 탈법을 일삼는 불순분자를 추적하기 위해서는 영토 범위를 넘어 일본이나 중공, 소련, 북한 영역까지도 활동 공간화해야만 한다. 그럴 경우에 '적성국 입국금지'라는 현행법을 지킬 수 없다. 부정축재자 한 명을 추적하기 위해서는 관련 부처, 금융 기관, 일반 기업체, 경찰과 검찰 영역까지도 넘나들 수 있어야 한다. 수많은 관계기관의 수사나 자료 협조가 절실하다.

미국의 CIA나 FBI, 영국의 MI5, MI6, 이스라엘 모사드나 신벳 등의 활동을 거울로 삼아 전 세계 모든 공간과 업무 영역을 '국가 안보 활동 공간'으로 삼아야한다.

이런 중정의 활동에 대해서 최고회의 내, 혁명 동지들까지도 불편해 하곤 했었다. 하지만 중정의 이런 활동은 오로지 '국가와 국민을 위한다는 절대적 충성심'이 전제되어야만 한다. 조금이라도 사심을 갖고 움직인다면 적지 않은 부정부패를 낳게 될 것이다.

- 강력한 국군, 조직 정비와 현대화:

혁명 정부는 국군 현대화에 박차를 가해 그 어느 때보다도 강력한 군을 만들었다. 국방 정책의 기본 전력을 다음과 같이 설정하고 목표 달성에 매진하였다.

"①군은 현 병력 수준을 유지하고 북한 괴뢰보다 우월한 군사력을 견지하기 위한 전략을 향상 발전한다. ②적의 간접 침략을 분쇄하기 위하여 강력한 반공체제를 수립한다. ③자유우방과의 집단 방위체제를 강화한다. ④국방체제를 정비 강화한다. ⑤병무행정을 쇄신 강화하여 인사 관리에 적정을 기한다. ⑥군수 및 예산 관리의 합리화를 기함과 동시에 국가 자립경제 발전에 기여한다. ⑦군원(軍援) 업무의 합리화류를 기대한다."

민주당 정부의 국방부 내에 설치되어 있던 국방체제조정위원회(1960.5.28.설치)를 최대로 활용하여 국군 각 부대의 창설과 개편을 단행하였다. 불합리했던 편제를 과감하게 새롭게 정비한 것이다.

<표 7> 각 군 부대의 창설과 개편(1961.5.16.~1962.12.31.)

	육군	해군	공군	해병내	계
창설	99	9	15	4	127
개편	71	19	52	9	151
폐지	51	5	15	1	72
(출처:「한국군사혁명사 1권 상」 734)					

국방부 본부 조직에서는 기획조정관실, 징발보상심의회를 신설하고, 총무국을 군무국으로 개편한 뒤 제1근무과를 정책조정과, 운영기획과, 편제과로 분리하였다. 정훈국에 특전과를 신설하고, 연합참모국을 신설하여 하부 기구로 정보기획과, 전략기획과, 군수기획과를 두었다.

무엇보다도 획기적인 것은 병무청 신설이다. 그동안 병무행정은 국방부와 내무부 지방국과 치안국, 서울시장과 도지사 등에게 혼란스럽게 분산되어 있었다. 이를 병무청으로 통합하여 병무행정을 쇄신하였다. 병역법 제80조에 의하여 국방행정 전반을 국방부 장관이 관장하게 하고, 국방부장관 소속하에 서울시와 각도에 병무청을 설치하였다. 각 지구 병무청은 1963년 1월 15일부로 업무 개시를 하면서 모든 병무행정을 인수받아 처리하였다.

국가비상사태에 대비하기 위하여 국방부 내에 삼부(三府) 요인으로 구성된 국가비상사태 대책 위원회를 설치하였다(1961.6.30.). 그리고 내각책임제 정부에서 제대로 역할을 하지 못했던 연합참모본부를 해체하고(1961.7.15.), 국방부 내에 연합참모국을 설치하였다(1961. 10.15.). 또 제주도에 통합사령부를 설치하여 그동안 분산되어 있던 육군의 경비대, 해군의 제주경비부, 공군의 308경보대대 등을 통합하였다. 통합사령관은 해군 참모총장의 지휘하에 지역 내의 방어 작전 수행과 주둔 부대의 특정된 보급 지원, 주둔 군인의 군 풍기 확립의 임무를 맡고, 주한 미 해군 사령관과의 협조 하에 제주도에 주둔한 3군을 작전상 통합지휘 하게 하였다.

우리 군은 6·25 전쟁 당시의 전투력이나 용맹성을 상실한 지 오래 되었다. 자유와 민주 분위기에 편승하여 군의 전투력이 약화되고 군인들의 사기도 많이 추락하였다. 더욱이 4·19 이후의 자유분방한 사회 분위기에 영향을 받아 군대 내에서도 잦은 사고와 일탈이 발생하고 있었다. 이에 혁명 정부에서는 군의 전투력 향상과 사기 진작을 위해 교육 훈련을 실시하였고, 정신 교육을 강화하여 자유민주주의 이념을 투철하게 만들었다.

신병 교육과 병사 교육에 관한 군사 교리(敎理)를 새롭게 정리하고 개선하였으며, 그동안 논산 훈련소 1개소에서 연간 17만 명 정도의 신병교육을 수행하던 것을 1662년 12월 14일을 기해서 제31예비사단과 제39사단, 제50예비사단으로 분산 교육을 실시하여 1962년 말까지 총 30만 4,386명의 신병을 교육하였다. 아울러 각급 학교 교육도 강화하여 각 군 대학, 각 군 사관학교, 각 군 장교 후보생 교육도 한층 강화하였다.

무엇보다도 획기적인 것은 병역법 제79조 규정에 의하여 학도군사교육을 실시한 일이다. 육군은 1961년 5월부터 전국 16개 종합대학교 제3학년 학생 약 3000명에 대하여, 해군은 1959년 5월부터 수산대학(어로 및 조선과) 및 해양대학(항해 및 기관과) 전 학년 학생 약 600 명에 대하여 각각 군사교육을 실시하여 왔다. 1963년 현재 약 6,000 명의 학생에 대하여 학도군사교육을 시행 중에 있다. 이들은 조만간 졸업과 동시에 각 군 초급 장교로 발령을 받고 근무하게 된다(출처: 「한국군사혁명사 제1권 상」 741-745). 그동안 나태해지고 무기력했던 예비군 소집 교육을 1962년 10월 1일 병역법 개정을 통해 정비하였다. 예비군 소집교육 종류를 충원 소집, 임시 소집, 경비 소집, 근무연습 소집, 교육 소집, 방위 소집 및 귀휴 장병 소집, 국민병 소집으로 분류하고 소집 대상자의 범위를 명확히 하였다. 소집 중에 있지 아니한 자에 대하여는 교도, 사열 및 점검을 위하여 연 1회의 검열점호를 실시하였다.

군기 쇄신을 위해서 군인 복제를 제정하고, 계급장을 통일하였으며, 포상제도를 확립하였다. 축첩 행위자를 조치하였으며, 정훈 활동을 강화하여 반공 체제 확립에 총력을 기울였다. 혁명 과업 수행을 위해 육·해·공 및 해병의 정군 및 단결을 꾀하였고, 군·관·민 유대를 강화하는 활동을 다각도로 전개하였다.

치안과 국방력 강화는 북한 공산 집단의 침략 행위에 대한 대비를 든든히 함과 동시에 정부의 대국민 강제력 확보 차원에서도 긴요한 정책이다. 4.19를 계기로 자유당 정권을 무너뜨리고 새롭게 출범한 장 면 민주당 정부가 제대로 국정 운영을 못하게 된 것은 오로지 불안한 치안과 국방 때문이었다. 이를 반면교사(反面教師)로 삼아 혁명 정부는 치안과 국방력 강화에 총력을 기울였다.

향후 새롭게 출범할 민간 정부도 현재 수준의 치안 상태를 유지할 필요가 있다.

위풍당당한 국군의 날 퍼레이드

미군으로부터 인수받은 F-86 전투기

함대

구축함

중공 비행기를 몰고 귀순한 조종사 환영대회(1962.9.30.)

행(行): 실천 행정 국가

제주도 시찰을 하면서 잠시 머리를 식힐 수 있었다. 목요일 출근하자마자 김 재춘 부장이 다녀갔고 이어서 비서실장과 함께 이 후락 공보실장이 들어섰다.

"김 윤근 장군은 출국 잘 했지요?"

"예, 31일 날, 서북항공기편으로 출국했습니다."

"마음고생을 많이 했을 겁니다. 훌훌 털고 좀 쉬다 왔으면 좋겠어요. 그런데 김 부장은 아직도 범국민정당에 대한 미련을 버리지 못하고 있네요. 이제는 더 이상 미룰 수 없어요. 공화당으로 합당해서 본격적으로 선거전에 임해야 합니다. 서귀포에서 최종 결론을 내고 통보를 했는데도 불구하고 창당 작업을 지속하겠다고 고집을 부리네. 정책소위원회 위원들도 모두 손을 떼기로 했다오."

"아쉬운 게 많아서 그럴 텐데… 금방 알아들을 겁니다."

주말을 기해 제주도를 방문하고 며칠 묵으면서 숨을 돌렸다. 김 제주 지사와 조 성근 건설부장관에게는 제주도 횡단 도로를 빠른 시일 내에 완공하고 제주도민의 생계와 산업 발전을 위해 좀 더 힘써 달라고 지시했다. 아울러 원 용석 경제기획원 장관에게는 정부 지원을 좀 더 늘려보도록 부탁을 했다.

제주도는 우리 한국에게 다소 특별한 의미를 지니고 있는 땅이다. 일제 침략과 해방 후 4·3 사건, 6·25 전쟁을 치르는 과정에서 많은 시련을 겪었다. 일제는 천혜의 지리적 조건을 갖춘 제주도를 완벽한 요새로 꾸미고 대마도와 함께 영원히 자신들의 땅으로 만들려고 했다. 육군의 지하 벙커와 함께 비행장과 격납고, 심해의 잠수함 기지 등을 완벽하게 갖춰 놓았다. 일제가 서울에서 항복을 하고 병력과 일인들을 철수시키면서도 제주도에서는 꿈쩍도 하지 않았다. 대마도와 제주도를 영원히 일본땅으로 하여 언제라도 한반도와 중국 산동반도나 만주로 재진출하리라고 전략을 세웠다.

이런 의도를 간파한 미군과 조 병옥 등 한국의 지도자들은 군 병력을 투입하여 일본군을 공격해서 쫓아 냈다. 그런 뒤 어떻게 되었는가?

북한을 점령한 소련도 새로운 부동항(不凍港)과 군사 전략상 제주도의 공산화를 원했다. 그 선두에 선 남로당 박 헌영과 김 달삼, 북쪽의 김 일성 공산당은 해방 정국 혼란 상황에서 제주도에 인민위원회를 만들어 미군정에 맞섰다. 남한 단독의 국가 건설을 부정하면서 제주도의 '독립' '공산화'를 위해 온갖 수단을 다 동원하여 도민들을 괴롭혔다. 급기야 폭동을 유발하여 수많은 도민들이 피해를 보도록 만들었다. 해안가에서 산간지역으로 도망을 했던 도민들은 5·16 당시까지도 힘들게 살고 있었다.

제주도를 몇 차례 방문하여 주민들이 해안가로 내려와 살 수 있도록 주거지를 마련하고 도로와 전기 등 편의 시설, 어업과 농업 및 산업 시설 마련에 정성을 쏟았다. 오늘 현재 제주와 서귀포를 잇는 산간 도로 공사가 한창 진행 중에 있다.

김 운태, 이 용희 등 한국행정학회, 정치학회 소속 교수들과 저녁을 함께 하였다. 지난번 서울대 행정대학원 방문 때 보았던 젊은 교수들 몇몇의 얼굴도 보였다. 김 교수는 작년 헌법 개정 작업에도 참여하여 중요한 역할을 수행한 바 있어 낯이 익다.

"지금 군사혁명사 편찬 작업이 한창 진행 중입니다. 장 경순 운영기획위원장 주도로 하고 있는데 혁명 과정과 최고회의 업적을 총정리 하는 중입니다. 여러분들 도움을 받아 진행했던 행정 분야 업적이 가장 확실한 부분이라고 봅니다. 교수님들께서 심혈을 기울여 해 주신 각종 제도 연구, 정책 분석 보고서를 많이 참조하여 행정 개혁을 해 왔어요. 지난 해 초에 보고해 주신 김 해동, 안 해균 교수의 경찰 관계 연구서는 이후 경찰, 치안 분야 혁신에 많은 도움이 되었어요."

두 교수는 두 달 정도에 걸쳐서 전국 경찰관과 일반 직원 2,057명을 직접 조사하고 인터뷰를 하여 경찰 행정 분야의 문제점을 발굴하고 개선 방안을 마련해주었다. 비슷한 시기에 여러 행정 분야에 걸쳐서 다양한 조사 연구가 진행되었고 혁명정부는 이를 토대로 행정 혁신을 시도하였다.

- **정부 조직 개편:**

혁명 정부에서는 기존의 국무원을 내각으로 개명하고 최고책임자를 국무총리에서 내각수반으로 고쳤다. 내각수반은 국가재건최고회의에서 임명하였다. 하지만 신헌법이 대통령제를 채택하게 되면서 다시 국무총리로 환원하여 대통령이 임명하게 만들었다. 내각책임제 형태의 정부 조직이 아닌 대통령중심제 정부를 택함으로써 국무총리는 대통령을 보좌하여 행정 각 부처를 통할하는 위치가 되었다.

가장 큰 변화는 경제기획원을 설치한 것이다. 경제개발계획을 총괄 지휘토록 하기 위해서 내각수반, 후에 신헌법에서는 대통령 직속으로 설치하였다. 이를 통해 정부 각 부처가 개별적으로 수립하여 시행해 오던 각종 개발계획을 국가 차원에서 통합하여 총괄 기획 수립, 집행, 평가할 수 있게 만들었다. 이와 병행하여 중앙경제위원회를 만들어서 내각수반을 위원장, 경제기획원장을 부위원장으로 하여 경제 부흥 및 개발에 관한 업무를 종합관리하도록 하였다.

부흥부 소속으로 있던 건설 업무를 경제기획원 소속의 국토건설청으로 만들었다. 본격적으로 전개될 국토 개발 즉 도로, 주택, 항만, 공공 건축을 총괄 처리할 수 있게 하였다. 경제기획원 산하에 조달청을 두었고, 내각사무처, 법제처, 원호처, 공보부, 조달청, 문교부에 문화재관리국를 설치하여 행정 전문화를 꾀하였다.

경제개발계획 수립과 집행을 계기로 경제기획원을 설치함과 동시에 내각수반 직속으로 기획통제관과 기획조정위원회, 각 부처와 전국 시도에 기획조정관을 두어 국가 기획 제도를 완벽하게 구축하였다. 계획과 실천, 목표 설정과 정책 수단 탐색, 기획과 예산 배정을 일관성 있게 연계시켜 실천성을 높였다.

- **직업공무원제 확립:**

현재 한국의 발전을 위해서는, 강력한 경제개발계획을 추진해 가기 위해서는 공무원 조직인 관료제가 굳건해야 한다. 공무원들에게 관료 공직이 적당한 소득, 안정된 근무, 노년이 보장되며, 책임감과 보람을 느낄 수 있는 좋은 직업이 될 수 있어야 한다. 고등 교육을 마친 좋은 인재들이 공직을 최고의 직업으로 선택하여 평생 근무할 수 있도록 만들어야 한다. 이것이 바로 직업공무원제다.

20세기 초반, 독일의 유명한 사회과학자 막스 베버(Max Weber)는 선진국의 자랑스런 통치 방식으로 관료제를 논했다. 관료제(官僚制, bureaucracy)는 국왕이나 일부 귀족 집단에 의한 왕정(王政)이나 귀족정(貴族政), 다수 국민들에 의한 민주정(民主政) 보다도 국가 발전에 가장 효율적인 제도로 관료정(官僚政)을 내세웠다. 그 대표적인 예로 후진국 독일이 비스마르크 체제의 관료제를 통해 선진국으로 올라선 것을 든다. 그런 독일의 관료제를 모방한 일본도 불과 몇 십년 만에 세계 일등국으로 올라서서 조선을 합병하였다. 지금 세계 최빈국인 우리 한국을 한 단계 업그레이드하기 위해서는 관료정이 반드시 필요하다.

베버가 내세운 관료제의 특징은 공식적인 계층제 조직(a formal hierarchical structure), 법규에 의한 관리(rules-based management), 기능별로 특화된 조직(functional specialty organization), 조직목표 추구(pursuit organizational mission), 합리적-비정의적 관리(rational-impersonal management), 능력에 따른 고용(employment-based on technical qualifications), 직업적 근무(occupational work) 등이다.

그런데 우리 공무원들은 일제 시대와 미군정, 그리고 건국과 6·25 전쟁을 거치는 과정에서 매우 무원칙하고, 무능력하며, 불안정한 상태에서 근무하고 있었다. 부정부패가 만연하고 채용과 퇴출이 불법적으로, 정치적으로 이루어지고 있었다.

혁명 정부에서는 인사 행정 혁신과 직업공무원제를 확립하기 위하여 많은 노력을 기울였다. 내각사무처에 인사위원회와 소청심사위원회를 설치하였고, 직위 분류제를 채택하였다. 직위를 직무의 종류와 곤란성, 책임도에 따라서 계급과 직급별로 분류하고 각각에 대해서 동일한 자격 요건과 채용 절차, 보수 체계를 갖추었다. 국가공무원법과 공무원임용령을 개정하여 공개경쟁채용시험 제도를 확립하였고, 연령 정년제를 채택하여 일반직공무원은 3급 이상은 61세, 4, 5급 공무원은 55세로 정하고 기능직과 공안직은 직무 특성에 맞춰 연령 제한을 두었다.

공무원 처우 개선을 위해 보수를 현실화하였고 연금 제도를 보완하여 정년 후에도 안정적인 노후를 맞을 수 있게 하였다. 이전에 20년 이상 근무한 자에 대해서 60세 이상에 받게 하던 연금을 20년 이상 근무자는 퇴직과 동시에 연금을 수령하게 하여 공백 기간이 없게 만들었다.

- **인사 행정 쇄신**:

직업공무원제도 확립과 함께 직위 분류제와 공개경쟁 시험, 성적주의에 입각한 임용 제도를 도입하였다. 5급 공무원 임용 고시제, 3배수 승진 후보자추천제, 승진과 표창 및 전직에 필요한 근무성적 평정제, 인사교류제 등을 새롭게 정비하였다. 관기 확립을 위해 보수 현실화, 공무원 포상제도, 제안 제도, 휴양제, 권익 보호를 위한 소청심사위원회 운영을 꾀하였다.

공무원 정원 관리의 합리화를 위해 직위 분류와 업무 평가, 인력 감사를 주기적으로 실시하여 불필요한 인원의 감축, 인재 재배분, 필수 인원의 신규 채용을 시도하였다. 1961년 말까지 기존 공무원 중 7%인 1만 6,744명을 감축하여 정원을 23만 5852명으로 조정하였다.

공무원 자질 향상을 위해 신규 채용자는 물론 기존 공무원들에 대해서도 지속적으로 교육 훈련을 실시하였다. 1961년 10월에 내각사무처 행정관리국에 교육훈련과를 신설하였고, 12월 8일에는 중앙공무원교육원을 새로 설립했다. 그리하여 지난 2년간 중앙공무원교육원에서는 7개 과정을 통해 연구반 1,629명, 고등반 6,442명, 교육공무원반 1,325명, 경제인반 710명, 교육반 128명, 기획요원 16명, 군정보기획요원반 19명 등 총 1만 4,042명을 교육하였다. 그리고 서울특별시 및 각 도 공무원교육원에서는 보통반 2만 9,381명, 초등반 4만 3,634명 등 총 7만 3,015명을 교육하였다.

- **행정 사무 관리 개선**:

행정 사무관리 혁신을 위하여 각종 법령 정비와 함께 미국 등 선진국의 행정 관리 방식을 도입하였다. 앞서 서술한 기획통제관 및 조정관 제도의 도입을 통한 업무 조정, 정무차관제도의 폐지, 농촌 지도 체계의 통합 일원화, 경제관계 부처 체계의 합리적 조정, 각종 직제 개편을 통해 관료제를 튼실하게 재건하였다.

일상적인 업무 수행과 관련하여 업무처리에 관한 표준운영절차(SOP) 마련, 번다한 문서의 통폐합과 함께 정부 공문서의 간소화, 보고 체계의 조정, 문서 통제와 위임 전결의 강화, 정부 문서 분류표를 제정하여 문서의 체계적 분류, 민원서류 간소화 조치를 취했다. 왜정 때부터 정리되지 않은 채 방치되어 있던 보존문서를 일괄 정리하고 문서 보존 제도의 통일을 기하였다. 1962년 1월 22일부터 76일간에 걸쳐서 보존문서 181만 2,644건과 폐기문서 57만 7,420건을 구분해 내었다.

지방 분권을 강화하기 위하여 각급 관서의 문서와 보고 체계 간소화에 병행하여 업무의 하부 이양을 기하였다. 1962년도 1년 동안에 중앙 관장 사무를 도로 이양한 것이 108건, 특별시, 도 관장사무를 시, 군으로 이양한 것이 922건에 달하였다. 또 내각수반 소속 하에 종합감사단을 설치하는 것을 내용으로 하는 행정감사 규정을 1962년 3월 10일 제정, 공포하였다. 기존의 비위 적발 위주의 감사 방법을 지양하고 종합적인 행정 감사가 될 수 있도록 하였다.

- **내무, 지방 행정 합리화:**

내무, 지방행정에서는 행정상 지방 분권을 강화하고, 지방 행정 수준의 획기적 발전을 꾀하였으며 지방 재정 건전화, 방공체제의 강화를 이루었다. 기존 내무부 소속으로 있던 통계국을 경제기획원으로 보냈고, 토목국을 국토건설청으로 이관하였다. 지방국에 지방세과, 치안국에 기획심사과와 소방과를 새로 설치하였고, 기획조정관실을 두었으며 지방국 기획감사과를 설치하였다. 지방에 분산되어 있던 특수 지방관서의 교육, 농사, 수산업무 등을 일반 행정기관으로 통합하여 지방행정기관이 명실상부한 종합행정기관으로 발전할 수 있게 만들었다. 즉, 농사원의 도 농사원과 시, 군 교도소를 각각 도, 시, 군으로 통합했고 독립된 자치단체이던 교육위원회 및 교육구(教育區)를 일반 행정기관으로 통합하여 서울특별시에 교육국을, 시군에 교육과를 신설하였다. 해무청의 수산 업무, 재무부의 지적 사무, 지방 전매청의 연초 경작사무를 도로 이관하였다.

1961년 10월 1일, '지방자치에 관한 임시조치법'을 통해 그동안 재정적 자립능력이 없고 행정력이 부족한 읍면자치제를 폐지하고 군을 자치단체로 변경하였다. 자치단체의 종류를 서울특별시와 도, 그리고 시군으로 하였다.

재정면에서는 국세원(國稅源)을 대폭 지방으로 이양하는 세제 개혁을 단행하였다. 지방세법을 개정하여 1962년도부터는 기존 지방세 과목이었던 호별세(戶別稅), 광세부가세(鑛稅附加稅), 자동차세부가세, 임야세, 차량세, 동력세(動力稅)를 폐지하고, 특별행위세와 어업세는 국세로 통합하였으며, 자동차세와 유흥음식세 및 마권세는 도세로 이관하고, 농지세는 시군세로 이관하였다. 최종적으로 지방세 과목에는 소득세부가세, 법인세부가세, 영업세부가세, 도축세, 취득세, 면허세, 재산세, 자동차세, 유흥음식세, 마권세, 농지세 등 11개가 포함되었다.

기존의 지방재정조정교부금법을 폐지하고 1961년 12월 31일 자로 '지방교부세법'을 제정하였다. 법에 따라 지방자치단체의 기준 재정 수요액과 기준 재정 수입액을 측정하여 재원이 부족한 단체에 대하여 교부세를 지원하였다.

행정 간소화, 행정구역의 재획정, 중앙 관장 사무의 지방 이양 등을 적극적으로 추진하였다. 서울 주변 경기도의 7면 89개 리를 서울특별시로 편입하였고, 부산시를 정부 직할로 하였다.

행정 장비 현대화를 시도하여 국문타자기, 계산기, 자전거, 윤전 등사기, 서류 편철기, 행정 전화기, 유무선 텔레타이프 등을 도, 시, 군, 구의 각 부서별로 1대씩 배정하여 행정 현대화를 꾀하였다. 아울러 다음 <표 8>과 같이 불필요한 공무원 9,993명을 감축하였다.

<표 8> 내무, 지방공무원 감원 현황(1961.5.16.-1963.5.15.)

급별 / 사유별	별정직	1급	2급	3급 갑	3급 을	4급	5급	계
의원 면직	1455	4	3	49	329	1739	1083	4662
징계 면직	10			3	14	84	85	196
병사 관계 면직	3				7	877	893	1780
축첩 관계 면직	138			3	21	235	166	563
심의위에서 해면(解免)				2	72	592	560	1226
기타	820				43	347	356	1566
계	2426	4	3	57	486	3874	3143	9993

(출처: 「한국군사혁명사 1집 상」 775)

무엇보다도 획기적인 정책은 계획 행정체제의 확립이다. 혁명 정부가 가장 중점을 두어 1962년도부터 시작하고자 했던 경제개발계획과 보조를 맞추기 위한 것이다. 먼저 내무 및 지방행정의 기본 목표와 방침을 결정하고 이를 토대로 사업계획을 편성하였다. 사업 우선순위를 결정하고, 가용 재원에 대한 판단, 그리고 전체 사업에 대한 기획 조정과 검토를 통해 기본 운영 계획을 수립하였다. 이렇게 수립된 기본 운영 계획을 토대로 분기별 시행계획과 월간 업무계획을 수립하였다. 합리적인 목표 책정과 시행 수단의 연계, 단위 사업 또는 업무별로 작업 과정 및 업무 담당자까지 세부시행 계획을 작성하여 활용하였다. 그리고 운영계획에 입각한 예산편성과 집행을 시도하였다. 수시로 각 시도 기획조정관회의와 심사분석관회의를 개최하여 정책 조정과 비교 평가 작업을 수행하였다.

- 실천 행정 국가를 향하여:

행정은 실천이다. 최종적으로 결과, Output을 만들어 내야만 한다. 정치처럼 그럴듯한 말만 앞세워서는 곤란하다. 정책 목표 설정, 정책 형성, 정책 집행의 전체 정책 과정이 치밀하게 이루어져야만 한다. 행정은 항상 미래를 지향하면서 현재의 행위를 최적화해야만 한다.

국가 발전, 경제 발전은 오로지 행정, 정책 담당 공무원의 손에 달려 있다. 혁명 정부는 '정치만 판을 치던' 자유당, 민주당 정부를 대체하여 실천 행정 국가를 만들었다. 신헌법도 실천 행정 국가를 전제로 만들어졌다. 새롭게 전개될 제3공화국은 우수한 관료들과 함께 신나게 경제개발, 국가 발전을 추진해 갈 수 있을 것이다.

경제 개발이나 발전된 국가는 우리가 가보지 못한 먼 미래의 이야기다. 불확실성이 높아 예측이 쉽지 않다. 아무리 치밀하게 계획을 세워도 구멍이 있고 오차가 심할 수밖에 없다.

그래서 실천 행정이다.

경제개발 5개년계획을 세워 지난해부터 시작을 하면서 1966년에 도달코자 하는 목표를 정했다. 하지만 첫해부터 흉년이 들면서 우리를 애타게 만들었다. 차관 도입이나 그것을 활용한 공장 건설, 국토 건설도 목표 달성이 어려워 보인다. 일본과의 외교 정상화는 또 어떤가?

내가 그리고 있는 위대한 대한민국. 1인당 소득 1000불, 수출 100억불 !

국가 경제 구조를 산업 경제로 바꾸고, 젊은 장교와 공무원을 앞장 세워 적극적으로 실천 행정을 해보려 한다.

산(産): 공업화, 경제개발

부자가 되려면, 부자와 가까이하고 부자처럼 생각하며 부자처럼 행동해야 한다. 가난에서 벗어나고 싶다면서, 노력하지 않고 신세 한탄하며 거지 근성으로 살아간다면 영원히 가난의 굴레를 벗을 수 없다.

수천 년 우리 한국의 역사는 겨우겨우 목숨을 부지하기에도 급급하던 가난한 농민의 역사였다. 어느 한 순간도 대륙으로, 바다로 뻗어 나가서 주변국들에게 큰소리치면서 행세해 본 경험이 없다. 그 위대한 단군 임금도, 태조 이 성계나 세종 대왕, 영조나 정조도 전 국민들의 배고픔을 없애고 신나게 함포고복(含哺鼓腹)하게 만들 수 없었다. 농민들은 죽도록 땅을 파 보지만 여전히 봄철이면 온 식구가 들판으로 풀 뜯어 먹으러 나서야 한다.

건국 후 이 승만 정부도, 장 면 정부도 뭔가 열심히 해보려고 했지만 가난한 국민들을 어쩔 수 없었다. 그 뒤를 이어서 우리 혁명 정부가 나서고 있다.

1960년 한국인의 1인당 국민소득은 9,410원이었다. 1차 경제개발 5개년 계획이 끝나는 1966년 목표치를 1만 1,200원으로 정하고 총력을 기울이고 있는 중이다. 1962년도 중학교 신입생 등록금이 국공립 2,420~6,820원이고 사립 3,620~8,740원인 것을 생각하면 우리의 소득 수준이 어느 정도인지 가늠이 된다. 국립대 인문계 등록금이 14,060원~17,870원(사립대 인문계 16,460원~20,400원)이다. (1962년 쌀 한가마 1,768원, 이발비 50원, 영화관 입장료 64원이다.) 1960년 2,499만 명 중 1,455만 명(58.2%)이 농업에 종사하는데 1인당 소득이 6,026원이다. 인구가 늘다 보니(2,627.7만) 1962년에는 오히려 5,790원으로 떨어졌다.

농민들이 야생의 쑥, 냉이를 캐서 먹는 것이나 텃밭에 상추나 배추, 쑥갓을 길러 먹는 것은 통계로 잡히지 않는다. 어부들이 고기를 잡아 연명하는 것도 마찬가지다. 중요한 것은 우리 농어민들이 쓸 수 있는 돈 자체가 거의 없다는 말이다. 도시 노동자라고 사정이 더 나을 것이 없다.

이게 우리의 경제 현실이다.

- **전략 개발:**

역대 국왕이나 대통령, 총리들도 정부를 이끌면서 경제 발전을 시도하였다. 하지만 수천 년 동안 우리의 경제 수준을 '탁월하게' 높이질 못했다. 온갖 방법을 다 써봤겠지만 별로 성과가 없었다. 그들은 좁은 국토와 농토를 인식하면서 '한계 지어져 있는' 한민족의 국부(national wealth) 수준을 인징해야만 했다. 그리고는 그냥 편인했을 것이다. 말로는 애민(愛民)을 말하고, 굶주리는 백성들을 불쌍하게 여겼겠지만 북한의 김 일성처럼 그냥 자신들의 '높은 위치'를 즐겼을 것이다.

그래서 새로운 전략이 필요하다.

나는 근본적으로 '판'을 바꾸려 한다.

'농업'이 아니라 '공업'이다. 좁은 농토의 산악 국가 현실을 직시하고 이제는 농업 생산에 목을 매기보다는 공업화를 통해 국내 상품 생산물을 늘리려 한다. 아담 스미스의 국부론(國富論)을 원용하여 2차 산업화, 공업화를 시도하고 상품 생산을 늘린 뒤 국내 시장을 키우고, 더 나아가서 해외로 물건을 팔려고 한다.

목표 수준을 '매우 높게' 세운 뒤 온 국민과 함께 '죽을힘을 다해' 성취해 가려고 한다. 나와 혁명 동지들이 믿는 것은 오로지 젊은 패기와 열정이다. 한번 해보고 싶다. 목숨 걸고 중공군 고지를 점령하던 피눈물 흘리던 그 군인 정신을 발휘해보려고 한다.

목표 수준이 너무 낮으면 그저 고만고만하고, 성취감도 적다. 실패하면 그냥 남 탓하며 모른 체 하면 된다. 이래서는 경제 발전을 이룰 수 없다. 전 세계 최빈국인 지금 한국의 현실을 결코 극복할 수 없다. 그래서 목표를 높게 정하려 한다. 제1차 경제개발 5개년 계획의 연평균 성장률을 7.1%로 정했다. 이전 정부처럼 '아니면 말고'가 아니다. 나는 반드시 목표 달성을 이룰 것이다.

출발점이 너무 낮으면 안 된다. Anchoring point를 높여서 도약 기준으로 삼고 거기서 부터 더욱 높게 뛰어올라야 한다. 뭔 말이던가? 지금 현 수준에서 가장 급선무라고 할 수 있는 국민 의식주 개선, 보리고개를 극복하는 것을 경제개발의 최우선 전략으로 삼아서는 안 된다는 말이다. 그러다 보면 수천 년 가난한 농업 국가 수준을 벗어날 수 없다.

나는 주린 배를 움켜쥐고서라도 공장을 짓고 공산품을 만들어 낼 것이다. 국내 시장경제의 용량을 키우고, 이를 바탕으로 자유시장 경제를 활성화한다. 그리고 수출을 극대화하여 외화를 벌어들일 것이다. 그래야만 우리의 국부가 커지고 국가 발전이 이루어진다.

우리의 활동 공간은 좁은 한반도를 넘어 세계가 될 것이다. 부자가 되려면 부자와 경쟁해야 하듯이, 강대국이 되려면 세계 강대국들과 경쟁해야만 한다. 좁은 땅덩어리를 한탄하면서 '사촌이 땅을 사면 배가 아픈' 그런 한국인에서 벗어날 것이다.

필요한 재원, 돈과 물자, 과학 기술을 미국이나 일본, 영국과 같은 선진국으로부터 빚을 내거나 애걸복걸하더라도 끌어와서 이용하려고 한다. '새가슴'처럼, 빚이 되는 차관 도입을 걱정하거나 '양반 임네 하면서' 굽히기 싫어하는 얄팍한 자존심을 버릴 것이다. 미국이나 일본의 도움이 필요하면 얼마든지 달려가서 우리에게 필요한 것을 얻어낼 것이다.

이제는 총력전이다.

일단 최선의 경제개발5개년계획을 만들고, 전국민을 계획 실천의 장으로 동원한다. 대통령을 중심으로 관료 공무원 모두가 앞장을 선다. 고지전에서는 젊은 장교가 선두에 서서 병사들의 돌격전을 유도한다. 나도 최전선에 앞장서서 공무원과 온 국민을 이끌려고 한다.

정치를 최소화하고 실천 행정을 앞세울 것이다. 정치인들에게 '양해'를 구하려 한다. '잠시 입을 다물고' 일하는 관료와 국민들을 지지해 달라고 호소할 것이다. 진정으로 국민이 원하는 그런 정치를 원한다.

일단 목표를 정하면 좌고우면하거나 주저하지 않고 앞으로 내달릴 것이다. 경제발전에 매진하는 우리를 비난하고 방해하려는 정치인이나 좌파, 불순분자들에게는 적당히 견제 장치를 두려고 한다. 역사적으로 검증된 사실 중 하나가 '분열된 정치' '사색당파의 정치'는 결단코 경제 성장, 국가 발전에 도움이 되질 않는다는 것. 극심한 욕을 먹더라도 견뎌내려고 한다. 오로지 목표는 우리 대한민국의 경제 발전이다.

- 경제개발 5개년 계획 추진:

경제개발을 총괄 지휘할 경제기획원을 1961년 7월 22일 발족시키고, 여기에 계획 수립과 예산 편성, 정책 집행 권한을 부여하였다. 경제기획원에 종합기획과 조정, 예산 편성과 집행, 조사통계, 국토 건설, 경제협력, 기술관리, 외자도입과 집행에 관한 총괄권을 부여하였다. 가장 역량 있는 인재들을 이곳으로 총집결시켰다.

새로운 국가 건설은 경제개발5개년계획과 함께 시작되었다. 경제기획원에서는 불과 2개월 여 만에 1차 계획을 만들어 냈다. 중앙경제위원회와 각료회의의 심의를 거쳐 최고회의에서 최종 결정하여 1962년부터 시행에 들어갔다. 1차는 시작일 뿐 종착점이 아니다. 앞으로 수십 년, 온 국민이 총력으로 경제개발을 지속해야만 성과를 볼 수 있다. 조급해 하거나 쉽게 포기하지 않으려 한다.

정치적 논의나 기획은 '실천'을 통해 결과가 만들어진다. 이 승만 정부도, 장 면 정부도 개발계획을 수립하고 뭔가 해보려고 노력을 했다지만 그들은 '실천'을 할 능력이 없었다. 혁명 정부는 최선의 계획을 수립하고, 이어서 강력한 집행을 시도하였다. 이제 2년차에 이르러 적지 않은 시행착오를 겪고는 있다지만 1차 계획이 끝나는 1966년에는 반드시 원하는 목표를 달성해 내고야 말 것이다. 연평균 성장률 7.1%(1차 산업 5.7%, 2차 산업

14.8%, 3차 산업 4.4%)를 반드시 달성해야 한다.

경제개발계획은 재정, 인력, 기술, 기초 자료 등 모든 것이 부족한 상황을 극복하기 위해 지속적인 수정 보완 작업을 병행하고, 주어진 목표를 초과 달성하기 위해서 최고회의와 내각, 행정 관료, 전문 기술진들이 총동원된다. 매년 시행계획을 수립하고, 성과 평가를 하며 차년도 시행계획에 반영한다. 시간이 흐르면 흐를수록 경제개발계획은 더욱더 완벽해질 것이고, 우리가 원하는 성과를 만들어 갈 것이다.

1차 계획의 목표는 사회간접자본의 확충, 공업화 기반 조성, 투자 재원의 확보를 통해 자립 성장이 가능한 자유경제체제를 구축하는 것이다. 이를 위해 강력한 계획성을 가미한 지도받는 자본주의경제, 행정 선도의 정책 집행 방법을 채택하였다.

- 산업 구조의 선진화: 공업화

우리 한국은 수천 년 동안 '농자천하지대본(農者天下之大本)'을 외치면서 살아왔다. 좋게 말하면 열심히 일해서 먹거리 생산량을 늘리자는 거지만, 알고 보면 '먹을 것도 모자라서 항상 조바심을 내야만 했던' 어려운 경제 사정을 가리키는 말이다. 우리는 전 국토의 70%가 산이고 경작지, 농토는 불과 20.6%인 204만 정보(町步. 1960년 기준)에 불과하다. 농가 호당 경지면적은 8.7 단보(段步)에 불과하다. 전 국민의 58.2%가 농촌 인구인데 그 중 43%인 203만호의 경지 면적은 5단보 미만이다.(1단보는 300평, 1정보는 3,000평).

이런 상태에서는 발전은커녕 현실 극복도 어렵다. 그래서 공업화다. 경제개발의 전략을 근본적으로 수정하여 '농업기반의 성장'이 아니라 '농업을 중시하되, 도약을 위한 공업화를 우선시하는' 전략을 택했다.

농림어업 등 1차 산업과 주택이나 금융, 교통서비스와 관련된 3차 산업의 비중을 줄이고 2차 산업의 비중을 높이는 것이 바로 공업화 전략이다. 다음 <표 9>에서 보는 바와 같이 1차 산업 비중을 목표 연도에 34.8%로 낮추고 2차 산업 비중을 26.1%까지 높여 잡았다.

<표 9> 산업별 국민총생산의 구성비

산업별 \ 년도	1960	1962	1966
1차 산업	36.0	18.2	45.7
2차 산업	18.2	19.4	43.5
광업	2.0	2.3	3.1
제조업	12.7	13.0	17.5
건설업	3.6	4.2	5.4
3차 산업	34.8	26.1	39.1
(전기)	(0.7)	(1.2)	(1.9)
(단위:%) (출처:「한국군사혁명사」 제1집. 상. 929)			

농업 인구와 경제적 비중이 절대적으로 큰 상황에서 급격하게 비중을 줄일 수는 없다. 농촌과 농업 발전을 지속적으로 추진해가면서 공업화를 촉진하여 상대적으로 2차 산업 비중을 높여야 한다. 농업 발전은 국민의 의식주 문제와 직결되어 있고, 아울러 공업화 기반 조성과도 연계되어 있다.

1차 계획에서는 경제개발의 원동력이 되는 에너지 자원 개발과 사회간접자본 확충에 총력을 기울여야 했다. 전력과 석탄, 시멘트, 비료, 철괴, 정유, 도로와 철도 부문의 확대에 노력했다.

라디오 조립공장

재봉틀 생산

국토 건설 사업과 에너지 확보전략의 일환으로 춘천댐(1962년 착공, 1964년 완공 목표), 섬진강댐(1961년 착공, 1964년 완공 목표), 소양강댐(1962년 도로 건설 시작, 1967년 완공 목표), 남강댐(1962년 착공, 1967년 완공 목표) 건설에 나섰다. 섬진강댐 시공과 함께 기존 동진강댐을 확대하고 수리간척사업을 대대적으로 시도하였다. 1966년에 100만 kw의 전기 출력을 확보하기 위하여 신규 화력발전소 10개(왕십리 디젤, 광주 디젤, 제주 디젤, 영월 화력, 신규 영월, 삼척 화력, 부산 화력, 군산 화력, 당인리 화력, 울산 화력), 신규 수력발전소 2개(춘천댐, 섬진강댐), 기존 시설 복구 2개(청평 수력 복구) 등의 건설 사업을 적극 추진 중에 있다. 전기 3사를 통합하여 한국전력주식회사를 설립하여 행정 합리화를 꾀하였다.

1만 6,113 ㎢(전 국토의 18%)에 달하는 태백산 지역 종합개발은 무연탄, 철광석. 석회석, 흑연, 중석 등 에너지 자원과 함께 금, 은, 동 등 광물을 개발하기 위해 시도되었다. 이런 광물 개발과 함께 이것을 원료로 하는 시멘트, 소다, 카바이트, 제철소 등 공업시설과 화력발전소 건설, 더 나아가서 남한강과 낙동강의 수자원 개발과도 연결되어 있는 대규모 사업이다. 1차 5개년 계획 중 산업도로 건설 목표량 21.4만m의 24.5%를 금년 말까지 완공할 예정이다. 산업 철도로서 경북선(영주-점촌 간 58.6km), 정선선(예비-정선 간 42km)도 한창 건설 중에 있다. 채굴된 광물질을 운반하기 위한 묵호 항만 축조 공사도 급진전되고 있다.

1962년 연초부터 시작된 공업지구 조성 계획의 일환으로 먼저 울산공업센터 건립을 추진하여 정유, 비료, 제철, 화력발전소 등 경제발전에 선도 역할을 할 수 있는 공장 건설이 한창 진행 중에 있다. 충주비료공장과 나주비료공장, 또 충주비료공장 증설에 이어서 울산에 제3비료공장을 건설하기 위해 1963년 4월 15일 일본의 신호제강과 요소비료 하루 생산량 780톤 규모의 공장 건설을 계약하였다. 대한석유공사를 설립하여 미국 FLUOR 회사를 건설사로 하여 울산에 정유공장을 건립 중에 있다.

향후 경제개발, 국토 건설 과정에서 크게 소요되는 철강 생산을 위해서 혁명 정부는 1차 계획 속에 종합 제철 공장 건설 계획을 포함시켰다. 이를 토대로 1962년 초부터 부정축재환수회사 중 하나를 한국종합제철주식회사로 만들어 독일 D.K.G.와 기술 계약을 체결하는 등 행동에 돌입하였다. 그러던 와중에 미국 기술조사단의 권고에 따라 1962년 12월 19일자로 미국 Blaw-Knox와 신규 합작 회사를 만들어 다시 추진하게 되었다(출처:「한국 군사혁명사」 제1권 상. 1156-1157). 그리하여 1963년부터 1967년까지 5년간 내자 4,905백만 원과 외자 117,892천$를 들여 건설하여 1968년부터 연간 선철(先哲) 30.1만 톤을 생산키로 하였다.

혁명 정부에서는 중대형 자동차 생산을 계획 속에 포함하여 1962년부터 3년간 내자 1.2억 원과 외자 160만$를 들여 연평균 3~4,000대 규모의 자동차 생산을 꾀하고 있다. 일본 ISUZU 자동차 주식회사로부터 160만$의 차관 지원도 받기로 하였다. 1962년 8월 27일 준공된 새나라자동차 조립공장에서는 이미 월 250대의 자동차를 만들어 내고 있다. 자동차 국산화를 위해 정부관리기업체인 조선기계제작소 주관으로 인천에 자동차 디젤 엔진 공장을 3년 기한으로 건설 중에 있다. 연간 3000대 생산을 목표로 하는 디젤 엔진 공장은 우선 디젤 엔진의 C.K.D 부분품을 수입하여 1963년 8월부터 조립생산을 시작할 것이다. 점차적으로 국산화하여 1964년 말에는 81%까지 자립을 목표로 하고 있다. 이를 위해 정부 자금으로 310백만 원이 소요될 것인데 이 중에서 142만원은 외자 부분이다. 기술원조는 일본 ISUZU 자동차 주식회사와 계약을 체결했다.

혁명 정부에서는 산업 연관 효과가 크고 국제 수지 개선면에서도 중요한 조선 산업 진흥에도 관심을 가졌다. 향후 증대될 수출입 물량을 실어 나를 수 있는 국내 선박이 절실히 필요해지고 있다. 1962년 4월 30일자로 기존의 주식회사 대한조선공사를 정부 직할 기업인 대한조선공사로 신설 발족시켰다. 경제개발5개년계획에 맞춰서 조선 사업 5개년계획을 세워 신규로 대형 선박 제작에 나섰다. 회사의 기존 부채를 상환하고 새롭게 정부자금을 투자하여 재정 건전성을 높이고 재정 차관과 기술 도입에 나섰다.

- **재원 확보:**

공업화에 필요한 소요 재원 확보도 고민거리 중 하나다. 내자를 총동원해야 함과 동시에 해외 차관 도입을 위해 전 방위로 노력을 기울였다.

1960년 1월 1일부터 새로 시행에 들어간 예산회계법을 통하여 성과주의 예산 제도를 도입하고 주요 공기업에 대하여 기업 회계 원칙을 적용하였으며, 정부투자기관에 대한 예산 통제, 공공요금 심사위원회와 예산회계제도 심의회의 설치, 계획적인 예산 배정과 자금 공급, 계속비 제도의 확립, 결산기간의 단축 등을 꾀하였다. 조세 제도 개편을 시도하여 세목과 세율을 조정하였고, 자본축적을 촉진할 수 있도록 비 건전 소비재에 대한 간접세율을 인상하여 조세 비중을 직접세에서 간접세로 이동케 만들었다. 많은 노동자를 고용하여 공업화의 일선에서 노력하고 있는 중소기업을 지원하기 위하여 1961년 12월 27일자로 중소기업협동조합법과 중소기업사업조정법을 제정하여 시행에 들어갔다.

그동안 정부 회계에서 큰 비중을 차지하고 있던 외국 원조가 점차 줄어들 것으로 예상하여 국내 자본 동원에 다각도로 노력을 기울여야 했다. 국내 저축과 투자를 적극 조장하고 외국의 유상 차관 도입에 정성을 기울였다. 다음 <표 10>에서 보는 바와 같이 기준 연도인 1960년의 경우에 외자가 31.5%, 내자가 68.5%였는데 목표 년도인 1966년에는 25.1% 대 74.9%로 내자 비율을 높이려고 한다.

<표 10> 내자, 외자 별 자본 형성 구성비(%)

연도 / 구분	기준연도 (1960)	1962	1963	1964	1965	1966	계획기간 중 (1962-1966)
외자(外資)	31.5	24.6	34.7	33.0	23.0	25.1	27.8
내자(內資)	68.5	75.4	65.3	67.0	77.0	74.9	72.2
(출처:「한국군사혁명사」 제1집. 상. 949)							

외자는 기존의 무상 원조에서 유상 원조로 전환될 것이다. 미국과 독일 등 선진국의 저리 차관 도입을 위해 노력함과 동시에 일본과의 협상을 통해 무상과 유상 차관 도입에도 정성을 다하고 있다.

- 국제 수지:

경제개발을 적극 추진하는 과정에서 필요로 하는 원자재와 각종 플랜트, 석유 등 에너지원 수입으로 인해 지속적인 수입 역조 현상이 불가피하다. 하지만 이런 수입초과 현상은 목표 연도인 1966년으로 가면서 점차 감

<표 11> 재원별 원조 수입 계획 (단위: 백만$) (출처:「한국군사혁명사」 제1집. 상. 950)

구분 / 연도	기준연도 (1960)	1962	1963	1964	1965	1966	합계 (1962-1966)
지원 원조 (S/A)	175.6	148.1	142.6	135.0	127.8	108.2	661.7
PL 480	19.9	54.6	51.2	44.4	41.6	41.3	233.0
개발 증여(AID/DG)			1.9	3.0	2.2	1.8	8.9
ICA	36.4	17.2	5.5				22.7
합계	231.9	219.9	201.2	182.3	171.6	151.3	926.3

소할 것으로 예상한다. 수입 초과 현상을 극복하기 위해서는 우리도 좋은 상품을 만들어 적극적으로 외국으로 수출해야만 한다. 광물질이나 약초, 수산물과 같은 1차 산업 제품들은 대외 수출 시장 경쟁력이 약해서 한계가 있다. 지속적으로 수입 대체 산업을 육성하고 우수한 품질의 공산품을 생산해가야만 한다.

<표 12> 제1차 경제개발계획 기간 중 국제 수지 (단위: 백만$)

연도 / 구분	기준연도 (1960)	1962	1966	B/A(%)	계획 기간 중 합계 (1962-1966)
무역 수지	-310.1	-390.8	-354.7	114.4	-1904.0
수출	32.9	65.9	137.5	417.9	500.7
수입	343.0	456.7	492.3	143.5	2404.7
무역외 수입	47.8	81.0	108.2	226.4	473.4
수입(受入)	84.0	109.0	153.7	183.0	653.6
일반무역외	21.4	24.0	33.7	157.5	144.6
대국연군수입[1]	62.6	85.0	120.0	191.7	509.0
지출	36.2	28.0	45.5	125.7	180.2
경상 수지	-262.3	-309.8	-246.6	94.0	-1430.6
증여	275.7	243.6	172.5	62.9	1037.2
차관	3.2	49.9	75.3		384.0
민간	2.3	32.1	26.9		206.8
정부	0.9	17.8	48.4		177.2
원화 부채 (증+, 감-)	-4.7	0.2	2.5		9.4
외화보유고 (증+, 감-)	-9.8	16.1	-4.7		

1) 對國聯軍受入 (출처:「한국군사혁명사」 제1집. 상. 951)

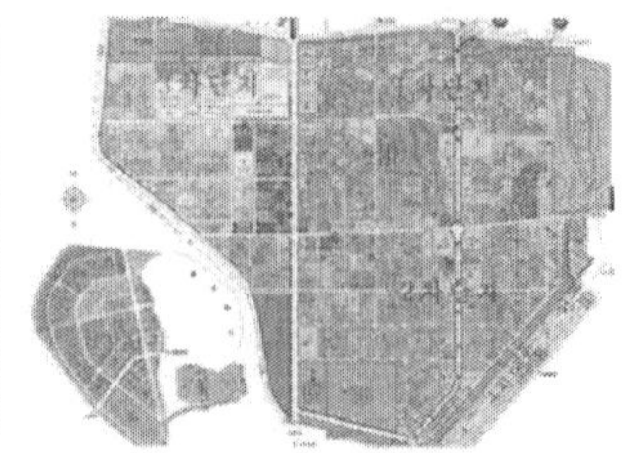

산업 단지, 공업 단지 (출처: 구글 이미지)

- **농업 발전:**

국민 중 60%, 국민총생산액의 40%를 차지하는 농업이 한국 경제의 중심임에는 틀림없다. 혁명 정부에서는 농어촌 고리채 정리, 영농자금 방출 규모 확대, 화학 비료 수급의 일원화, 농산물 가격 유지, 농협과 농은의 통합, 농촌지도체제의 일원화 등을 통해 농업 발전을 꾀하였다. 계획 기간 동안에 경지 면적과 경작 규모 확대, 농가 인구의 증가 억제, 농업 기계화, 양잠과 연초 재배 및 과수 재배를 통한 농가 부수입 증대, 가축 사육 증대, 토지 개량, 농어촌 주거 개량 등을 적극적으로 추진하여 실적을 내고 있다.

영농 기계 도입. 수천 년 동안 우리 농업이 발전할 수 없었던 것은 축력(畜力)도 없이 오로지 인간의 육체 노동에 만 의지하였기 때문이다.

농협에서 영농은 물론 생활에 필요한 각종 물품을 판매하기 시작했다.

세(世): 수출과 세계화

1962년 12월 19일 오후. 제17차 유엔총회장 밖에서 노심초사하고 있던 한국대표단에게 미국을 비롯한 한국전 참전 15개국이 제출한 결의안이 채택되었음이 전해졌다. 최 덕신 외무장관, 정 일권 주미대사, 이 수영 유엔대사 등 11명의 대표단과 수행원들은 두 손을 번쩍 들고 만세를 외쳤다. 서로 부둥켜안으면서 눈물을 짓는 이도 있었다.

그동안 소련과 북한은 미군과 국제연합 한국통일부흥위원단(UNCURK) 철수와 함께 한국 문제를 다루기 위한 회의에 대한민국 대표와 조선민주주의인민공화국 대표의 동시 초청 결의안을 통과시키려고 벼르고 있었다. 총회 의결에 앞서 몇 차례 진행된 소위원회에서 최 덕신 장관과 이 수영 대사는 소련과 북한 김 일성의 주장에 정면으로 반박하며 혁명 정부와 우리 한국만이 유엔이 인정하는 국가임을 당당하게 주장하면서 참가국 대표들을 설득하였다.

그 결과 '한국에서의 유엔군과 부흥위원단의 활동은 정당한 것이며 북한이 유엔을 인정하는 전제로만 총회나 위원회에 초청될 수 있음'을 밝히는 'ROK Only' 결의안이 총회에서 채택되었다. 110개 국가 중 찬성 71, 반대 9, 기권 19, 결석 11로 압도적 승리를 거두었다. 이는 지난 2년간 혁명 정부가 대외 외교에 나서서 꾸준한 공관 개설, 친선사절단 파견과 우호 증진에 노력한 결과였다.

지금 우리 한국은 미국을 중심으로 하는 유엔의 덕택으로 연명하고 있다. 소련과 중공 등 공산주의 세력을 등에 업고 침략했던 김 일성 공산군을 생면부지(生面不知)의 유엔군들이 참전하여 목숨을 바쳐서 물리쳐주었다. 그 이후 재건과 부흥 과정에서도 유엔은 우리에게 구세주였다. 사사건건 침략을 노리는 북한 공산세력은 전 세계 곳곳에서 우리 한국의 대외 외교, 해외 진출을 방해하고 있지만 우리는 당당하게 영역 확장을 이뤄내고 있는 중이다.

- 세계를 향해, 태평양을 건너야 한다:

혁명 정부의 국가 발전 전략 중 하나는 한반도를 넘어선 세계화다. 이 좁은 공간에 안주하는 한 우리의 미래는 밝지 못하다. 적극적으로 해외로 진출하여 외국과 인적, 물적 교류를 추진해야 한다. 좁디좁은 자급자족형 한국 경제 시장을 넓혀 국경을 넘나드는 광역시장으로 만들어야 한다.

경제개발을 제대로 해내기 위해서는 필요한 재원(인적 자원과 물적 자원), 과학 기술, 전문 인력을 선진국으로부터 수입해 들여와야 한다. 또 만들어낸 상품을 해외로 팔아야만 우리에게 필요한 달러를 만들어 낼 수 있다. 그동안에는 '우물 안 개구리' 처럼 세상 밖이 넓은 줄 모르고 살아 왔다. '조용한 아침의 나라'라는 말이 좋은 말 인줄 알고 살아왔다. 그 말이 '가난하고 보잘 것 없는, 불쌍한 나라'라는 소리임을 아는 이가 적었다. 그리고는 그냥 체념하듯 가난을 운명처럼 받아들였다.

이제는 아니다. 나와 혁명 정부, 우리 대한민국의 활동 무대는 국경이 없는, 전 세계다.

- 연미(聯美), 복일(腹日):

만주 군관학교와 일본 육사를 다니고 만주에서 장교 생활을 하면서 똑똑히 관찰한 것이 있다. 섬나라, '쪽바리'라고 놀려대던 일본이 어떻게 해서 세계 최강이 되었는가를... '대동아공영권(大東亞共榮圈)'이라는 말을 무심코 따라서 되뇌이다가 문득 깨달았다.

'아하 ! 일본이 이토록 대단한 나라가 될 수 있었던 것은, 스스로 대단했기도 하지만, 곰곰이 생각해 보면 조선을 먹어서 뱃속에 집어넣었기 때문이로구나 !'

조선은 섬나라 일본 막부(幕府)를 보면서, 문화나 국력을 한 수 아래로 얕잡아 보았다. 그러다가 꾸준하게 실력을 기른 일제에 잡아 먹혔다. 그 이후 일본은 뱃속에, 조선이라는 만만한 나라를 집어넣은 두 배 이상의 대국으로 급성장할 수 있었다. 당당히 청나라나 미국에게 까지도 대적할 수 있는 거대한 강국으로 발전하였다.

그래서 나도 복일(腹日)이다. 우리가 일본을 잡아먹어 뱃속에 집어넣을 수 있다면 우리도 세계 최강국이 될 수 있겠다 싶다.

지금 상황으로는 꿈같은 얘기지만, '일제에게 당했던 치욕을 되갚기 위해서라도' 한번 그래 보고 싶다. 못난이처럼, 일제가 무서워서, 친일이니 반일이니, 요란 떨지 않으려 한다. 뚝심을 길러 당당하게 맞서려 한다.

나와 혁명 정부가 일본과의 회담을 빠른 시일 내에 끝내려는 이유는 분명하다. 우리는 일본 열도를 넘어 태평양을 건너 미국으로 향해야 하고, 동남아를 거쳐 인도양, 대서양으로 뚫고 나가야 하기 때문이다.

한반도는 대륙에 붙어있다고 해서 붙여진 이름이다. 그런데 휴전선 이북에는 김 일성 북괴가 막고 있다. 그 뒤로 중공과 소련은 우리를 잡아먹으려고 노리는 늑대들이다. 그래서 진출로는 오직 남쪽인데 거기에 일본이 있다. 그래서 우리가 세계로 진출하려면 반드시 일본과 타협하고 일본을 우리 통로로 삼아야만 한다.

조선 말 어려웠던 시기에 우리 심금을 울렸던 조선 책략(朝鮮策略). 제국주의가 한반도 주변을 엄습하던 때, 망해가던 나라 조선의 외교 전략을 생각하면서 나는 유엔과 미국을 우방으로 하는 연미(聯美), 친미(親美) 전략을 구사하려고 한다. 부자가 되려면 부자와 사귀어야 하고 강대국이 되려면 강대국과 가까이해야 한다.

대한민국 재외공관 직제, 공무원 해외 주재령, 외무부 직제, 재외공관 고용원 규정, 재외공관 공무원 보수에 관한 특례, 여권법 등 외교 관련 구법을 대폭 정비함과 발을 맞춰서 적극 외교 전략을 구사해 갔다. 앞서 언급한 유엔 총회 결의안에 힘입어 1963년 외교 정책은 더욱더 자신감 있게 추진해 갔다.

■ 1963년 외무 기본방침:
1) 미국을 위시한 자유우방과의 우위와 친선을 계속 돈독히 하고 한국에 대한 이해와 지원을 촉구한다.
2) 중립주의국가에 대하여 공관 증설 및 외교관계의 확대를 도모하며 한국의 입장을 이해시킨다.
3) 유엔 및 국제기구에 적극 참가하여 유엔 가입과 국제적 지위 향상에 노력한다.
4) 경제외교활동을 강력히 전개하여 미국 및 자유우방으로부터의 경제원조, 기술원조 및 민간자본의 도입을 촉구하고 해외 시장의 확장에 노력한다.
5) 심리전을 가미한 대외문화 공보활동을 계속 강화하여 국책수행의 뒷받침이 되도록 한다.
6) 재외 교포의 보호와 선도책을 강구하고 이민사업에 협조한다.
7) 자주적 외교체제를 계속 강화한다.
8) 민간외교를 육성 강화한다.

혁명 직후에 일본과 미국 탐방을 계기로 적극적인 대외 외교 강조에 나섰다. 혁명 정부에 대한 이해 증진을 위해 자유 우방국 친선 순회사절단을 파견하였는데 동남아 국가를 넘어 중동과 아프리카, 남미 여러 국가로까지 확대하였다. 극단적 반한(反韓) 공산 국가를 제외하고는 자유 우방국가는 물론 중립국가와의 교류에도 정성을 기울였다.

외교망 확충에도 적극 나서서 5·16 이전에 불과 13개국(상주대사관 10, 겸임대사관 3)과 외교 관계를 맺고 있었던 것을 2년 동안 무려 61개 국가로 확대하였다. 국제회의 참석이나 국제기구 가입도 적극 추진하여 16차 및 17차 국제연합총회 참석, 아시아극동경제위원회(ECAFE) 제19차 총회에

<표 13> 혁명 전후 재외 공관 비교

공관 구분	5.16 이전	5.16 후 - 1963. 5.15.	계
상주 대사관	10	8	18
겸임 대사관	3	28	31
총영사관	5	4	9
대표부	3	0	3
계	21	40	61

참석, 국제연합식량농업기구(FAO) 제11차 총회 참석 등 국제회의에 2년간 총 144회에 걸쳐 507명의 대표자를 파견하였다. 아시아생산성기구(1961. 6.30.가입), 콜롬보계획(1962.11.15.가입), 농촌재건기구(1963.2.19.가입) 등 여러 국제기구에 가입하였다.

한미 간 정세 회의 (1962.1.10.)

월남 국회의장 튜룽 빈 레 일행 방한 (1962.7.14.)

그리스 대사 신임장 제정(提呈) 1962.6.21.

카메룬 사절단 예방(1962.9.22.)

차관 도입 협약식. 공업화에 필요한 자금을 선진 외국으로부터 저리 차관 형태로 들여와야만 했다. 빚을 내서라도 공장을 지어서 상품을 생산하고 적극적으로 해외로 수출하는 전략을 구사하였다. 좁은 국내 시장에만 의존하는 경제활동을 넘어서야만 했다.

제3회 아세아 지역 생산성기구 국제회의(조선호텔)
1963. 5. 8.

한국과 월남 간 반공과 경제개발 협력을 위한 고위급 회담(1962.7.17.)

아세아 민족 반공연맹 임시총회 (시민회관. 1962.5.16.)

- 한일 회담:

일본과의 관계 개선은 이제 더 이상 미룰 수 없다. 전쟁 중이던 1951년 9월 8일 샌프란시스코 평화회의를 통해 미국과 일본의 안전보장조약이 체결되면서 현안으로 등장한 한국과 일본의 국교정상화. 그 해 10월 20일 처음으로 예비회담을 시작한 이래 장 면 정부까지 5차에 걸쳐서 한국과 일본 대표가 만났지만 양측이 원칙론만을 개진한 채 한 발자국도 앞으로 나가지를 못하고 있었다.

이 승만 대통령이나 장 면 총리는 국민감정을 내세워 해결이 쉽지 않은 원칙론만 개진하는 선에서 세월을 보냈다. 한일회담은 일제 감점에 대한 청구권(請求權), 어업 및 평화선 문제, 재일동포 문제, 독도 문제, 경제 차관과 원조 문제와 아울러 국민 정, 정치적 고려까지 복잡다단한 변수가 작용하고 있었다.

5 · 16 혁명에 대한 지지 의사를 표현함과 동시에 일본 정부는 한일회담

재개를 결정하였다(5월 17일). 혁명 정부도 이에 응답하여 제6차 회담 개최를 표명하였다(9월 25일). 김 종필 부장과 최 영택 참사관 등을 통해 분위기 파악을 시작하도록 하면서 동시에 한국은행 총재를 지낸 배 의환 행장을 일본 대사 겸 한일회담 한국측 수석대표로 임명하였다. 1961년 10월 20일부터 제6차 한일회담을 시작하였다.

미국 방문 길에 일본에 들려 이케다 수상과 한일회담을 조속히 마무리하는 것에 의견 일치를 보았다(1961.11.11.). 이후 전과는 달리 구체적인 실무 협상과 함께 고위급 정치적 회담을 통해 빠른 속도로 결론에 도달하고자 노력했다. 배 의환 수석 중심으로 일본의 스기 수석 대표와 회의가 여러 차례 이어지면서 의견 조율을 시도하였다. 지난 해 말에는 마침내 김 종필 부장과 오히라 외상의 정치적 타협에까지 도달하였다. 금년 초 정치적 격변 과정에서 김 종필 부장이 자리에서 물러나고, 민정 이양에 관련된 정치적 회오리가 몰아치면서 잠시 중단 상태에 있다.

회담 초기부터 핵심 쟁점에 대해 의견 조율에 들어갔다. 우선 청구권이라는 명칭 사용과 금액에 대한 것이다. 일본에서는 청구권이라는 명칭 사용에 대해 매우 민감한 반응을 보이면서 대신 독립 축하금이나 경제 원조라는 명칭을 사용코자 하였다. 하지만 청구권이라는 명칭은 이 승만 정권 초기부터 사용된 것으로 국민감정을 고려해서 우리로서는 반드시 관철시켜야만 했다.

일본측에서는 법적 근거를 들어 반발을 함과 동시에 그럴 경우에는 청구권 금액으로 7천만 불 밖에 지급할 수 없다고 버텼다. 해방과 건국, 전쟁 와중에 관련 문서가 많이 사라진 상황에서 우리는 청구권의 근거가 될 수 있는 자료를 충분히 제시할 수가 없었다. 무작정 '강제 침략과 지배'에 대한 보상이라고 할 수밖에 없는 처지다.

우리가 처음부터 제시한 7억불과 차이가 많이 났다. 일본은 청구권에 대해서 재한 일본인들이 남겨 놓고 간 재산에 대한 청구권과 서로 상쇄하려는 간교한 의사도 내비쳤다.

청구권이라는 명칭 사용과 함께 무상과 유상 원조까지 포함하여 우리가 요구하는 금액을 맞출 것인가에 대한 고민이 많았다. 우리로서는 청구권 금액을 최대로 하고, 무상 원조를 이에 합산하여 처음 요구 금액을 맞추고 싶었지만 저들은 청구권 금액을 최소로 하고, 대신 유상 원조를 많게 하고 싶어 했다. 무상 원조의 경우에는 몇 년간에 걸쳐서 받을 것인지, 유상 원조의 경우에는 이자율, 거치 기간과 상환 기간 등의 문제가 있었다.

협상 과정에서는 고려 변수가 많았는데, 한국과 합의를 할 경우에 북한은 또 어떻게 할 것이며, 인도나 버마, 동남아 식민 지배국들 중에 청구권을 발동하지 않은 독립국이 많다는 점, 한국과 일본 내부의 정치적 문제와 국민 감정을 어떻게 극복할 것인가 등의 문제가 있었다. 일본측에서는 이 승만 대통령에 의해 일방적으로 설정된 평화선 철폐, 독도 문제를 수시로 협상 테이블로 올려 우리를 압박했다.

재일 교포의 영주권 문제와 북송 저지도 우리에게는 버거운 협상 의제였다. 또 민간 기업 차원에서 일본에 지급해야 할 금액(Open Account)을 청구권 금액에 포함시켜 논의할 것인지, 청구권이나 원조로 들어오는 금액을 어떤 명목으로 사용할 것인가 등도 고려 요인이었다. 기존 미국의 원조가 대부분 소비재 구매로 사용된 것을 예로 들면서 청구권이나 차관 금액을 경제개발에 필요한 기반 시설이나 공장 건립에 사용해야 한다는 전제 조건을 제시했다.

우리에게 평화선은 단순히 어업 통제선이 아니라 국방 한계선으로 자리 잡고 있어서 이를 건드리는 것은 곧 대한민국의 영토 문제를 건드리는 것이 된다. 독도 문제도 일본은 지속적으로 국제사법재판소 의제화하려는 의도를 보였다

김 종필 부장과 오히라 외상의 1차 회담(1962년 10월 20일) 결과를 보고, 최고회의에서 정리한 의견을 미국에서 일본으로 향하고 있던 김 부장에게 긴급 훈령으로 전달하였다(11월 8일). 11월 12일 두 사람 간의 2차 협상을 통해 다음과 같이 잠정적인 합의를 하였다.

■ **김종필, 오히라 메모.** 1962년 11월 12일.

1. 무상(無償)은 (1) Korea측은 3.5억불(Open Account: OA 포함)
   (2) Japan측은 2.5억불(OA 불포함).
   수뇌에게 보고하고, 3억불로 조정하며, 10년 기한으로 지불

2. 유상(有償)은 해외 협력 기금으로:
   (1) Korea측은 2.5억불(이자 3푼 이하, 7년 거치 20-30년)
   (2) Japan측은 1억불(이자 3.5푼, 5년 거치, 20년 상환). 수뇌에게 보고하여, 2억불로 조정하며, 10년 기한. 거치 7년, 이자 3.5푼, 20년 상환

3. 수출은행 일방에 있어. (1) Korea측은 별개로 취급할 것을 희망
   (2) Japan측은 1억불 이상 프로젝트에 따라 신장(伸張)할 수 있음.
   이를 양자 간에 합의하여 국교정상화 이전이라 해도 곧바로 추진할 것을 양 수뇌에게 건의.

협상 내용을 듣고 최선이라고 생각하면서도 아쉬운 점이 있었다.

"김 부장, 왜 '청구권'이라는 말이 안 들어 갔어요? 우리 국민들에게 청구권에 대한 변제 내지 보상으로서 지불된 것이라는 것을 충분히 납득시킬 수 있어야 되는데, 그런 표현이 빠졌어요. 그냥 무상 원조가 되어 버렸네… 그것도 10년 기간은 최악이야. 경제개발계획에 사용하려면 가능한 빠른 시일 내에 받아야지."

"오히라 외상이 자꾸만 이케다 수상과 의회 핑계를 대면서 빠져나가려고 해서 불가피하게 일단 액수만 조정하려고 했습니다."

"하여튼 고생 많았어요."

한일화담은 1963년 정치 자유화와 민정이양 갈등 과정에서 수면 아래로 갈아 앉았다. 협상 주역인 김 부장이 외유를 떠나고, 나로서도 제3공화국 출범에 총력을 기울여야 했기 때문이다.

- 월남 파병:

월남은 우리와 같이 남북이 민주 국가와 공산 국가로 나뉘어진 분단 국가로서 동병상련(同病相憐) 관계에 있다. 건국 후 지금까지 지속적으로 중공과 소련을 등에 업은 공산당 세력의 준동과 북부 월맹군의 침투로 고전을 하고 있는 중이다. 월남은 공식적으로 우리에게 군사 지원을 요청하고 있다. 월남은 건국 직후 남로당 프락치들의 중동을 어떻게 진압하였는지, 그리고 6.25 공산 괴뢰군 남침에 대해 어떻게 대응하고 전쟁 승리를 이루었는지에 대해 알고 싶어 했다.

1961년 11월 미국 방문 길에 케네디대통령과 국방장관, 합참의장, 6.25 참전 용사들과 만나는 자리에서 우리의 월남 지원 가능성에 대해서 여러 차례 논의한 바가 있다. 우리 자체 역량으로 월남을 지원하는 데는 재정적 한계가 있는 만큼 미국의 지원 여부를 타진했었다. 지금가지 미국 측에서는 우리의 월남국 지원에 대해 아무런 확답을 주지 않고 있다.

일단 심 흥선 소장을 단장으로 하는 16명의 군사사절단을 1962년 5월 10일부터 7월 15일까지 파견하여 월남 상황에 대한 조사와 함께 군사적 협력 가능성을 타진하였다. 월남군에 대한 군사 훈련, 의무 지원, 태권도 교육, 전략촌 구축, 한국인 이민 등에 대해서 월남측과 진지하게 논의를 하였다. 우리로서는 경제적 한계 때문에 많은 지원을 할 수 없어서 일단 태권도 교관 4명을 1962년 12월 18일 자로 파견하여 월남군 교육에 임하게 했다.

향후 미국과의 교섭을 통해 재정적 뒷받침을 받을 수 있게 된다면 현재 60만 명에 이르는 군인들을 월남에 파견하여 월남을 공산당 침략으로부터 든든하게 지켜낼 수 있을 것이다. 우리로서는 국군의 실전 경험을 쌓게 하는 의미가 있고, 미군측으로부터 새로운 무기 지원과 재정 지원을 약속 받을 수 있다.

- 경제 외교:

혁명 정부는 경제개발과 관련된 자본 및 기술 원조, 통상 확대를 위해 전방위로 노력을 하였다. 그동안 미국과만 경제협력 관계를 맺고 있었다. 혁명 정부는 1961년 10월에 독일과 이탈리아에 경제사절단을 파견하여 독일로부터 1억 5천만 마르크 재정 및 상업 차관과 기술 지원에 관한 한독경제협력각서를 교환하였고, 지난해 10월에는 한독 투자보장조약을 가조인하게 되었다. 이탈리아와도 자본 및 기술 협력각서를 교환하고 활발한 교류를 추진하고 있다. 이들 나라와는 이중과세 회피협정도 추진 중에 있다. 금년 4월에는 이 한빈 주제네바 대사를 중심으로 기술원조교섭단을 파견하여 영국, 프랑스, 서독, 이탈리아, 스웨덴, 덴마크, 스위스, 벨기에, 오스트리아, 노르웨이 등 10개국과 기술 훈련생 파견 교섭을 시도하였다. 그 결과 서독 60명, 영국 24명 등 많은 기술훈련생을 파견하여 교육 중에 있다.

동남아 최대 경제조직인 콜롬보계획에도 가입하여(1963.1.29.), 회원국인 캐나다, 영국, 인도, 뉴질랜드, 파키스탄, 실론 등과도 차관 교섭 및 기술훈련 지원을 적극 요청하여 성사 중에 있다. 지난 3월 필리핀 마닐라에서 개최된 ECAFE 총회에도 대표단을 파견하여 경제개발계획 내용을 설명하고 지원을 약속받았다. 각 권역별로 민간통상사절단을 파견, 교환함으로써 대외 외교 확충과 함께 수출입 증대에 기여케 만들었다. /동남아(1962.3.3.-4.11.): 13명, 9개국 /구라파(1962.5.18.-7.18.): 11명, 10개국 /아프리카(1962.11.10.-12.24.): 3명, 10개국 /북미(1962.11.6.- 12.24.): 6명, 미국 주요 도시와 캐나다 /동남아 및 구라파(1962.12.26.-1962.1.31.): 4명, 10개국 /인도네시아(1962.9.20.-10.5.): 10명 /중남미(1962.12.29.- 1963.1.19.): 3명(1차 10일, 콰테말라, 콜롬비아), 3명(2차 10일, 아르헨티나, 칠레)

각국과 일 대 일로 무역협정을 체결하였는데, 한국-태국무역협정(1961.9.16.), 한국-인도네시아 통상 약정(1962.9.29.), 한국-말레이시아무역협정(1962.11.5.), 한국-월남무역협정(1962.12.19.), 한국-프랑스관세협정(1963.3.12.), 한국-브라질무역협정(1962.4.21.)이 이루어졌다. 협정을 통해 통상 절차를 간소화하고 이중관세를 없앴으며, 최혜국대우 관계를 수립하였다. 아울러 상품과 자본의 수출입 증대를 약속하였다.

국제박람회 참가는 물론 재외공관에 상품 전시관 상설 전시, 뉴욕과 로스앤젤레스, 홍콩, 방콕에 해외무역관을 설치하여 운영하였다. 프랑스와 이탈리아, 자유중국과 문화협정을 체결하고 인도, 버마, 파키스탄, 이란과도 문화협정 체결이 진행 중에 있다. 재외교포 등록과 지원 사업도 활발히 추진하였는데, 1962년 10월 1일 현재 등록된 재외교포 숫자는 18만 8,058명에 이른다.(일본 18만 5,946명, 중국 320명, 미국 945명, 멕시코 264명, 홍콩 193명, 월남 143명)

- **수출 진흥:**

후진국형 무역 수지가 수입 대 수출의 비중이 10 대 1인 상황을 극복하는 것이 무엇보다도 시급했다. 수출을 전담할 무역진흥공사를 설치하고(1962.4.24.), 아울러 수출진흥법(1962.3.20.)과 시행령(5.5.) 제정을 통해 수출용 원자재의 외화 우선배정, 수입 허가의 제한, 실적 상사에 대한 해외지점 설치 허용기준, 연대보증에 의한 무역 대금 대출 등을 규정하였다. 또 수출검사법을 제정(1962.10.4.)하여 수출품 규격화와 함께 품질 향상을 유도하였다.

후진국 무역 특성 상 수출에 비해 수입이 많은 점을 고려하여 수입업체에 대하여 수출입 실적 link제를 시행하였다. 즉 1963년부터 수입을 하기 위해서는 1962년 1월부터 10월까지의 수출실적에 대하여는 30%, 11월과 12월 실적에 대해서는 50% 해당액, 1963년 1월부터 5월까지의 실적에 대해서는 100% 해당액 범위 내에서만 수입을 허락하였다. 수출물자 체화신고(滯貨申告) 제도를 시행하여(1962.3.18.), 정부가 적극적으로 판매 알선에 나섰고, 수출장려보조금 교부규칙을 새로 제정하여(1961.9.22.) 수출 원가고(原價高)로 인한 결손 품목이나 해외 시세 하락으로 수출이 부진한 상품을

(사진: 구글 이미지)

수출한 자, 해외 시장을 새로 개척한 자, 국제박람회 출품자에 대해 보조금을 지불하였다.

이런 수출 진흥 효과는 곧 바로 나타나서 금년부터 수출 실적이 날로 증대하고 있다. 1960년 34,641천불, 1961년 42,901천불, 1962년 56,701천불, 1963년 5월말까지 21,881천불로 나타났다.

세계 속의 한국이 되어야만 규모의 경제를 실현 할 수 있다. 우리 한국이 내내 가난했던 이유는 농토가 적고 인구도 적었으며 상품을 교환하는 시장 규모가 작아서 규모의 경제를 실현할 수 없었기 때문이다.

농업에 필요한 비료 생산을 위해 비료 공장을 최대로 증설했다지만 국내 수요만을 충당하기 위해서는 역시 규모가 작고 그로 인해 생산 단가가 높다. 자동차 생산을 시도해 보고 있지만 국내 판매량이 적을 수밖에 없어서 많이 생산할 수도 없다. 철강 공장이나 정유 공장 건설도 결국 규모의 경제를 추구해야 하는데 그러기 위해서는 대량 생산을 통해 생산 단가를 낮출 수 있어야 한다.

우리가 총력을 기울여 공업화를 추구하다 보면 철강, 자동차, 정유, 유리, 비료 등 모든 영역에서 적당한 규모의 공장을 건설해야 한다. 그런데 국내 시장만을 목표로 생산을 한다면 시장이 좁기 때문에 공장을 풀가동할 필요가 없어지게 된다.

그래서 총력 수출 전략을 세웠다. 대량 생산을 통해 좋은 제품을 싼 값에 많이 생산한 뒤 경제개발에 필요한 국내 소비를 충족시키고 난 나머지 물량은 모두 외국에 팔아야 한다. 악착 같이 수출을 해야만 공장 가동을 지속할 수 있고 외화를 벌어들일 수 있다.

한국의 세계화가 곧 수출 한국이다.

청(靑): 젊은 한국

제6사단의 용문산 전투를 생각하며 농촌 시찰 중간에 용문사를 찾았다. 절간 앞 마당 끝에 은행나무가 꿋꿋하게 푸른 잎을 달고 서있었다. 천년을 이어온 그 경륜에 존경심을 표하면서, 돌아 나와 서울로 오는 길에 지평리에 들렸다.

한강 이남까지 밀리던 유엔군이 전열을 가다듬어 중공군을 격퇴시켰던 그 유명한 지평리 전투(1951.2.13.~16.) 현장. 지평리 일대에 고립된 채 인해전술의 중공군에 대항하여, 원형으로 진지를 구축하고 격전을 벌린 미국 제2보병사단 제23연대와 소속 프랑스 대대의 승전 현장이다. 2차 대전 영웅이었던 몽클라르(Ralph Monclar) 중장은 상임이사국이면서도 한국전 참전을 꺼리던 프랑스 정부를 설득하여 대대급 특수부대를 결성한 뒤 스스로 대대장이 되었다. 계급을 중령으로 낮춰서 부대 지휘를 책임지고 6.25 전쟁에 참전하였었다(1950.7.22.). 그가 이끌던 부대는 미군 부대에 소속되어 혁혁한 전과를 올렸다.

미군과 프랑스 부대의 지평리 전투와 함께 유명한 것이 영국군의 설마리 전투다. 글로스터셔 연대(Gloucestershire Regiment) 중심의 영국군은 1951년 4월 22일부터 4월 25일 사이에 파주시 적성면 설마리 감악산 부근에서 중공군의 침략을 막아냈다. 부대는 큰 피해를 입었지만 끝내 수도 서울을 사수하였다.

지평리 양조장 앞 주막에 들려 시원하게 막걸리 한 사발을 들이켰다. 공산군 침략에 맞서 처절하게 전투를 치뤄 우리 한국을 지켜 낸 그 현장. 그런데 제대로 된 기념비 하나 없다. 국방부를 중심으로 전적지 현양 작업을 진행 중이라고 하지만 전국 곳곳에 전쟁의 상흔이 너무나 커서 아직도 미진하기만 하다.

문득 주막 앞 너른 마당에서 놀고 있는 아이들이 눈에 들어온다. 코흘리개 어린애로부터 국민학교, 중학교에 다니는 연령대의 고만고만한 아이들 수십 명이 바글바글 모여서 놀고 있다.

"아이들이 많네~"

"예, 요즘 태어나는 아이들이 엄청 많습니다. 전쟁 후 태어나기 시작한 아이들이 한 해에 70~80만 명이나 된답니다."

동행한 비서관이다.

아이들은 바닥에 금을 그어놓고 팔짝거리며 사방치기를 하거나 사금파리를 손가락으로 튕기면서 땅따먹기 놀이에 열중하고 있다. 6월말 땡볕이 서쪽으로 기울어 그나마 열기가 줄어 있다. 한쪽 구석에서는 계집애들 여럿이 고무줄놀이를 하고 있다.

"무찌르자 오랑캐, 몇 백 만이냐? 대한 남아 가는데 초개(草芥)로구나…"

젊은 병사들이 목이 터져라고 부르던 '승리의 노래'를 구성지게 부르며 신이나 있다. 제법 굵은 녀석들은 원두막 그림을 큼지막하게 그려 놓고 편을 짜서 밀치고 막으며 고지 탈환을 위해 '격전'을 벌리고 있다. 저 멀리 다른 마당에서는 개구장이들 여럿이 말타기를 하고 그 곁에서 나무 자치기를 하는 아이들도 보인다.

전쟁이 끝나고 나서부터 높은 출산율과 함께 신생아 숫자가 엄청나게 늘고 있다. 한 해에 태어나는 아이들 숫자가 90만 명을 넘어서더니 1962년도에는 103만 6,659명이나 되었다. 가히 폭발적으로 인구가 늘고 있다. 10살 아래 인구가 거의 천만 명에 달하고 있다.

우리 한국이 엄청나게 빠른 속도로 젊어지고 있다. 전쟁 파괴로부터의 복구 문제를 넘어서 이제는 자라나는 아이들에 대한 의식주, 교육, 복지, 취업 문제가 심각해지려 하고 있다. 국가 시스템 재구축 문제는 단순하게 국회나 정부 형태에 대한 것만이 아니라 좀 더 구체적으로 국민에게 밀착된 생존, 삶에 대한 부분까지 고려해야 할 판이다.

<표 14> 연령별 인구 수

연령 구분	1944년 (5월1일) (남북한 합계)	1949년 (5월 1일)	1955년 (9월 1일)	1962년 (12월 1일)
총계	25,120,174	20,166,756	21,502,386	26,277,635
0-4	4,278,618	5,877,777	3,376,648	4,238,033
5-9	3,562,531		2,867,388	4,019,620
10-14	3,008,747	2,514,640	2,621,021	2,877,234
15-19	2,350,425	2,022,651	2,394,911	2,486,594
20-24	1,869,326	1,717,726	1,754,400	2,193,415
25-29	1,671,576	1,495,317	1,439,127	2,008,656
30-34	1,567,460	1,265,721	1,389,448	1,624,505
35-39	1,356,763	1,142,184	1,168,579	1,446,221
40-44	1,138,860	947,333	1,054,062	1,228,880
45-49	1,086,046	774,149	947,881	1,075,100
50-54	902,634	681,634	679,901	871,070
55-59	743,975	616,519	614,994	725,202
60-64	607,464	1,075,726	480,506	1,483,105
65-69	426,058		359,204	
70-74	302,049		191,742	
75-79	154,221		107,355	
80 이상	93,521		55,219	
연령 미상		35,379	(출처:경제기획원)	(단위: 명)

- **젊어지는 국가와 늙어지는 국가**:

한국은 지금 엄청나게 빠른 속도로 젊어지고 있다. 전쟁 직후부터 태어나기 시작한 베이비들이 전국을 엄습하고 있다. 20평도 안 되는 시골집에 15명 내외가 복작대면서 살아가야만 하고, 좁은 농토에서 생산한 조막만한 쌀과 보리, 콩을 쪼개 먹어야만 한다. 도시로 몰린 가난뱅이들은 집이 없어 청계천이나 중랑천, 미사리 일대에 판자집을 짓고 살아가고 있다. 그런데도 출산율은 29.3%(1961년)로 높다.(1961년 사망율 9.7%, 인구 자연증가율 19.6%, 1962년도 인구밀도 267명, 가구당 평균 5.79명).

하지만 젊어지는 한국을 보면서 '희망'을 본다. 이들이 대학을 졸업하는 1970년대가 되면 우리 한국은 양적 인구 면에서도 일본이나 주변국에 지지 않을 만큼 큰 덩치가 될 것이다. 그리고 열심히 교육시키고 가르치면 경제

개발에 필요한 전문 인재로 거듭 성장해 갈 것이다. 고등학교 진학률, 대학 진학률을 지속적으로 높여서 좁은 영토와 부족한 천연자원 문제를 극복할 수 있다.

조선 시대 말 우리는 늙어가는, 아니 늙은 한국이었다. 모든 것이 무기력하고 '죽을 날만 기다리는' '늙은이 같은 사람'이 넘쳐 났었다. 젊은 관료와 군인들을 앞세워 급성장하고 있던 일본의 존재를 전혀 의식하지 못한 채 그저 당파 싸움만 일삼고 있었다. 늙은 조선에는 열정이 없고 희망도 없었다.
그래서 해 볼만 하다. 나는 이 젊어지고 있는 한국인들을 경제 발전, 국가 발전의 길로 인도할 것이다.

'하면 될 것 같은' 기운이, 저 마당에서 뛰어 노는 아이들과 함께 풋풋하게 살아난다. 막걸리 한 사발을 또 다시 집어들었다.

- **교육 혁신:**

지난 정부에서는 일제 시대의 교육을 극복하고 새롭게 의무 교육을 시작하여 국민 문맹률을 낮추는 작업에 치중할 수밖에 없었다. 학교, 교사(教師), 교실, 운동장, 교과서, 실험실습 기자재 등 모든 것이 부족했었다. 이제는 혁명 정부의 책임이 되었다. 경제개발 5개년계획 첫해인 지난해부터 국민학교 입학생이 쌍팔 년도(단기 4288년. 서기 1955년) 아이들과 한 살 위의 아이들이 합쳐져서 거의 100만 명이나 되었다. 당장 시급하게 국민교육을 정비해야 했다.

우수 교사, 교수를 확보하기 위하여 학력, 연령, 능력, 전문성 등을 고려하여 새로운 선발 체제를 구축하였다. 이와 동시에 무자격자나 나이든 사람들을 선별하여 정년퇴직을 시켰다. 군 입영을 기피했거나 범죄 전력이 있는 사람, 교원 노조에 가입하여 활동한 자, 가정이나 개인적으로 문제가 있는 이들을 심사하여 퇴직을 시켰다. 교수들에게도 논문 심사제를 도입하여 무능력자를 걸러냈다. 교원 정년을 65세에서 61세로 낮춰서 무능력하거나 열정이 적고 무욕(無慾)한 고령자를 퇴직시켰다. 이와 병행하여 교원들의 보수를 현실화하기 위해서 보건수당, 교재연구수당, 조산(助産) 수당을 높여서 지급하였다.

초등교원 양성을 위해 '교육에 관한 임시특례법의 개정(1962년 4월 24일)'을 통해 사범학교를 전국 11개 교육대학으로 승격 개편하고, 양성 인원을 연간 3,000여 명에서 1,960명으로 대폭 감축시켜 정예화 하였다. 중등교원은 3개 국공립사범대학에서 724명, 2개 사립사범대학에서 948명을 양성 중에 있다(1963년). 그리고 일반 대학에도 교직과를 두어 교직과목을 총 16학점 이수한 사람에 대하여 2급 정교사 자격증을 수여하고 있다. (1963년의 경우에 5,044명이 교직 이수 중에 있다.) 교직과는 사범대학에서 양성할 수 없는 전공이나 교원이 특별히 부족할 것 같은 영역에 대한 교사 양성 과정이다.

<표 15> 정년 퇴직자 통계 (출처:「한국군사혁명사 제1집 상」1374)

	국민학교			중학교			고등학교			대학교			합계
	교장 교감	교사	계	교장 교감	교사	계	교장 교감	교사	계	총장 학장	교수	계	
61.9.30	275	11	286	32	17	49	48	25	73	2	25	27	435
62.2.28	42	3	45	1	7	8	8	1	9		3	3	65
62.8.31	38	1	39	3	1	4	2		2	1	5	6	51
합계	355	15	370	36	25	61	58	26	84	3	33	36	551

교육 재정 확충을 통하여 의무 교육 시설과 실업 교육 시설을 대폭 증설하였고, 각종 시청각 기자재, 교과서 등을 새롭게 충당하였다. 43개 분규 중에 있는 사학을 조정하여 37개를 정상화시켰고, 각급 학교 시설 및 경영 상태 정비를 단행하였다. 4년제 대학의 학과와 학생수를 조정하여 경제개발에 필요한 전문 인재 양성 전략을 수립하였다.

1961년 11월 1일 교육법시행령을 고쳐서 각급 학교의 학기제를 1학기는 3월 1일부터 8월말까지, 2학기는 9월 1일부터 2월말까지로 개편하였다. 이는 일제 시대부터 진행되어 온 4월 1일, 10월 1일 개학 체제를 우리 기후와 경제 활동 양상에 맞춰서 고친 것이다. 교과 과정 및 내용을 개편하였는데, 경제개발계획과 연계하여 실과, 도덕, 보건생활, 사회생활, 반공 교육 내용을 추가하였다.

또 1961년 8월 12일, '중학교, 고등학교 및 대학의 입학에 관한 임시조치법'을 공표하여 각급 학교 입학고사를 국가가 관리하게 되었다. 주요 사항은 첫째, 중학교와 고등학교 진학은 소재지를 관할하는 서울특별시 또는 도의 관내 중학교 또는 고등학교로 제한한다. 둘째, 중학교, 고등학교의 입학 선발 필답고사는 국가가 공동 출제하여 시행한다.

셋째, 대학에 입학할 수 있는 자는 교육법 제111조의 자격을 가진 자로서 국가에서 시행하는 고사에 합격한 자여야 한다. 넷째, 국민 체위 향상을 위하여 입학생의 체능 검사를 실시하여 필답 고사 성적과 합산한다. 다섯째, 실업계 학교의 졸업자가 동일계 대학에 진학할 경우에는 학교장의 추천에 따라 서류전형 만으로서 진학할 수 있다.

여섯째, 각종 재질(예능, 체육)에 특출한 자에게는 서류 전형만으로서 상급학교에 진학할 수 있다. 일곱째. 사학(私學)의 육성과 수험생의 편의를 위하여 시험기를 전기, 후기로 구분하여 시행한다. 여덟째, 대학은 자율적으로 입학 전형을 실시한다.

해외로 국비 유학생 파견도 적극 실시하여 2년 동안 621명을 유학시켰다.

역사상 최고의 지도자로 세종대왕을 꼽는 이유가 있다. 글을 모르는 백성들이 쉽게 읽고 쓸 수 있는 위대한 한글을 창제하셨기 때문이다. 그런데 그건 아는가? 한글은 창제된 이후 500년간 버려져 있었다는 사실을...

그것을 내가 온 국민들이 익히도록 만들 것이다. 국민학교 교육을 넘어서 대학생, 전문 직업인이 되도록 온 국민을 가르칠 것이다. 고등학교 진학률, 대학교 진학률을 100%로 만들 것이다. 국민 모두가 문맹에서 벗어나야만 우리에게 희망이 있다. 전문 기술 습득, 경제 개발, 그 이후에 도달 가능한 자유로운 민주 시민을 만들 수 있다. 한글이나 숫자를 몰라서 '작대기'를 그려놓고 투표를 해야만 하는 '어리석은 백성'들이 없게 만들 것이다.

- 재건 청년 지도자 육성:

국민재건운동은 생활 현장에서 국민 개조, 의식주 생활 개선을 시도하는 것으로서 현장의 실천 행동이 중요하다. 그리하여 국민재건운동의 의미를 충분히 인지하고 있으면서 열정적으로 실천에 나설 수 있는 젊은 청년, 부녀자를 지도자로 육성하여 선두에 설 수 있게 만들었다. 재건청년회와 부녀회를 각 리, 동, 통 단위로 결성토록 유도하였는데 가입 대상은 18세~45세 청년과 부녀자로 하였다. 재건청년회나 부녀회는 도, 시, 군을 넘어 전국 조직화하였다. 조직 상황을 보면 서울의 경우에 3,221개 지역 중에서 청년회는 3,207, 부녀회는 3,196개로서 99% 조직률을 보였다.

- 국회의원, 장관, 행정 관료의 청년화:

혁명 정부에서는 대부분의 장관과 차관, 시도지사, 공공기관장, 정부투자기관장을 30대~ 40대 군 장교로 임명하였다. 군사정부의 속성상 어쩔 수 없었다지만 2년 동안 이들 젊은 기관장을 중심으로 강력한 실천 행정을 구사할 수 있었다. 지난 이 승만 정부, 장 면 정부에서 해내지 못했던 강력한 행정, '논의나 계획을 넘어 실질적인 결과를 창출하는 행정'을 만들어냈다. 기존의 구태의연하고, 무기력하며, '되는 것도 없고 안 되는 것도 없는 듯했던' 관료적 권위주의를 극복해냈다.

지금 한창 시도되고 있는 신규 정당 창당 작업은 사실 구태의연하고 '조선 시대의 양반처럼 거들먹거리는' 국회의원, 정치인들을 물러나게 하려는 것이다. 그래서 지난해부터 인재 발굴에 나섰던 공화당은 향후 전개될 국회의원 후보자로서 30~40대 젊은이들을 공천할 준비를 하고 있다. 하지만 기존 정당들의 창당 과정을 보면 아직도 윤 보선이나 허 정, 박 순천과 같은 구태 정치인들 중심으로 논의가 전개되고 있어 걱정이다. 정치인의 물갈이가 야당 쪽에서는 크게 일어날 것 같지 않다.

정치를 젊게 해야만 우리가 추구하고 있는 현대적 의미의 자유민주주의가 제대로 구현될 수 있을 것이다. 구태 정치인들의 면면을 보면 조선 시대의 양반집 자손이거나 일제 시대의 지주 출신, 해방 전후에 이념 갈등 속에서 오염된 사람, 해외 독립 운동 전력을 내세우면서 '행세' 하려는 인물들이 적지 않다. 이들보다는 현대식 교육을 받았고, 민주와 반공 의식이 확실한 사람, 각 분야 전문가, 혁명 이념에 투철한 젊은이들이어야 한다.

행정 관료 중 부정부패를 일삼고, 무능력하며, 정치적으로 임용되었거나 정치권에 줄을 대고 있던 사람, 지나친 고령자들을 솎아 냈다. 그리고 새롭게 고시 제도를 정비하고 우수한 인재들을 선발해 충원하였다. 적극적으로 공무원 제도를 개선하고 교육 훈련을 전개하여 역량 있는 젊은 행정 관료들을 만들어 가고 있다. 이들과 함께 향후 전개될 제3공화국의 경제개발을 옹골차게 추진해보고 싶다.

- **새로운 서기 년도 사용:**

경제개발이 시작되는 1962년도를 기해서 서기(西紀) 연도를 사용하기 시작했다. 1948년 건국 당시부터 단기(檀紀) 연호를 사용하다 보니 서구 선진국들과 교류하는데 문제가 있었다. 외교 문서에는 단기를 사용할 수 없었기 때문에 관계자들은 이중 서류 작업을 해야만 했다.

또 양력과 음력을 동시에 사용하는 것도 국민재건운동을 통해 양력 사용으로 전환시키고 있는 중이다. 음력 1월 1일을 설날 명절로 하면서도 모든 행정, 교육, 경제가 서기 양력 1월 1일부터 시작되는 만큼 혼란이 생겨난다. 학교에 입학하는 아이들 나이를 서기 연도로 구분 짓고 있는데 국민들은 아직도 '우리 나이냐 만(滿) 나이냐' '양력이냐 음력이냐'를 따지고 있다. 전통문화가 몸에 밴 어른들은 쉽게 고쳐지지 않겠지만 새로 자라나는 청소년들에게는 단기와 서기, 음력과 양력을 현대식으로 전환하려고 노력하고 있다.

- **미터법 사용:**

계량법을 개정하여 척관법(尺貫法)과 야드(Yard), 온스(Ounce) 등 혼용되고 있는 도량형을 미터법으로 통일시켜 1964년부터 시행하기로 하였다. 미터법은 다른 어떤 도량형보다도 체계적이고 세계적이다. 미터(m) 원기(原器)나 킬로그램(kg) 원기는 국제회의를 통해 제작하여 프랑스에 있는 국제도량형중앙국에 보관되어 있는데 각국의 계량 원기들은 반드시 여기에 규격을 맞추도록 되어 있다. 미터법은 10진법으로 되어 있어 계산이 편리하고, 모든 행정 및 학술 통계가 미터법으로 되어 있어 국제적 교류가 수월하다. 우리도 촌(寸)이나 척(尺), 평(坪)이나 정(町), 근(斤)과 관(貫), 리(里), 되(升)와 말(斗), 섬(石) 등으로 되어 있는 도량형을 1964년 1월 1일을 기해 미터법으로 고치기로 하였다. 정부가 먼저 행정 문서를 미터법 체계로 고치는 작업이 한창 진행 중이다.

서기 연도 사용과 함께 미터법 개정도 새로운 한국을 만들어 낼 것이다.

천만 명 이상이나 되는 10대 청소년들의 성장과 발맞춰서 젊은 한국이 만들어지고 있다. 현재 경제 수준은 세계 최빈국에 속하지만 지금 국민학교에 진학하고 있는 전후 출산 아이들이 자라나면 엄청난 동력을 만들어 낼 수 있다. 나는 이들과 함께 대한민국 발전을 시도해 보려고 한다.

내가 구상하고 있는 위대한 대한민국의 모습이 눈에 선하게 그려진다.

'그래, 한번 해 보자!'

제 5 부

모두와 함께
저 높은 곳을
향하여 !

박 정희, 군복을 벗다

농림부 보고에 따르면 금년(1963년) 하곡(夏穀) 생산이 목표량에 많이 미달할 것이라고 한다. 최근 남부 호남 지방의 풍수해와 영남 지방의 병충해로 인해 30% 정도 감산이 예상되고 있다. 정부에서는 식량 수요 총량을 3,368.3만 석으로 잡고 국내 생산량 2,798.3만석에 따른 부족분 570만석을 미 잉여농산물 원조로 충당하려고 했었다. 그런데 하곡 생산량이 급감할 것으로 예상됨으로써 비상이 걸렸다. 미국으로부터 들여오는 잉여 농산물은 1차로 콩 40만 톤, 수수 2만 톤, 옥수수 1만 톤에 불과하였고 추가로 2차분 콩 7.5만 톤이 결정되었을 뿐이다. 정부에서는 부랴부랴 대만과 일본, 미국으로부터 식량을 추가로 구매 중에 있다. 아직은 추곡(秋穀) 작황을 기다려 봐야 하기에 지나친 비관은 금물이지만 걱정이 되는 것은 어쩔 수 없다.

농작물의 경우에 기후의 영향을 많이 받기 때문에 언제나 이런 비상 상황이 발생한다. 금년에는 경작 면적을 9% 가까이 늘린 것으로 보고 받았었는데 하곡 생산량은 오히려 30% 정도나 감산이 예상된다니… 일단 가을 추수 상황을 면밀히 검토하면서 식량이 부족하지 않게끔 해외 수입 계획을 세우도록 지시하였다.

무언가 근본적인 대책이 필요하다. 최고회의를 마치고 김 현철 내각 수반과 장 경순 농림부장관을 따로 불러 차 한잔을 나누며 얘기를 나누었다.

“양곡 비축분이 얼마나 됩니까?”

“근근이 춘궁기 대책을 마련하는 것도 어려운 실정이라서 식량 비축분이 얼마 되지 않습니다.”

“전쟁 군량미도 3년치는 비축되어 있어야 한다는데, 우리는 국민들이 1년 동안 먹을 것도 모자라서 미국 잉여농산물 원조에 매달려 연명하고 있는 실정입니다. 매년 부족분을 주변국에서 긴급으로 구매해야만 하는 일이 반복되고 있습니다.”

쉽게 해결되지 않는 식량 문제다.

“식량 문제만을 전담할 식량청을 만들면 어떨까요? 다음 정부 조직 개편안에 넣어서 심도 있게 다뤘으면 합니다. 그리고 매년 반복되는 식량 문제를 해소하기 위해서는 어떻게 해서라도 식량 비축분을 늘려야 하겠습니다.”

김 수반이 조심스럽게 말을 꺼내며 내 눈치를 본다. 그냥 답답하기만 하다. 두 사람이 나가고 잠시 쉬는데, 탁자 위에 있는 신문 기사 하나가 눈에 들어온다.

‘나는 이렇게 보았다: 재건상황시찰단(再建状况視察団)에 참가한 재야인사들의 좌담(座談)’

혁명 정부의 업적과 국민재건운동 실적을 국민들에게 눈으로 직접 보고 확인하도록 하기 위해서 공보실을 통해서 추진한 사업 내용이다. 정부에서는 지난 6월 12일부터 15일까지 재야정치·경제·문화·언론계 인사들로 구성된 3개 시찰반을 편성하여 호남, 영남, 영동 지방을 답사하게 하였다. 조선일보에서는 각 시찰단에서 1명씩 즉 설 원식(대한방직 대표이사), 허 길(자유민주당 준비위원), 정 비석(소설가) 씨를 초대하여 조 덕송 조선일보 기획위원 사회로 대담을 나누었다. 내용을 간단하게 요약해 놓았다.(조선일보 1963.6.23.)

- 설(薛): 5 · 16 이후 처음 농촌에 내려가 보았는데 대구 근방 칠곡군에서… 사방공사(砂防工事)가 아주 과학적으로 잘 진행되고 있었어요. 이것은 서울에서 몰랐던 사실입니다… 나무 심는 방법, 비료 주는 방법… 포플러, 아카시아를 많이 심고 있는데 이것이 과학적으로 진행되고 있고 일당 노임(日當勞賃)도 그날 지불하게 되어 있고 또 나무를 심으면 심은 사람과 산주(山主)가 그것이 자라서 나오는 이익을 분배하는 제도를 정부에서 장려하고 있어서 대단히 좋은 방법이라고 생각했어요.

- 정(鄭) 저는 과거 농촌이 어떻다는 건 말로만 들었지 이번에 첨 가봤는

데… 특히 놀란 것은 전남에 가니까 각 군 단위로 산업 센터가 있어요. 거기서 농촌 지도층을 데려다가 농사기술을 학습시키고 생활개선 방법 같은 것도 가르치고 하는데 이것이 장차 농촌발전의 터전이 되는 것이 아닌가 이렇게 생각했습니다. 그리고 개간과 간척이 상당히 활발히 진전되고 있어요. 전북에서도 상당한 실적을 올렸지만 특히 전남은 약 2만 정보를 5.16 이후에 늘렸답니다.

각 부락에서 생활 개선이 추진되고 있는데 예를 들면 지붕을 개량한다든지 부엌도 시멘트를 발라서 개량을 하고 찬장도 개량돼 가고 있는데 이런 게 조그마한 일 같지만 지금까지의 구태에서 벗어나려고 각 마을이 의욕에 차 있는 걸 봤습니다. 이런 걸 볼 때 지방에 미치는 일반 행정력이 우리가 생각한 것보다 상당히 강화되었다는 걸 느꼈습니다.

- 허(許): 춘천발전소에 가보았습니다. 지금 80% 진척이 되었는데 연내에 준공이 된다고 합니다. 그리고 영월화력발전소는 기존 시설 옆에다 새로이 또 건설하고 있습니다… 그리고 삼척발전소도 일본과 계약이 되어서 연내 착공하게 되고… 전력을 자급자족은 못하지만 많이 늘려서 쓸 수 있잖을까 생각합니다.

- 허: 중앙을 비롯해서 어디를 가나 「브리핑」인 데 정확한 통계를 잡은 「브리핑」 행정은 좋은 제도라고 생각합니다… 대개 도지사가 군인인데, 이 사람들이 직접 농촌에 다니면서 실정을 파악하고, 관리들의 비행도 조사하고, 그야말로 암행어사격으로 활동해서 관기(官紀)를 올바르게 잡으려는 이런 것은 대단히 좋은 일이라고 생각합니다.

1군 사령부에서 직접 사병들의 얘기를 들었는데 5·16 이후에 사기가 상당히 앙양되었다는 것입니다. 과거엔 부식이 나빴고 막사(幕舍)가 나빠서 도망병이 많았다 합니다. 그런데 지금 미 8군의 지원을 받아가지고 막사가 거의 개량되었답니다. 그리고 부식도 개량되고 또 군수물자가 과거엔 많이 유출되었는데 5·16 후엔 철저히 단속되어서 전연 없는 건 아니지만, 거의 없을 정도로 되었고 도망병도 많이 줄었다는 겁니다. 그리고 문맹이 입대할 때엔 보통 30%가 되었는데 보충대에서 근대적인 교육을 해서 많은 성과를 올리고 있다합니다.

- 설: 저는 경제개발 5개년 계획에 관련해서 잠깐 말씀을 드리겠습니다. 울산공업센터에 갔더니 솔직히 말을 해주어서 기분이 좋았습니다. 지금 정유공장과 저수지를 건설 중에 있는 데 그 외 비료공장과 제철공장은 착공도 못했답니다. 이 제철공장은 7년이 걸려야만 완성되는 방대한 사업입니다. 비료공장도 5년이 걸려야 됩니다. 이것을 5개년계획에서 다 못하면 잘못된 것이다 라고 하는 사람이 있다면 이것은 잘 모르는 사람의 독백(獨白)이라고 생각합니다.

- 정: 농촌이 잘 되느냐 못되느냐 하는 것은 그곳 지도자의 열성과 지도력에 달렸다고 생각합니다. 앞으로 우리나라 농촌을 부흥시키려면 각 부락마다 우수한 지도자를 기르도록 해야 될 것입니다.

국민들이 경제개발, 국민재건운동 현장을 직접 눈으로 봄으로써 혁명 정부의 실적에 대해 제대로 인식하게 된 것 같아 기분이 좋아진다. 대부분의 사람들이 신문이나 방송을 통해 간접적으로 전해 듣는 데, 문제는 기자들의 기사 내용이 대체로 비판적이라는 점이다. 그들은 사실 보고를 하다가도 뒤에는 반드시, '그런데..' '그러나...'를 붙여서 비판을 하고 만다. 일반 국민 입장에서는 '결과적으로, 문제가 있구나!'로 마무리될 수밖에 없다.

대국민 홍보에 앞서 언론 기관 종사자들이나 지역 오피니언 리더들에 대한 홍보와 이해시키기가 절실히 필요하다.

미국에서 귀국한 이 한림 장군을 한국수자원개발공사 사장으로 발령을 냈다는 보고를 받았다. 그동안 고생을 많이 했는데 경제개발 과정에 동참할 수 있는 길을 열어준 셈이다.

7월 12일 자로 김 형욱 위원을 중앙정보부 부장으로 임명하였다. 김 재춘 중앙정보부장은 무임소장관으로 발령을 내기로 하였다. 김 재춘 부장은 그동안 4대 의혹 사건과 박 창암 반혁명 사건을 훌륭하게 해결해냈다. 하지만 일 처리 과정에서 김 종필 부장이나 육사 8기생 중심의 정보부 체계를 공중 분해시켰고, 특히 범국민정당 창당 작업을 하면서 공화당 조직을 와해시키려는 무모함을 보였다. 공화당 대안으로 추진하고 있는 범국민정당 창당 작업이 지지부진하여 이제는 공화당과 통합하여야만 하는데도 불구하고 그는 여전히 욕심을 부리고 있었다.

김 재춘 부장이 자리에서 물러나고 정당 창당 작업에서 손을 떼게 되면서 자연스럽게 공화당과 범국민정당의 통합 논의도 물 건너가게 되었다.

중정 부장의 신규 교체를 계기로 최고회의 위원들과 내각 장관들 10여명이 저녁 식사 자리를 함께 하였다. 덕담을 주고받으며 식사를 하고 난 뒤 이어진 담소 자리에서 김 형욱 신임 부장이 최근의 라오스 사태에 대해 입을 열었다.

"라오스 사태가 더욱 더 심각해지고 있습니다. 얼마 못 버틸 것 같습니다."

"그래요. 정말로 심각합니다. 그동안 미국과 프랑스, 어정쩡한 태도의 소련 지원을 받아서 수바나 푸마 정부가 중립국을 표방하고 어렵게 버텨보려고 했는데… 중공과 월맹의 지원을 받는 파테트 라오 공산당은 이들의 휴전 제의를 거부하고 맹렬하게 공격을 해 대고 있어요."

"애초에 중립국화는 불가능한 대안이었다고 생각합니다. 파테트 라오 공산군은 완전한 공산화를 목표로 총공격을 가하고 있어요. 그 뒤에 중공과 월맹이 있으니 말로만 하는 미국이나 프랑스식의 평화가 어림도 없죠. 이제는 소련보다도 중공이 더 나쁜 놈입니다. 6.25 때처럼 한국이나 라오스, 캄보디아, 월남까지도 모두 침략하고 있어요."

"미국이나 프랑스 등 자유우방도 직접 군대를 파견해야만 합니다. 6.25 때 유엔군처럼 말이지요."

길 재호 위원이다. 새로 국방위원장이 된 유 양수 장군이

"아 참. 금년 11월에 열리는 아세아민족반공연맹(APACL) 제9차 대회에

서, 심각해지고 있는 라오스 내전과 월남의 공산화를 막기 위하여 자유우방국이 참여하는 아세아지원군을 창설할 것이라고 합니다. 비율빈 지부(比律賓支部) 부의장인 「헤르난데스」 씨가 지난 6월 15일 발표했어요.”

갑자기 눈이 크게 떠진다.

“그런 얘기가 있었어요?”

“가능한 얘기입니다. 의장님께서 지난 번 미국 케네디 대통령 방문 때 의사타진을 해보셨던 월남전 참전 문제도 같은 맥락에서 논의될 수 있습니다.”

라오스가 공산화 되고 나면 그 다음 순서는 월남이다. 우리와 처지가 같은 월남의 공산화는 반드시 막아야만 한다. 우리가 김 일성의 침략을 이겨냈듯이 월남이 월맹과 중공의 침략을 받아 공산화되는 것은 눈 뜨고 볼 수 없다. 중공의 침략 행위는 라오스, 월남만의 문제가 아니다. 휴전 상태에 있는 우리에게는 치명적이다. 반드시 못된 중국 공산당의 침략을 막아내야만 한다.

민정 이양을 앞두고 잠시 수면 아래로 내려가 있는 월남전 참전 문제도 조만간 심도 있게 다시 논의해보고 싶다.

대통령 선거일을 10월 15일, 국회의원 선거일을 11월 26일로 잠정 결정하였다. 이 일정에 맞춰서 나의 전역식을 8월 30일로 정했다. 장소는 철원 지포리에 있는 5군단이다.

당일 오전 전역식에는 최고회의와 내각, 사법부의 주요 인사들이 많이 참석하였다. 미국 등 주요국 대사들과 유엔군 관계자, 군 장성들이 단상에 올랐다. 연병장에는 군단 장병 수백 명이 도열해 서서 나를 축하해 주었다.

대한민국 국인 생활 15년과 함께 만군(滿軍), 일군(日軍), 미군정 하의 국방경비대까지 총 23년간의 군인 생활을 마무리하는 자리였다. 육군 대장 직함을 내려놓고 민간인 신분이 되는 자리다. 전역 인사말이 진지하고 감성적이 되지 않을 수 없었다.

“본인은 군사혁명을 일으킨 한 책임자로서 이 중대한 시기에 처하여 일으킨 혁명의 결말을 맺어야 할 역사적 책임을 통감하면서 2년여에 걸친 군사혁명의 종지부를 찍고 혁명의 악순환이 없는 조국 재건을 위하여 항구적 국민혁명의 대오, 제3공화국의 민정에 참여할 것을 결심하였습니다. 오늘 병영을 물러가는 이 군인을 키워 주신 선배, 전우 여러분. 그리고 군사혁명의 2년여 동안 혁명 하(下)라는 불편 속에서도 참고 편달, 협조해 주신 국민 여러분에게 감사를 드리며 다음의 한 구절로서 전역의 인사로 대신할까 합니다.

‘다시는 이 나라에 본인과 같은 불운한 군인이 없도록 합시다.’

감사합니다.”

순간 울컥했다. 만감이 교차하는 순간이었다.

혁명 직전, 군화끈을 졸라매고 신당동 집을 나서면서 부인 영수와 아들딸들을 돌아보면서 느꼈던 그 살벌함. 목숨을 건 혁명에 나서던 당시를 되돌아보면서 ‘내가 왜 이렇게 살아야 했는가?’ 자괴감이 들 때도 적지 않았다.

‘나보다 뛰어난 군인들이나 정치 지도자들이 수없이 많은데 왜 굳이 내가 나서야만 하는가?’

처음 군문에 들어서는 순간부터 나의 인생 목표는 멋있는 장군(將軍), General, Star가 되는 것이었다. 그리고 그 꿈을 이뤘다. 군인으로서는 장군 반열에 오르는 것이 최고의 목표요, 완성이다. 수많은 군인들이 존경하고 온 국민들도 이 순신 장군 보듯이 높여 본다. 더 바랄 것이 없다.

그런데 나는 가난에 찌든 농민들, 개돼지만도 못한 삶을 살아가고 있는 수많은 국민들을 보면서, 그리고 이 승만 정부와 장 면 정부의 국가 통치 현장을 지켜보면서 참을 수가 없었다. 그래서 혁명을 해야만 했다. 그리고 지난 2년여 동안 식사도 거르고 잠도 못 자면서 불철주야 일을 했다. 경제개발계획을 세우고 국가 발전 전략을 수립하고 집행하는데 앞장서서 뛰었다.

그러면서 이제 민정 이양이라는 선택의 기로에 섰다.

영광스러운 장군으로 군 생활을 마칠 것이라면 군사 혁명을 할 필요가 없었을 것이고, 지금에 와서 민정 참여를 고민할 것도 없다. 그냥 물러나면 된다.

그런데 아무리 생각해도 지금 이대로 물러날 수 없다. 내가 꿈꾸는 위대한 대한민국 건설, 경제개발 5개년계획을 지속적으로 추진하여 1인당 소득 천 달러, 수출 100억불까지 도달해보고 싶다. 그래야만 우리 국민들이 세계 열강들과 함께 어깨를 나란히 하면서 자유 민주를 구가해 갈 수 있다.

내가 내려서고 손을 놓으면, 누군가는 내 역할을 대신하고 내가 그리는 위대한 대한민국을 만들 수 있겠는가? 6 · 25를 승리로 이끈 그 대단한 장군들은 군인으로서 최고의 영광을 누리며 은퇴하는 길을 택했다. 아무도 혁명에 앞장을 서지 않았다.

'나와 같은 불운한 군인이 되지 말라'는 부탁은 우리 대한민국이 자유 민주 국가로서 정상 궤도를 가야만 한다는 처절한 외침이다.

나도 오늘 이 자리가 군인으로서 최고의 영광인 대장(大將)으로만 기억되고 싶어지기도 한다. 이미 정상인데… 또 다시 대통령이 되겠다고 공화당 후보로 나서야 하는 것이 사실은 조금 마음에 들지 않는다.

그래서 '불운한 군인'이다.

누군가는 나의 이런 고뇌와 갈등을 알겠지...

강원도 철원군 제5군단에서 열린 전역식에서 경례하는 박 의장. 육영수 여사가 뒤에 앉아 있다. 1963. 8. 30

윤 보선 대 박 정희

8월 31일 토요일 오전 9시. 공화당 제3차 전당대회가 열리는 서울시민회관으로 들어섰다. 현수막이 크게 붙어 있다.

'새 사람에 한 표 찍어 소같이 부려보자.' '일하는 정당'

그리고 힘찬 황소 그림. 윤 치영 당의장과 정 구영 총재, 김 동환 사무국장 등 정당 인사들이 반갑게 맞는다. 어제 전역식에서는 훈장을 주렁주렁 단 제복과 무거운 대장 모자를 썼었지만 오늘은 깔끔한 신사복에 검은 안경을 썼다. 민간인 신분으로 처음 나들이하는 기분이 묘하다.

박수를 받으며 공화당 총재로 취임하고, 이어서 대통령 후보 수락 연설을 하였다.

"오늘의 현실에 어떤 결정적인 계기가 주어지지 않는 한 우리는 또 다시 4·19와 5·16 이전의 상태로 환원되고 말 것이며, 우리 앞에는 또 다시 침체와 오욕의 역사가 되풀이되고 말 것입니다. 부패와 무능으로 양 차의 혁명을 초래하고도 뉘우칠 줄 모르는 인사들이 자유로운 언론에 편승하여, 아직도 기만적 술책을 다하여 무고한 국민들을 현혹시켜 갈피를 잡지 못하도록 하고 있는 이 현실을 우리는 직시(直視) 합니다…

5·16 혁명에 앞장을 섰고 이제 국민적 혁명완수의 책임을 느끼는 본인은 전진하는 역사의 흐름을 따라 스스로의 거취를 밝히는 이 마당에 있어서, 차기 민정은 반드시 혁명이념을 계승하여 혁명정부가 못 다한 과업을 기어이 완수하고, 이 땅 위에 조속히 정치적 안정을 이룩하여 자주와 자립의 당면 목표를 완수할 것을 기약하는 바입니다."

전당대회에서는 사무조직과 정치조직으로 이분화 되어 있던 조직을 선거체제로 일원화하기로 하고 당기(黨旗), 당가(黨歌), 선거 공약과 세부 정책 내용, 선전 구호, 득표 전략 등을 결정하였다. 40일 앞으로 다가온 대통령 선거를 위하여 곧바로 전국 순회 일정과 당원 증대 계획, 차후 선거 유세 전략까지 세웠다. 야당이 창당과 대통령 후보 문제로 갑론을박, 이합집산하고 있는 실정을 감안하여 총력을 기울여 기선 제압을 하기로 하였다.

9월 3일 화요일 오후, 총재로서 첫 회의를 주재하였다. 조직 정비 차원에서 공화당 창당 주역이었던 김 동환 사무총장을 장 경순 최고위원으로 교체하였다. 김 사무총장은 김 종필 장군과 함께 지난 2년여 동안 인재 발굴과 공화당 중앙당은 물론 전국 지구당 조직에 심혈을 기울여 왔던 일등 공신이다. 잠시 쉬게 하고 최고회의와 오월동지회, 자유민주당 쪽 사람들을 모두 포용하기 위한 전략의 일환으로 추진력 있는 장 위원을 임명한 것이다. 윤 치영 당의장은 그대로 유임시켰다.

회의를 마치고 함께 저녁 식사를 하는데, 이 후락 실장과 김 형욱 부장이 불쑥 나타났다.

“어서 오세요. 잘 왔어요. 함께 저녁 합시다.”

함께 식사를 하면서 이 실장이 말을 꺼냈다.

“각하, 좀 골치 아픈 일이 생겼습니다. 야당에서 대통령 권한대행과 최고회의 의장은 정당에 가입할 수 없다고 난리입니다.”

‘뭔 소리야?’ 뜨악하게 바라보니

“민주당의 박 순천 총재가 ‘대통령 권한대행과 국회의 대행기관인 국가재건최고회의 의장의 직권(職權)을 그대로 가지고 공화당에 입당한 것은 대통령의 정당 가입을 금지하고 있는 현행 헌법 제53조 3항과 국회의장의 정당 가입을 금한 국회법 제19조의 위반’이랍니다. 그래서 공화당 총재나 대통령 후보도 무효랍니다.”

"민주당의 김 대중, 민정당의 이 충환, 신정당의 송 원영 대변인 등 젊은 친구들도 같은 목소리로 '박 의장은 일체의 공직에서 사퇴하든가 출마를 포기해야 한다'면서 이 문제 규명을 위해 정치적, 법적 투쟁을 벌이겠다고 나섰습니다."

김 부장이 거든다.

가볍게 넘길 문제가 아니다. 내가 대통령 선거를 현직을 유지한 채 치르느냐 아니면 모든 직을 내려놓고 치르느냐의 문제가 걸려 있다. 현행 헌법은 국가재건비상조치법에 저촉되지 않는 한 그 효력이 있는데 비상조치법에는 대통령의 정당 가입에 관한 조항이 없다.

'헌법 제53조 3항. 대통령은 정당에 가입할 수 없으며 대통령직 이외의 공직 또는 사직에 취임하거나 영업에 종사할 수 없다.'

'국가재건비상조치법 제9조1항. 헌법에 규정된 국회의 권한은 국가재건최고회의가 이를 행한다.'

"김 부장, 신 직수 차장과 함께 법률 검토를 해보시게. 법령 미비로 문제가 있으면 최고회의를 소집하여 빠른 시일 내에 해결해."

"예, 알겠습니다."

선거가 시작도 되기 전에 구설수에 휘말리고 있었다. 상대방을 죽이기 위해 온갖 흑색선전이 난무하고 상호 비방과 '저주'가 판을 치는 정치의 세계. 연초부터 시작된 그 정치판 중심으로 드디어 내가 들어서고 있었다.

대통령 선거전을 앞두고 그동안 곰곰이 생각해 오던 선거 전략들을 떠올려 본다.

- **조직과 함께**:

정당법을 개정하여 무소속 출마를 없애고 양당 정치 활성화를 유도하고 있는 만큼 나도 공화당과 함께 선거전을 치러야만 한다. 공화당은 중앙당 조직에 이어서 전국 131개 지구당 조직을 완비하였다. 그리고 지구당에서는 모든 면, 리, 통, 반 수준까지도 당원 확보에 나서고 있다. 선거가 시작되기 전에 지구당별로 수 만 명의 당원 확보를 추진 중이다.

공명선거를 위해서 공무원이나 군인, 국가재건운동 조직은 손대지 않고 순전히 공화당 차원에서만 당원 확보에 매진하려고 한다. 과욕을 부려서 군인이나 공무원, 재건운동 조직을 이용하려고 했다가는 득보다 실이 많게 된다. 자칫 야당 쪽에 빌미를 제공하면 선거판 자체가 엉뚱한 곳으로 치달을 수 있다. 조심에 조심을 하면서 당원 십 배 운동에 총력을 기울이고 있다.

- **발로 뛴다:**

지난 2년 동안 전국을 수십 차례나 돌았다. 시도 순시와 함께 농어촌 현장, 울산과 태백 등 산업 현장을 직접 점검하고 지휘하느라고 바빴었다. 이번 선거 기간 동안에도 총력을 기울여 전국을 돌면서 유권자들을 만나기로 하였다. 다른 야당 후보들에 비해서 40대, 젊다는 것이 나의 강점이다.

공화당 회의를 마치고 오후 늦게 사무실로 들어왔다. 잠시 생각을 가다듬는데, 책장에 꽂혀 있는 나의 책들이 보인다. 혁명 직후에 썼던 「지도자 도(指導者道)」를 펼쳐 들었다. 지도자의 덕목으로 내가 가장 우선적으로 중요시했던 '동지 의식(同志意識)'이 눈에 들어온다.

"지도자는 대중과 유리되어 그 위에 군림하는 권위주의자나 특권 계급이 아니라 그들과 운명을 같이하고 그들의 편에 서서 동고동락하는 동지로서의 의식을 가진 자라야 한다.

국민을 지도함에 있어서 친절하고 겸손하며 모든 어려운 일을 당하여 솔선수범하여 난관을 돌파하며 사를 버리고 오직 국민을 위하여 희생한다는 숭고한 정신을 그는 가져야 한다.

지도자로서 가지는 모든 권력의 연원은 국민이다. 자기 스스로 창조한 권력도 초인간적 존재로부터 수여된 여하한 특권도 있을 수 없다. 지도자는 모름지기 대중에 깊이 뿌리박고 전 근대적 특권 의식을 버리라. 만약 그렇지 않는다면 또 다시 이 승만 정권과 장 면 정권의 전철을 밟게 될 뿐만 아니라 이제는 다시 조국을 소생시킬 방도를 잃게 될 것이다."

혁명 직후, 1961년 6월 16일에 썼던 책이다. 내가 중시하는 지도자의 덕목으로는 동지 의식, 판단과 해결의 능력, 선견지명(先見之明), 원칙에 충실-양심적 인물, 용단, 민주주의에 대한 신념, 목표에 대한 확신, 지도자단(團)의 단결, 성의와 열정, 신뢰감이다.

동지 의식이란 나와 국민, 공화당과 유권자 모두가 한 가족, 형제, 동포라는 생각이요 감정이다. 내가 혁명을 하고 농어촌과 도시 구석구석을 돌면서 가슴 아파하던 현장의 사람, 사람 모두가 내 부모 형제다, 그런 심정으로 전국의 유권자를 만나려고 한다.

나는 관료나 양반 후손도 아닌, 농촌 빈곤 가정 출신이다. 살아오는 내내 힘들게 자수성가를 한 사람이다. 부모 덕 봐 가면서 호의호식한 사람이 아니다. 그래서 나는 자신이 있다. 어느 누구를 만나더라도 솔직하고 겸손하게 다가설 자신이 있다.

타고난 친화력, 몸에 밴 겸손, 상대방에게 감정이입할 수 있는 공감 능력, 날카로운 지혜와 함께 하는 부드러운 감성… 이 모두가 나의 선거 지원병이다. 내 마음이 가는 대로 진솔하게 다가가는 것 그 자체가 핵심 선거운동이 될 것이다.

- 총력전이다:

10월 15일까지 불과 40일 정도다. 지금부터는 오로지 선거 승리만을 위해 총력을 기울여야 한다. 공화당 조직이 있고 당원들이 있다지만 가장 선두에 서서 '처절할 정도로 매진해야 하는 이'는 바로 나 자신이다. 구두끈을 풀지 않고, 편안히 잠자지 않으며, 땀이 마를 새도 없이 전국을 돌면서 유권자들을 만나리라. 40대 젊음을 최대 강점으로 만들어 노회한 상대방과 경쟁해야 한다.

여유를 부려서는 안 된다. 나는 군인이었을 뿐 선거를 치러 본 노련한 정치인이 못된다. '정치적으로 노련해지려면' 말도 그럴 듯하게 해야 하고, 표정도 야들야들해야 하며, 상대방에게 금방이라도 도움이 될 것처럼 행동해야만 한단다. 하지만 나는 그런 것을 잘 하지 못한다. 그저 진솔한 마음으로 솔직하게 다가서려고 하는데, 주변에서 선거를 돕고자 하는 이들이 걱정을 많이 하고 있다. 어제는 엄격한 군 장성이던 사람이 오늘 곧바로 '웃음을 파는 정치꾼'이 되기는 어렵지 않은가?

그래서 총력전이다. 그래야만 최선을 다했다는 확신이 들 것이고 후회가 없으리라.

- 더 이상 부정 선거는 없다:

3·15 부정 선거와 그로 인한 4·19, 이 승만 정권의 몰락. 현장을 지켜보고 분개해 했던 나로서는 오로지 공명선거다. 정당법, 선거법을 새로 제정하면서 부정 선거를 막고 공명선거를 할 수 있는 제반 장치를 완벽하게 구축해 놓았다. 이제는 법대로만 하면 공명선거가 될 수 있다.

(대통령 선거법) 제30조: 선거운동은 당해 후보자의 등록이 끝난 때로부터 선거일 전 일까지에 한하여 할 수 있다(제30조). 후보자, 선거 사무장, 연설원, 선거 사무소와 연락소의 책임자 또는 후보자와 동일한 정당에 소속하는 선거 사무원만 선거 운동을 할 수 있다(제32조). 공무원과 선거위원회 위원은 선거사무원이 되거나 연설원이 될 수 없다. 누구든지 학생 또는 미성년자에 대한 특수관계를 이용하여 선거운동을 할 수 없다(제54조). 누구든지 학교나 사회적, 문화적, 민족적, 종교적 및 직업적 단체 등에 대한 특수관계를 이용하여 선거운동을 할 수 없다(제54조). 선거운동을 위하여 호별 방문 금지(제55조), 후보자 지원을 위한 서명이나 날인 금지(제56조), 인기투표나 모의 투표 금지(제56조), 음식물 제공 금지(제58조), 선거운동을 위한 가로 행진이나 연호 금지(제59조), 밤 10시부터 새벽 6시까지 선거 운동 금지(제60조) 등 엄격하게 선거 운동 규정을 지켜야만 한다.

군 간부들 중에는 혁명 정부의 전통을 이어가기 위해서는 군 조직을 최대한 이용하여야 하지 않겠느냐는 견해를 피력하는 이도 있다. 하지만 사단장이 직접 부대원들에게 공화당 후보를 찍으라고 했다 가는 모두 영창을 가야만 한다. 절대 금물이다. 국가재건운동 조직을 이용해서도 안 된다.

- **자신을 갖되, 오만(傲慢)은 금물(禁物):**

상대가 누가되든 이길 자신이 있다. 그동안 혁명 정부 지도자로서 국민을 위해 온 정성을 기울어 왔던 만큼 유권자의 선택을 받을 자신이 있다. 직접 악수를 하면서 느꼈던 주민들 반응은 매우 호의적이었다.

하지만 금년 초부터 정치판이 재개되면서 분위기가 많이 달라졌다. 야당 정치인과 신문과 방송 등의 비판적 시각이 은연중에 국민들 마음을 움직이는 것 같다. 우리가 해 놓은 업적에 대해서는 그저 그만그만한 반응을 보이는 사람들도 유명 인사가 나서서 비판을 하는 것을 듣고서는 '그러네... 그럴 수 있겠다'고 동조하는 이들이 많아지고 있다. 정치인 해금과 창당, 대통령 선거와 국회의원 선거전에 돌입하면서 제법 나와 혁명 정부에 대한 비판이 드세지고 있다.

끝까지 마음을 놓을 수 없을 것이다. 지나친 낙관도 지나친 비관도 금물이다. 나의 모든 꿈, 혁명 정부의 2년여 활동 모두를 걸고 싸워야 한다. 반드시 이겨야 한다.

결국, 윤 보선과 박 정희의 싸움이다.

혁명의 원인을 제공했던 민주당, 장 면 정부 인사들은 혁명을 부정하고, 자신들이 정의로웠다 것을 증명하기 위해서라도 목숨을 걸고 나설 것이다. 민주당 신파와 구파, 민주당과 신민당은 지금 한창 창당과 후보 단일화를 위해 고심하고 있다. 하지만 그들의 단합과 후보 단일화는 기대하기 어렵다. 우리 역사 속의 정치 풍토, 사색당쟁의 전통은 현존하는 야당 정치계 내면에 생생하게 살아있음을 확신하기에....

“국민의당 어제 창당선언. 김 병로, 허 정, 이 범석, 김 도연, 이 인씨 등 최고위원 5명을 선출. 당헌 등 채택. 오늘 대회를 속행(續行).

‘군정 종식과 민주 정치 재건’의 슬로건을 내어 걸고 단일 야당을 표방코 출발했던 국민의당은 5일 상오 서울시민회관에서 정식으로 창당을 선언했으나 대회의 핵심적 과제인 대통령후보 지명에 들어가자 무기명투표에 의한 실력 대결론을 주장하는 민정당계와 사전 조정론을 외치는 신정(新政), 민우(民友), 무소속 등 비민정계가 정면으로 맞붙어 큰 소란을 일으킨 끝에 수습을 못한 채 6일 상오 속개키로 하고 대회를 중단하는 전례 없는 사태를 빚어내고 말았다.”(조선일보 1963.9.6.).

창당대회가 열리기 하루 전 4일, 이 범석, 김 병로, 허 정, 윤 보선 등의 사자회담이 열렸다. 이 자리에서 이 범석은 독립운동가인 김 병로를 대통령후보로 추대하자고 제의하여 허 정의 찬성을 받았으나 윤 보선이 강하게 반발하면서 무산되었다. 그리고 이어진 창당대회는 의견 대립이 이어질 수 밖에 없었다.

야당은 7일 오후 2시에도 경운동 천도교예식장에서 모여서 회의를 지속했으나 대통령후보를 누구로 할 것인가를 놓고서 격렬한 대립을 이어갔다. 신정당의 송 원영은 후보의 사전 조정을 주장하고 민정당의 김 영삼은 당장 무기명 비밀투표로 결정짓자고 하면서 한 치의 양보도 하지 않았다. 윤 보선과 허 정 두 사람 중 어느 하나가 양보하거나 퇴출되어야만 끝장이 날 수 있었다.

회의가 결론을 내지 못하고 휴회한 사이에 각 당 대표들이 신문로 이 호씨 집으로 이동하여 논의를 계속했다. 비민정계에서는 또 다시 김 병로씨를 거론하고 나섰는데, 민정당의 유 진산, 윤 옥우씨는 ‘건강도 좋지 않은 김 병로씨를 내세우는 것은 국민을 우롱하는 짓’이라면서 거부하고 나섰다. 이들은 지난 이 승만 정부 시절 대통령 후보로 입후보했다가 선거 기간 중 사망했던 신 익희, 조 병옥의 전례를 들면서 반발하고 나섰다.

8일 아침에 속개된 창당대회에서는 폭언과 멱살잡이, 욕설, 주먹질까지 나타났다. 조정도 표결도 불가능한 상태에서 민정계와 비민정계는 따로따로 정당 등록을 하고 후보자를 내기로 한다.

박 정희 공화당 후보의 대항마로 통합 야당인 국민의당을 만들고 단일 후보를 내기로 한 야당계의 희망은 '통합 불가능한 야당'이라는 상처만 남기고 끝이 났다.

각 정당은 개별 후보를 내면서 대통령 선거가 다자 구도로 만들어졌다. 9월 15일까지 변 영태(정민회), 박 정희(공화당), 오 재영(추풍회), 송 요찬(자유민주당), 장 리석(신흥당), 윤 보선(민정당), 허 정(국민의당)이 최종 등록을 마쳤다. 민주당은 후보를 내지 않은 상태에서 윤 보선을 지지하기로 한 듯하다.

예상했던 대로 민정당의 윤 보선이 나의 대항마로 등장했다.

선거, 격랑의 물결

전국 곳곳에 대통령 후보자들의 사진이 담긴 선거 벽보가 내걸렸다. 일곱 명의 후보자들이 사진과 함께 기호, 정당, 경력과 정견 내용, 그리고 선거 구호와 함께 포스터에 모습을 드러냈다. 그 앞을 이런저런 사람들이 힐끗힐끗 보면서 지나친다. 적당히 거리를 두고 무표정한 얼굴이다. '먹고 살기도 바쁜데 또 선거냐'는 투다. 숫자나 글자를 모르는 사람들이 많아서 기호를 '막대기'로 표현하고 있는 것이 눈에 거슬린다. 지난 2년 동안 문맹인 국민들의 눈을 뜨게 해보려고 무진 애를 썼지만 아직도 까막눈이 많다.

기호 5번 윤 보선 전 대통령. 나 보다 스무 살이 많은 60대 중반이다. 검은 뿔 테 안경에 이지적인 모습, 전직 대통령이었다는 자신감과 함께 당당하다. 민정당이라는 커다란 글자가 아래에서 든든히 받쳐주고 있다. 그에 비해 나는 커다란 사진과 함께 기호 3번 박 정희를 중앙에 위치하고 민주공화당은 보이지도 않게 작은 글씨와 함께 황소그림을 넣었다. 그리고 첫 정견 방송 일정과 책속의 이야기…

'야, 이거 만만치 않겠는데…'

민정당과 윤 보선의 정치 감각이 대단하다고 느껴졌다. 유권자들은 이 벽보를 보고서 투표를 할 텐데, 우리가 한 수 꿀리고 들어가는 느낌이다. 그들은 구호도 간결하다.

'軍政(군정)으로 병든 나라, 民政(민정)으로 바로잡자'

연초부터 시작된 민정 이양과 관련해서 많은 국민들이 '이제는 군인이 아닌 사람이 대통령이 되는 거겠지' 생각하고 있는 중이다. 군복을 벗은 나도 민간인이지만 지난 2년여 간 부각된 나의 이미지는 철두철미한 군인이었다.

나의 구호는 **'政局(정국)을 安定시킨다' '가난을 물리친다'**인데 웬 지 약해 보인다. 갑자기 겁이 덜컥 난다.

윤 보선 후보 사진 밑에는 그의 학력과 경력, 정견(政見)이 빼곡하다. '나도 저렇게 할 걸 그랬나?' 잠깐 고민을 한다. 이내 정신을 차린다.

'아니지, 군정을 종식한다는 마당에 내 경력이라고는 오로지 군대 경력밖에 없다.'

사실 그래서 경력을 적지 않았다. 공화당 명칭도 하도 공격을 받고 있어서 가능한 한 눈에 덜 띠게 적었다.

'그래애~ 할 수 없지. 하지만 에딘버러대학교 졸업과 같은 학력이 저 시골의 농부, 어부들에게까지 잘 먹혀들까? 공연히 잘난 체 하는 거 같고, 양반 자손입네 뽐내는 것처럼 보이지는 않을까?'

사무실로 들어서자마자 장 경순 총장에게 전화를 걸었다.

"장 총장, 선거 벽보를 봤더니 윤 보선 것이 우리보다 좋아 보이는데. 어쩌지?"

내가 이유를 찬찬히 설명했더니 그도 수긍을 한다.

"듣고 보니 걱정이네요. 그러면 벽보는 그대로 두고 정당 홍보물이나 신문 광고는 좀 더 강렬하고 의미심장하게 바꿔 보겠습니다."

"그러십시다. 선거 유세반 활동은 시작되었죠?"

"후보자 등록 이후 1단계에서는 조직 정비와 당원 확대 위주로 조용한 선거전에 임하고 있습니다. 각 선거구별로 발로 뛰면서 유권자를 만나고 있구요. 야당측에서 후보자 등록 직전까지도 싸움을 하고 있는 바람에 우리로서는 초선 제압에 성공한 셈입니다. 더욱더 박차를 가하겠습니다. 그리고 중반부터는 각하를 중심으로 전국을 도는 유세를 준비 중에 있습니다."

전화를 끊고 수첩을 꺼냈다. 향후 일정을 일일이 체크하면서 마음속으로 전열을 가다듬는다. 비서가 가져다 놓은 유인물 속에 우리 당이 내세우는 정책들이 나열되어 있다. 나름대로 최선을 다했다고 생각하면서도 오늘 윤보선 후보의 포스터와 정견을 보고 난 뒤로는 마음이 편치 않다. 우리가 주장하는 정견들이 고만고만하고 저들의 것에 비해 별로 두각을 나타내고 있지 못했다.

<공화당 정견>
① 명실상부한 민정복귀로 혁명 과업을 완수한다. ② 유엔을 통한 국토 통일을 이룩한다. ③ 국민의 기본권을 보장한다. ④ 공명선거를 보장하고 정치풍토를 개선하며 정당정치를 구현한다. ⑤ 합리적인 지방자치제를 실시한다. ⑥ 직업공무원제도를 확립한다. ⑦ 경제개발 5개년 계획을 보완, 추진한다. ⑧ 물가 안정책을 수립하여 민 생활(民生活)의 안정과 향상을 기한다. ⑨ 중농 정책을 계속 강화한다. ⑩ 수산업을 발전시키고 어민의 권익을 보호한다.

⑪ 국민 식량을 절대 확보한다. ⑫ 중소기업을 보호 육성하고 중소기업종사자의 지위 향상을 도모한다. ⑬ 수출을 진흥하여 국제수지를 개선한다. ⑭ 교육자치제를 확립한다. ⑮ 교육자의 권익을 옹호하고 대우를 개선하며 장학제도를 확장한다. ⑯ 민족문화와 민족예술을 진흥한다. ⑰ 신생활운동을 추진하여 건전하고 명랑한 사회를 건설한다. ⑱ 실업자대책과 원호사업을 강화하고 근로자의 권익을 옹호한다. ⑲ 국민보건을 향상시킨다. ⑳ 외교활동을 주권평등, 정의, 호혜의 원칙 하에 적극 활발히 전개한다. ㉑ 국방력을 강화하여 국토방위 태세의 만전을 기한다.

<민정당 정견>
① 군의 정치적 중립과 정치 관여의 엄금 ② 초당파 거국 내각의 구성과 인재의 등용 및 국정의 쇄신 ③ 정치적 보복 행위의 일체 엄금 ④ 정치의 안정과 법치주의 확립 ⑤ 자유평등의 경제외교 추진과 한일수교의 정상화 ⑥ 식량위기 해소와 적정 곡가의 견지 ⑦ 재정 안정과 생산 증강으로 물가의 안정 ⑧ 행정부 비(費)의 절감으로 국민조세 부담 경감 ⑨ 수출진흥으로 국제수지의 시급한 개선 ⑩ 외화도입 촉진으로 산업진흥과 실업자 구제

'내가 이래서는 안 되지. 힘을 내자.'

전쟁판에서 약장(弱將)의 눈에는 자기 편 죽는 것만 눈에 들어오고, 용장(勇將)의 눈에는 우리 군사가 적군을 물리치는 장면이 크게 보인다고 한다. 결국 후퇴를 하고 마는 것은 가슴이 여린 약장이다. 선거전에 나서는 내가 적의 강점과 나의 약점을 비교하면서 불안에 떨어서는 안 된다. 나의 강점을 더욱 크게 보고 적의 약점을 치고 들어가야만 한다.

'새 사람에 한 표 주어 황소같이 부려 보자!'

'말보다는 일하는 정당'

주문처럼 중얼거리면서 다시금 힘을 낸다.

'그래 한 판 붙어 보자. 지면 끝장인데, 목숨 걸고 해보자.'

9월 11일, 공화당 후보 등록을 마친 직후부터 선거 태세를 갖추었다. 이원적 조직 체제를 대통령선거대책기구로 일원화하였다. 중앙당 차원에서 선거 사무장 겸 기획위원회 위원장을 윤 치영 당의장이 맡고, 부위원장으로 김 성진과 백 남억, 당무위원으로는 김 동환, 이 종극, 민 병기, 김 준태, 이 원순, 전 례용, 장 경순, 신 윤창을 임명하였다. 김 동성을 선대위원장, 김 유택을 재정위원장, 그리고 총괄 선거사무소장은 장 경순, 당 대변인 서 인석이 맡았다. 각 도당 대책위원장으로는 서울 윤 일선, 부산 예 춘호, 경기 최 국현, 강원 김 우영, 충북 박 노태, 충남 김 용태, 전북 고 광만, 전남 최 정기, 경북 이 효상, 경남 김 택수, 제주 김 도준을 임명하였다. 각 지구당 위원장들을 11월 국회의원 선거에 나설 예비 후보자들로 임명하여 선거 유세에 나서도록 촉구하였다. 유세 일정을 잡고 200여명의 연사(演士)를 모집하였다.

선거 유세는 3단계로 구분하여 전개하기로 하였다. 후보자 확정 직후인 9월 초순부터는 먼 거리의 농어촌을 대상으로, 후보 등록 전후로는 도시에서, 10월부터는 군중 동원 형태의 대중 연설회를 전국 대도시에서 펼치기로 하였다. 선거 전략으로 당원들의 철석같은 단결과 백만 명을 목표로 한 당세 확장운동, 박 정희 후보의 인기 회복과 혁명 정부 지지도를 높이는 대대적인 선전, 혁명 주체 세력의 일치단결과 광범한 친여적인 외곽 세력 활용 등의 세 가지 원칙을 세웠다. 그리고 야당측의 추악상 폭로, 적극적인 계몽 선전, 도시민에 대한 논리적 설득, 농어민과 영세민에 대한 감성적 유세를 득표 전략으로 삼았다.

후보자 등록 이후로 잠시 소강상태를 보였던 선거 유세는 9월 23일 아침

7시, 서울중앙방송국에서의 내 10분간의 정견 발표와 함께 시작되었다. 윤 보선은 자유당 시절에 야당 텃밭이라고 하는 전라도 유세로부터 시작하여 24일, 전주 유세와 함께 격랑의 파도 속으로 진입해 들어갔다. 나의 정견 발표에 대해 적극적인 공격으로 응수하고 나섰다.

나는 짧은 방송 유세를 통해 출마 소견을 피력하였다. 그동안 혁명 정부의 업적을 설명하고 이어서 내가 그리고 있는 원대한 대한민국 건설의 필요성에 대해 언급하였다.

"이번 선거는 후보자 개인 대 개인의 대결이 아니라 민족적 이념을 망각한 가식(假飾)의 자유민주주의 사상과 강력한 민족적 이념을 바탕으로 한 자유민주주의 사상과의 대결입니다… 자주와 자립이 제3공화국의 집약적 목표이고… 그래서 제가 대통령에 당선된다면 나는 여러분에게 더욱 땀 흘리고 근면할 것을 요구할 것입니다… 어떤 사람은 자기가 대통령에 당선되면 큰 잔치를 베풀고 금세 국민을 호강시켜 줄 것같이 말하고 있는데 이는 하루 잘 먹고 아흐레 굶어도 좋다는 생각을 하는 사람들의 말일 뿐입니다."

민정당의 윤 보선은 비가 내리는 전주 중앙국민학교 유세에서 1만 7천여 명의 군중을 향해서 나의 사상 문제를 폭로하고 나섰다. 그는 이미 지난 9월 10일, 민정당 후보로 결정되면서 출마의 변으로 '이번 선거는 조국의 장래를 결정할 수 있는 한 개의 사상과 또 한 개의 이질적 사상의 대결'이라는 표현과 함께 사상전을 펼 각오를 드러냈었다.

윤 보선의 유세 내용을 전해 들었더니 그는 작심하고 나를 공산당 빨갱이로 몰고 갈 작정으로 보였다.

- 보수 정치와 혁명 정당:

혁명 정부의 맥을 잇는 민주공화당과 나 박 정희는 기성 보수 정치의 타파와 함께 새로운 정치를 추구하려 한다. 극소수 인사를 제외하고는 중앙당 당무위원이나 주요 임원, 사무국 직원, 그리고 각 지구당 책임자들이 대부분 30대와 40대 젊은이들이다. 이에 비해 민정당이나 국민의당, 대통령 후보를 내지 않고 윤 보선을 지원하고 있는 민주당은 50대와 60대 원로들을 주축으로 움직이고 있는 보수당이다. 대통령 후보를 봐도 내가 40대 중반인데 비해서 허 정은 50대 중반, 윤 보선은 60대 중반이다.

보수(保守)는 뭔가 지킬 것이 있는 사람들을 대상으로 사용하는 용어다. 현재의 야당을 '보수'라고 부르는 이유는 혁명 전의 정치계(政治界, political world)가 그들의 것이라는 암묵적 인식이 전제되어 있다. 그들은 민정 이양을 곧 5 · 16 직전의 민주당 정권으로 되돌아가는 것 쯤으로 여기려 한다. 이에 반해 우리는 혁명 정당이고 혁신 정당이며, 신규 세력이다. 기존 정치를 근본적으로 바꾸겠다는 진보적 사고가 우리 민주공화당의 정신이다.

그렇지만 묘한 것이 우리는 지금 혁명 정부의 과업을 계승하고 지켜야 하는 여당 입장이다. 이번 대통령 선거에서는 우리가 '지키려는 쪽'이다. 선거 유세전이 본격화되면 민정당이나 국민의당, 민주당은 혁명 정부의 약점을 파고들며, 나의 실수나 최고회의의 문제점을 후벼 파고들 것이다. 식량문제, 공화당 창당 과정에서의 각종 의혹 사건, 혁명 동지들 사이의 반혁명 사건, 화폐 개혁 실패, 한일회담, 미국 원조와 차관 도입, 국가재건운동의 미비점을 물고 늘어질 것이다.

"민정당은 9월 22일 군사정부의 경제실정을 비판하고 나섰다. 경제 총파탄의 원인은 ①군사정부 자체의 부정·부패 ②정치가로서의 확고한 비전이 결여된 군사정부의 영도층(領導層) ③군사정부가 시도한 정책의 무정견(無定見), 졸렬과 주먹구구식 판단 등에 있다고 주장했다. '국민경제를 총파탄으로 몰아넣은 군사정부의 10대 경제 실정(失政)의 전모(全貌)'란 장문(長文)의 유인물에서 이같이 비판한 민정당은 그 실정(失政)으로 ①농어촌 고리채 정리의 실패 ②통화 개혁의 실패 ③ 사자금의 강제 회수 ④무모한 재정 팽창주의와 초 긴축주의 ⑤과중한 조세 부담률과 세제 개혁 ⑥식량정책의 실패 ⑦물가정책의 난맥상 ⑧군사정부가 자초한 외환 위기 ⑨경제개발 5개년계획의 실패 ⑩4대 의혹 사건 등을 들고 있다."(조선일보 1963.9.23.)

그들의 눈에는 지난 2년간 내가 했던 모든 일이 못마땅하다. 연초부터 시작된 비판이 선거 과정에서 최고조로 치달을 것이다. 겁날 것은 없지만 선거 결과에 어떤 영향을 미칠 것인가 염려가 된다. 내가 선거라는 격랑의 물결을 잘 헤쳐 나가야만 혁명 정부가 살고 대한민국의 희망을 이어갈 수 있다.

나와 민주공화당은 진보와 혁신을 강점으로 삼고 있으면서도 선거 과정에서는 수세적 입장이 되어야만 한다. 보수적으로 '적의 공격에 맞서' 방어에 나서야 한다. 약점을 파고들어 비판하는 것은 쉽다. 하지만 이에 대한 방어는 몇 십 배 더 힘이 든다. 모든 정책에는 양지와 음지가 있고, 혁명 정부에서 추진했던 정책의 효과는 아직 제대로 나타날 정도의 시차를 갖지 못했다. 그래서 우리 당과 나의 선거 전략 중 상당 부분은 '변명하는' 것이 될 수 있다.

정신을 바짝 차려야 한다. 잘못하다가는 하고 싶은 얘기도 못하고 수세에 몰려 방어만 하다가 투표일을 맞을 수 있다.

- 지피 지기(知彼知己): 나를 알고, 상대를 알아야 한다.

우리는 조직과 재정, 정책면에서 강점을 가지고 있다. 그리고 젊기 때문에 아직 부정부패에 물들지 않고 깨끗하다. 그에 비해 야당은 정치에 노련하고 경험이 많다. 내가 특히 두려워하는 것은 그들의 대중 선동, 언론플레이, 여론 조작, '치고 빠지는 교란 전술'이다. 그들의 강점이 우리의 약점이다.

그렇다면 그들의 약점은 무엇일까? 일단 5·16 군사 혁명을 초래했던 민주당 국회의 난맥상, 정쟁, 사색당파 싸움이 그들이 지닌 최대의 약점이다. 우리는 혁명의 정당성 차원에서라도 이 부분을 적극 부각시켜야 한다. 다음은 장 면 민주당 정부의 국정 운영 능력 부족, 행정 부재, 정책 집행 능력 부족이다. 장 면 행정부와 민주당 국회, 정당과 국회의원이나 지방의회 의원 모두의 무능력을 최대로 부각시켜 이들을 대변하는 윤 보선이나 허 정, 민정당이나 민주당 정부가 들어서서는 안 된다는 것을 강력하게 주장해야 한다.

무엇보다도 군사 정부를 온 국민이 환영하고 반겼던 것은 공산사회주의자와 좌파, 중립주의자, 불만세력, 폭력배가 초래했던 정치 사회 혼란 때문이다. 혁명 직후부터 우리는 이들 불순분자들을 잡아들이고 집회와 시위 금지를 통해 사회 안정을 이루었다. 장 면 민주당 정부가 도저히 해내지 못했던 정국과 사회 안정을 일시에 만들어냈다. '이제 조용해서 살 것 같다'는 국민의 목소리가 바로 우리의 최대 강점이면서 저들의 최대 약점이다. '정국 안정'을 부각시킬 필요가 있다.

들 리는 소문에 의하면 야당은 선거법에 아랑곳하지 않고 폭로전으로 나설 것이라고 한다. 민정당의 김 영삼, 국민의당의 이 병하, 민주당의 김 대중은 구속될 각오를 하고서 흑색선전과 폭로, 사상전을 시도하겠다고 벼르고 있다. 그들은 새로 제정된 정당법이나 선거법이 모두 공화당 인사들이 자기들에게 유리하게 만들어 놓은 것이라고 혹평을 한다. 법대로 하면 자기들에게 불리하기 때문에 설령 소송을 당하고 선거 후에 영창에 가는 한이 있더라도 '최대한 자유롭게' 선거 활동을 하리라고 벼른 단다.

예상대로 야당측은 후보 단일화를 꾀하지 못하고 윤 보선, 허 정, 변 영태 등이 모두 후보로 나섰다. 그나마 민주당이 후보를 내지 않았고, 자유당의 장 택상이 후보자 등록 직전에 사퇴를 함으로서 성의를 보인 셈이다.

일단 그들의 대동단결은 이루어지지 않았다. 하지만 선거 과정에서 일부 후보가 사퇴를 함으로써 표를 한 곳으로 몰 가능성은 존재한다. 그렇더라도 후보 단일화 논의 과정에서 초래된 정당 간 갈등과 대립, 지역구의 분열, 전국적인 지구당 조직의 미비는 선거가 끝날 때까지 극복하기 어렵다.

우리로서는 선거 전략 상 원치 않은 일이었지만 10월 2일 국민의당 허 정 후보가 사퇴를 했고, 이어서 옥중 출마한 송 요찬 후보도 8일을 기해 사퇴를 하였다. 본격적으로 박 정희 대 윤 보선 대결 구도가 펼쳐지게 되었다.

후보를 내지 않은 민주당은 재야 6개 정당과 함께 공명선거투쟁위원회라는 것을 결성하고 나의 후보 등록 무효화 소송을 전개하기로 했단다. 야당 정치꾼들의 '아니면 말고' 식의 소송전이 예고되고 있다.

- 아생 연후에 살타(我生然後殺他): 일단 나를 단속하고, 그 다음에 적을 공격한다.

대통령 후보 등록에 즈음하여 공화당 임원회의를 열었다. 회의 직전에 중정의 김 형욱 부장과 요원들, 오월동지회 멤버들이 다녀갔다.

"각하, 김 재춘 부장이 그예 자유민주당에 입당을 하고 이 은재나 김 준연씨 등을 추동하여 송 요찬을 대통령 후보로 만들었습니다. 그냥 둘 수 없어서 9월 4일자로 송 요찬을 다시 구속했습니다. 김 재춘 부장을 만나 간곡하게 설득을 해보았지만 막무가냅니다. 반강제로 잠깐 외국에 나갔다 오도록 조치했습니다."

김 부장이 무거운 목소리로 운을 뗀다. 오월동지회 몇몇이 고개를 끄덕이며 동의를 표한다.

"송 장군이 옥중에서 출마한다는 것은 말이 안 돼요. 마음을 비우고 우리를 도와야지, 왜 그러는지 모르겠어. 석두라는 별명처럼 고집이 세긴 하지. 하지만 김 재춘과 자유민주당에 몸 담고 있는 오월동지회 멤버들은 설득해서 우리 편으로 오도록 해야 합니다. 지금 단계에서 동지들이 분열되면 승산이 없어요. 우리가 아무리 조직과 재정, 정책이 앞서 있다고 하더라도 종이 한 장 차이요. 아직까지는 저들이 대동단결을 하지 못한 채 후보가 난립하고 조직도 분열되어 있어 해볼 만한데…"

그들은 침통한 표정으로, 조금은 비장한 모습으로 문을 열고 나갔다. 그리고 이어진 공화당 선거 관련 회의 석상. 장 경순 사무총장이 김 재춘 부장의 외유 사실을 보고하였다.

"김 재춘 부장이 어제 비행기를 탔습니다. 김 형욱 부장과 이 후락 실장, 홍 종철, 길 재호 위원 등이 적극 설득해서 자유민주당에서 손을 떼도록 만들었답니다. 코리아 하우스에서 고별 강연을 하고 공항으로 떠나는 차안에서 눈물까지 보였답니다.”

나도 마음이 착잡했다. 혁명 일등 공신이고 나의 가장 강력한 동지였는데, 대통령 선거를 앞두고 결별해야만 하는 현실이 괴롭기만 했다. 일단 선거를 끝내 놓고 보자. 마음을 다 잡아 먹는다.

자유민주당은 오월동지들과 구 자유당계가 이탈하면서 약세로 돌아섰다. 하지만 자유민주당 간부들과 지구당 위원장 80여명이 당사에 모여 9월 18일부터 구속된 송 요찬 대통령 후보 석방 농성, 투쟁을 시작하였다. 농성장에 허 정, 윤 보선, 오 재영 대통령 후보들이 찾아 가서 격려를 하고 여러 정당 인사들이 모습을 보였다. 세종로 자유민주당은 송 요찬 후보 석방 투쟁 농성으로 선거 운동을 시작하였다.

야당으로서는 좋은 호재(好材)였다. 야당 6개 정당이 공동 투쟁 소재로 삼으면서 자유민주당을 격려하고 나섰다. 박 정희와 혁명 정부, 민주공화당의 비민주성을 부각시킬 수 있는 절묘한 한 수라고 여겼다. 민정당, 민주당, 국민의당, 정민당, 추풍회 등 야당 대변인들이 자민당 대변인과 함께 공동성명으로 송 요찬 후보 석방을 요구하고 나섰다. 자민당은 선거 유세가 아니라 박 정희를 향한 투쟁에 몰두할 판이다.

나로서는 난감했다. 범국민정당 추진으로부터 지금까지 자유민주당은 민주공화당과 뿌리가 같은 여당이다. 그런데 선거가 본격적으로 시작되는 지금에 와서는 나를 공격하는 최일선의 선봉단체가 되었다.

상황을 지켜보고 있던 오월동지회 멤버들이 6개 야당의 연합 투쟁을 비난하고 나섰다. 6개 야당의 연합 형태의 선거 유세는 불법에 해당한다. 친목단체로 자처하던 오월동지회는 9월 20일, 송 요찬 씨 석방을 주장하는 재야 6당의 공동투쟁을 비난하는 정치적 성명을 내고 친여 대열에 합류하였다(조선일보 1963.9.21.). 강 상욱 대변인은 담화의 형식으로 ‘자유민주당 간부들이 그들의 대통령 후보 석방 운동을 전개하는 충정은 이해할 만하나 재야 6당이 이 문제를 위하여 공동투쟁 운운하는 정치적 쇼에는 도시 납득이 가지 않는다'고 말했다.

- 사상 논쟁: '이게 웬 떡이냐?'

윤 보선 후보와 민정당, 그를 지지하는 민주당이 목소리를 높여 나를 공산주의자라고 비난하고 나섰다. 전주 유세에서 윤 보선이 처음 주장하고 나선 이후에 야당측 인사들이 한 목소리를 내기 시작했다.

'박 정희는 여순 반란사건 관련자로서, 사상이 의심스럽다' '그의 민주주의 사상이나 민족주의는 북한의 김 일성이 주장하는 것과 다를 게 없다' '박 정희는 해방 직후에 남로당(南勞黨)의 군사부장이었다.' '그의 형 박 상희나 친구인 황 태성이 모두 골수 공산당이다.' '공화당은 남파 간첩인 황 태성이 전해 준 공작금으로 창당을 했다.'

전 국민을 대상으로 박 정희를 공산당으로 낙인찍는 것에 총력을 기울이고 나섰다.

"그래애~? 내가 공산당이라고?"

갑자기 회심의 미소가 떠오르며, 가슴이 시원해진다.

탈출구가 보였다. 갑자기 이길 것 같은 생각이 든다.

박정희 후보의 첫유세(서울고등학교 교정.1963.9.28.)

한, 고비를 넘다

윤 보선의 전주 유세 내용을 전해들은 최고회의는 9월 24일 오후 4시 반, 긴급회의를 소집하였다. 이 주일 부의장이 주재한 회의에는 민주공화당 측에서도 윤 치영 당의장, 장 경순 사무총장이 참석하였다. 회의 중에 김 형욱 중정 부장과 박 경원 내무부 장관, 이 소동 치안국장을 불러 법적 대응 방안에 대해 조언을 듣기로 하였다.

사태의 심각성에 참석자 모두가 침통한 얼굴이었다.

"아니, 이거 윤 보선이 구속해야 하는 거 아냐?"

"혁명 당일 날에는 '올 것이 왔다'고 하면서 대통령직을 계속 유지한 사람이 어떻게 그런 말을 할 수 있어?"

"박 의장님이 빨갱이면 우리들은 뭐야? 혁명 정부 2년 동안 공산당이 정권을 잡았던 셈이네. 나아 참."

자리에 앉자마자 모두가 언성을 높이며 열을 냈다.

"자, 자. 흥분만 하지 말고 어떻게 할 것인가 차분히 논의해 보십시다."

이 부의장이 장내를 정리하면서 회의를 주재한다.

"지금은 대통령 선거 기간입니다. 야당 후보가 여당 유력 후보를 향해 흑색선전을 하는 것은 선진국에서도 비일비재합니다. 저들의 노련한 대중 선동, 상대방 흠집내기 술책이라고 볼 수도 있어요. 냉정하게 판단하여 대책을 강구하지 못하고 흥분하거나 어정쩡하게 방치하다 가는 큰 낭패를 볼 수도 있습니다."

이 주일 부의장의 말에 윤 치영 당의장이 공감을 표시한다.

"최고회의 차원에서 고발조치를 하고, 경찰에서 수사에 나서야 합니다.

여차 하면 송 요찬처럼 구속해서 집어넣읍시다."

"아니요. 그렇게 만만하지 않아요. 일단 내무부 치안국에서 인지 사건으로 조사에 들어가는 것도 방법입니다."

박 경원 내무와 이 소동 국장이 조심스럽게 안을 낸다.

"최고회의 차원에서 고발하는 방법은 좋아 보이지 않습니다. 공연히 선거개입이고 선거법 위반이라는 비난을 받게 될 겁니다. 저쪽에서는 그것을 바라고 있을 수도 있어요. 유권자들에게 '군정을 끝장내자'는 빌미로 사용될 겁니다."

장 총장이다.

"어찌 보면 이걸 잘 이용할 수 있을 것 같습니다. 박 후보가 김 일성이 공작에 의해 억울하게 조사를 받게 된 것은 모두가 다 아는 사실 아닙니까? 이미 다 밝혀진 사실인데 이제 와서 윤 보선이가 사상 논쟁 차원에서 들고 나왔어요. 잘만 이용하면 우리에게 좋은 선거 전략이 될 수 있겠어요."

장 총장의 말에 윤 치영 의장이 맞장구를 치고 나선다.

"맞아. 선거 기간이 불과 20일인데 아예 이 문제만을 가지고 윤 보선이를 공격해 갑시다. 자유당 시절의 매카시즘(McCarthyism)으로 몰아갑시다. 지네들이 자유당 정권에서 그토록 당했던 '공산당 팔이'를 이제는 우리에게 쓰려고 하다니…"

"우리 측에서 전혀 꿀릴 게 없는 상황이기 때문에 마음 놓고 상대를 밀어붙일 수 있어요. 야당 후보나 선거 유세자들이 혁명 정부의 실책이나 의혹 사건, 식량 문제, 한일 회담 등에 대한 문제를 입에 담을 틈도 없게끔 우리가 사상 논쟁을 더욱 증폭시키는 겁니다. 모든 잇슈를 사상 논쟁으로 빨아들이면 우리가 걱정하고 있는 문제에 대해 전전긍긍하지 않아도 될 겁니다."

"미운 놈을 빨갱이로 모는 한국민주당, 자유당의 수법을 이번 기회에 역으로 이용하여 박살을 냅시다."

모두의 얼굴빛이 살아나고 있었다.

지방 유세 현장에 있는 이 후락 실장에게 회의 내용이 보고되었고, 차량 이동 중에 내가 알게 되었다. 미운 놈을 빨갱이로 모는 수법은 민주당과 민정당의 전신인 한국민주당에서부터 나왔다. 이 참에 그들에게 역공을 가할 수 있겠다 싶다.

나의 첫 번째 혁명 공약이 반공이고, 혁명 후 가장 먼저, 가장 잘 해 놓은 일이 공신당과 시회주의지, 불순분지 척걸이었다. 나의 철천지 인수가 북한 김 일성이고, 그 뒤에 있는 중공과 소련이라는 사실을 그들이 모른다는 것이 이해가 가질 않는다. 선거가 없었다면 지금 한창 공산당의 위협을 받고 있는 라오스나 월남을 돕고 싶은 게 누군가?

야당측은 후보자 등록 시까지 지지부진하고 갈등에, 주먹다짐까지 벌리면서 국민을 실망시켰었다. 그로 인해 선거전 돌입이 늦어졌고, 대통령후보 단일화 불발로 인한 국민들의 실망감이 큰 상태에서 선거전에 들어섰다. 이런 불리한 여건을 일시에 극복하고 야당 붐을 일으키기 위한 전략 중 하나로 나의 사상 문제를 들고 나왔을 것이다.

"이 실장. 그러고 보니 사상 논쟁이 우리에게 불리하지만은 않겠어요. 저 쪽의 입을 꼼짝 못하게 묶어 놓고 판을 우리가 원하는 대로 몰고 가 봅시다."

서울 등 대도시는 모르지만 전국의 농어촌 지역은 우리가 우세할 것이다. 국토건설과 내무 정책과 시도 행정, 재건국민운동을 통해 온 정성으로 농민과 어민들을 위해 노력한 효과가 어느 정도 가시적으로 나타나고 있는 상황이다. 사상 문제도 의외로 우리에게 도움이 될 수 있다.

야당이 텃밭이라고 여기는 서울과 부산, 대구 등 대도시에도 사상 문제로 피해를 보고 있는 사람들이 적지 않다. 호남과 영남의 지리산 주변 농어촌, 제주 등에는 아직도 전쟁 전후의 빨치산과 인민위원회에 연좌되어 고통을 겪고 있는 유권자가 많다. 이들 만을 잘 다독거려도 우리가 승기를 잡을 수 있다.

유세팀에서는 30일 회의를 통해 다음달 초부터 본격적으로 전국 유세에 나서기로 하였다. 전략상 윤 보선이 나의 사상 문제를 거론하면서 대중 선동을 한 지역을 뒤따라가면서 전세를 역전시키는 전략을 구사하기로 하였다. 3일의 광주 유세를 시작으로 전주, 대전, 김천, 대구, 부산, 마산, 진주, 춘천, 원주, 충주, 청주, 인천, 제주 순서로 일정을 잡았다.

예상대로 민정당과 윤 보선은 나의 사상 문제를 집요하게 물고 들어갔다. 민정당은 9월 27일 성명서를 통해 '박 의장의 여순사건 관련 여부는 당시 군 수뇌에 있던 원 용덕 씨와 송 요찬 씨가 사실을 증명할 것'이라고 주장했다. 그들은 송 요찬처럼 원 용덕도 자기들 편이라고 생각하고 있었다.

발빠르게 장 경순 총장과 김 동환 위원이 원 용덕 장군을 직접 찾아갔다. 10월 4일, 원 장군은 자청하여 기자회견을 가졌다.

"박 정희 의장이 여순반란사건에 관련이 있다거나 남로당 군 책임자였다는 이야기는 전혀 터무니없는 것이다. 그 당시 나는 호남 방면 군사령관이었고 박 의장은 작전 참모로 행동을 같이 했다… 당시 송 요찬 씨는 제주도 공비 토벌 사령관이었던 것으로 기억하고 있는데 그가 당시의 정황을 알 리가 없다… 다만 여순반란사건이 진압된 후 박 의장이 숙군 대상에 올라 군법회의에 기소된 일은 있다."(조선일보 1963.10.5.)

여순 사건 당시에 현지에 조사차 파견되었던 빈 철현 씨도 기자 회견에 임했다.

"여순 사건관련자에 박 후보자 이름이 없다. 당시의 SIS 파견대장 빈 철현(현재 회사 사장)씨는 11일 기자회견을 갖고 '여순사건이 발생한 이틀 후 장교 5명을 데리고 현지에 내려가 관련자 1천 명을 체포하여 조사한 뒤 헌병에게 넘겼다. 현지에 없던 170명의 명단은 내가 직접 작성하여 육본(陸本)에 전달했는데, 나와 육사 동기생이며 당시 육사 생도대장이던 박 정희 의장의 이름은 끼어 있지 않았다'고 밝혔다."(조선일보 1963.10.12.)

박 경원 내무장관을 통해 선거 관리를 엄격하게 하도록 누차 강조를 하였다. 또 다시 자유당 시절의 선거판이 재현되어서는 안 된다. 우리가 선진국형의 자유민주주의국가로 발돋움하기 위해서는 국민 개개인이 당당하게 자신의 의사를 표현할 수 있어야 한다. 선거 절차와 방법, 선거 유세, 투표, 개표 모두가 투명하고, 선거 관리를 담당하는 공무원들의 부정 행위가 없어야 한다. 새로 제정한 정당법과 선거법대로만 한다면 공명 선거를 보장할 수 있다고 확신한다.

지더라도 당당하게 질 필요가 있다. 그래야만 내가 그리는 새로운 대한민국 출발, 제3공화국의 시작이 국민 총화의 길이 될 수 있다. 설령 내가 아닌 야당 대통령이 당선되더라도 다음 달에 있을 국회의원 선거를 이기면 된다. 여야가 협력하여 경제개발 5개년계획과 국토 건설, 국민 재건 운동을 지속해 갈 수 있을 것이다.

그런데 야당은 고질적으로 '부정 선거' '관권 개입' 박 정희 후보 고발' 등등을 내세우면서 이전의 저질 선거 행태를 보이고 있다.

10월 5일, 민주당 대변인인 김 대중은 공무원과 권력층이 선거판에 개입하여 부정 선거를 획책하고 있다고 성명서를 발표하였다. 선거법에는 후보자를 내지 않은 정당이나 정당원은 다른 당 후보의 선거 운동을 할 수 없게 되어 있다. 그런데 민주당에서는 공명선거투쟁위원회라는 것을 만들어 6개 야당과 연대하여 선거 유세에 관여하면서 나와 공화당, 선거관리위원회를 공격하고 있다. 김 대중의 논조는 자기들의 선거 운동을 제한하기 위하여 공화당 입맛에 맞도록 선거법을 만들었다는 것이다.

선거 막바지로 가면서 야당 측의 '부정선거 선동'은 더욱더 극렬해졌다.

"재야 공명선거투쟁위원회의 박 순천, 유 옥우, 김 대중, 조 윤형씨 등은 10월 8일 하오 광주공설운동장에서 1만여 명의 청중이 모인 가운데 시국강연회를 열고 '부정선거는 이미 곳곳에서 감행되고 있다'고 주장하면서 '군사정권이 야당과 국민의 입과 귀에 올가미를 치고 치르려는 이번 선거는 자유당 치하의 3·15 부정선거를 뺨칠만한 결과가 될 것'이라고 비난했다.

조 윤형씨는 '박 의장이 여순반란사건에 가담된 것은 기정 사실 일 뿐만 아니라 박 의장의 형이 대구폭동사건으로 사형되었고 그의 친구였던 간첩 황태성이 남파되어 박 의장 형수와 접촉한 것도 사실'이라고 주장하여 관중들의 박수를 받았다."(조선일보 1963.10.9.)

김 영삼 민정당 대변인도 난데없이 11일 밤 민정당사 피습사건을 들고 나왔다. '군사 정부의 발악적 수법으로 해석할 수밖에 없다. 투표일을 사흘 앞두고 수도 서울 한복판에서 정체 불명의 괴한이 야당당사에 난입, 폭행하는 것은 공명선거를 해치는 악랄한 수법'이라고 주장했다.

스스로 불법을 저지르면서 우리를 향해 부정 선거 운운하고 있다. 내가 선거전을 치르는 후보자 신분이 아니었다면 최고회의와 내각, 선거관리위원회 차원에서 모두 범법자로 다루었을 것이다.

국민의당 허 정 후보와 자유민주당 송 요찬 후보의 사퇴로 야당 단일화가 이루어지는 듯해 보였다. 하지만 다음 달에 있을 국회의원 선거 때문에 국민의당과 자유민주당은 당 조직을 일시적으로 해체시킬 수 없는 곤경에 처해 있다. 보고 받은 바에 의하면 허 정은 당원들로부터 엄청나게 욕을 먹고 있다고 한다. 이런 상황에서 통합된 선거 유세는 불가능할 것이다.

전국을 돌면서 빡빡한 유세 일정을 소화하며 수시로 선거 판세 점검 회의를 가졌다. 당 조직을 이용한 초기 농어촌 공략은 어느 정도 효과를 보고 있고, 이어서 대중 동원을 이용한 전국 주요 도시 유세에서도 야당에 지지 않는 세 과시를 하고 있는 중이다. 전 유권자의 60%가 농어촌 거주자인 상황을 고려하면 대도시에서 5대 5 정도만 되어도 승산이 있다.

광주, 전주 유세를 시작으로 관중 동원과 함께 야당 붐을 조성하려고 했던 윤 보선의 전략은 객관적으로 볼 때 대단한 성과를 보지 못하고 있다. 우리의 맞불 작전에 의해 사상 논쟁도 시들해 지고, 관중 동원도 우리가 더 수적 우위를 점하고 있다.

10월 12일, UPI 통신과 서면 인터뷰를 하였다.

(1) 문(問): 이길 것 같은가? 답(答): 유권자의 마음을 어떻게 미리 예단할 수 있겠는가. 최선을 다할 뿐이다.

(2) 당선된 후에, 야당 우위의 국회가 구성된다면 어쩔 것인가? 답: 의회가 정부에 대해 건설적인 견제와 비판, 그리고 조언을 줄 것으로 기대한다. 이 나라에는 앞으로 할 일이 많다. 행정부와 입법부가 함께 건설적으로 일하는 것이 절대 필요하다.

(3) 과거에 공산주의자였거나 또는 공산주의 운동에 가담한 일이 있는가? 답: 나의 대답은 간단명료하다. 즉 「노」이다. 최근 나의 정적(政敵)들이 내가 공산주의자들과 관계를 가졌었다고 비난한 것을 알고 있다. 이런 비난은 근거도 없고 어리석다. 나의 정적에게는 안됐지만 무익한 것이다. 당신들도 그의 쌍스럽고 욕설적인 계책이 그에게 역효과를 냈다는 것을 알 수 있을 것이다. 나는 나의 정적이 공정한 선거운동을 벌리기 위한 보다 나은 문제들을 들고 나오기를 희망한다.

야당 유세전의 마무리는 나를 향한 후보 사퇴 요구와 선거관리내각을 향한 부정선거 책동으로 마무리되고 있었다.

“민정, 민주, 국민의당, 자민, 자유 등 재야 5당은 12일 ‘공화당 대통령후보 박 정희 씨는 위헌, 위법과 부정선거를 자행했을 뿐 아니라 생사(生死)의 간두(竿頭)에 선 민족의 운명을 타개할 능력과 포부도 없다’고 선언하고 ‘박 후보는 책임을 지고 즉시 정권의 자리에서 물러서라’고 요구했다.

투표일 2일을 앞두고 실질적인 야당 단일후보를 지원하기 위한 마지막 공세로서 5당 대변인은 공동성명을 발표하였다. ① 원천적인 부정선거 ② 부패 암흑선거 ③ 위헌, 위법의 자행 ④ 기만적인 정책 나열 ⑤ 윤 치영 씨의 발언과 박 정희 후보의 태도 ⑥ 배미 친일(排美親日) ⑦ 공명선거 투위(公明選擧鬪委)에 대한 탄압 등을 들어 정부와 공화당의 선거 태세를 비난했다.”(조선일보 1963.10.13.)

응대할 가치조차 없다. 재야 세력들이 늘상 보이는 저질스런 행태일 뿐이다.

마지막 유세를 마치고 최고회의와 내각, 박 경원 장관에게 공명선거를 위해 끝까지 마무리를 잘 해줄 것을 부탁하였다. 투표와 개표 과정에서 저질러질지도 모르는 각종 불법 행위를 철저히 차단하여 역사상 가장 공정한 선거가 되어야만 한다. 그래야 이기든 지든 후회가 없다.

드디어 10월 15일. 대통령선거일. 12,985,015명의 유권자가 아침 7시부터 전국 7,392개 투표소를 찾았다. 저녁 5시까지 투표소에 도착한 사람은 투표를 할 수 있다.

조반을 가볍게 먹고 부인 영수와 함께 천천히 걸어서 투표소를 찾았다. 길게 줄을 선 주민들이 우리를 알아보고 인사를 건넨다. 주민들이 양보를 하면서 먼저 앞으로 나가서 투표를 하시라고 했지만 웃음으로 응대를 했다.

투표를 마치고 차를 타고 경주로 향했다. 이 후락 실장과 지 홍청 주치의, 그리고 박 종규 경호대장과 경호원 몇몇이 동행하였다. 불국사 관광호텔. 110호실에 여정을 풀었다.

진인사대천명(盡人事待天命). 내가 할 수 있는 모든 노력은 다 했다. 이제는 겸허하게 국민들의 심판결과를 기다리면 된다.

'이제는 당선도 패배도 운명에 맡기자.'

이 실장이 투표가 끝나고 발표할 담화문을 들고 들어왔다. 원안대로 발표하도록 조치를 취했다.

"… 공정하고 자유로운 투표가 사상 유례 없이 평온하게 끝난 것을 만족하게 생각합니다… 개표가 끝날 때까지 국민의 귀중한 한 표가 끝까지 보호될 수 있도록 선거 관리에 최선을 다해주시기 바랍니다…"

두툼한 담요 위로 그냥 길게 늘어진다.

196개 개표소에서 오후 8시부터 개표가 시작되었고, 라디오방송을 통해 전국으로 개표 상황이 시시각각 보도되었다. 불국사 호텔 110호실 라디오에서도 긴박하게 진행되는 개표 결과가 부인 영수의 심금을 울리고 있었다.

개표 초반부터 윤 보선에게 뒤처지기 시작한다. 서울, 부산 등 대도시의 개표가 빠르게 진행되면서 격차가 점점 더 벌어졌다. 듣다 보니 마음이 불편해진다. 그런 나를 의식하고는 부인이 라디오를 들고 살그머니 밖으로 나간다. 16일 새벽 3시 현재, 박 정희 후보 800,836표, 윤 보선 후보 822,529표로 백중세다. 다른 후보들은 2만표에도 이르지 못하고 떨어져 나갔다.

아침에 일어나니 부인과 이 실장, 지 주치의, 박 대장의 얼굴이 밝지 않다. 상황이 짐작이 간다. 그렇다고 주눅 들어 있어서 만은 안 되겠다 싶어서 식전에 차를 타고 토함산으로 올랐다. 석굴암에 들려 예불을 하고 떠오르는 아침 해를 바라본다.

<표 16> 제5대 대통령 선거(1963.10.17.) 결과

지역	유권자	투표자	박정희(득표율)	윤보선(득표율)
서울	1,676,262	1,231,578	371,627(30.17)	802,052(65.12)
부산	665,545	503,601	242,779(48.20)	239,083(47.47)
경기도	1,492,207	1,163,847	384,764(33.05)	661,984(56.87)
강원도	938,143	749,823	296,711(39.57)	368,092(49.09)
충청북도	657,380	509,767	202,789(39.78)	249,397(48.92)
충청남도	1,278,294	993,102	405,077(40.78)	490,663(49.40)
전라북도	1,076,248	826,473	408,556(49.43)	343,171(41.52)
전라남도	1,687,302	1,338,142	765,712(57.32)	480,800(35.93)
경상북도	1,940,975	1,504,330	837,124(55.64)	543,392(36.12)
경상남도	1,427,810	1,144,032	706,079(61.71)	341,971(29.89)
제주도	144,849	116,503	81,422(69.88)	26,009(22.32)
합계	12,985,015	10,081,198	4,702,640(46.64)	4,546,614(45.09)
	(투표율: 85.0%) (무효표: 954,977명)			
오재영(추풍회,408,664명,4.05%), 변영태(정민회,224,443명,2.22%) 장리석(신흥당,198,837명,1.97%), 송요찬(자유민주당)과 허정(국민의당)은 사퇴				

마음을 다잡아 보려고 하지만 불편하기는 여전하다. 담배만 계속 피워 댔다.

그런데… 개표율이 올라가면서 윤 보선과의 표 차가 줄어들며 따라잡더니 어느 순간부터 시소 게임이 전개된다. 개표가 늦게 진행된 호남과 영남의 농어촌표가 쏟아져 나오면서 내가 16일 저녁부터 승기를 잡게 되었다. 17일 새벽 4시 현재, 박 정희 후보 4,585,464표, 윤 보선 후보 4,492,577로 나타나 나의 당선이 유력해졌다. 섬이 많은 전남 무안과 전북 정읍 두 곳이 마지막으로 뚜껑을 열었는데 최종적으로 17일 오후 3시 개표 종료의 결과는 박 정희의 승리였다. 15만 6,026표 차로 이겼다.

수행원과 기자들이 내 방으로 몰려들어 축하 인사를 건넨다. 개표 상황을 이틀 밤을 새면서 노심초사했던 서울 민주공화당 당사로 부터 긴급 전화가 걸려왔다. 한껏 기분이 좋아진 그들에게 수고했다는 말을 전하는데, 최고회의와 내각, 군 장성들로부터도 전화가 빗발쳤다.

"축하드립니다. 각하. 고생하셨습니다."

제5대 대통령 당선.

드디어 한, 고비를 넘겼다.

당선 축하를 받으면서도 그냥 허탈한 웃음을 보였다.(1963.10.17.)

리더십 체인지

경주에서 하루 더 묵고 서울로 올라오는 길에 고향인 구미 상모리에 들렸다. 마을 어귀에서부터 주민들이 나타나서 환한 얼굴로 나를 맞아주었다. 형님댁 사립문을 들어서니 70 노인인 동희 형님이 반갑게 맞는다. 나라 손님들이 많이 온다고 연락을 받아선 지 하얀 바지저고리에 중절모를 멋지게 쓰셨다. 덩치가 그리도 컸었던 형님이 많이 쪼그라들었다. 한 평짜리 삭은 마루에 함께 걸터앉아 담배 한 대를 권하고 불을 붙여드렸다.

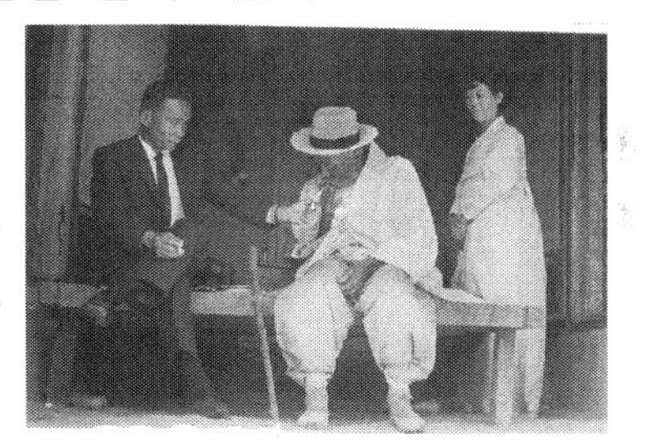

"어서 오소. 고생 많았제?"

부인 영수가 부엌으로 가더니 시원한 냉수 한 사발을 떠왔다. 짧은 대화를 나누고 곧바로 부모님 선영을 찾아 인사를 드렸다.

서울로 올라오자마자 내각 국무회의를 소집하고 선거 관련 업무 일체에 대한 보고를 받았다. 비록 자잘한 문젯거리가 없지는 않았지만 이전 선거처럼 유세와 투표, 개표 과정에서 큰 문제나 혼란은 발생하지 않았다. 내 선거전이 복합되어 있어 더없이 신경을 썼었는데 다행이다 싶어 안도를 한다.

10월 19일 최고회의에서는 대통령 선거 관련 보고를 청취하고, 중앙선거관리위원회에서는 대통령 당선자 공고를 하였다.

다음날 오후에 공화당 당직자 회의를 열었다. 선거 과정에서 애를 쓴 모든 당직자들과 사무국 직원들에게 진심으로 감사의 인사를 드렸다.

"모든 당직자와 사무국 직원들, 유세에 참여했던 분들께 진심으로 감사를 드립니다. 여러 분들 덕분에 힘겨운 선거전에서 승리해서 힘든 고비 하나를 넘게 되었습니다."

'한, 고비를 넘기게 되었다'는 나의 마음은 진심이다. 이번 대통령 선거는 그저 '대통령이 되어 보고 싶은 욕심의 발로'가 아닌 향후 국가발전, 경제

개발을 진두지휘할 지도자가 되는 첫 걸음이다. 혁명 과업을 이어받아 경제 개발 5개년계획을 지속적으로 추진해 갈 그런 '국민의 진정한 일꾼' '황소'로 재탄생하는 선택 과정이었다. 5·16 군사 혁명이 오로지 나의 의지에 따른 것이었다면 이번 대통령 선거는 국민의 심판과 함께 선택을 받는 중요한 통과 의례였다.

이제는 군부가 아닌 온 국민의 지지와 함께 국가 발전에 매진할 수 있게 되었다.

"이번 선거는 아슬아슬했지만 우리가 승리했다는 것에 보람을 느낍니다. 그리고 무엇보다도 여당으로써 책임지고 공명선거를 해냈다는데 대해서도 자부심을 가질 만 합니다. 선거 후 언론 동향을 보면 이전의 자유당, 민주당 선거에 비해서 확실하게 부정이 없는 공명선거라고 보도되고 있습니다. 야당 측에서 선거 기간 내내 부정선거를 주장하고 나섰지만 결정적인 부정이 없자 지금은 조용합니다. 미국이나 일본, 유럽과 동남아의 여러 나라에서도 우리의 선거를 주의 깊게 보고 있었는데, 결론은 '깨끗한 공명 선거였다'는 겁니다. 언커크에서도 이번 대통령 선거가 공정하게 치러졌다는 성명서를 발표하였습니다."

장 사무총장이 기분 좋은 얼굴로 한 마디 한다.

"미국이나 유엔에서는 이집트나 터키, 파키스탄, 중남미 군사 정부의 선거 사례를 보면서 우리의 선거도 그런 식으로 전개되지나 않을까 걱정했던 것은 사실입니다. 끝까지 최고회의와 내각, 군, 경찰의 선거 개입 여부를 감시하고 있었다고 보여 집니다."

김 동환 위원이 외국의 동향에 대해 간략하게 전해주었다.

"【뉴욕19일발(日發)AP=동화(同和)】「뉴욕·타임즈」(NYT) 지는 19일 사설에서 한국의 박 정희 장군이 대통령 선거에 승리한데 관하여 다음과 같이 논평하였다. '한국의 군사 정부는…분명히 자유와 질서 정연한 투표를 허용하였다. 한국 선거는 미국의 전국 선거 때보다 무질서가 덜했다고 알려졌다.

짧은 기간의 선거전(選擧戰)과 제한된 커뮤니케이션 방법에도 불구하고 약 1,250만의 유권자 중 약 1,050만 명이 투표하였다는 것은 보다 오랜 전통을 가진 많은 서방국가들이 부러워함직한 민주적 책임을 보여준 좋은 예이다. 한국이 필요한 것은 모든 경제적, 정신적 및 실질적인 자원을 총집결하는 일'이다." (조선일보 1963.10.20.)

전국적인 선거를 이번처럼 큰 대과없이 치러냈다는 사실에 모두가 가슴을 편다.

"곧바로 국회의원 선거입니다. 이 추세를 몰아가서 한 달 뒤 국회의원 선거도 반드시 승리해야 합니다."

윤 치영 당의장이 의욕적으로 나선다.

"일단 이번 선거의 결과를 분석해서 유권자의 표심을 정확히 알아낸 뒤 그에 맞춰서 선거에 임해야 합니다. 그렇지만 대통령 선거와 국회의원 선거는 양상이 사뭇 다를 겁니다."

"36도선, 추풍령을 경계로 남과 북의 표심이 완전히 갈렸습니다. 서울과 경기도, 강원도, 충청도에서는 우리가 민정당에 졌습니다. 그렇지만 호남과 영남, 제주에서는 우리가 완벽하게 승리했어요. 이 승만 정부 시절에 서울 경기와 수도권이 여당 편이었고 농어촌 지역이 대부분 야당 편이었던 것과는 정반대로 표심이 나타났습니다. 군인 가족이 많은 경기도 중북부와 강원도에서 우리가 민정당에 뒤졌다는 것이 조금 이해가 안 갑니다."

"그것이 오히려 우리가 군을 이용한 부정선거를 하지 않았다는 반증이 될 수도 있어요. 서울은 원래 대학생과 지식인들이 많다 보니 대체로 정부 비판 성향이 강합니다. 반대로 농어촌 지역은 정부가 얼마나 잘 하느냐에 따라 다소 친정부적 성향을 보이지요. 그리고 지난 2년간 재건 국민운동과 함께 농어촌 발전에 총력을 기울인 효과가 나타났다고 보여 집니다."

"서울과 경기, 충청권까지는 신문과 함께 동양방송을 접할 수 있는 사람들이 많아요. 동양방송과 같은 정부 비판적인 언론이 윤 보선에게 유리했겠지요. 반대로 농어촌 지역에서는 국립중앙방송과 이를 유선으로 연결한 앰프, 스피커 방송뿐이었지요. 또 현지 당원에 의한 유권자 설득이 잘 먹혀들었다고 생각합니다."

"윤 후보의 고향이 충청도이다 보니까 충청도 표가 그 쪽으로 많이 쏠렸다고 생각합니다. 최대 미지수는 호남입니다. 그동안 전통적으로 야당세이고 이번에도 윤 보선이 가장 믿었던 지역입니다."

"우리가 잘 한 것도 있겠지만 민정당에서 호남 출신인 김 병로 등을 밀어냈기 때문일 수도 있어요. 또 저들이 사상 문제를 들고 나오는 바람에 오히려 역효과를 보였을 수도 있구요."

비교적 정확하게 판세 분석을 하고 있었다. 당직자들에게 대통령 선거 승리에 취해 있지 말고 곧바로 국회의원 선거전 체제로 돌입하라고 지시하였다.

"총재님. 자민당에 가 있는 오월동지회 오 치성, 강 상욱, 정 동운, 조 창대, 신 윤창 등이 금주 중으로 입당하기로 하였습니다. 이들 중에는 자민당 공천으로 국회의원 선거에 나가겠다고 우기는 사람도 있어서 애를 먹었습니다. 후보자 공천을 통해 이들을 배려해야만 할 것 같습니다."

장 경순 총장의 보고다.

"하지만 이들의 지역구 공천에 대해서는 반발도 만만치 않아 보입니다. 대국적 차원에서 이들을 모두 비례대표로 선정하는 것도 방법입니다. 여차하면 해외 체류 중인 김 종필, 김 재춘, 김 윤근 장군 등도 함께 고려할 수 있고요."

고민이 깊어진다. 당장 지역구와 비례대표 출마자 신청을 받고 심사 절차를 거쳐 후보자를 정하는 일이 급선무다. 벌써부터 경쟁이 치열하다. 자민당 분열보다도 더 심각한 갈등 상황이 전개될 수 있다.

"자민당과 통합한다는 차원에서 오월동지회 핵심 인사들을 지역구 후보나 비례대표로 고려하는 것은 생각해 볼 수 있지만 외유 중인 사람들까지 고려하기는 어려워요. 일단 공천 원칙을 세워야 하는 데 대통령 선거와는 달리 지역 연고나 인망, 당선 가능성을 우선적으로 고려해야 합니다. 그러다 보면 우리가 생각했던 대로 청년들만이 아니라 장년, 노년층 중에서도 필요한 인재를 공천해야 할 겁니다."

23일, 김 종필 전 부장이 김포공항으로 귀국을 하였다. 최고회의 위원들과 공화당 임원진 등 수백 명이 공항까지 가서 맞았다. 그는 곧바로 의장 공관으로 나를 찾아왔다.

"당선을 축하드립니다. 고생하셨습니다."

"어서 오시게. 그동안 고생 많았어요. 해외에 있으면서도 공화당과 선거를 잘 챙겨줘서 고마워요. 이제 본격적으로 공화당과 국회의원 선거를 챙겨 봅시다."

"아직은 조심스럽습니다. 일단은 재입당하고, 어떻게 할 것인가 고민해 보겠습니다. 지역 부여에 좀 내려가 보려고 합니다."

10월 25일, 조선호텔 연회장을 빌려서 당과 내각, 최고회의, 공화당 임원들이 모두 모여서 대통령 선거 마무리 만찬 행사를 거행하였다.

이런 와중에도 근소한 표차로 패배했다고 생각하는 윤 보선과 민정당, 민주당은 우리는 물론 내외의 언론과 외국 국가들이 칭찬해 마지않고 있는 한국 역사상 최초의 공명선거를 부정하려고 애를 썼다. 자기들이 이겼어야만 하는데 진 것, 특히 호남에서 표가 덜 나온 것은 '부정 행위'가 있었기 때문일 것이라고 넘겨짚고 있었다.

앞서 10월 18일자로 조선일보에서 개최한 선거 후 대담에서 민정당 임시 대변인인 김 영삼은 여전히 선거 패배를 인정하지 않으려고 애를 썼다.

"지금 와서 따지자는 것은 아니지만 개표에는 상당한 부정이 있었다고 봅니다. 실제로 예를 들 수도 있지만 호남에서 우리가 패배한 것은 아무리 뜯어보아도 알 수가 없어요. 부산지방에서 불이 꺼졌던 것, 개표의 중간 발표를 두 시간 마다 한 것, 개표대(開票臺)를 굳이 다섯 개를 만든 것 같은 것은 충분히 의심할 여지가 있는 것입니다."

이런 생각을 하는 이들의 바로 우리가 마주하고 있는 야당이다. 항상 비판적이다. 그들은 '정상'을 보지 않고 '부정'을 보려고 갖은 애를 쓴다.

"각하, 11월 1일, 월남에 군부 쿠데타가 발생해서 고 딘 디엠 대통령 형제가 음독 자살을 하였다는 보고가 들어와 있습니다. 아마도 쿠데타 군부에 의해서 저격을 당한 것 같습니다."

김 형욱 부장이 김 용식 외무부장관과 함께 급하게 청와대로 들어와서 구두 보고를 하였다. 그동안 우리와 친밀한 관계를 유지해 오고 있었기 때문에 적잖이 놀랐다.

"지난봄에 월남 중부 지방의 '후에'에서 불교도들과 경찰 간의 충돌로 시작된 대정부 시위가 전국으로 번지면서 불교도와 학생, 야당 정치인까지 가담하는 반정부 시위로 격화되었습니다. 아시아 최전선의 반공 보루라고 여겨서 지원을 아끼지 않던 미국 케네디 정부도 정권 교체를 생각하기에 이르렀다고 합니다."

"고 딘 디엠 대통령이 월남 국민들에게 매우 신망 받던 사람이었는데 그동안 월맹의 호지명 및 내부의 공산당과 싸우는 과정에서, 지나치게 매카시즘적으로 반대 세력을 축출하여 반발 세력을 많이 만들었답니다. 또 동생인 고 딘 누 정보부장 내외를 중용하고 친족들을 요직에 앉혔으며 친 카톨릭, 반 불교 노선을 걷다가 국민들로부터 큰 반발을 받게 되었죠."

"미국 CIA 쪽에서 이런 문제점을 지적하고 시정을 요구했는데, 고 딘 누 여사는 오히려 이런 의사 표현을 언론에 흘리면서 '미국이 대통령 축출 쿠데타를 시도했다'는 식으로 나왔어요. 미국에서도 발끈한 거죠. 군부 쿠데타가 이런 분위기 속에서 등장했구요."

어느 정도 상황 짐작이 간다. 우리의 4·19 당시와 유사하기도 하고 이승만, 장 면의 고민과도 비슷한 면이 있다. 좌파 공산주의자들은 교묘하게 불만 대중 속으로 파고든다. 카톨릭과 불교 사이의 종교 갈등, 거기에 더해서 대학생들의 대 정부 시위는 이들에게 더없이 좋은 기회다. 고 딘 디엠 대통령은 반공 정책을 시도하는 와중에 전 국민의 지지를 얻지 못하고 가족을 중심으로 한 족벌 정치, 국가 발전을 위해 불교 정화를 꾀한다고 하면서 종교 갈등을 노정시켰다.

족벌 정치나 종교 갈등은 국가 경영, 국민 통합을 위해 절대로 해서는 안된다. 내 스스로 깨끗해야만 내가 하는 일을 국민들이 믿어준다. 그리고 종교 문제는 인간 본성의 심성에 작용하기 때문에 함부로 건드려서는 안 된다. 우리 혁명 정부에서도 불교 정화를 시도했지만 '불교계 스스로 문제를 풀도록 유도' 했을 뿐이다.

리더십 체인지가 일어난 월남이 조심스럽다. 고 딘 디엠 대통령이 족발 정치에 카톨릭 우선 정책, 강력한 반공 정책을 폈다고 하지만 밖에서 보는 것과는 사뭇 다른 고민이 있었을 것이다. 북부 월맹이나 내부 공산주의자들의 체제 도전은 집요하고 치밀하게 전개된다. 고 딘 디엠 대통령은 집권 내내 보대 왕정 극복, 프랑스 식민지로부터의 독립, 월맹과 공산세력의 공격에 전전긍긍해 왔다. 해방 직후와 6.25 전쟁 전후의 이 승만 정부처럼 위태위태했었다. 그나마 미국의 지원을 받으며 겨우겨우 버텨왔는데, 믿고 있던 미국에 의해 거세를 당하고 죽음에 이르렀다.

새로운 군부 정권이 등장한다지만 고 딘 디엠 대통령처럼 굳건하게 미국 편이 되어 반공의 보루 역할을 해 낼지 모르겠다. 자칫하면 미국이 '월남이라는 수렁' 속으로 빠져들 지 않을까 걱정스럽다.

지금 단계에서는 추이를 보다가 월남의 신정부와 새로운 국교 관계를 맺어야 한다. 김 외무부 장관에게 월남 대사와 함께 긴밀하게 상황 체크를 하도록 지시하였다. 얼마 후 외교부를 통해 11월 8일자로 월남의 신정부를 승인하는 결정을 내렸다.

10월 28일. 내각에서는 제3공화국 첫 국회 개원식을 12월 17일 아침 9시에 국회의사당에서 하기로 하고 이어서 대통령취임식을 하오 2시에 중앙청 광장에서 열기로 결정하여 공지하였다.

다음달 11월 26일 국회의원 선거를 앞두고 정치계가 숨 가쁘게 움직여 갔다. 중앙선거관리위원회에서는 정당 등록과 함께 기호 추첨, 후보자 등록을 받았다. 일정에 맞춰 각 정당은 창당과 공천 작업에 몰두한다. 11월 2일, 등록된 정당 기호를 추첨한 결과 다음과 같이 결정되었다.

(1)자유당(自由黨) (2)신민회(新民會) (3)자유민주당(自由民主黨) (4)신흥당(新興黨) (5)한국독립당(韓國獨立黨) (6)국민의당 (7)보수당(保守黨) (8)민주당(民主黨) (9)민정당(民政黨) (10)정민회(正民會) (11)추풍회(秋風會) (12)민주공화당(民主共和黨)

등록된 정당은 지역구 사무소 설치 여부와 관계없이 모든 지역구에 후보자를 낼 수 있다. 입후보 등록 마감 결과 (지역구 131명과 전국구 44명 총 175명의 의원 정수에 대하여) 지역구 847명, 전국구 154명으로 모두 1,001명이 입후보하여 지역구는 평균 6.5 대 1의 경쟁률을 보였다.

국회의원 선거를 앞두고 11월 6일, 내각 수반과 몇몇 장관, 최고회의 분과 위원장, 공화당의 윤 치영 의장과 장 경순 총장, 신 윤창 위원, 서 인석 대변인 등을 청와대로 초청하여 오찬을 함께 하였다. 대통령선거처럼 공명선거를 위해 총력을 기울여줄 것을 내각에 당부하고 아울러 공화당 측에 대해서도 후보자의 선거 운동을 공정하게 하도록 신신당부하였다.

"대통령 선거와는 또 다릅니다. 지역구에는 친인척, 종중, 학교 동문, 각종 모임이 많아서 온갖 형태의 선거 관여가 나타날 겁니다. 특히 경찰이나 공무원들이 후보자와 특별 관계에 있는 경우에 말 한 마디 잘못하면 곧바로 선거 개입이 되고 부정 선거라는 오명을 쓰게 됩니다."

모두가 진지하게 경청한다. 장 총장이 향후 일정을 설명한다.

“당장 내일부터 김제, 광주, 목표, 남원 유세에 나서셔야만 합니다. 야당 측에서는 벌써부터 각하가 선거 유세에 나서면 불법이라고 떠들기 시작하는데, 대통령권한대행이나 최고회의 의장이 아닌 민주공화당 총재 신분으로서 나서면 상관없습니다.”

김 현철 수반이 외유에서 돌아온 김 윤근 장군을 호남비료주식회사 사장으로 임명하였고, 유 양수 위원장을 필리핀 대시로 임명했다고 알려주었다.

민정당의 윤 보선은 또 다시 전국 유세를 돌면서 대통령 선거 무효와 부정 선거를 잇슈로 부각시키고 나섰다. 당당한 정책 대결보다는 ‘부정 선거’ ‘불법 선거’ ‘선거 무효’ ‘박 정희 탄핵’만을 소리 높여 외치고 다녔다. 대통령까지 지냈던 사람으로서, 나이가 많은 국가의 원로로서 너무 치졸하다는 느낌이 들었다.

윤 보선은 선거 유세 도중에 ‘투표에 이기고 개표에 졌다’ ‘윤 보선 표 중에 수만 표가 무효표로 처리되었다.’ ‘윤 보선 표 중 상당수가 다른 사람 표로 집계되었다’ ‘나는 국민의 정신적 대통령이다’ 라고 무책임하게 떠들어 댔다. 민정당에서는 기어코 ‘10.15 대통령 선거 결과에 이의를 제기하면서 박 정희 민주공화당 후보의 당선 무효 및 선거 무효 소송’을 11월 13일, 정식으로 대법원에 제기하였다. 민정당은 선거 직후부터 지방법원을 통해 몇몇 곳의 투표함과 투표지 및 투표기록 등 일체의 증거보전신청(證據保全申請)을 진행시켜 오고 있었다.

"부정(不正)을 시인(是認)하고 선거 다시 하라! 전국에 금권(金權), 관권 난무(官權 亂舞). 민정당 대표 최고위원 윤 보선 씨는 16일 대통령 선거를 다시 할 것을 주장했다… 영남 지방 유세 도중 기자와 회견한 윤씨는 ‘박 정희 씨는 10.15 대통령 선거의 부정을 시인하고 다시 국민 앞에 의사를 묻는… 선거를 다시 해야 한다’고 말했다… ‘그 사람은 말만 하면 거짓말을 하기 때문에 못할 것 같다’… ‘개표를 다시 한다면 내가 이길 것만은 틀림

없다' '투표함에 손질만 안 했다면 내 표가 15만 표만이 아니라 상당수가 불어날 것'이라고 말했다."(조선일보 1963.11.17.)

윤 보선은 만약 선거 무효 소송에서 내가 승소하거나 재검표를 해서 다시 내가 이기면 야당으로서 정국 안정을 위해 자신이 적극 협조하겠다고 한다. 그러면서 첨언하기를 지금과 같은 분위기에서는 '미국도 경제 원조를 제대로 하지 않을 것'이라고 사족을 붙였다. 갑자기 영어 좀 잘한다고 으시대는 것 같이 보인다.

국회의원 선거가 한창 진행 중인 상황에서 '선거 전략'의 일환으로 이런 말과 행태를 벌리고 있다.

"그들이 그렇게 원한다면 언제라도 투표 개표를 다시 할 용의가 있다."

누가 옆에서 묻기에 이렇게 답을 했다. 생각해보면 지난번처럼 야당 입장에서는 선거 분위기를 자기들에게 유리하게 끌고 갈 특별한 쟁점이 없다는 반증이다. 대통령 선거 투표일 직전에 나를 사퇴하라고 성명서를 발표했듯이 이번에도 그럴 조짐이 다분해 보였다.

대통령 선거 기간 동안에 사상 논쟁 때문에 손해를 많이 봤다고 생각하는 민정당의 몇몇 깨어 있는 인사들은 '해위(海葦) 윤 보선이 제발 가만히만 있어 줘도 고맙겠다' '당선 축하 꽃다발을 보낸 사람이 뒤늦게 당선 무효 소송을 낸다면 국민들이 웃지 않겠어?' 라고 걱정을 하는 것도 이해가 간다.

이런 상황이라면 우리로서는 국회의원 선거도 해볼 만한 게임이다.

그들은 은근히 기가 살아 있다. 선거 후에 야당 연합체를 구성하면 국회 다수당이 되어서 박 정희 대통령이 주도하는 행정부를 충분히 견제할 수 있다는 말이 돌고 있다. 우리측 국회의원 후보자들이 군복을 갓 벗은 젊은 이이거나 전혀 정치권에 몸담고 있지 않았던 인물들이 많은 것을 보고 저쪽에서는 민주공화당 당선자가 절반에도 미치지 못할 것이라고 분석하고 나섰다. 사실 우리도 이런 우려 때문에 기존 자유당계나 민주당계 인사들 중에서도 당선 가능성이 있는 인물들을 입당시켜 공천하려고 애를 썼다.

11월 21일 밤. 저녁을 간단하게 먹고 온양관광호텔 회의실에서 긴급회의를 열었다. 목포에서 경찰의 선거 개입 사실이 순경 한 명의 내부 고발과 민주당의 폭로로 드러났다. 우려했던 일이 기어코 발생하고 말았다. 김 현철 내각수반, 박 원석 최고회의 외무국방위원장, 김 형욱 중앙정보부장, 이 동원 대통령 비서실장, 이 후락 공보실장 등이 참석한 긴급회의를 통해, 사실 여부를 정확히 파악하고 불법 행위가 있으면 관계자를 엄정 조치할 것을 지시하였다.

다음 날, 신문을 보니 일본에서 집권 여당인 자민당이 압승을 했다.

충남 지역 선거 유세를 마치고 다시 온양에서 묵었다. 잠을 자던 새벽녘에 청천병력과도 같은 소식이 전해졌다. 미국 케네디 대통령이 현지 시간으로 22일 정오 경, 텍사스 주 댈라스에서 괴한의 총에 맞아 서거했다. 뒤통수를 한 방 맞은 듯 깜짝 놀랐다.

"아니? 이게 뭔 일이냐? 어찌 이런 일이…"

동갑내기 케네디 대통령은 내가 국가 원수로서 미국을 처음 방문해서 기분 좋게 대담을 나눴고 든든한 나의 후원자로 교류하고 있는 중이다. 이제 대통령에 당선되어 새로운 대한민국 건설을 위해 그의 도움을 절실히 기대하고 있는 중인데…

긴급으로 케네디 대통령의 서거를 애도하는 특별 담화를 발표하였다. 그리고 측근들과 함께 장례식 참석 여부에 대해 상의를 하였다.

"아마도 영국이나 프랑스, 독일 등에서는 수상과 대통령이 직접 참가할 것 같습니다. 케네디 대통령은 각하와는 좀 더 특별한 관계일 수 있기 때문에 직접 참석하시는 것이 좋겠습니다."

"선거 판세는 이제 거의 굳어졌다고 봐도 좋겠습니다. 특별한 이변이 없는 한 현재 추세가 그대로 결과로 나타날 것입니다. 걱정 마시고 다녀 오십시요. 오히려 장례식 참가가 선거에도 호재로 작용할 수 있습니다. 야당에서는 우리가 미국과 소원한 사이일 것이라고 호도하고 있는 중이니까요. 린든 존슨 부통령이 대통령 직위를 승계할 것이니까 이 참에 다시 한번 더 만나실 필요도 있습니다."

선거 유세를 중단하고 일정을 조정하여 긴급히 미국행 비행기에 올랐다. 케네디 대통령의 유해는 미국 시간으로 22일 밤 워싱톤 백악관에 안치되었고, 장례식은 25일 거행될 예정이다.

우방인 월남에서 갑작스런 리더십 체인지가 일어나더니 이번에는 든든한 우방국인 미국에서도 리더십 체인지가 일어났다. 향후 존슨 부통령의 대통령직 승계에 이어 곧바로 새로운 대통령 선거가 이어질 것이다. 제3공화국의 시작과 함께 대미 관계 설정이 새롭게 진행되어야만 한다.

11월 26일 국회의원 선거는 뚜껑을 열어 보니 우리 민주공화당의 압승으로 결론이 났다.

혁명 정부에 이어 새롭게 출범하는 제3공화국의 리더십이 30대와 40대 위주로 재편되었다. 조선 시대로부터 이어져 온 양반 계층의 리더십, 이 승만과 윤 보선 대통령으로 상징되는 고령 지도층이 이제 나와 함께 청년 리더십으로 개편되었다.

조선 초기의 이 성계와 정 도전으로 상징되는 개국 세력, 일제 명치유신으로 상징되는 젊은 청년 관료층, 나폴레옹의 혁명 세력처럼 탄탄하고 열정적인 새로운 한국의 지도자들이 행정부와 국회를 주도하게 되었다. 당연한 수순으로 새로 임명될 내각의 주요 장차관들도 청장년층으로 탈바꿈될 것이다.

131개 지역구 중 88곳에서 당선자를 냈다. 비례대표 22석을 포함하면 총 110명이다. 의원 총 175명 중에서 62.8%로 과반수 의석을 한참 넘어섰다.

<표 17> 6대 국회의원 선거 결과 (출처:위키백과)

지역	민주공화당	민정당	민주당	자유민주당	국민의당	합계
서울특별시	2	7	4	1	-	14
경기도	7	5	1	-	-	13
강원도	7	-	1	1	-	9
충청남도	8	3	-	-	2	13
충청북도	6	1	-	1	-	8
전라남도	12	3	1	3	-	19
전라북도	7	3	1	-	-	11
부산시	6	1	-	-	-	7
경상남도	12	2	1	-	-	15
경상북도	19	1	-	-	-	20
제주도	2			-	-	2
합계	88	26	9	6	2	131

민정당은 40명(지역구 26명, 비례 14명)이 당선되어 제1야당이 되었다. 민주당 14석(지역구 9, 비례 5), 자민당 9석(지역구 6, 비례3), 국민의당 2석(지역구)이었다. 서울을 제외한 모든 지역에서 압승을 거두었다.

- **리더십 체인지(Leadership Change):**

30~40대가 57%로써 국회의 청년화가 이루어졌다. 공화당뿐만 아니라 야당 측에서도 청년층 당선자가 많았다. 50대와 60대 중에는 우리가 전략상 공천한 후보들이 무난하게 당선되어 장년층을 대변할 수 있게 되었다.

드디어 대한민국의 내일이 희망으로 기다려진다. 지난 몇 달 동안 되뇌고 되뇌었던 말…

'새 사람에 한 표 주어, 황소같이 부려 보자 !'

말보다는 일하는 정당.

말보다는 일하는 정부.

말보다는 일하는 박 정희 !!!

출발! 저 높은 고지를 향하여

새롭게 국가 시스템을 구축하고 대통령, 국회의원 선거까지 마쳤다. 힘들긴 했지만 일단 여기까지 오는 데는 성공했다.

'이제는 사람이다.'

1년 전에 국민 총의로 새로운 헌법을 제정하여 자유민주 국가 시스템을 완벽하게 구축하였다. 이제는 이 좋은 국가 시스템을 책임지고 이끌어갈 인물을 찾아 적재적소에 배치하는 일이다. 국민 총의로 대통령을 뽑았고 뒤이어 국회의원을 선출하였다. 조만간 대통령이 취임하고 국회 구성이 완료되면 제3의 축인 사법부도 구성될 것이다.

전 세계 어디에 내놔도 우수한 선진 자유 민주 국가 체제를 대한민국 최고의 인재들에게 맡겨 국가 발전에 나설 것이다. 그 책임이 온전히 내게 주어져 있다.

국회와 내각, 사법부와 각종 정부기관장, 민주공화당을 새 정부 출범에 맞춰서 재구성해야만 한다. 인물이 없어도 걱정이지만 현재 상황에서는 '자리에 비해' 챙겨야 할, 또 필요해서 반드시 모셔야 할 인물들이 너무나 많다.

일단 최고회의와 내각, 시도지사, 정부기관장으로 파견되었던 군인들은 새로운 민간 정부 출범 직전인 12월 16일자로 임무를 마친다. 지난 선거에서 국회로 진출한 사람을 제외하면 일부는 원대 복귀하고 일부는 새로운 민정에 참여하게 될 것이다. 하지만 민간 정부 성격에 비춰서 극히 일부의 군인들만을 내각 장차관으로 발탁하려고 한다.

먼저 민주공화당의 선거 체제를 개편하여 정책 정당으로 만드는 작업을 시도했다. 당무위원들의 의견을 들어서 윤 치영 당의장을 김 종필 당의장으로 교체하였다. 새 당의장으로 하여금 당 사무국 인선과 함께 국회의원 당선자들을 중심으로 국회 원구성에 나서도록 조치하였다. 당과 국회 안팎에 포진해 있는 민간인과 군 출신들을 전문성과 연령에 따라 적절히 고려하는 인선에 착수하였다.

당 사무총장은 김 종필 당의장의 추천을 받아 원외 인사 중에서 윤 천주 고려대 교수를 임명하였다. 그는 공화당 창당 준비 작업 초기부터 당 조직과 인사, 교육, 강령 설정에 큰 기여를 한 사람이다. 성격도 원만하고 일 추진력이 탁월한 사람이다.

새롭게 출범하는 제3공화국에서는 성낭이 중요한 역힐을 하게 되이 있다. 대통령과 국회의원이 되려는 사람들은 반드시 정당의 추천을 받아야 하고, 정당을 통해 선거 운동에 임한다. 정당이 행정부와 국회, 대통령과 국회의원 사이에서 정무적 판단과 함께 정책을 조율하고 지원한다. 행정부를 통할하는 대통령과 내각, 국회의 여당 의원총회를 뒷받침하는 장치로서 당무회의(黨務會義) 또는 당정협의회를 운영하여 주기적으로 국정 전반에 관해 의견 교환을 하도록 되어 있다.

국회가 구성됨과 동시에 여당 내에 당무회의를 구성하였는데 당연직 당무위원으로는 김 종필(의장), 장 경순(국회 부의장), 김 용태(원내총무), 윤 천주(사무총장), 박 규상(사무차장)이 포함되었다. 사무국과 당무위원에는 원외 인사도 적절히 고려하여 발령 냈다.

민주공화당은 내가 총재로 있기 때문에 김 당의장, 윤 사무총장과 함께 적절히 관리할 수 있지만 대통령 직임에 바쁘다 보면 당 총재는 형식적일 수밖에 없다. 모든 것을 당의장과 사무국에 일임해야 한다. 김 종필 의장이 국회의원 신분이기 때문에 여당 당선자회의에 참여하여 당의 생각을 전할 수 있고 국회 조직 구성에도 영향력을 발휘할 수 있다.

김 당의장의 경우에는 지난 창당 과정에서 김 재춘 부장의 자유민주당이나 오월동지회와 알력을 겪은 경험이 있다. 그래서 그가 의견을 많이 내는 것도 조심스럽다. 자칫 내가 그토록 경계하는 당내 파벌 싸움이 도질 우려가 있다.

국회 구성을 위해 당선자 중에서 의장, 부의장, 원내총무, 분과위원장 적임자를 정해야 했다. 국회의장으로는 그 동안 공화당 총재로서 당을 잘 이끌어 온 정 구영 전 총재(충북, 69세)와 이 효상 영남대 이사장 둘을 놓고 고민하다가 중론을 들어서 이 효상(경북, 57세)으로 마음을 정해 여당 후보로 밀었다. 먼저 김 종필 당의장과 상의할 때는 창당과 선거 과정에서 큰 역할을 했던 정 구영 총재를 지명코자 했으나 부의장을 장 경순 의원으로 하는 대신에 의장은 민정당이나 민주당과의 관계를 고려하여 원만한 성격의 이 효상 의원으로 조정한 것이다. 부의장 1석은 야당 몫으로 배정키로 하고 추천을 의뢰한 결과 공화당의 장 경순, 민정당의 나 용균 의원이 부의장으로 선출되었다.

공화당에서는 의원 총회를 거쳐 원내총무에 김 용태(충남, 37세), 부총무에 최 치환(경남, 41세), 예 춘호(부산, 36세)를 선출하였다. 원내 총무단은 여당 국회의원들을 잘 이끄는 것과 함께 야당과의 정치 조율, 행정부 관계에서도 탁월한 정치력을 발휘할 수 있는 인물로 구성하고자 애를 썼다. 각 상임위원회 위원장은 소속 위원들 중에서 다수결로 정하되 야당을 적극적으로 배려하는 것을 원칙으로 정하고 실행에 들어갔다.

당과 국회 구성과 함께 내각, 각급 행정기관장 임명도 발 빠르게 이루어졌다. 가장 먼저 내각의 국무총리를 누구로 할 것인가가 고민이었다. 국무총리는 대통령제 정부인만큼 실무형 총리보다는 국민 신망이 높은 사람으로 부처 간 정책 조율 능력이 뛰어난 사람을 발탁하고 싶었다.

이 승만 대통령 시절에 총리를 지냈던 백 두진, 고려대 총장 유 진오, 유엔 대사를 지냈던 임 병직, 적십자사 총재를 지낸 동아일보사장 최 두선, 서울대 행정대학원장 이 용희, 전 미국대사 양 유찬 등을 주변에서 추천해 왔다. 각기 장단점이 있지만 군 출신이 아니면서 야당의 반발이 적은, 국민 다수의 지지를 받을 수 있는 인물을 임명하기로 한다. 고민을 거듭하다가 최종적으로는 부드러우면서 신망이 높은 최 두선(서울, 69세)을 총리로 정하였다. 12월 6일 밤, 그의 자택으로 직접 찾아가 1시간 가까이 대화를 나누면서 부탁을 드렸다.

12월 12일자로 국무총리를 비롯한 국무위원 18명, 서울특별시장과 5개 독립 기관장을 발령 냈다. 각 부처 장관은 업무 지속성을 위해서 기존 혁명 정부의 장관들을 유임시키고 필요한 몇몇 부처만 새로운 인재를 발탁하였다: 김 유택(황해, 52세) 부총리 겸 경제기획원 장관, 정 일권(함북, 46세) 외무부장관, 엄 민영(경북, 48세) 내무부장관, 박 동규(경남, 47세) 재무부장관, 민 복기(서울, 51세) 법무부장관, 김 성은(경남, 39세) 국방부장관, 고 광만(전북, 59세) 문교부장관, 원 용석(충남, 57세) 농림부장관, 이 병호(황해, 47세) 상공부장관, 정 낙은(충남, 45세) 건설부장관, 박 주병(서울, 59세) 보건사회부장관, 김 윤기(전북, 59세) 교통부장관, 홍 헌표(서울, 56세) 체신부장관, 김 공성(서울, 38세) 공보부장관, 김 용식(경남, 50세) 무임소장관, 김 홍식(충남, 54세) 무임소장관, 이 석제(경남, 38세) 총무처장, 서 일교(42세) 법제처장. 윤 영모 원호처장. 윤 치영(65세) 당의장을 서울특별시장, 공보실장을 맡아 왔던 이 후락(39세) 실장은 대통령비서실장으로 하고, 홍 종철(39세) 최고위원을 경호실장으로 발령 냈다. 감사원장에는 이 주일(45세) 최고회의 부의장이 자리를 옮겼다.

새 내각의 연령 평균을 50대로 하였고, 군 출신은 4명으로 최소화하였다. 당적을 가진 사람은 6명 정도다. 차관 인선은 일단 총리와 장관 임명 이후에 시간을 두고 실무형으로 임명하려고 한다.

최고회의 마지막 회의를 끝내고 저녁 시간. 김 종필 당의장과 함께 공관에서 식사를 하였다. 부인이 차린 청국장에 콩밥을 겸상으로 마주하였다. 구수한 숭늉 한 대접을 기분 좋게 들이 킨다.

"운정, 국회와 내각 인선이 그런대로 잘 되었지? 고생했어요."

"각하께서 고생 많으셨습니다. 자리는 한정되어 있는데 대상자는 많아서 골치가 아프셨을 겁니다. 처음 구상했던 조각 내용이 논의 과정에서 많이 변하긴 했지만 결론적으로는 좋게 되었습니다. 하여튼 원만하게 된 것 같아

다행입니다.”

“주변에서는 ‘야당 쪽 인물도 고려해야 한다.’ ‘조선시대 영조나 정조 때처럼 탕평책을 써야 한다.’ 언론과 지인들이 이런저런 말들을 많이 합디다. 그런데 탕평책이 말이 좋아 탕평(蕩平)이지 자칫 잘못하면 단합만 해치고 내부 분열만 초래할 수 있어요. 만약 적극적으로 고려한다면 정당 소속이 아닌 민간인 중에 정치 성향이 드러나지 않은 전문가들을 최대한 골고루 발탁해야 겠지.”

“맞습니다. 지금 상황에서 민정당이나 민주당, 자민당 성향의 인물들을 몇몇 내각으로 들이는 것은 별로 의미가 없어 보입니다. 정치 성향이 우리와 다른 사람들을 내각에 들이면 오히려 내부 총질이나 하고 정보 유출이나 하는 일이 생겨날 수도 있습니다. 우리의 정책 방향에 맞고 각하를 최대로 잘 보필할 사람들이 필요하지요.”

“그나저나 군 쪽에서 특별한 반응이 나오는 것은 없나요?”

“장 도영 장군이나 김 동하, 박 치옥, 문 재준, 김 재춘, 박 임항 등 반혁명 사건 연루자들 쪽에서 불만이 많을 수밖에 없습니다. 급하게 서두를 것은 아니지만, 이들에 대해서도 적당한 시기에 사면 복권과 함께 신정부에서 역할을 할 수 있는 길을 터주셔야 할 겁니다. 김 윤근 장군의 경우에는 군대로 복귀하여 해병대사령관으로 명예롭게 제대하고 싶다는 의견을 피력했던 것으로 압니다. 김 동하 장군과 연계되어 다소 억울하게 불이익을 받았다고 생각한답니다.”

“일단 호남비료주식회사를 맡겼으니 잘 해낼 겁니다. 다른 사람들도 혁명 일등 공신들인데, 언제까지 억울한 상태로 두어서는 안되겠지. 시간을 두고 해결해 갑시다. 지금 상황에서는 군부를 너무 챙긴다고 원성을 살 수가 있어요.”

현재까지 진행된 인사와 관련해서 이런저런 우여곡절도 많이 겪었다. 말문을 열기 시작하니 이야기가 길어진다.

조각, 인사 발령은 시스템 구축에 이어 나와 함께 제3공화국의 첫발자국을 뗄 인물들을 적재적소에 배치하는 일에 불과하다. 문제는 이들과 함께 해야 할 힘든 일들이 참으로 많다는 점이다.

앞날의 일에 대한 생각과 함께 고민이 깊어지고 얼굴이 굳어진다.

"할 일이 많아…."

혁명 정부, 최고회의에서 추구하던 수많은 정책들을 지속적으로 추진하여 원하는 목표를 창출해내야 한다. 2년 반의 짧은 기간 동안에 정책의 성과를 낸다는 것이 참으로 어렵고 기대난망이었다. 물론 정치 사회 안정, 폭력배 단속, 헌법 제정과 새로운 시스템 구축, 법제 정비처럼 단기적으로 일의 성과를 보여줄 수 있는 것들도 있었다. 하지만 국민들이 바라는 것은 이런 정도에 그치지 않는다. 야당의 공세에서 나타난 것처럼, 국민들은 '100%'를 원한다.

국가 재건운동처럼 온 국민의 정신과 가치관, 태도를 바꿔야 하는 것은 10년 이상 30년, 한 세대를 넘어서야만 가능한 일이다. 경제 개발과 이를 통한 가난 극복, 생활수준 향상도 지금 상황에서는 어느 누가 나서더라도 해결 불능이다.

"각하, 이제 시작입니다. 한번 해보십시다. 제가 분골쇄신 도와드리겠습니다."

그가 믿음직하다. 혁명 직전에 '목숨을 거는 살벌한 각오'를 할 때도 최측근에서 믿음을 주었던 동지다. 중앙정보부를 창설하여 국가 안보를 책임지면서 진정으로 국가와 혁명 정부, 나와 내가 하고자 했던 일을 전폭적으로 지원했던 사람이다. 살아오는 동안, 군인으로 재직하면서 지금 대통령의 위치에 오른 순간까지 든든한 나의 동반자다.

"한일회담, 바로 마무리합시다. 최고회의 때와는 달리 이제는 국회에서 최종 결론을 내야 하는데 상황을 보면 야당 반발이 만만치 않아 보여요... 월남 파병도 고민이야..."

군인 스타일의 최고회의 때와는 상황이 많이 달라질 것이다. 지난 선거 과정에서 보았듯이 민정당과 민주당은 모든 일에 대해서 사사건건 반대를 해 올 것이다. 언론은 또 어떤가? 조금만 빈틈이 보여도 침소봉대(針小棒大)하면서 공격하고 물고 늘어진다.

"끝까지 야당을 설득해가야겠지만 안되면 마지막 순간에는 다수결로 해결해야 할 겁니다. 김 용태 원내총무를 중심으로 30대 젊은 공화당 의원들이 야당 공격을 잘 막아낼 겁니다. 걱정 마십시요."

"행정부에서 하려는 정책을 건설적인 비판과 함께 지원해 주는 것이 국회가 할 일인데, 지난 자유당, 민주당 국회를 보면 전혀 그렇지 못했어요. 모든 것을 당리당략 차원에서 접근합디다. 자유민주주의 국회가 공산당 인민위원회처럼 일사불란할 수는 없겠지만 그래도 이건 너무했어요. 생각이 올바로 박힌 공화당 의원이 다수라서 다소 안심이 되긴 하지만 '말싸움에서는' 야당 쪽을 못이길 거요."

벌써부터 신경이 쓰이고 걱정이 된다.

"대통령 하겠다고 나서서 여기까지 왔으니 한번 해내 봅시다. 5.16 혁명을 위해 군대를 끌고 나올 때처럼 '목숨을 걸고' 경제 개발을 이룩하고 국가 발전을 추진해 봅시다."

운정이 심각한 나를 바라보면서 이심전심 고개를 끄덕인다.

"1인당 소득 천 달러, 100억불 수출. 반드시 달성해 봅시다."

"지금 하시던 대로만 하시면 충분히 달성 가능합니다. 시간이 문제지만요."

이제 시작하는 4년 임기동안 가능할까? 2년 전부터 시작한 정책 중에는 내 임기동안 가시적 성과를 낸 것도 적지 않다. 하지만 지금부터 새로 시작하는 공업 발전, 과학 기술 진보, 농촌 소득 증대, 국민 교육 수준 향상, 전문가 육성 등은 어느 하나 쉬운 게 없다.

내가 '바라보는' 눈높이는 적당히 높다. 아니 '매우' 높다.

'이제 출발이다. 저 높은 고지를 향하여.'

담배를 다시 피워 문다. 잠이 제대로 올 것 같지 않다.

12월 17일 오전 9시. 국회의사당에서 의원 총회가 열려 의장과 부의장을 선출하였다. 대통령 취임식 후 오후 4시에 정식으로 6대 국회 개원식이 거행된다.

오후 2시. 중앙청 홀에서 대통령 취임식을 가졌다. 내외 귀빈들이 단상과 단하 자리를 꽉 메우고 제3공화국을 열어갈 5대 대통령 박 정희를 기다리고 있었다. 밖에는 부슬비가 내리며 온 천지를 촉촉하게 적시고 있었다. 청와대에서 취임식장으로 오는 길 연변에 많은 시민들이 나와서 대통령 취임을 축하해주었다.

단상에 있는 80여명의 해외 축하 사절 및 국회의장단, 각료들과 일일이 악수를 나누며 자리를 잡았다. 국민의례와 함께 대국민 선서, 이 효상 국회의장으로부터 순금 무궁화훈장 수여, 20여분 정도의 취임사, 미스코리아 김명자 양과 미스 아시아 장 경자 양의 꽃다발 증정, 대통령 찬가 합창 순으로 식이 진행되었다.

또박또박 읽어 내려간 나의 취임사는 국민을 향한 약속이면서 호소였다.

"단군성조가 천혜의 이 강토 위에 국기를 닦으신 지 반만년, 연면히 이어온 역사와 전통 위에, 이제 새 공화국을 바로 세우면서, 나는 국헌을 준수하고 나의 신명을 조국과 민족 앞에 바칠 것을 맹서하면서, 겨레가 쌓은 이 성단에 서게 되었습니다.

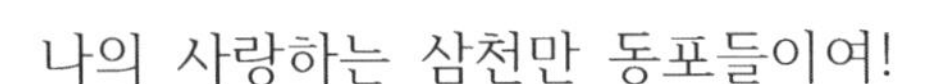
나의 사랑하는 삼천만 동포들이여!

나는 오늘 영예로운 제3공화국의 대통령에 취임하면서 이 중대한 시기에 나를 대통령으로 선출해 주신 국민 여러분에게 감사드리며… 4월 혁명으로부터 비롯되어 5월 혁명을 거쳐 발전된 1960년대 우리 세대의 한국이 겪어야만 할 역사적 필연의 과제는 정치·경제·사회·문화 모든 분야에 걸쳐 조국의 근대화를 촉성하는…것입니다…

정치적 자주와 경제적 자립, 사회적 융화 안정을 목표로 대혁신운동을 추진함에 있어서 우리는 먼저 개개인의 정신적 혁명을 전개하여야 하겠습니다. 국민은 한 개인으로부터 자주적 주체의식을 함양하며, 자신의 운명을 스스로 개척한다는 자립, 자조의 정신을 확고히 하고, 이 땅에 민주와 번영, 복지사회를 건설하기에 민족적 주체성과 국민의 자발적 적극 참여의 의식, 그리고 강인한 노력의 정신적 자세를 바로잡아야 하겠습니다…

우리는 오늘 여기서 중단도 후퇴도 지체의 여유도 없습니다. 방관과 안일, 요행과 기적을 바라며, 공론과 파쟁으로 끝끝내 국가를 쇠잔케 한 곤욕의 과거를 되풀이 할 수는 없는 것 입니다… 민주주의 정치제도 운용의 역사가 얕다거나, 시행착오라고 하기에는 너무나 막중한 부담과 희생을 지불한 우리들이기에, 여기에 또다시 강력정치를 빙자한 독재의 등장도, 민주주의를 도용한 무능, 부패의 재현도 단연 용납될 수 없는 것입니다…

새 공화국의 대통령으로서 나는 국민 앞에 군림하여, 지배하려 함이 아니요, 겨레의 충복으로 봉사하려는 것입니다. 시달리고 피곤에 지쳐가는 동포를 일깨워 용기를 돋우며, 정의 깊은 대중의 벗으로 격려와 의논과 설득으로 분열과 낙오 없는 대오의 향도가 되려는 것입니다. 그리하여 국민이 지워준 멍에를 성실히 메고 이끌어, 고난의 가시밭을 헤쳐 새 공화국의 진로를 개척해 나갈 것입니다…

질서와 번영 있는 사회에 영광된 새 공화국 건설의 기치를 높이 들고, 다시는 퇴영과 빈곤이 없는 내일의 조국을 기약하면서, 나는 오늘 사랑하는 동포 앞에 다시 한번 '민족의 단합'을 호소하는 바입니다. 지금 우리는 조국의 근대화라는 막중한 과업을 앞에 두고, 불화와 정쟁과 분열로 정체와 쇠잔을 되풀이 할 것인가, 아니면 친화와 협조와 단합으로 민족적인 공동의 광장에서 새로 대오를 정비할 것인가의 기로에 선 것입니다. 또한 한 핏줄기의 겨레, 우리는 이미 운명을 함께 한 '같은 배'에 탄 것입니다. 파쟁과 혼란으로 표류와 난파를 초래하는 것도, 협조와 용기로써 희망의 피안에 닻을 내리는 것도 오로지 우리들 스스로의 결의에 달려 있는 것입니다.

동포 여러분의 현명한 결단과 용맹을 촉구하는 바입니다…

이제 여기에 우람한 새 공화국의 아침은 밝았습니다. 침체와 우울, 혼돈과 방황에서 우리 모든 국민은 결연히 벗어나, 「생각하는 국민」「일하는 국민」「협조하는 국민」으로 재기합시다.

새로운 정신, 새로운 자세로서 희망에 찬 우리의 새 역사를 창조해 나갑시다… 감사합니다."

취임사를 하면서도 군인다운 엄격성이 배인 말투와 인상은 어쩔 수 없었다.

대통령이라는 직위보다도 더욱 무겁게 느껴지고 있는 사명감, 가슴이 저리도록 끓어 오르는 '무언의 절규'는 지금 이 순간에도 나를 심각하게 만든다. 훈장을 목에 걸고 꽃다발을 받으며 찬가를 들으면서도 감동보다는 '적당한 두려움' '반드시 해내고야 말겠다는 절실한 목마름'이 온몸을 감싼다.

'이게 인간 박 정희다.'

'반드시, 나야만 한다.'

'세상은, 내가 바꾼다.'

나의 고민을 아는지 모르는지, 바로 옆에 앉아 있는 부인 영수는 연신 5살짜리 지만이를 챙기느라고 바쁘다.

무심코 관중석을 바라보다가 하얀 칼라 교복을 입은 여학생과 눈이 마주쳤다. 순간 내 마음을 들킨 듯 짜릿한 전율. 그녀의 진지한 눈빛이 무엇을 말하는지 알 것 같았다.

온 국민의 염원을, 내게 전해 주고 있었다.

<부록 1> 국가재건비상조치법

(제정, 시행 1961.6.6. 국가재건최고회의령 제42호)

제1장 총칙

제1조 (국가재건최고회의의 설치) 대한민국을 공산주의의 침략으로부터 수호하고 부패와 부정과 빈곤으로 인한 국가와 민족의 위기를 극복하여 진정한 민주공화국으로 재건하기 위한 비상조치로서 국가재건최고회의를 설치한다.

제2조 (국가재건최고회의의 지위) 국가재건최고회의는 5、16군사혁명 과업완수 후에 시행될 총선거에 의하여 국회가 구성되고 정부가 수립될 때까지 대한민국의 최고통치기관으로서의 지위를 가진다.

제3조 (국민의 기본권) 헌법에 규정된 국민의 기본적 권리는 혁명과업수행에 저촉되지 아니하는 범위 내에서 보장된다.

제2장 국가재건최고회의의 조직

제4조 (최고위원) ①국가재건최고회의는 5、16군사혁명의 이념에 투철한 국군현역 또는 예비역국군장교 중에서 선출된 최고위원으로써 조직한다. <개정 1962. 12. 29.> ②최고위원의 정수는 20인이상 32인이내로 한다. ③최고위원의 선출은 최고위원 5인 이상의 추천에 의하여 재적최고위원 과반수의 찬성으로써 한다. ④최고위원은 내각수반과 군무를 제외한 다른 직무를 겸할 수 없다. 단, 의장인 최고위원은 내각수반을 제외한 타직을 겸할 수 없다. ⑤예비역국군장교인 최고위원(議長을 포함한다)은 전항의 규정에 불구하고 정당 또는 사회단체에 가입하거나 그 임원에 취임할 수 있다. <신설 1963. 9. 3.>

제5조 (의장과 부의장의 선출) 국가재건최고회의는 재적최고위원 과반수의 찬성으로 최고위원 중에서 의장 1인과 부의장 1인을 선출한다.

제6조 (의장의 직무) ①국가재건최고회의의장은 국가재건최고회의의 질서를 유지하며 의사를 정리하고 사무를 감독하며 국가재건최고회의를 대표한다. ②의장이 사고가 있을 때에는 부의장이 그 직무를 대리한다. ③의장과 부의장이 사고가 있을 때에는 최년소자인 최고위원이 그 직무를 대리한다.

제7조 (의결방법) 국가재건최고회의의 의결은 이 비상조치법, 헌법 또는 국가재건최고회의법에 특별한 규정이 없는 한 재적최고위원 과반수의 출석과 출석최고위원 과반수로써 이를 행한다.

第8조 (상임위원회) ①국가재건최고회의에서 일정한 범위를 정하여 위임받은 사항을 처리하기 위하여 국가재건최고회의상임위원회를 둔다. ②전항의 상임위원회에 관하여 필요한 사항은 국가재건최고회의법으로써 정한다.

제3장 국가재건최고회의의 권한

第9조 (국회의 권한행사) 헌법에 규정된 국회의 권한은 국가재건최고회의가 이를 행한다. 단, 헌법의 개정은 국가재건최고회의의 의결을 거친 후 국민투표에 부하여 유권자 과반수의 투표와 투표자 과반수의 찬성을 얻어야 한다. <개정 1962. 10. 8.> ②전항의 국민투표에 부하는 공고는 대통령이 하고 국민투표에 관하여 필요한 사항은 법률로서 정한다. <신설 1962. 10. 8.> ③헌법개정이 국민투표에서 찬성을 얻은 경우에는 대통령은 즉시 이를 공포하여야 한다. <신설 1962. 10. 8.>

第10조 (예산안의 의결) 예산안은 재적최고위원 3분지 2이상의 출석과 출석최고위원의 과반수의 찬성으로써 의결한다.

第11조 (대통령의 권한대행) 대통령이 궐위되거나 사고로 인하여 직무를 수행할 수 없을 때에는 국가재건최고회의의장, 부의장, 내각수반의 순위로 그 권한을 대행한다. 대통령이 궐위된 때에는 제2조의 규정에 의한 정부가 수립될 때까지 전항의 규정에 의한 권한대행을 한다. <신설 1962. 3. 24.>

第12조 (행정에 관한 최고회의의 권한) 좌의 사항은 국가재건최고회의의 의결을 거쳐야 한다.

1. 계엄안, 해엄안

2. 연합참모본부총장, 각군참모총장 및 해병대사령관의 임면과 기타 군사에 관한 중요사항

3. 영예수여, 사면, 감형, 복권에 관한 사항

4. 검찰총장 및 각급검사장, 심계원장, 감찰위원장, 국립대학총장, 대사, 공사, 기타 법률에 의하여 지정된 공무원과 중요국영기업의 관리자의 임명에 대한 승인 (검찰총장 및 각급검사장, 감사원장, 국립대학총장, 대사, 공사, 기타 법률에 의하여 지정된 공무원과 중요국영기업의 관리자의 임명에 대한 승인 <개정 1963. 1. 26.>)

第13조 (내각에 대한 통제) ①헌법 第72조제1호, 제2호, 제12호 및 기타 헌법에 규정된 국무원의 권한은 국가재건최고회의의 지시와 통제하에 내각이 이를 행한다. ②내각은 국가재건최고회의에 대하여 연대책임을 진다.

第14조 (내각의 조직) ①내각은 내각수반과 각원으로써 조직한다. ②내각수반은 국가재건최고회의가 이를 임명한다. ③전항의 임명은 재적최고위원 과반수의 찬성으로써 한다. ④각원은 국가재건최고회의의 승인을 얻어 내각수반이 이를 임명한다. ⑤각원의 수는 10인이상 15인이내로 한다.(각원의 수는 10인이상 18인이내로 한다. <개정 1963. 3. 16.>)

第15조 (내각의 총사직과 각원의 해임) ①국가재건최고회의는 재적최고위원 3분지 2이상의 찬성으로써 내각의 총사직을 의결할 수 있다. ②국가재건최고회의는 재적최고위원 과반수의 찬성으로써 각원의 해임을 의결할 수 있다.

第16조 (각원등의 발언) 내각수반과 각원은 국가재건최고회의에 출석하여 발언할 수 있다.

第17조 (사법에 관한 행정권의 통제) 사법에 관한 행정권의 대강은 국가재건최고회의가 이를 지시통제한다.

第18조 (대법원의 조직과 대법원장 및 대법원판사의 임명) ①대법원은 대법원장과 대법원판사로써 조직한다. ②대법원장과 대법원판사는 국가재건최고회의의 제청으로써 대통령이 이를 임명한다. ③전항의 제청은 재적최고위원 과반수의 찬성으로써 한다.

第19조 (법관등의 임명) ①전조이외의 법관과 법원행정처장은 국가재건최고회의의 승인을 얻어 대법원장이 이를 임명한다. ②지방법원장급이상의 보직은 국가재건최고회의의 승인을 얻어 대법원장이 이를 행한다.

第19조의2 (감사원) ①국가의 세입 · 세출의 결산, 국가 및 법률에 정한 단체의 회계감사와 행정기관 및 공무원의 직무에 관한 감찰을 하기 위하여 감사원을 둔다. ②감사원은 원장을 포함한 5인이상 11인이하의 감사위원으로 구성한다. ③감사원의 조직, 직무범위 기타 필요한 사항은 법률로 정한다.[본조 신설 1963. 1. 26.]

第20조 (지방자치단체의 장의 임명) ①도지사, 서울특별시장과 인구15만이상의 시의 장은 국가재건최고회의의 승인을 얻어 내각이 이를 임명한다. ②전항이외의 지방자치단체의 장은 도지사가 이를 임명한다.

제4장 기타 규정

第21조 (비상조치법의 개정) 이 비상조치법의 개정은 최고위원 10인이상의 제안과 재적최고위원 3분지 2이상의 찬성으로써 한다.

第22조 (특별법, 혁명재판소와 혁명검찰부) ①국가재건최고회의는 5 · 16군사혁명이

전 또는 이후에 반국가적 반민족적 부정행위 또는 반혁명적 행위를 한 자를 처벌하기 위하여 특별법을 제정할 수 있다. ②전항의 형사사건을 처리하기 위하여 혁명재판소와 혁명검찰부를 둘 수 있다. ③국가재건최고회의는 정치활동을 정화하고 참신한 정치도의를 확립하기 위하여 5·16군사혁명이전 또는 이후에 특정한 지위에 있었거나 특정한 행위를 한 자의 정치적 행동을 일정한 기간 제한하는 특별법을 제정할 수 있다. <신설 1962. 3. 16.>

제23조 (준용규정) ①헌법의 규정중 국회에 관한 규정과 국무원에 관한 규정은 국가재건최고회의와 내각에 각각 준용한다. ②헌법의 국무원령은 각령으로 한다.

제24조 (헌법과의 관계) 헌법의 규정중이 비상조치법에 저촉되는 규정은 이 비상조치법에 의한다.

부칙

①이 비상조치법은 공포한 날로부터 시행한다. ②이 비상조치법 시행당시의 국가재건최고회의와 내각은 이 비상조치법에 의하여 구성된 것으로 간주하며 국가재건최고회의의 의장, 부의장과 국가재건최고회의 또는 내각에 의하여 임명된 공무원 및 국영기업의 관리자는 이 비상조치법에 의하여 선출 또는 임명된 것으로 간주한다. 단, 제4조제4항 단서에 저촉되는 겸직은 이 비상조치법 공포일로부터 5일이내에 해제되어야 한다. ③이 비상조치법 시행당시의 군사혁명위원회와 국가재건최고회의의 령과 포고는 이 비상조치법 또는 이 비상조치법에 의한 법률과 동일한 효력을 가진다. ④이 비상조치법 시행당시의 법관과 법원행정처장은 제18조 또는 제19조의 규정에 의한 임명이 있을 때까지 재임한다. ⑤헌법재판소에 관한 규정은 그 효력을 정지한다.

<부록 2> **국가재건최고회의법**

(제정, 시행 1961.6.10. 법률 제618호)

제1장 집회와 기관

제1조 (집회) 의장이 필요하다고 인정하거나 상임위원회 또는 최고위원 8인 이상의 요구가 있을 때에는 국가재건최고회의본회의를 집회한다.

제2조 (위원회의 종류) 국가재건최고회의에 상임위원회 및 분과위원회와 기획위원회를 두고 필요에 따라 특별위원회를 둘 수 있다. (국가재건최고회의에 상임위원회 및 분과위원회를 두고 필요에 따라 특별위원회를 둘 수 있다. <개정 1962. 4. 3.>)

제3조 (상임위원회) ①상임위원회는 국가재건최고회의에서 위임받은 사항에 관하여 국가재건최고회의의 권한을 대행한다. ②상임위원회는 분과위원장으로써 구성한다.(②상임위원회는 의장, 부의장 및 분과위원장으로써 구성한다. <개정 1961. 8. 22.>)

제4조 (상임위원장) ①상임위원장은 부의장이 이를 겸한다. ②상임위원장이 사고가 있을 때에는 상임위원 중 최고연령자가 그 직을 대행한다.(①의장은 상임위원장이 된다. ②의장이 사고가 있을 때에는 부의장이 그 직무를 대행한다. ③의장과 부의장이 모두 사고가 있을 때에는 상임위원 중 최고연령자가 그 직무를 대행한다. <전문개정 1961. 8. 22.>)

제5조 (분과위원회) ①분과위원회와 그 소관은 다음과 같다.

1. 법제사법위원회 (1)법무부와 혁명검찰부소관에 속하는 사항 (2)사무처소관에 속하는 사항 (3)감찰위원회소관에 속하는 사항 (4)법원, 군법회의와 혁명재판소의 사법행정에 관한 사항 (5)법률안의 체계, 형식과 자구의 심사에 관한 사항 (6)일반행정관리에 관한 사항 (7)심계원소관에 속하는 사항 (8)타분과위원회에 속하지 아니하는 사항 ((1) 법무부와 혁명검찰부소관에 속하는 사항 (2) 법원, 군법회의와 혁명재판소의 사법행정에 관한 사항 (3) 법제처소관에 속하는 사항 (4) 감찰위원회소관에 속하는 사항 (5) 심계원소관에 속하는 사항 (6) 법률안의 체계, 형식과 자구의 심사에 관한 사항 (7) 타분과위원회에 속하지 아니하는 사항 <개정 1961. 8. 22. , 1962. 4. 3.>)

2. 내무위원회 (1)내무부소관에 속하는 사항 (2)중앙정보부소관에 속하는 사항 (3) 중앙선거위원회소관에 속하는 사항((1) 내무부소관에 속하는 사항 (2) 중앙정보부소관에 속하는 사항 (3) 중앙선거위원회소관에 속하는 사항 (4) 내각사무처소관

에 속하는 사항 (5) 수도방위사령부소관에 속하는 사항 (6) 서울특별시 소관에 속하는 사항)

3. 외무국방위원회 (1)외무부소관에 속하는 사항 (2)국방부소관에 속하는 사항 (3)연합삼모본부와 륙、해、공군본부 및 해병대사령부소관에 속하는 사항((1) 외무부소관에 속하는 사항 (2) 국방부소관에 속하는 사항)

4. 재정경제위원회 (1)재무부소관에 속하는 사항 (2)전매청소관에 속하는 사항 (3)구황실재산사무총국소관에 속하는 사항 (4)예산과 결산 (5)예비비지출승인에 관한 사항 (6)건설부소관에 속하는 사항 (7)외자청소관에 속하는 사항 (8)농림부소관에 속하는 사항 (9)농사원소관에 속하는 사항 (10)상공부소관에 속하는 사항 (11)해무청소관에 속하는 사항((1) 경제기획원소관에 속하는 사항 (2) 재무부소관에 속하는 사항 (3) 농림부소관에 속하는 사항 (4) 상공부소관에 속하는 사항 (5) 예산과 결산 (6) 예비비지출승인에 관한 사항)

5. 교통체신위원회 (1)교통부소관에 속하는 사항 (2)체신부소관에 속하는 사항

6. 문교사회위원회 (1)문교부소관에 속하는 사항 (2)원자력원소관에 속하는 사항 (3)학술원、예술원소관에 관하는 사항 (4)재건운동본부소관에 속하는 사항 (5)보건사회부소관에 속하는 사항 (6)공보부소관에 속하는 사항((1) 문교부소관에 속하는 사항 (2) 보건사회부소관에 속하는 사항 (3) 공보부소관에 속하는 사항 (4) 재건국민운동본부소관에 속하는 사항 (5) 원자력원소관에 속하는 사항 (6) 군사원호청소관에 속하는 사항)

7. 운영기획위원회 (1)국가재건최고회의의 운영에 관한 사항 (2)국가재건최고회의법과 국가재건최고회의규칙에 관한 사항 (3)총무처소관에 속하는 사항 (4)공보실소관에 속하는 사항 (5)국가재건최고회의도서관에 관한 사항 (6)~~수도방위사령부소관에 속하는 사항~~((6) 기획업무에 관한 사항)

②국가재건최고회의는 정부의 행정기관이 설치 또는 폐합되었을 때나 기타 필요에 따라 의결로써 분과위원회를 설치 또는 폐합하여 그 소관을 변경할 수 있다.

제6조 (분과위원회의 직무) ①분과위원회는 전조에 의하여 그 부문에 속하는 국가의 기본적정책을 입안하고 의안과 청원등을 심사한다. ②재정경제위원회는 각 분과위원회에서 의결한 예산액을 증가할 수 없다. ③분과위원회는 의장 ~~또는 상임위원장의~~ 승인을 얻어 그 소관사항에 대한 국정감사를 할 수 있다.(<개정 1962. 4. 3.>)

제7조 (분과위원회의 위원정수) 분과위원회의 위원정수는 7인이내로 한다. 단, 국

가재건최고회의의 의결로 그 정수를 증감할 수 있다.

제8조 (분과위원장) 분과위원장은 최고위원중에서 상임위원장의 제청으로 국가재건최고회의의 승인을 얻어 의장이 이를 임명한다.(분과위원장은 최고위원중에서 국가재건최고회의의 승인을 얻어 의장이 이를 임명한다. <개정 1962. 4. 3.>)

제9조 (자문위원) ①분과위원회에 자문위원을 둘 수 있다. ②자문위원은 각 분과위원장의 제청으로 의장이 (임명 또는)위촉한다.(개정 1962. 4. 3.) ③자문위원은 소속분과위원회의 자문에 응한다.

④자문위원은 국가재건최고회의 또는 상임위원회의 의결로 각기회의에서 발언할 수 있다.

제10조 (분과위원회의 전문위원등) ①분과위원회에 전문위원과 직원을 둘 수 있다.

②전문위원은 각분과위원장의 제청으로 의장이 임명한다. ③전문위원은 소속분과위원회에서 발언할 수 있다.

~~제11조 (기획위원회) 기획위원회는 국가정책에 관하여 연구하고 상임위원회, 분과위원회 또는 특별위원회의 통제하에 국가재건최고회의의 자문에 응한다.~~

~~제12조 (기획위원회의 조직) 기획위원회의 조직 기타 필요한 사항은 국가재건최고회의규칙의 정하는 바에 의한다.~~

~~제13조 (기획위원장의 임명) 기획위원장은 현역국군장교중에서 국가재건최고회의의 승인을 얻어 의장이 임명한다.~~

~~제14조 (기획위원) ①기획위원은 기획위원장의 제청으로 의장이 임명 또는 위촉한다. ②기획위원은 국가재건최고회의 또는 다른 위원회의 의결로 각기회의에서 발언할 수 있다.~~(1962. 4. 3. 삭제)

제15조 (특별위원장) 특별위원장은 최고위원중에서 국가재건최고회의의 승인을 얻어 의장이 임명한다.

제16조 (재건국민운동본부) ①재건국민운동을 위하여 국가재건최고회의에 재건국민운동본부를 둔다. ②재건국민운동본부에 본부장 1인과 기타 필요한 직원을 둔다. ③전2항에 관하여 필요한 사항은 따로 법률로써 이를 정한다.

제17조 (재건국민운동본부장의 임명) 재건국민운동본부장은 국가재건최고회의의 승인을 얻어 의장이 이를 임명한다.

第18조 (중앙정보부) ①공산세력의 간접침략과 혁명과업수행의 장애를 제거하기 위하여 국가재건최고회의에 중앙정보부를 둔다. ②중앙정보부에 중앙정보부장과 기타 필요한 직원을 둔다. ③전2항에 관하여 필요한 사항은 따로 법률로써 이를 정한다.

第18조의2 (감찰위원회) ①공무원의 직무상비위와 행정사무를 감찰하기 위하여 국가재건최고회의에 감찰위원회를 둔다. ②감찰위원회의 조직과 직무 기타 필요한 사항에 관하여는 법률로써 이를 정한다. (신설 1961. 8. 22.)

第19조 (총무처) ①국가재건최고회의의 사무를 처리하기 위하여 총무처를 둔다. ②총무처에 총무처장 1인과 기타 필요한 직원을 둔다. ③전2항에 관하여 필요한 사항은 국가재건최고회의규칙으로 정한다.

第20조 (총무처장의 임명) 총무처장은 국가재건최고회의의 승인을 얻어 의장이 임명한다.

第21조 (총무처장의 직무) 총무처장은 의장의 감독하에 국가재건최고회의의 사무를 통리하고 소속직원을 지휘감독한다.

第22조 (공보실) ①국가재건최고회의의 공보에 관한 사무를 처리하기 위하여 공보실을 둔다. ②공보실에 공보실장 1인과 기타 필요한 직원을 둔다. ③전2항에 관하여 필요한 사항은 국가재건최고회의규칙으로 정한다.

第23조 (수도방위사령부) ①국가재건최고회의에 수도방위사령부를 둘 수 있다. ②전항에 관하여 필요한 사항은 따로 법률로써 이를 정한다.

第24조 의장과 부의장은 그 자문기관으로서 각각 10인이내의 고문을 둘 수 있다. (②고문은 국가재건최고회의 또는 상임위원회의 승인으로 각기회의에서 발언할 수 있다. <신설 1962. 4. 3.>)

第2장 회의

第25조 (의사정족수) 국가재건최고회의는 재적최고위원과반수의 출석이 없으면 개의할 수 없다.

第26조 (의안의 발의) 최고위원은 3인이상의 찬성으로 의안을 발의할 수 있다.

第27조 (예산안의 제출) 정부는 헌법 제91조에 규정된 예산안을 매년 11월 1일 이전에 제출하여야 한다.

第28조 (위원회에서 폐기된 의안) ①분과위원회 또는 특별위원회에서 국가재건최고회의에 부할 필요가 없다고 결정된 의안은 회의에 부하지 아니한다. 단, 위원회의 결정이 국가재건최고회의에 보고된 날로부터 5일이내에 최고위원 5인 이상의 요구가 있을 때에는 그 의안을 회의에 부하여야 한다. ②전항단서의 요구가 없을 때에는 그 의안은 폐기된다.

제29조 (일사불재의) 부결된 안건은 최고위원 10인 이상의 찬성이 없는 한 다시 제출하지 못한다.

제30조 (수정동의) ①의안에 대한 수정동의는 최고위원 3인 이상의 찬성자와 연서하여 미리 의장에게 제출하여야 한다. 단, 예산안에 대한 수정동의는 최고위원 10인 이상의 찬성이 있어야한다. ②위원회에서 심사보고한 수정안은 찬성없이 의제가 된다. ③의안에 대한 대안은 그 원안의 위원회심사중에 의장에게 제출하여야 하며 의장은 이를 그 위원회에 위촉한다.

제3장 기타 규정

제31조 (규칙제정) 국가재건최고회의는 국가재건최고회의 또는 그 소속기관의 내부규률과 사무처리에 관한 규칙을 제정할 수 있다.

제32조 (군인과 기타공무원의 파견) 의장은 정부에 대하여 필요한 군인과 기타 공무원의 파견을 요구할 수 있다.

제33조 (국가재건최고회의도서관) 국회법 제24조에 규정된 도서관은 국가재건최고회의도서관으로 간주한다.

제34조 (준용규정) 현행국회법, 국정감사법, 국회에서의 증언감정 등에 관한법률과 국회사무처직제는 본법에 저촉되지 아니하는 범위내에서 이를 준용한다. 단, 국회법 제70조, 제102조제2항과 제142조에 규정된 인원은 3인 이상으로 하고 동법 제29조, 제139조, 제147조와 제175조에 규정된 인원은 5인 이상으로 한다.

부칙

①본법은 공포한 날로부터 시행한다. ②본법 시행당시의 의장이 임명 또는 위촉한 위원장, 위원, 고문과 기타직원은 본법에 의하여 임명 또는 위촉한 것으로 간주한다. ③민의원사무처와 참의원사무처의 직원은 본법 시행과 동시에 해임된 것으로 한다.

<부록 3> **중앙정보부법**

(제정, 시행 1961.6.10. 법률 제619호)

제1조 (기능) 국가안전보장에 관련되는 국내외정보사항 및 범죄수사와 군을 포함한 정부 각 부 정보 수사 활동을 조정, 감독하기 위하여 국가재건최고회의(이하 최고회의라 칭한다) 직속 하에 중앙정보부를 둔다.

제2조 (본부와 지부) 중앙정보부는 서울특별시에 본부를 두고 필요에 따라 지부를 둔다.

제3조 (직원) ①중앙정보부에 부장 1인과 기획운영차장, 행정차장 각 1인을 두고 지부에 지부장을 두며 본부와 지부에 수사관을 둔다. ②부장과 기획운영차장, 행정차장은 최고회의의 동의를 얻어 최고회의의장이 임명하고 지부장은 부장의 제청으로 최고회의의장이 임명한다. ③수사관은 전형에 의하여 부장이 임명한다.

제4조 (직원의 권한 의무) ①부장은 최고회의의장의 명을 받어 중앙정보부의 업무를 장리하고 소속직원과 제1조에 규정된 정보수사에 관하여 국가의 타기관소속직원을 지휘 감독한다. ②기획운영차장은 중앙정보부 전반에 대한 기획 및 운영부문에 대하여 부장을 보좌한다. ③행정차장은 중앙정보부 전반에 대한 인사, 행정, 재정, 시설부문에 대하여 부장을 보좌한다. <u>②차장은 부장을 보좌하며 부장이 사고가 있을 때에는 그 직무를 대행한다. ③기획통제관은 부장의 명을 받아 부내의 기획업무를 장리한다. (개정 1962. 4. 16) ④차장보는 부장과 차장을 보좌하며 위임된 사무를 처리한다.</u> (신설 1962. 4. 16.) ④지부장은 부장의 명을 받어 지부업무를 장리하며 소속직원을 지휘감독한다.

제5조 (협의기관) 중앙정보부에 정보위원회와 기타 필요한 협의기관을 둘 수 있다.

제6조 (수사권) ①중앙정보부장, 지부장 및 수사관은 소관업무에 관련된 범죄에 관하여 수사권을 갖는다. ②전항의 수사에 있어서는 검사의 지휘를 받지 아니한다.

제7조 (타기관의 협조) ①중앙정보부의 직원은 그 업무수행에 있어서 필요한 협조와 지원을 전국가기관으로부터 받을 수 있다. ②전항의 직원은 그 신분을 증명하는 표지를 소지하여야 한다.

제8조 (준용규정) 경찰관직무집행법 제7조의 규정은 부장이 인가한 중앙정보부수사관에 이를 준용한다.

제9조 (위임규정) 본법 시행에 관하여 필요한 사항은 국가재건최고회의규칙으로 정한다.

부칙 ①본법은 공포한 날로부터 시행한다. ②본법 시행당시의 국가재건최고회의 중앙정보부는 본법에 의하여 설치된 것으로 간주한다.

……………………………………………

<부록 4> 중앙정보부법 (전부 개정, 시행 1963.12. 17.)

제1조 (목적) 이 법은 중앙정보부(이하 "情報部"라 한다)의 조직 및 직무범위와 국가안전보장업무의 효율적인 수행을 위하여 필요한 사항을 규정함을 목적으로 한다.

제2조 (직무) ①정보부는 다음 각호에 정하는 직무를 수행한다.

1. 국외정보 및 국내보안정보(對共 및 對政府顚覆)의 수집、작성 및 배포

2. 국가기밀에 속하는 문서、자재 및 시설과 지역에 대한 보안업무

3. 형법중 내란의 죄、외환의 죄, 군형법중 반란의 죄、이적의 죄、군사기밀누설죄、암호부정사용죄, 국가보안법 및 반공법에 규정된 범죄의 수사

4. 정보부직원의 범죄에 대한 수사

5. 정보 및 보안업무의 조정、감독

②전항 제2호의 직무수행을 위하여 필요한 사항과 제5호에 정하는 조정、감독의 범위와 대상기관 및 절차에 관한 사항은 대통령령으로 정한다.

제3조 (조직) ①정보부의 조직은 중앙정보부장(이하 "部長"이라 한다)이 정한다. ②정보부는 필요한 지역에 지부를 둘 수 있다.

제4조 (직원) ①정보부에 부장、차장 및 기획조정관과 기타 필요한 직원을 둔다. ②직원의 정원은 예산의 범위안에서 대통령의 승인을 얻어 부장이 정한다.

제5조 (조직등의 비공개) 정보부의 조직、소재지、정원、예산 및 결산은 국가안전보장상 필요한 경우에는 이를 공개하지 아니할 수 있다.

제6조 (부장、차장、기획조정관) ①부장은 대통령이 임명하며, 차장 및 기획조정관은 부장의 제청에 의하여 대통령이 임명한다. 다만, 기획조정관은 현역군인중에서 겸직임명할 수 있다. ②부장은 정보부의 업무를 통할하고 소속직원을 지휘、감독한다. ③차장은 부장을 보좌하며, 부장이 사고가 있을 때에는 그 직무를 대행한다. ④기획조정관은 부장과 차장을 보좌하며, 위임된 사무를 처리한다. ⑤부장、차장 및 기획조정관 이외의 직원의 인사에 관하여는 따로 법률이 정하는 바에 의한다.

제7조 (겸직금지) 부장·차장 및 기획조정관은 일체 타직을 겸할 수 없다.

제8조 (정치활동의 금지) 부장·차장 및 기획조정관은 정당에 가입하거나 정치활동에 관여할 수 없다.

제9조 (겸직직원) ①부장은 현역군인 또는 필요한 공무원의 파견근무를 관계기관의 장에게 요청할 수 있다. ②겸직직원의 원소속기관의 장은 겸직직원의 모든 신분상의 권익과 급여를 보장하여야 하며, 겸직직원을 전보발령하고자 할 때에는 사전에 부장의 동의를 얻어야 한다. ③겸직직원은 겸직기간중 원소속기관의 장의 지시 또는 감독을 받지 아니한다. ④겸직직원의 정원은 관계기관의 장과 협의하여 대통령의 승인을 얻어 부장이 정한다.

제10조 (예산회계) ①정보부는 예산회계법 제22조의 규정에 의한 독립기관으로 취급한다. ②정보부의 세출예산의 요구는 총액으로 하며, 그 산출내역과 예산회계법 제29조에 규정한 예산의 첨부서류는 이를 제출하지 아니한다. ③정보부의 세출예산의 관·항은 중앙정보부비·정보비로 한다. ④정보부의 예산은 국가안전보장상 필요한 경우에는 이를 다른 기관의 예산에 계상할 수 있다.

제11조 (국회에 대한 증언등) ①부장은 국회의 예산심사 및 국정감사와 감사원의 감사에 있어서 국가기밀에 속하는 사항에 한하여 자료의 제출·증언 또는 답변을 거부할 수 있다. ②부장은 국가기밀에 속하는 사항에 한하여 국회의 질문에 응하지 아니할 수 있다.

제12조 (회계검사 및 감찰) 부장은 그 책임하에 소관업무에 대한 회계검사와 사무 및 직원의 직무에 대한 감찰을 행하고 그 결과를 대통령에게 보고한다.

제13조 (정보위원회) ①국가정보판단 및 정보운영에 관한 사항을 협의하기 위하여 정보부에 정보위원회를 둔다. ②부장은 정보위원회의 의장이 되며 회무를 통할한다. ③정보위원회의 구성·직능 기타 필요한 사항은 대통령령으로 정한다.

제14조 (국가기관등에 대한 협조요청) 부장은 이 법이 정하는 직무를 수행함에 있어서 필요한 협조와 지원을 관계국가기관 및 공공단체의 장에게 요청할 수 있다.

제15조 (사법경찰관리의 직무) 정보부직원으로서 부장이 지명하는 자는 형법 제2편 제1장 및 제2장의 죄, 군형법 제2편제1장 및 제2장의 죄, 동법 제80조 및 제81조의 죄, 국가보안법 및 반공법에 규정된 죄와 직원의 범죄에 대하여 형사소송법에 의한 사법경찰관리의 직무와 군법회의법에 의한 군사법경찰관리의 직무를 행한다.

제16조 (무기사용) ①부장은 직무를 수행하기 위하여 필요하다고 인정할 때에는 소

속직원에게 무기를 휴대시킬 수 있다. ②전항의 무기사용에 있어서는 경찰관직무집행법 제7조의 규정을 준용한다.

부칙

①(시행일) 이 법은 1963년 12월 17일부터 시행한다. ②(경과조치) 이 법 시행당시의 부장 및 차장은 이 법에 의하여 임명된 것으로 본다.

<부록 5> 재건 국민운동에 관한 법률

(제정, 시행 1961.6.12. 법률 제622호)

제1조 (목적) 본법은 국가재건을 위한 범국민운동을 적극촉진하기 위한 재건국민운동본부의 조직과 직능을 정함을 목적으로 한다.(본법은 국가재건을 위한 범국민운동을 적극촉진하기 위하여 필요한 사항을 규정함을 목적으로 한다.개정 1961.9.30)

제2조 (재건국민운동의 정의) 본법에서 재건을 위한 국민운동이라 함은 전국민이 청신한 기풍을 배양하고 신생활체제를 견지하며 반공이념을 확고히 하기 위하여 하는 주로 다음 사항에 관한 범국민운동을 말한다.

1. 용공중립사상의 배격
2. 내핍생활의 려행
3. 근면정신의 고취
4. 생산 및 건설의지의 증진
5. 국민도의의 앙양
6. 정서관념의 순화
7. 국민체위의 향상

제3조 (재건운동본부의 임무) ①재건국민운동본부는 전조의 재건국민운동에 관한 제반정책의 지침과 방향을 정하고 그 사업의 통할, 조정, 지도 및 실천에 관한 사무를 관장한다.(①재건국민운동본부는 전조의 재건국민운동에 관한 제반정책의 지침 및 방향의 수립과 그 사업의 촉진지도에 관한 사무를 관장한다. <개정 1961. 9. 30.>) ②재건국민운동본부가 전항의 직무를 수행함에 있어서 관계행정각부기타 기관은 긴밀한 협조를 제공한다.

제4조 (본부장,차장의 직능) ①재건국민운동본부에 본부장 1인과 차장 1인을 둔다.

②재건국민운동본부장(以下 本部長이라 稱한다)은 재건국민운동본부를 통할하며 국가재건최고회의 및 각의에 삼석할 수 있다. 단, 의결에는 참가하지 못한다. ③차장은 본부장을 보좌하고 본부장이 사고가 있을 때에는 그 직무를 대리한다.

第5조 (본부장,차장의 임면) ①본부장은 국가재건최고회의의 승인을 얻어 의장이 이를 임면한다. ②차장은 본부장의 제청으로 의장이 이를 임면한다.

第6조 (재건국민운동본부의 부서) 제3조의 사무를 분장하기 위하여 재건국민운동본부에 총무과와 기획국, 계몽국, 운영국 및 지도국을 둔다.(제3조의 사무를 분장하기 위하여 재건국민운동본부에 총무실, 지도부, 운영부 및 재건국민교육원을 둔다. [전문개정 1962.1.20])

第7조 (재건국민운동지부의 설치) ①재건국민운동본부 지휘감독하에 서울특별시와 각도에 재건국민운동지부를 둔다. ②지부장은 서울특별시장과 각도지사가 이를 겸하며 재건국민운동본부장의 명을 받아 그 관내에 있어서 제2조의 사무를 분장한다.(②지부장은 재건국민운동본부장의 제청으로 국가재건최고회의의장이 임면하며 그 관할구역내에 있어서 제2조의 사무를 분장한다. <개정 1961. 9. 30.>)

第8조 (재건국민운동자문위원회) 재건국민운동본부 및 각지부에 자문위원회를 둔다. 자문위원회는 제2조의 사무에 있어서 재건국민운동본부 또는 그 지부의 자문에 응한다.

第9조 (지구재건국민운동촉진회) ①구, 군(市), 읍, 면, 동(里), 통, 반(坊)에 지구재건국민운동촉진회를 둔다. ②지구재건국민운동촉진회장은 해당지구 구, 군(市), 읍, 면, 동(里), 통, 반(坊)장이 이를 겸하며 각각 상급기관의 명을 받아 관내에 있어서 제2조의 사무를 분장한다.(②지구재건국민운동촉진회장은 각각 상급기관의 명을 받아 당해 지구내에서 제2조의 사무를 분장한다. [개정 1961.9.30])

第10조 (집단재건국민운동촉진회) 본부장, 각지부장 또는 전조의 지구재건국민운동촉진회장은 각종의 기관, 사회단체, 기타 집단에 재건국민운동촉진회를 두게 할 수 있다.

第11조 (세부규정) 재건국민운동본부에 관한 세부사항은 국가재건최고회의규칙으로 정한다.(본법시행에 관한 세부사항은 국가재건최고회의규칙으로 정한다. <개정 1961. 9. 30.>)

부칙

본 법은 공포한 날로부터 시행한다.

<부록 6> **재건국민운동에 관한 법률**

[전부 개정, 시행 1962. 11. 20.]

제1조 (목적) 본법은 재건국민운동을 적극추진하기 위하여 필요한 사항을 정함을 목적으로한다.

제2조 (정의) 본법에서 재건국민운동이라 함은 복지국가를 이룩하기 위하여 전국민이 민주주의이념아래 협동단결하고 자립자조정신으로 향토를 개발하며 새로운 생활체제를 확립하는 운동을 말한다.

제3조 (본부직능) ①재건국민운동본부(이하 본부라 한다.)는 다음 사항에 관한 운동의 지도업무를 관장한다.

1. 국민사상함양 2. 동포애발양 3. 국제친선 4. 향토개발

5. 생활개선 6. 사회기풍진작 7. 향토교육 8. 청소년 및 부녀지도육성

9. 기타 국민운동전개에 필요한 사항

②전항의 직무를 수행함에 있어서 본부와 관계 국가기관 및 공공단체는 상호 긴밀한 협조를 하여야 한다.

제4조 (본부장, 차장) ①본부에 본부장 1인 과 차장 1인을 둔다. ②본부장은 본부의 사무를 통할한다. ③본부장은 국가재건최고회의 및 각의에 출석하여 발언할 수 있다. ④차장은 본부장을 보좌하고 본부장이 사고가 있을 때에는 그 직무를 대리한다.

제5조 (본부장, 차장의 임명) ①본부장은 재건국민운동중앙위원회의 제청으로 국가재건최고회의의 승인을 얻어 국가재건최고회의의장이 임명한다. ②차장은 본부장의 제청으로 국가재건최고회의의장이 임명한다.

제6조 (부서) ①제3조의 업무를 분장하기 위하여 본부에 국민교도부, 향토개발부, 부녀실, 기획실과 총무실을 둔다. ②향토교육을 위하여 본부소속하에 재건국민운동중앙교육원(이하 중앙교육원이라 한다)을 둔다.

제7조 (시, 도 지부) ①본부소속하에 특별시와 각도에 재건국민운동특별시지부와 도지부(이하 시, 도 지부라 한다)를 둔다. ②시, 도 지부는 당해지역 내에 있어서 제3조의 업무를 관장한다. ③각시, 도지부에 지부장 1인을 둔다. ④시, 도지부장은 재건국민운동특별시위원회 또는 도위원회의 동의를 얻어 본부장의 제청으로 국가재건최고회의의장이 임명한다.

第8조 (시 ,군, 구지부) ①각시, 도 지부 소속하에 시, 군 및 구에 재건국민운동 시, 군, 구 지부(이하 시, 군, 구 지부라 한다.)를 둔다. ②시, 군, 구 지부는 당해 지역내에 있어서 제3조의 업무를 관장한다. ③각시, 군, 구지부에 지부장 1인을 둔다. ④시, 군, 구지부장은 시, 도지부장의 추천으로 재건국민운동 시, 군, 구위원회의 동의를 얻어 본부장의 제청으로 국가재건최고회의의장이 임명한다.

第9조 (중앙위원회) ①본부에 재건국민운동중앙위원회(이하 중앙위원회라 한다)를 둔다. ②중앙위원회는 본부장, 재건국민운동특별시 및 각도위원회 대표 각 1인과 공무원이나 정당인이 아닌 자 15인 내지 20인의 위원으로써 구성한다. ③중앙위원회는 재건국민운동의 기본사업 및 기타 주요한 안건을 심의 결정한다. ④중앙위원회에서 위임받은 사항을 처리하기 위하여 중앙위원회내에 운영위원회를 둔다.

第10조 (시, 도위원회) ①각 시, 도지부에 재건국민운동특별시위원회와 도위원회(이하 시, 도위원회라 한다)를 둔다. ②시, 도위원회는 시, 도지부장, 재건국민운동 각 시, 군, 구위원회 대표 각 1인과 공무원이나 정당인이 아닌 자 10인 내지 15인의 위원으로써 구성한다. ③시, 도위원회는 당해 지역 내의 재건국민운동의 기본사업 및 기타 주요한 안건을 심의 결정한다. ④시, 도위원회에서 위임받은 사항을 처리하기 위하여 각 시, 도위원회 내에 운영위원회를 둔다.

第11조 (시, 군, 구위원회) ①각 시, 군, 구지부에 재건국민운동 시, 군, 구위원회(이하 시, 군, 구 위원회라 한다)를 둔다. ②시, 군, 구위원회는 시, 군, 구지부장 및 재건국민운동 각 읍, 면, 동위원회 대표 각 1인과 공무원이나 정당인이 아닌 자 10인 내지 15인의 위원으로써 구성한다. ③시, 군, 구위원회는 당해 지역 내의 재건국민운동의 기본사업 및 기타 주요한 안건을 심의 결정한다. ④시, 군, 구위원회에서 위임받은 사항을 처리하기 위하여 각 시, 군, 구위원회 내에 운영위원회를 둔다.

第12조 (중앙, 시, 도, 시, 군, 구위원회의장) ①본부장 및 각급지부장은 당해 위원회 및 운영위원회를 소집하며 그 의장이 된다. ②본부장 및 각급지부장이 전항에 의하여 의장이 되는 경우에는 의결에 있어서 의결권을 가지지 아니한다. 단, 가부동삭인 경우에는 결정권을 가진다.

第13조 (읍, 면 재건위원회) ①읍, 면 및 시의 동에 재건국민운동 읍, 면, 동위원회(이하 읍,면 재건위원회라 한다)를 둔다. ②읍, 면 재건위원회는 다음 각 호에 해당하는 단체와 국가기관 또는 공공단체의 대표 및 개인으로써 구성한다. 1. 재건국민운동각리, 동위원회 2. 읍, 면장 및 기타 관계 국가기관 또는 공공단체의 대표 3. 공무원이나 정당인이 아닌 자 가운데서 본법 및 읍, 면 재건위원회정관에 규정된 절차에 의하여 읍, 면 재건위원회위원으로 선출된 약간인.

③읍, 면 재건위원회는 시, 군, 구지부의 지도 감독 하에 당해 지역내의 재건국민운동에 관한 사업을 행함을 목적으로 한다. ④읍, 면 재건위원회는 법인으로 한다. 읍, 면 재건위원회는 사회단체등록에 관한 법률에 의한 등록을 필요로 하지 아니한다. 읍, 면 재건위원회정관은 본부장의 승인을 얻어야 한다. 정관중의 운영위원회 위원을 민법규정의 이사로 본다. ⑤읍, 면 재건위원회총회는 제2항 제1호의 대표 각 1인의 위원과 제2호 및 제3호에 정한 위원으로써 구성한다.

⑥읍, 면 재건위원회에 위원장 1인을 둔다. 위원장은 위원회총회의 결의에 따라 회무를 장리하고 위원회를 대표한다. ⑦읍, 면 재건위원회위원장은 읍, 면 재건위원회총회에서 호선하여 시, 군, 구지부장이 이를 위촉한나. ⑧읍, 면 재건위원회위원장은 리, 동재건위원회위원을 겸할 수 없다.

⑨국가 또는 지방자치단체는 읍, 면재건위원회에 보조금을 교부할 수 있다. ⑩읍, 면재건위원회총회에서 위임받은 사항을 처리하기 위하여 각 읍, 면 재건위원회 내에 운영위원회를 둔다.

제14조 (리, 동재건위원회) ①리, 동에 재건국민운동리, 동위원회(이하 리, 동 재건위원회라 한다)를 둔다. ②리, 동재건위원회는 다음 각 호에 해당하는 단체와 공공단체의 대표 및 개인으로써 구성한다. 1. 재건청년회 및 재건부녀회 2. 리, 동장 및 리, 동 공공단체의 대표 3. 공무원이나 정당인이 아닌 자 가운데서 본법 및 읍, 면 재건위원회정관에 규정된 절차에 의하여 리,동 재건위원회위원으로 선출된 약간인. ③리, 동재건위원회는 읍, 면 재건위원회의 지시 감독 하에 당해 지역 내의 재건국민운동에 관한 사업을 행한다.

④리, 동재건위원회총회는 제2항제1호의 대표 각 1인의 위원과 제2호 및 제3호에 정한 위원으로써 구성한다. ⑤리, 동재건위원회에 위원장 1인을 둔다. 위원장은 위원회총회의 결의에 따라 회무를 장리하고 위원회를 대표한다. ⑥리, 동재건위원회 위원장은 리, 동재건위원회총회에서 호선하여 읍, 면 재건위원회위원장이 이를 위촉한다. ⑦시의 통에 필요에 따라 전 각항에 준한 재건위원회를 둘 수 있다.

제15조 (위원회위원의 임기) 제9조 내지 제14조의 각급위원회위원의 임기는 2년으로 한다. 단, 국가기관 및 공공단체의 대표와 직원으로서 위원이 된 자는 예외로 한다.

제16조 (재건청년회 및 재건부녀회) ①리, 동에 재건청년회 및 재건부녀회를 둔다. ②재건청년회 및 재건부녀회는 리, 동재건위원회의 지시 감독 하에 재건국민운동사업을 실천한다.

제17조 (조정위원회) ①본부 및 각 지부와 국가기관 또는 공공단체간의 긴밀한 업무협조와 사업조정을 위하여 중앙, 특별시 및 각도와 각 시, 군, 구에 조정위원회를 둔다. ②각급조정위원회는 본부 및 각급지부와 대표와 관계, 각급국가기관 및 공공단체의 대표로써 구성한다. ③각급조정위원회에 위원장 1인을 둔다.

④전항의 위원장은 내각수반 또는 각급지방자치단체의 장(구에 있어서는 구청장)이 되며 회무를 통할하고 회의의 의장이 된다. ⑤읍, 면 및 리, 동에 있어서는 제13조 및 제14조의 재건위원회가 조정위원회의 기능을 행한다.

제18조 (단체 등에 대한 재건국민운동 촉구) 본부장 및 각급지부장은 각종기관, 학교, 법인 기타 단체에 대하여 재건국민운동의 실천을 촉구할 수 있으며 이를 위하여 국가는 법인 기타 단체에 대하여 보조금을 교부할 수 있다.

제19조 (직원신분) ①본부 및 각급지부의 직원은 국가공무원으로 한다. ②본부의 본부장, 차장, 부장, 중앙교육원장 및 부녀실장과 각급지부장 및 차장은 별정직으로 한다.

제20조 (재건국민운동기구의 정치관여금지) ①읍, 면 및 리, 동재건위원회, 재건청년회와 재건부녀회는 정치운동에 관여할 수 없다. ②전항의 규정에 위반하는 행위를 할 때에는 상급기구의 장은 관계단체의 장에게 업무의 정지를 명하거나 이를 해촉하거나 또는 개편을 명할 수 있다.

제21조 (위원의 정치운동의 금지) ①각급위원회위원은 정치운동을 하여서는 아니된다. ②전항의 정치운동에 대한 제한범위 및 벌칙의 적용은 국가공무원에 준한다.

제22조 (세부규정) 본법시행에 관하여 필요한 사항은 국가재건최고회의규칙으로 정한다.

부칙

①본법은 공포한 날로부터 시행한다. ②본법에 정한 각급위원회 및 재건위원회의 구성은 1962년12월31일까지 완료하며 그때까지 각급지구촉진회장은 본법에 의한 시, 군, 구지부장 또는 읍, 면 재건위원회위원장의 기능을 대행한다. ③본법시행당시의 본부, 지부 및 재건국민운동지구촉진회의 공무원은 본법에 의하여 임명된 것으로 본다. 단, 공무원의 증액되는 보수에 대하여는 1963년1월부터 지급한다.

<부록 7> **내외 뉴스통신 인터뷰**

(nbnnews.com 2024.3.)

1) 박정희 이력서라는 대통령 평전을 쓰게 된 계기는 무엇인가요?

- 저는 행정학과 정책학, 행정사를 전공하는 사람으로서 1948년 이후 우리 한국의 국가 발전 과정에 대해서 많은 관심을 가지고 연구해 왔습니다. 우리 대한민국이 현재처럼 잘 살게 된 이유는 이승만 대통령의 국가 건설과 박정희 대통령의 경제 발전 덕분이라고 생각합니다. 그런데 두 대통령에 대한 세간의 평가나 글들이 너무나 부정적으로 돼있는 것에 대해서 크게 놀랐습니다. 바로 이웃에 있는 일본이나 중국은 물론 전 세계 모든 나라들이 박정희 대통령에 의해 추진된 대한민국의 경제발전과 국가 발전에 대해 놀라움을 금하지 못하고 있는데, 한국 내부에서는 그저 그런, 독재나 저지른 인물 정도로 폄하되고 있었습니다. '박정희'라는 주제로 도서를 검색해 보면 그를 비난하는 좌파 성향의 서적들이 매우 많습니다.

박정희 대통령은 전적으로 신임했던 부하에게 하극상을 당해 갑자기 돌아가시는 바람에 스스로 자신의 일생과 업적에 대한 자서전을 남기지 못하셨습니다. 현재 박정희 대통령에 대한 글들을 보면 주변 사람들이 보거나 겪은 입장에서 써져 있는 게 대부분입니다. 그래서 이번 제가 제목을 '박정희 이력서' 라고 정하고 연재를 시작한 것은 박 정희 대통령 본인 입장에서 자신의 일생을 돌아보려는 의도를 지니고 있습니다.

제가 감히 박 대통령의 의도를 정확히 구현해보려고 한다는 것이 매우 겁이 나기도 합니다. 하지만. 너무나 비판적으로, 부정적으로 되어 있는 박 대통령의 업적과 한국의 현대사를 긍정적 시각으로 바로 잡는다는 사명감을 가지고 글을 쓰고 있습니다.

2) 박정희 대통령의 생애와 업적에 대해 어떻게 평가하시나요?

- 우리가 한국의 역사를 논하면서 훌륭한 역사적 인물로 들고 있는 사람

들이 누가 있습니까? 한민족의 시조인 단군, 그리고 한글을 만드신 세종대왕, 외적을 물리친 강감찬 장군이나 이순신 장군 이런 분들이 우리가 내세우는 훌륭한 인물입니다. 그런데 저는 이 모든 이들을 다 포함한 가장 훌륭한 역사적인 인물이 박정희 대통령이라고 생각합니다.

왜 그럴까요? 서기 1년 전후에 시작된 고구려, 백제, 신라 이후에 20세기 중반 대한민국 초기까지 한국은 참으로 가난한 나라였습니다. 좁은 농토에서 겨우겨우 입에 풀칠할 정도로 농사나 지어먹고 살아오던 민족이었습니다. 그런데 지금 대한민국 어떻습니까? 세계 10위권 경제 대국, 국방 대국, 문화 복지 국가입니다. 대한민국 2000년 역사, 아니 단군 할아버지가 나라를 창제하신 이후 5000년 역사 전체를 들어서도 지금 현재, 이런 순간은 없습니다. 이렇게 된 성공 비결은 오로지 박정희 대통령의 업적 덕분입니다.

3) 박정희 대통령의 가장 큰 장점과 단점은 무엇이라 생각하시나요?

- 하하. 이런 식으로 물으면 장점도 들고 단점도 들어야 해서 그저 고만고만한 사람이 돼 버리고 맙니다. 사실 박정희 대통령이 가지고 있는 역량이나 업적을 100으로 본다면 95 정도는 장점이고 나머지 5 정도가 단점입니다. 그의 장점, 업적을 들다 보면 끝이 안 납니다. 이 5 정도의 단점 속에 3선 개헌이나 유신 정치라는 것이 포함될 겁니다. 박 대통령을 부정하는 좌파, 비판가들은 이 5%를 확대 해석해서 95% 나쁜 것으로 보려고 합니다. 그의 대단한 업적은 5% 정도로 폄하되고 말지요.

그의 가장 큰 장점은 '사려 깊은 계획 → 과감한 결정 → 온 정성을 다하는 추진력 → 원하는 목표 달성'입니다. 그의 인생에 몇 번에 걸친 급격한 변화가 생겼는데 모두 이런 의사 결정과 실행 과정을 통해 나타났습니다. 뭐니뭐니 해도 가장 큰 것은 그가 주도한 5.16 혁명이었습니다.

- 대통령의 인간적인 장점을 한두 가지 들어 보자면 그는 세상을 매우 긍정적으로 봅니다. 자신의 추구하려는 미래의 목표나 정책, 특정한 인물 등

을 긍정적으로 보기 때문에 미래 희망적이고 적극적이며, 추진력이 놀랍습니다. 어떤 인물을 쓰든지 그 사람의 장점을 선택해서 잘 활용하죠. 대단한 역량입니다.

박 대통령은 매우 서민적입니다. 덩치도 그리 크지 않기 때문에 육체적으로 다른 사람을 함부로 대하지 않고, 어려서부터 농촌에서 지독하게 어렵게 살았기 때문에 농민이나 노동자, 부녀자 등 사회적 약자들에 대한 배려심, 공감 능력이 탁월했습니다. 어떤 어려움도 겪어낼 수 있을 정도로 강인한 성격, 더없이 서민적인 모습은 그의 인성이나 체질 속에 그대로 녹아들어 있었습니다.

무엇보다도 사람을 좋아하셨죠. 누구든지 가리지 않고 친하게 지내는 분이셨습니다. 상대방이 나를 멀리하고 싫어하는 경우가 아니라면 누구와도 편하게 지내는 분이셨습니다.

그런데 다른 한편으로는 다소 소심하고 내성적이며 감성적인 부분도 많았습니다. 틈만 나면 글과 글씨를 쓰고 그림도 그리는 등 감성적이셨죠.

4) 박정희 대통령의 정치사상과 국가경영철학은 어떤 특징이 있나요?

- 박 대통령은 국민 모두가 민족적 자아를 가지고, 행복한 자유 민주 복지 국가에 살게 만드는 것을 인생 목표로 삼으셨습니다. 박 대통령은 우리 대한민국을 감싸고 있는 중공, 소련, 김일성의 북한이 모두 공산주의 사상으로 물들어 있는 것을 경계하면서 우리는 철저히 자유민주주의 복지국가를 지향해야 한다는 것을 국가 경영 철학으로 삼았습니다.

그는 한민족이 수천 년 동안 가난하게 살면서 외세에 자주 흔들리게 된 것은 사색당파로 상징되는 정치적 분열 때문이라고 생각했습니다. 그래서 정치에 대해서 어느 정도는 좀 부정적인 경계의식을 가졌다고 봐야 되겠죠. 그래서 그는 올바른 국가의식을 가진 건전한 젊은이들과 양식 있는 선량들로 국회가 구성되어야 한다고 생각했습니다.

박 대통령은 안정된 정치 기반 위에서 능력있는 전문 관료들이 국정을 주도해야 만이 국가가 발전할 수 있다고 확신했죠. 국가 건설이나 경제 발전을 위해서는 행정 관료들이 정책 과정을 주도하는 행정적 민주주의, 관료제 정부, 관료 정치를 좋게 생각했습니다. 당연히 전제 조건은 부정부패에 물들지 않은 지혜롭고 건전하며 국가와 국민에 대해 충성스런 관료입니다.

5) 박정희 대통령의 출신과 성장배경은 어떻게 그의 인생과 정치에 영향을 미쳤나요?

- 박정희 대통령은 일제시대에 가난한 농촌에서 태어났습니다. 당시에는 한민족 대부분이 일제의 강압 통치에 억눌려 살아야 했기 때문에 절대 다수의 국민들이 패배주의, 무력감, 열등감, 허무주의에 빠져 있었습니다. 하지만 박 대통령은 어려서부터 지혜롭고 현명했습니다. 절망감에만 빠져 있지 않고, 자기 자신의 자존감을 잃지 않으려고 노력을 했으며, 언젠가는 반드시 나타날 것이라고 기대했던 독립 한국의 미래를 생각했습니다. 그리고 준비를 했죠.

해방 정국과 자유당, 민주당 정권 시기에 국회의원이나 장차관, 정부 고위 관료 등 한자리를 차지했던 사람들 중에는 조선시대 양반 가문이거나 일본이나 미국, 유럽 쪽으로 유학을 다녀온 사람들이 제법 많았습니다. 박 대통령은 오로지 자신의 역량과 고집만으로 성장 과정을 가야 했습니다.

6) 박정희 대통령은 왜 만주국 육군과 일본 육군에 입대했고, 그 시절의 경험은 어떤 의미가 있었나요?

- 일제 시대의 한국인 실상을 잘 모르는 사람들은 친일이니, 독립 운동이니 이런 얘기를 합니다. 그런데 사실 당시에 일본은, 또 일본군은 세계 최강이었습니다. 그런 일본 군대와 국력을 보면서 한민족의 독립이나 미래를 가늠한다는 것은 어불성설이었죠. 박 대통령은 대구사범을 나온 뒤 3년 동안 의무 복무기간을 마치자마자 곧바로 만주 군관학교로 떠났습니다. 문경 시골에서 보통학교 선생님을 할 당시에 그는 일본 천왕이 내려 보낸 황국

신민화 교육 내용과 그들의 교육 방식에 따라서 어린 조선의 청소년들을 교육을 해야 했습니다. 얼마나 자신의 무기력함을 느꼈겠어요?

조선이 일본에 망한 것이나 3.1 만세운동이 처참하게 제압당한 것은 우리가 제대로 된 군대, 국방력을 갖추지 못했기 때문이라는 사실을 절실히 깨달았죠. 그런데 국내에서는 전혀 군대나 국방에 대해 공부할 방법이 없었죠. 그래서 만주로 진출하려고 한 겁니다. 당시에 만주는 조금이나마 조선인들이 숨통을 틔워줬던 곳입니다. 우리 독립 운동이 만주를 중심으로 전개되고 있기도 했구요.

박 대통령은 만주군관학교를 다니면서 철저히 스스로 참 군인이 되었고, 군대의 모든 것에 대해 배우고자 했습니다. 그는 언젠가 도래할 지도 모르는 독립 한국의 군대를 만들 결심에 충만해 있었습니다. 만주군관학교를 마침과 동시에 일본 육사로 진출했습니다. 만주군관학교에서 배운 게 지엽적인 전술(tactics), 소규모 전투 개념의 군대였다면 일본 육사에서는 강대국의 국방, 군대, 전략(strategy) 등 매크로한 것이었습니다. 총칼을 들고 백병전이나 하는 그런 전투 개념의 군대가 아니라 육해공군 합동 전략, 비대칭 무기 체계, 정보 첩보전 등에 대해서 배우고 싶었던 겁니다. 당시 일제는 태평양 전체를 아우르는 세계 최강의 해군력을 보유하고 있었고, 전투기 등 공군력에 있어서도 대단했어요.

그래서 그의 만주 군관학교 입학, 그리고 일본 육사 진출 그리고 다시 만주로 와서 군 생활을 시작한 것은 어찌 보면 다가올 조선의 독립을 위해서 스스로 할 수 있는 최선의 준비를 다한 겁니다.

근시안적인 사람들은 '독립운동가 누가 일본 요인 누구를 암살했다' '누가 어디에 폭탄 투어를 했다' 는 등의 단편적인 독립운동에 대해서만 얘기를 합니다. 그런데 박 대통령은 '설령 독립군 누군가가 일본 천황을 죽이더라도 조선의 독립은 불가능하다'는 것을 절실히 깨닫고 있었습니다. 조용히 힘을 기르는 것이 중요하다는 사실을 알고 있었죠.

박 대통령이 만주 군관학교 진출 당시에 혈서를 썼다는 사실을 가지고 비난을 해대는 사람들이 있는데 상황을 잘 모르는 얘기죠. 혈서라는 것은 당시 그의 절실함과 진정성을 의심하는 이들이 입에 올리는 비난일 뿐입니다.

7) 박정희 대통령은 왜 남로당 사건에 연루되었고, 그로 인해 어떤 고난과 위기를 겪었나요?

- 박 대통령 입장에서는 너무나 억울한 일이었죠. 사람 좋은 그는 누구와도 자연스럽게 어울렸고 함께 술을 먹고 지냈습니다. 그런 과정에서 북한 공산당 세력은 박정희가 만주군관학교, 일본육사, 새로운 대한민국 육사 인맥을 모두 아우르는 매우 중요한 포섭 대상이었죠. 그들은 자신들의 포섭 대상 명단에 그의 이름을 올려놓고 반 협박 겸 역공작을 해서 박 대통령을 몰아 세웠습니다.

우리가 꼭 알아야 할 것이 해방 당시의 한국 사회는 민주주의, 공산주의, 사회주의, 무정부주의가 모두 뒤섞여 있어, 누가 좋은 사람인지, 뭐가 옳은지 판단하기 어려웠어요. 요즈음 밖에서 국회를 보면 국민의힘과 민주당 국회의원들은 맨 날 싸우는 것으로 알고 있지 않습니까? 그런데 국회에 가보세요. 양당 국회의원들은 서로 만나 시시덕거리고, 식당에서 만나 밥 먹고, 회의할 때 서로 농담하고 이렇게 지냅니다. 일반 국민들 입장에서는 상상이 안되죠. 그렇게 뒤섞여 있는 게 정치판입니다.

당시에 공교롭게 박 대통령이 공산당과 남로당 세력에게 포섭 대상이 됐던 거죠. 아주 큰 곤욕을 치렀습니다. 여러분들도 아시듯이 전쟁 직전에 진짜 야무지게 대한민국 국군을 위해서 역할을 하고 있던 차에 애꿎게 사형을 언도받아야 될 정도의 공산당으로 몰렸죠. 근데 주변에 있던 모든 사람들은 알았습니다. 박정희라는 인물이 결코 공산당이 아니라는 것. 그래서 내노라하는 사람들이 다 구명 운동에 나서서 금방 나왔잖아요. 그런데 그 전력을 가지고, 박 대통령을 몰아세울 때 항상 써먹습니다. '너 빨갱이 아니었냐?'

박 대통령은 이미 대구사범학교 시절에 마르크스의 자본론과 레닌의 공산주의 혁명론 같은 책들을 섭렵했어요. 그 어린 나이에도 우리 실정에 맞지 않는, 불만 세력을 충동질하는 얘기들이란 것을 깨달았습니다. 만주 군관학교 시절이나 그 이후의 군인 시절에도 공산당 푸락치들이 불법적으로 준동하는 것을 알고 경계했었어요. '일제와 싸운다'는 명분 말고는 형편없는 사상이라고 생각했어요.

8) 박정희 대통령은 왜 5.16 군사 쿠데타를 주도했고 그 과정과 결과는 어떻게 평가되어야 하나요?

- 516 군사혁명은 새로운 국가 건설이었습니다. 정도전과 이성계가 조선을 건국한 것과 같은 심정에서 군대를 동원했죠. 말하기 좋아하는 사람들이 쿠데타니, 혁명이니 말장난을 하지만 대응할 필요조차 없습니다. 김일성 공산당을 추종하는 좌파 세력들은 아직도 1948년 이승만 대통령 건국을 인정하지 않지 않습니까? 지금도 3.1 운동이니, 상해 임시정부니 이런 얘기하고 있죠? 이 사람들은 근본적으로 대한민국을 부정하는 사람들입니다. 통일을 말하면서 태극기를 버리고 한반도기라는 것을 들게 하고, 애국가 제창보다는 님을위한행진곡이라는 것을 부르지 않습니까?

박정희 대통령은 5.16 군사혁명을 일으키면서 1948년도에 이승만 대통령이 미국의 도움을 받아 건국한 자유 민주주의 대한민국의 정통성을 인정했습니다. 사라질 것 같았던 국가를 재건(再建)하고자 했어요. 장면 민주당 정부 몇 개월 동안의 카오스 상태가 5.16을 불러일으킨 것이죠. 박 대통령은 함부로 하극상을 벌릴 사람이 아닙니다. 그는 참 군인이었습니다. 참고 참다가, 도저히 참아서는 안되겠다 하는 시점에 군사를 동원한 겁니다.

그런데 중요한 것은 박 대통령이 가지고 있던 위대한 대한민국 건설, 민족적 자아를 갖춘 한국인들이 모두 잘 사는 그런 미래의 복지국가 건설이라는 목표입니다. 혁명을 하면서 미래에 대한 확고한 신념이 있었죠. 어떤 정책을 시행하고 어떻게 하면 가난을 벗고 일본을 넘어 세계 선진국으로 도약할 수 있는지 그 방법을 잘 알고 있었어요.

그동안 이승만과 허정, 장면, 윤보선, 김구, 이 범석, 조병옥 등을 지켜보면서 과연 자신이 그리고 있는 위대한 대한민국을 건설할 수 있는 인물이 누구일까 고민했습니다. 적임자가 있으면 그에게 책임을 맡기고 스스로는 뒤로 물러나 지원할 생각을 했었어요. 그러다가 결국 자신이 스스로 나선 겁니다. 많이 기다렸죠.

9) 박정희 대통령은 왜 3선 개헌과 유신헌법을 통해 장기집권을 추진했고, 그에 대한 국민의 반응과 저항은 어떻게 대처했나요?

- 박 대통령의 험 5%가 바로 이 부분이라고 생각합니다. 이 부분에 와서는 우리가 좀 냉정해질 필요가 있습니다. 5.16 군사 정부를 2년 동안 이끌어가면서 박 대통령은 수없이 많은 법률 개정과 혁신 정책을 펼쳤습니다. 그가 민정 이양을 앞두고 고민했던 것은 과연 누가 이 새롭게 시작한 정책들을 지속적으로 추진해서 성공적인 목표 달성을 할 것인가에 대한 것이었습니다. 역사적으로 보면 어느 왕조나 국가에서도 급진적인 혁신 정책은 반발을 많이 사게 되고, 굉장한 공격을 받게 됩니다. 혁신 담당자가 물러나면 금방 원위치 되고 없어집니다. 민정 참여를 결심하게 된 것도 바로 이런 역사적 사실에 근거한 고민의 결과였습니다.

조선을 건국한 정도전은 불과 몇 년 만에 같은 혁명 동지였던 이성계의 아들한테 살해당했습니다. 중국 역사에서 가장 민주주의 국가였다고 하는 송나라 있지요? 송나라는 평화와 자유 민주만 생각하다 보니까 북쪽에 있던 거란 요나라와 서쪽에 있던 대하의 군사적 침략을 받게 되자 엄청난 양의 돈을 주고서 평화를 유지하였습니다. 시간이 흐를수록 그 폐해가 엄청나서 국가가 위축되고 나라가 망할 정도가 됐죠. 이때 등장한 게 여러분들 아시는 왕안석이라는 대단한 혁신가, 행정가였습니다. 이 왕안석의 능력을 지켜본 송나라 신종은 절대적으로 신임을 하면서 왕안석한테 7년 동안 혁신 정책을 펼 수 있게끔 해줬습니다. 정치적 뒷배가 든든한 상태에서 왕안석은 최고의 혁신 정책을 펼쳐 국민을 살아날 수 있게 만들었습니다. 그런데 신종이 세상을 뜨자마자 불과 1~3년 만에 모든 정책이 원위치 됩니다. 이게 혁명, 혁신이라는 겁니다. 송나라는 그 뒤 더욱더 쇠락하면서 외적의 침략을 받고 남쪽으로 쫓겨납니다.

혁명 정책의 완성이란 게 얼마나 어려운 가에 대한 좋은 예가 조선 시대의 대동법 입니다. 난장판이었던 공물 제도를 바꿔보려던 김육의 대동법은 이 조그만 나라 조선에서 백 년이 걸려서도 완성을 못합니다. 말이 안되죠. 확실한 소신을 갖춘 국왕이 없었던 겁니다.

박 대통령이 걱정했던 것은 정치가 굳건하게 뒤를 받쳐 주고 그것을 배경으로 행정, 정책이 일관성 있게 10년, 20년, 30년 추진될 수 있을 때 비로소 대한민국의 발전이 가능하다는 사실에 대한 것이었죠.

국가 건설기와 경제 발전기였던 1940년대, 1950년대, 1960년대 대한민국 헌법 시스템의 가장 큰 문제점은 최고 통치권자의 리더십이 4년 단위로 교체되어야 한다는 것이었습니다. 우리가 가장 민주적인 미국식 헌법 시스템을 들여오다 보니까 그렇게 된 것인데요. 이 부분이 박 대통령이 3선 개헌, 유신 체제를 그토록 욕을 먹어 가면서까지도 추진해야만 했던 원인이기도 합니다.

아시잖습니까? 세계 경제 대공황과 제2차 세계대전을 치르는 과정에서 선진국 미국도 프랭클린 D. 루스벨트 대통령을 4선을 시킵니다. 전통적인 관례에 어긋나는 거지요? 하지만 미국인들은 전쟁 승리를 위해 리더십 체인지가 바람직하지 않다고 본 겁니다. 그런데 6.25 전쟁이 한창 진행되던 1952년도 부산에서 야당 국회의원들은 이승만 대통령을 끌어내리는데 열중했습니다. 당시 상황이 이해되시죠? 북한의 김일성은 종신 위원장이 돼서 전쟁을 치르고 있고, 그 뒷배인 중공이나 소련도 최고통치권자의 임기가 없을 정도로 장기 집권하고 있던 시기입니다.

사실 민주당 집권기에 도입했던 내각책임제 정부 형태였다면 3선 개헌이나 유신 체제를 생각할 필요가 없었을 겁니다. 국회 다수당만 잘 유지하면 행정 수반의 위치가 흔들리지 않고 장기 집권이 가능 했을 테니까요?

박 대통령 입장에서는 자신이 추진하는 국가 발전 전략, 정책들은 안정된 정치를 기반으로 30년 가까이 추진되어야만 원하던 결과를 낳을 것이라고 믿었습니다. 많은 사람들이 박 대통령이 장기 집권한 것에 대해서 미워하고 있는데 사실 본인 입장에서는 언제, 어떻게 권좌에서 내려설 것인가에 대해 고민을 많이 했습니다. 그런데 집권 기간 어느 한 순간도 국가 위기 상황이 아닌 적이 없었습니다. 혹시라도 야당이 집권하는 일이 발생하게 되면 적지 않은 정책이 일관성을 상실할 운명에 처해있었어요. 국가 발전을 기대하기 어려웠지요. 이런 고민이 돌아가실 때까지 지속되었다고 봅니다.

10) 박정희 대통령은 왜 경부고속도로, 서울 지하철 새마을운동, 중화학공업, 농촌현대화, 산림녹화, 식량자급, 자주국방 등의 국가근대화 정책을 추진했고, 그로 인해 어떤 성과와 부작용을 낳았나요?

- 너무 많은 정책에 대해 한꺼번에 묻는군요. 이런 정책들은 파급 효과가 매우 큰 것들입니다. 하나하나의 정책들이 우리 한국의 운명을 바꾼 것들입니다. 국가 발전 과정에서 각 단계 마다 꼭 필요한 정책들이 있습니다. 이런 정책들이 없었다면 총체적인 국가 발전이 이루어지기 어려웠을 겁니다. 정책적 혜안과 미래를 보는 현명함이 없다면 어느 한 가지도 추진하기가 쉽지 않습니다.

11) 박정희 대통령은 왜 핵무기 개발을 시도했고 그 과정과 결과는 어떻게 되었나요?

- 우리의 핵 개발은 이 승만 정부시절서부터 시작되었습니다. 2차 대전 이후 미국과 소련 등 선진국에서는 핵 개발과 더불어 우주선 발사 경쟁에 들어섰습니다. 우리는 경제개발에 필요한 에너지 문제 해결 차원에서도 핵 개발이 절실히 필요했습니다.

전쟁 무기 차원에서는 핵은 비대칭무기체계의 최상위에 자리합니다. 당시 중공과 소련이 적극적으로 핵무기 개발에 나선 상황에서 북한도 이들 국가의 지원을 받아 핵무기 개발 가능성도 있었고, 중공과 소련으로부터 직접 핵무기를 들여올 가능성도 높았습니다. 근데 우리 한국의 경우에는 미국이 핵무기 개발을 원천적으로 부정적인 시각에서 막고 나섰기 때문에 박 대통령 마음대로 핵무기를 개발할 수 없었지요.

지금 현재 북한이 핵무기 개발을 완료했다고 한 상황에서 우리는 다시금 핵무기에 대해 고민하게 되었죠. 핵무기의 위력을 세계 제2차 대전에서 똑똑하게 보았던 박 대통령 입장에서도 우리가 핵 보유국이 되는 것은 절실했습니다.

이때 미국의 강요에 굴복치 않았다면 지금쯤 우리도 이스라엘, 파키스탄, 인도처럼 핵무기를 소유하고 있었을지 모릅니다. 이들 나라는 미국의 압박에 굴하지 않은 겁니다. 요즘 이 나라들을 공격하겠다는 무모함을 보이는 외적은 없습니다. 핵무기 때문이죠.

하지만 미국의 강압으로 핵무기를 포기하긴 했지만 우리의 핵 개발 역량은 세계 최고 수준에 도달해서 핵발전소 수출로 큰 덕을 보고 있어요. 핵무기를 포기하는 대신에 놀라운 경제 발전, 국가 성장을 이룬 겁니다.

12) 박정희 대통령은 왜 한일 기본조약과 한일 청구권 협정을 체결했고, 그로 인해 어떤 이익과 피해를 입었나요?

- 당시에 한국과 일본의 조약 체결은 자유민주국가 계열과 공산국가 계열 간의 치열한 냉전 상황에서 하루 빨리 마무리를 지어야만 할 긴급 안건이었습니다. 한일간의 조약 체결을 가장 반대한 것이 북한의 김일성이었거든요. 우리가 일본과 앙앙불악하고 있는 상황에서 북한의 김일성은 끊임없이 한국 사회 혼란을 부추겼고 정치적으로도 힘들게 만들었습니다.

일제 침략을 받고, 35년 동안 지배를 받은 한국의 입장에서는 어떠한 협상안을 내놔도 불만인 한국인이 있게 마련이었어요. 건국 직후부터 시작된 협상이지만 해결 가능성이 거의 제로에 가까웠죠.

박 대통령 입장에서는 경제개발에 필요한 자금 확보도 필요했고, 협상이

지지부진하게 오래 끌게 되면 모든 피해는 고스란히 우리가 보게 되어 있는 상황 맥락을 잘 알고 계셨습니다. 이래도 욕먹고, 저래도 손해를 볼 상황에서 최선의 협상안을 마련하고 마무리를 지은 겁니다.

한일조약 체결을 반대하는 사람들에게 '그러면 네가 한번 해 봐라' 해 봅시다. 해결 능력을 가진 사람이 아무도 없을 겁니다. 아니 중공처럼 모든 것을 포기한다면 금방 끝이 나겠죠.

13) 박정희 대통령은 북한과의 대화와 협력을 추구했고, 그로 인해 어떤 기회와 위험을 마주했나요?

- 박 대통령은 북한과 우리 한국은 국가 시스템 자체가 원천적으로 이질적이어서 대화라든가 통일이 될 가능성은 거의 없다고 보아왔습니다. 하지만, 북한의 김일성이 장기집권을 하면서 끊임없이 우리 한국의 정체성을 부정하고 한국 사회와 정치판을 혼란스럽게 만드는 것은 막을 필요가 있었습니다. 요즘 와서 한국인의 한 사람으로서 가장 화가 나는 것 중에 하나는, 이렇게 전 세계 10위권 대국 대한민국을 북한의 김정은은 여전히 국가로도 인정을 안 한다는 겁니다. 아, 이게 말이 됩니까? 박정희 대통령이 그 뵈기 싫고 증오스런 김일성과 대화와 협력을 추구했다는 얘기는 그로 인해 벌어지고 있는 대한민국에 대한 간첩 침략, 정치사회 혼란 조장, 휴전선 일대에서 일어나고 있는 군사적 대립을 조금이라도 완화할 필요가 있었기 때문이겠지요?

14) 박정희 대통령은 왜 베트남전쟁에 참전했고, 그로 인해 어떤 영광과 비난을 받았나요?

- 박대통령의 월남 파병은 절묘한 한 수였다고 생각합니다. 우리나라 경제개발이 본격적으로 추진될 수 있었던 것은 사실 월남전 참전에 따른 경제적 이익, 외화 획득 때문입니다. 당시 우리는 60만 명이 넘는 군인을 소유하고 있었는데 전쟁이 끝난 지 10년 이상이 지나가면서 전쟁을 치러 본 군인이 장교 일부를 제외하고는 거의 없었습니다. 군인들 숫자는 많았지만 실

전 경험이 전무 했던 거죠 그런 상황에서 실전 경험을 쌓고, 또 미국이 어려워하던 군대 파병을 도와준 거죠. 우리는 전쟁에 필요한 무기를 제공받았고, 실전에 사용할 수 있었어요.

월남과 우리 한국은 공산주의로 인해서 국가가 둘로 나눠져 있었고, 북쪽에 있는 공산당으로부터 끊임없는 간첩 침략과 전쟁 도발, 정치사회 혼란 조장 등의 피해를 보고 있었죠. 그래서 박 대통령 입장에서는 월남과 그 대통령에 대해 공감대를 많이 가지고 있었을 겁니다.

월남 참전으로 인해 우리가 얻게 된 이익은 참으로 컸어요. 앞서 얘기했던 전쟁 실전 경험을 쌓는 것, 또 미국으로부터 좋은 무기 지원을 받은 것 뿐만이 아니라 우리 군인들이 미군의 70% 수준에 달하는 봉급을 받게 된 거죠. 한국군인은 의무 복무를 하다 보니까 거의 무보수로 군복무를 하는 중인데, 박 대통령이 노련한 협상을 통해서 미국 군인들 봉급의 70% 수준에 달하는 높은 근무 수당을 받게 되었던 거죠. 그 봉급은 전쟁판에서 쓸 일이 없었기 때문에 거의 모든 돈이 한국으로 들어왔습니다. 그러면 국내에 있는 부모 형제들이 그 돈을 소비 지출에 쓰게 됐지요.

그리고 또 하나 박 대통령이 적극 추진한 게 Buy Korean 정책입니다. 그러니까 한국군이 월남에서 활동하는 동안에 필요한 여러 가지 기본석인 물자들을 전부 한국서 생산해서 조달하도록 만든 겁니다. 미국 입장에서는 자기들이 전쟁 비용을 지불하니까 반드시 미국물품을 사용하도록 합니다. 그게 Buy American 정책입니다. 박 대통령이 대단한 협상력을 발휘해서 한국에서 제품 생산을 해서 월남으로 보내게 됩니다. 한국에서 경공업 제품 생산이 급증했어요. 농업 국가 한국이 비로소 공업 국가로 첫발걸음을 떼게 됩니다.

미국의 경제 차관 등 원조 증가, 홍릉 과학기술원 건립, 현대 건설 등의 전후 복구 참여로 인한 경제적 기술적 이득도 만만치 않았습니다.

이런 여러 효과 때문에 베트남전은 한국 발전의 일등 공신이 된 겁니다.

제2차 세계 대전 패전국인 일본이 3년 만에 깨어난 것도 한국 전쟁 때문이었다는 사실을 박 대통령께서는 잘 알고 있었습니다.

15) 앞으로 단행본과 다큐 드라마를 제작할 예정이라고 합니다. 다큐물에서는 어떤 점을 강조하실 예정입니까?

- 조심스럽습니다. 현재 집필 중인 박정희 이력서가 어느 정도는 독자들의 인정을 받아야만 하는 데요. 어쨌든 박 대통령 본인의 입장을 최대한 부각시키는 방향으로 노력해보려고 합니다.

「빅징희이력시Ⅱ: 세상은 네기 바꾼다
- 우리 민족의 나갈 길 -」

펴낸날 제1판 제1쇄 2024년 8월 30일
지은이 이 대 희 (精而)
펴낸곳 ACRIS (도서출판)
주 소 16856 경기도 용인시 수지구 성복1로 35
등 록 2019년 6월 20일 제2019-000064호
전 화 070-7644-1002
E-mail nulbo2000@gmail.com

ISBN
값 22,000 원